Manfred Jäger

Sozialliteraten

Funktion und Selbstverständnis der Schriftsteller in der DDR

2. Auflage

Westdeutscher Verlag

Redaktion dieses Bandes: Jochen Vogt

1. Auflage 1973 Bertelsmann Universitätsverlag, Düsseldorf
2. Auflage 1975

© 1975 Westdeutscher Verlag GmbH Opladen
Umschlaggestaltung: studio für visuelle kommunikation, Düsseldorf
Satz: M. Seifert, Erkrath
Druck und Buchbinderei: Mohndruck Reinhard Mohn OHG, Gütersloh

ISBN 3-531-09289-8

Manfred Jäger · Sozialliteraten

ch

Literatur in der Gesellschaft

Herausgegeben von

Klaus Günther Just, Leo Kreutzer und Jochen Vogt

Band 14

Inhalt

Vorwort

Eine gewisse Übereinstimmung in unsern Hauptideen
ist allerdings merkwürdig. Ich leugne das nicht. Indes-
sen berücksichtigt der Verfasser wohl kaum genügend
die Verschiedenheit unsrer Methoden. – Ja, wissn Se,
det hab'k mer ooch jesaacht. Dets immer verschiedn.
Dets nie jleich bei de Künstler.
Arno Holz, „Sozialaristokraten", I. Akt

In der DDR genießen die Schriftsteller Aufmerksamkeit weit hinaus über einen kleinen Kreis der Kenner. Das hat positive und negative Konsequenzen. Ernstgenommen
zu werden, stärkt das Selbstbewußtsein der Autoren. Zweifel am Sinn der Literatur
brechen sich an dem Wissen, gebraucht zu werden. Hochgespannte Erwartungen und
übertriebene Befürchtungen können Autoren wie Kulturfunktionäre gleichermaßen
unsicher werden lassen. Wer nämlich aus idealistischer Überschätzung der Literatur
Kulturpolitik betreibt, Druckgenehmigungen erteilt oder versagt, Auflagenhöhen bestimmt usw., behindert, was er (wenn auch oft innerhalb eines sehr engen Rahmens)
fördern wollte.

Dennoch werden die direkten Auswirkungen von Kulturkonferenzen, Verbands-
tagungen, Entschließungen zu Literaturfragen auf die entstehenden Bücher im allgemeinen übertrieben dargestellt. Die Periodisierung der Literatur mit Hilfe der Zuordnung zu „gesellschaftlichen Entwicklungsetappen", deren Zeitdauer ganz ohne den
Blick auf die Bücher festgelegt wurde, mag dem Drang der Gesellschaftswissenschaft-
ler nach „Gesetzmäßigkeiten" und „Verallgemeinerungen" Genüge tun; Aufschlüsse
über die Spezifik der Literatur lassen sich aus abstrakten Parallelisierungen nicht gewinnen.

Wer das komplizierte Wechselspiel zwischen kulturpolitischer Orientierung und
veröffentlichter Literatur verstehen will, tut gut daran, nicht von Leitsätzen und Beschlüssen auszugehen und nachträglich deren Ergebnisse in Romanen, Erzählungen
und Gedichten zu suchen. Zu leicht wird in solchem Blickwinkel die relative Eigen-
gesetzlichkeit der Literatur verkannt. Man degradiert damit die einzelnen Werke zu
Beispielen, die Vorgegebenes angeblich nur illustrieren und allein aus Zweckmäßigkeitsgründen eine mehr oder weniger künstlerische Gestalt angenommen haben. Soweit in der DDR behauptet wird, die Einheit von Geist und Tat sei nun endlich verwirklicht, gehört dies zu den Tendenzen der vorschnellen Harmonisierung von nach
wie vor bestehenden oder auch neu entstandenen Widersprüchen. Anstatt eine neue

Beschreibung der Konflikte zu versuchen, falls das alte Schema nicht taugt oder die Differenz von der alten Klassengesellschaft zu wenig sichtbar macht, wird es als „überwunden" vom Tisch gewischt.

Die Schriftsteller haben, ganz gleich, wie stark ihr Impuls zur kritischen Veränderung und Weiterentwicklung ihrer Gesellschaft ist, in der Mehrzahl vorsichtiger auf dieses Grundproblem geantwortet. Sie setzen voraus, daß die sozialistische Gesellschaft und ihre Literatur in die gleiche Richtung gehen und gehen wollen. Sie akzentuieren dabei die Gefahren, die Schwierigkeiten, kurz: das Noch-nicht-Erreichte. Sie messen die Wirklichkeit an ihren Möglichkeiten. Dabei erscheint ihnen die „Verteidigung der Poesie" sowohl notwendiger wie auch aussichtsreicher als in früheren Zeiten.

Aus Beschlüssen entstehen keine Bücher. Die längsten Hauptreferate und die einmütigsten Deklarationen können nur das Milieu mitbestimmen, in dem Literatur entsteht. Am Schreibtisch sitzt der Autor wieder allein. Auch wer mit seiner schriftstellerischen Arbeit einen sozialen Auftrag zu erfüllen sucht, produziert – Literatur. Und Schreiben ist, wie Christa Wolf mit Recht sagt, kein Beruf wie jeder andere. Die Stellung des literarischen Einzelproduzenten sei noch immer problematisch. „In einer Zeit, da meßbare Wirkungen alles zu bedeuten scheinen, fragt er sich natürlich nach seiner Effektivität".[1] Daß der Autor *nur* schreibend über die Dinge kommen kann[2] und gleichwohl die Macht hat, das Wörtchen „nur" aus diesem Satz zu streichen – in solchen Reflexionen über Kraft und Schwäche der Literatur wird die gefährdete Existenzform des Schriftstellers deutlich. Verantwortung vor der Gesellschaft und für sie zu übernehmen, läßt die Notwendigkeit, vor der ein Autor schon immer stand, nämlich die inneren und äußeren Bedingungen des Metiers zu bedenken, noch stärker als früher hervortreten. Die Emanzipation der Autoren von zur Bearbeitung empfohlenen Themen, ihr Mut zum persönlichen Risiko, die wiedergewonnene Fähigkeit, ohne schlechtes Gewissen „ich" zu sagen, haben dazu geführt, daß Schriftsteller auch mehr und mehr über Schriftsteller, über erfundene und wirkliche, über sich selbst und über Kollegen schreiben, ohne dabei um Verzeihung für solche Eskapaden zu bitten. Denn „der Autor nämlich ist ein wichtiger Mensch".[3]

Die Bezeichnung „Sozialliteraten" bedarf einer kurzen Erläuterung. Sie wurde nicht in polemischer oder sonst abwertender Absicht gewählt. Schon Tucholsky hat sich über den mäßigen Witz geäußert, daß Literaten Literaten Literaten nennen. Gemeint ist nur, daß ein Autor auch dann „Literat" mit spezifischem Berufsbild bleibt, wenn er in einer nichtkapitalistischen Gesellschaft eine soziale Verpflichtung übernimmt, sei es konkret den Lesern gegenüber, sei es abstrakter den gesellschaftlichen Zielsetzungen gegenüber, die mitzubestimmen er sich – auch anders als erwartet – „herausnimmt". Die den einzelnen Kapiteln vorangestellten Zitate aus der Literaturkomödie „Sozialaristokraten" von Arno Holz[4] dienen der ironischen Verfremdung; sie wurden den Figuren des Stücks aus dem Jahre 1896 „entwendet". Ähnlichkeiten zwischen den Dichterpersönlichkeiten bei Holz und Schriftstellern der DDR sind nicht beabsichtigt; sie werden vielmehr ausdrücklich ausgeschlossen.

Diese Bemerkung ist wohl auch deswegen nötig, weil linkssektiererische Gruppen, die in ihrer Scheinradikalität auf einen raschen Tod der Literatur hinarbeiten möchten, dem Sinne nach den Vorwurf des „Sozialaristokratismus" oder der „Verbürgerlichung" gegenüber den Schriftstellern der sozialistischen Länder erheben. Die kämpferischen Energien dieser Literaturfeinde steigern sich ins Gigantische, wenn sie jemanden finden, der „ästhetisch" nicht mit „nutzlos" übersetzt. Es ist verständlich, daß Autoren der DDR, die sich lange Jahre mühten, irrige Vorstellungen über die unmittelbare Nutzanwendung ihrer Arbeit aus der Welt zu schaffen, auf die neuerliche Verbreitung alter „Kinderkrankheiten" allergisch reagieren.

Erwin Strittmatter, einer der bekanntesten Autoren der DDR, hat sich im Frühjahr 1973 entschieden dazu geäußert: „Ich werde sofort gereizt, wenn ich höre, daß man schon wieder ‚eine Gefahr' darin wittert, wenn Schriftsteller über sich selber oder über ihren Beruf schreiben [. . .]. In der Regel kommen die Befürchtungen, es könnte eine Gefahr darin liegen, wenn Schriftsteller über ihre Angelegenheiten schreiben, aus ‚linksradikalen Gegenden'. [. . .] Wir sind oft irritiert worden. Zuweilen behauptete man, man brauche uns dringend, dann wieder gab's Zeiten, in denen behauptet wurde, so wichtig wären wir gar nicht, es sei denn, wir würden unmittelbar auf die Produktion einwirken. [. . .] Zur Zeit werden wir wieder wichtiger genommen, und ich weiß, wir werden auch wichtig bleiben. [. . .] Weshalb soll ein Künstler nicht das Recht haben, sich Klarheit über seine Funktion in der Gesellschaft zu verschaffen, wenn er doch einen so fragwürdigen und ungewöhnlichen Beruf ausübt? Wie gesagt, man sollte in diesen Prozeß der Selbstverständigung nicht gleich wieder eingreifen, weil man fürchtet, daß alles im Subjektivismus enden könnte".[5]

Strittmatter warnt also davor, die Selbstverständigung als Bauchnabelbetrachtung zu diffamieren. Das Nachdenken des Schriftstellers darüber sei notwendig, „ob seine Funktion, die er sich in der Regel ja selber gegeben hat, der Gesellschaft nützt, ob sein Hiersein einen Sinn hat".[6] Unter solchen und verwandten Aspekten ist das Selbstverständnis einiger Autoren der DDR in den Aufsätzen dieses Buchs untersucht worden. Reflexionen übers Schreiben, seine Bedingungen, Aufgaben und Wirkungen, wurden ins Zentrum gestellt, gleichgültig ob sie literarischen Werken oder kommentierenden Selbstzeugnissen entstammen. Der Verfasser hat versucht, durch ausführliche Zitate seiner kritischen Darstellung eine Basis zu geben, die es dem Leser ermöglicht, die Interpretationen leicht auf ihre Stichhaltigkeit zu überprüfen.

Eine Auseinandersetzung mit der Aufnahme der behandelten Autoren in der westdeutschen Öffentlichkeit konnte im gegebenen Rahmen nicht geführt werden; nur gelegentlich wird auf solche kritischen Stimmen Bezug genommen. Der Verfasser nutzt die Freiheit, keinen systematischen Überblick oder repräsentativen Abriß geben zu müssen, dazu, einzelne Autoren und spezielle Aspekte ausführlicher zu behandeln, als dies in einer Gesamtdarstellung möglich wäre. Der längere Aufsatz über Christa Wolf stellt nicht nur den schriftstellerischen Weg einer Autorin unter dem Stichwort der Wahrheitssuche dar; ihre Vielseitigkeit als Kritikerin, Erzählerin und Essayistin erlaube es, wenigstens kursorisch auch prinzipielle Fragen der literarischen Entwicklung (die Darstellung des Typischen, die Orientierung auf das „Positive", naturalistische und symbolische Schreibweise usw.) einzubeziehen.

Weitere Beiträge beschäftigen sich mit den Gedichteschreibern Reiner Kunze, Volker Braun und Wolf Biermann sowie mit Wolfgang Harich als Essayisten. In zwei Aufsätzen werden Fälle einer widerspruchsvollen und konfliktreichen Rezeption beschrieben: Der Aufeinanderprall der Intentionen Brechts mit dem politisch-gesellschaftlichen

Milieu der DDR hat bis heute Nachwirkungen im kulturellen Leben der DDR, trotz aller Harmonisierungsversuche. Der schwedische Staatsbürger Peter Weiss ist nicht in die falsche Rubrik geraten — die Herausforderung, die er als sympathisierender Gast aus dem Westen mit seinen Auffassungen für die DDR darstellte, wird anhand der Reaktionen von Autoren, Kritikern und Theaterleuten geschildert. Den Abschluß bildet eine Studie, die in der DDR entwickelte Theorien des Komischen (mit einer neuen Bewertung von Humor und Satire) an der Praxis des politischen Kabaretts mißt, einer von der seriösen Literaturwissenschaft oft übersehenen Schnittstelle von Literatur und Gesellschaft.

Auf dem langen Weg zur Wahrheit

Fragen, Antworten und neue Fragen in den Erzählungen, Aufsätzen und Reden Christa Wolfs

> *Wir haben eben noch keine neuen Menschen. Wir müssen rechnen mit dem Bestehenden. Ein Tropf, wer sich auf Utopien einläßt! Oder wenn er sich auf solche einließ, wer dann nicht wenigstens noch rechtzeitig zur Besinnung kommt!*
>
> Arno Holz, „Sozialaristokraten", IV. Akt

Die Kritik in Ost und West hat die sprachliche und kompositorische Gestaltungskraft von Christa Wolfs letztem erzählerischen Werk rühmend vermerkt. Daß die Autorin eine selbstverständliche Sicherheit im Umgang mit ihren künstlerischen Mitteln gewonnen hat, wird ihr in der DDR auch von solchen Kritikern zugestanden, die dem Buch „Nachdenken über Christa T." im ganzen reserviert gegenübertreten. Für manche von ihnen erhöht gerade die literarische Qualität das Unbehagen am geistigen Gehalt. Man darf freilich dabei die Nuancierungen nicht übersehen: Während in den Kritiken über das Buch „nachgedacht" wurde und bei allen Vorbehalten eine weiterführende Diskussion, auch mit den Lesern, befürwortet wurde, hat eine wichtige kulturpolitische Rede die Akzente anders gesetzt. Max Walter Schulz, einer der Vizepräsidenten des Schriftstellerverbandes, artikulierte „unsere Enttäuschung über ihr neues Buch", ohne zu erklären, in wessen Namen er sprach. In der anschließenden Debatte des VI. Deutschen Schriftstellerkongresses wurde die besserwisserisch dogmatische Attacke von Schulz durch die übrigen Delegierten nicht weitergeführt. Sollte Schulz ein „Mir nach!" intendiert haben, fehlte ihm die Gefolgschaft der Autoren, obwohl er sicher nicht nur in eigener Verantwortung sprach. Aber sein pathetisch-schulmeisterlicher Zuruf an Christa Wolf wirkte dennoch eher peinlich: „Besinn dich auf dein Herkommen, besinn dich auf unser Fortkommen, wenn du mit deiner klugen Feder der deutschen Arbeiterklasse, ihrer Partei und der Sache des Sozialismus dienen willst."[1]

Gemeinsam war den publizistischen Äußerungen in der DDR, ob sie sich nun betroffen und differenziert oder grob und aggressiv gaben, daß sie von Irritation bis Enttäuschung die wertende Skala abschritten. Hier und da wurden kompositorische Gemeinsamkeiten mit den früheren erzählerischen Werken der Christa Wolf beiläufig erwähnt, aber im Prinzip wurde das neue Buch als eine Abkehr von der in ihren bisherigen Büchern eingenommenen Position bezeichnet. „Das ist", so könnte man den Tenor der Reaktionen auf einen trivialen Nenner bringen, „unsere Christa Wolf nicht mehr!"

Überrascht zeigten sich auch die Kritiker in der Bundesrepublik. Hatten die meisten von ihnen den „Geteilten Himmel" als etwas betulich geschriebenes optimistisches Beispielbuch aufgefaßt, das offizielle Erwartungen intelligenter und geschickter erfüllte als andere, vor allem durch einen Zuwachs an Glaubwürdigkeit mit Hilfe maßvoller kritischer Einschübe, so erschien das neue Buch, ganz abgesehen von seinem höheren ästhetischen Rang, ihnen jetzt als unerhörte Herausforderung der in der DDR um die Kultur von Amts wegen besorgten Einzelpersonen und Gremien. Auch im Westen hatte man solch ein Buch von Christa Wolf nicht erwartet. Die verlegenen und recht skandalösen Reaktionen der Kulturadministration in der DDR (verzögertes Erscheinen, Auflagenbeschränkung, Verzicht auf Leserdiskussion, Selbstkritik des Verlegers usw.) bestärkten Kritiker im Westen in der Auffassung, die Autorin habe nun ein Thema ganz abseits der Schablonen und auch weit entfernt von ihren eigenen früheren Zielsetzungen und Themenstellungen gefunden. Dabei spielt auch eine Rolle, daß die schematisierten Vorstellungen dessen, was „sozialistischer Realismus" sein soll und oft auch war, im Westen bewußter oder unbewußter Maßstab geblieben sind – genau so wie für die Dogmatiker in der DDR.

Beide Seiten, wenn man sie einmal so vereinfacht bezeichnen darf, sind sich dann darin einig, daß eine „Abweichung" angezeigt werden muß. Sie gehen erst dann wieder getrennte Wege, wenn die einen sich zur Empörung, die anderen sich zum mehr oder weniger verhaltenen Jubel entschließen. Dogmatiker beziehen, vom Starren auf den politischen Gegner verblendet, eine Position, in der sie, wenn man die in dem Streit beliebten Metaphern verwenden will, „die Eroberung künstlerischen Neulands" mit der „Preisgabe des schon Erreichten" verwechseln. In der innerkommunistischen Diskussion kann ihnen nur entgegengetreten werden, wenn nachgewiesen wird, daß man das Vorhandene erweitern will, daß man es – auf neudeutsch gesagt – „fortzuschreiben" gedenkt.

Da die Leitsätze der stalinistischen Kunst und Literatur seinerzeit ebenfalls unter der Bezeichnung „sozialistischer Realismus" in Umlauf gehalten wurden, war es naheliegend, zu überlegen, ob der arg strapazierte Begriff entbehrlich sei, weil viele in seinem Namen verfaßte Machwerke den Begriff, der freilich von Anfang an vage gehalten wurde, diskreditiert hatten. Vorschläge, statt von „sozialistischem Realismus" von „sozialistischer Kunst" zu sprechen, wurden in die Debatte gebracht, um die Kanonisierung durch eine statisch verstandene politisch normierte Ästhetik aufzubrechen. Das wäre ein Weg gewesen, die uferlosen scholastischen Diskussionen darüber zu beenden, ob der „sozialistische Realismus" ein Stil sei oder kein Stil, aber eine Methode oder aber die Basis für viele Methoden, wenn diese nur der Erkenntnis der Wirklichkeit dienten usw. Dann hätte eine Chance bestanden, Formen, Methoden, Themen, Stile, denen sich der Künstler in sozialistischer Bewußtheit, d. h. als tätiger Verfechter einer konkret beschreibbaren, ständiger Prüfung und Veränderung zu unterziehenden Gesellschaftsordnung, bedient, freizuhalten von Anweisungen, die als sozialer Auftrag deklariert werden.

Die Beschreibung dessen, was sozialistische Kunst ist, wäre allein aus den Werken und der kritischen und wissenschaftlichen Beschäftigung mit ihnen, auch aus der historischen Aufarbeitung ihrer Tradition, abzuleiten. Ich erinnere mich an eine Diskussion aus dem Jahre 1957 in Leipzig, bei der dem türkischen kommunistischen Dichter Nazim Hikmet (1902–1963) die spitzbübische Frage aus dem Auditorium gestellt worden war, ob Picasso denn eigentlich ein sozialistischer Realist sei. Hikmet antwortete ebenso hintergründig sinngemäß etwa so: Picasso sei Kommunist, die Kunstauffassung der Kommunisten sei der sozialistische Realismus, also sei Picasso sozialistischer Realist. Ein hübscher logischer Scherz, der gut ankam bei einem Publikum, das sich der Diskrepanz zwischen der von spätbürgerlicher Dekadenz bedrohten Formenwelt Picassos und den als sozialistischen Realismus bezeichneten illustrativ-naturalistischen Bildern der DDR-Kunst bewußt war.

Aber zugleich war es mehr als ein Scherz, wie sich zeigen sollte, als der Versuch, auf den belasteten Terminus zu verzichten, mißlang. Er scheiterte einmal, weil diese Bestrebungen besonders lautstark von sogenannten Revisionisten vertreten wurden, die in den meisten Fällen allerdings wegen Differenzen in allgemein politischen Fragen der Bannstrahl traf. Und er scheiterte zweitens, weil das Einreißen eines Gebäudes oftmals als vorwiegend destruktive Tätigkeit gilt, die nicht Gedanken freisetzt, die darum kreisen, was man mit dem schönen freien Platz anstellen könnte, sondern einzig besorgte Überlegungen provoziert, ob man nicht von den Trümmern getroffen werden könnte und wo man eigentlich künftig wohnen werde. So blieb das Gebäude stehen, aber drin wird umgeräumt, drin stehen neue Möbel, leuchten farbige Tapeten. Es gibt dunklere Nischen und bewegliche Wände und vor allem die Überzeugung der Bewohner, daß keineswegs alles so bleiben muß, wie man es vorgefunden hat. Es ist sozusagen immer noch dieselbe Hausnummer, aber man darf sich davon nicht täuschen lassen.

In Klartext gesagt: Der „sozialistische Realismus" ist eine Leerformel, die auszufüllen Sache der Künstler ist. Dieses Recht haben sie sich genommen, die einen zögernd, die anderen mutig, und wieder andere, die nicht anders schreiben können als in den vergangenen Zeiten, als alles noch klar und einfach schien, warten auf Gelegenheiten, ihre Kollegen, deren Ansprüche zusammen mit denen der Leser gewachsen sind, auf Irrwegen zu ertappen. Der Begriff des sozialistischen Realismus wird durch Ausweitung erhalten, weil das kulturpolitisch risikoloser erscheint. In letzter Konsequenz reduziert sich der Begriff darauf, daß die Künstler Sozialisten sind und daß die Kunst auf Wirklichkeit antwortet. Aber die relative Eigenentwicklung der Künste hängt nicht ab von dieser oder jener kurzfristigen kulturpolitischen Orientierung; sie ist ein Emanzipationsprozeß, der sich durch administrative Maßnahmen allenfalls beeinflussen und kanalisieren, aber nicht stoppen oder gar zurücknehmen läßt.

Es ist müßig, Reden und Dokumente daraufhin zu studieren, ob irgendwo einer von „sozialistischer Kunst" gesprochen hat und nicht von „sozialistischem Realismus" oder umgekehrt. Beide Begriffe werden inzwischen mehr oder weniger synonym gebraucht. Aber auch davon abgesehen ist es wenig ergiebig, wie in den Anfängen der westlichen „Ostforschung" „harte" und „weiche", „sture" und „flexible" Figuren ausgerechnet an kaum bemerkbaren terminologischen Feinheiten festzumachen. Dogmatiker pflegen sich wenig verklausuliert zu verlautbaren. Selbst wenn sie sich als Anhänger eines ehrlichen Worts ausgeben, merkt man noch, daß sie drohen. Kommen wir noch einmal auf die Stelle zurück, in der Max Walter Schulz in seinem Referat auf dem VI. Schriftstellerkongreß auf Christa Wolfs Buch „Nachdenken über Christa T." zu sprechen kam: „Wie auch immer parteilich die subjektiv ehrliche Absicht des Buches auch gemeint sein mag: So wie die Geschichte nun einmal erzählt ist,

ist sie angetan, unsere Lebensbewußtheit zu bezweifeln, bewältigte Vergangenheit zu erschüttern, ein gebrochenes Verhältnis zum Hier und Heute und Morgen zu erzeugen. — Wem nützt das? Wem nützt eine subjektiv ehrliche, parteilich gemeinte Absicht, wenn sie streckenweise im literarischen Text und im Gesamteindruck die Doppelbödigkeit der Aussage so eindeutig provoziert, daß sich die andere Seite nur zu wählen braucht, was sie gern herauslesen möchte. Wir sind nun einmal noch nicht allein auf der Welt, wir Sozialisten. Wir lassen uns unser Urteil nicht vom Gegner diktieren."[2]

Die sprachliche Struktur dieses Angriffs verrät Überheblichkeit und Unsicherheit zugleich. Wir Sozialisten sind *nun einmal* nicht allein auf der Welt und wie die Geschichte *nun einmal* erzählt ist! In diesem „nun einmal" steckt die weise Geste eines ach so erfahrenen Pädagogen gegenüber einem naiven und dabei naseweisen Zögling, der sowohl politisch wie künstlerisch unfähig ist. Denn das böse Kindchen weiß nicht, in was für einer Welt es lebt, und es weiß nicht, wie es seine vielleicht ganz guten Absichten in fehlerfreies Tun umsetzt. Das ist „nun einmal" so, keine Diskussion darüber bitte! Dazu paßt die Ausdrucksweise des Spießers, der sich nicht aufstören lassen will: Nein, diese Suppe ess' ich nicht! Ich lasse mir meine bewältigte Vergangenheit nicht erschüttern! Was gewesen ist, so unangenehm und widersprüchlich es auch empfunden worden sein mag, ist vorbei, abgetan, bewältigt. Schluß jetzt damit! Keine Brechungen der Wirklichkeit im Bewußtsein mehr! Weg mit der Dialektik!

Schulz spielt klare Linien gegen gebrochene aus, ohne zu bemerken oder wahrhaben zu wollen, daß die Widersprüche in der Sache bei deren Darstellung wieder vorkommen müssen. Er formuliert so unsicher, weil er fürchtet, daß Nachdenken zu Resignation führen muß. Gleichzeitig aber rasselt er mit rostigen Waffen, die er auf dem Schlachtfeld früherer Kämpfe aufgesammelt hat und noch immer mit sich herumschleppt; weil er mit Fleiß das Schild übersieht, vor dem Eintritt in den offenen Saal des Meinungsstreits mögen die eisernen Keulen bitte abgegeben werden. Er redet viel von „subjektiv ehrlich" und „parteilich gemeint", nicht ohne diese Absicht der Autorin durch die Wendung „gemeint sein mag" anzuzweifeln, und er hat dabei immer die Entsprechung „objektiv feindlich" oder wenigstens „objektiv schädlich" im Sinn.

Die Frage „Wem nützt das?" ist dann der ebenso plumpe wie ausgetretene Übergang zu einer Argumentation vom Klassengegner her. Schuld an einer Fehlinterpretation ist der Interpretierte, nicht der Interpret. Wenn ein Teil der bürgerlichen Kritik ein Buch aus Unkenntnis oder auch aus bösem Willen falsch bewertet, irrige Schlüsse zieht, es politisch mißbraucht, dann fällt nach dieser Lesart die Schuld daran auch noch demjenigen zu, dem hier übel mitgespielt wird. Als sei vom Klassengegner, ausgerechnet von ihm, zu erwarten, daß er die zutreffende und angemessene Würdigung eines sozialistischen Autors liefert! Die offene Auseinandersetzung hätte folglich, so Schulz, zu unterbleiben, bis die ganze Welt aus Kommunisten besteht. Den daran anschließenden Satz muß man mehrfach lesen, weil er logisch in keinem Zusammenhang mit dem vorher Gesagten steht: „Wir lassen uns unser Urteil nicht vom Gegner diktieren." Denn genau das tut Schulz, das ist der Kern seiner Argumentation. Das schlechte Gewissen über die denunziatorische Methode seiner Polemik drückt sich in der Anfügung dieses Satzes aus.

Die Sprache verrät einen Verunsicherten, dem doch bekannt sein muß, daß die Übertragung der aus dem politischen Alltagskampf stammenden und dessen taktische

Notwendigkeiten betreffenden Bemerkung August Bebels, das gegnerische Lob signalisiere einen Fehler auf der eigenen Seite, auf das Gebiet der Kunst und Literatur von vielen prominenten Marxisten-Leninisten immer wieder scharf verurteilt worden ist. Von Johannes R. Becher bis Anna Seghers ließen sich dafür Belegstellen heranziehen.

In jüngster Zeit hat erst wieder Wilhelm Girnus zu dem Problem Stellung genommen. Manche seiner Bemerkungen lesen sich wie eine Antwort auf den zitierten Text von Max Walter Schulz: „Zweifellos befürchten manche Freunde von einem offenen Zusammenprall kontroverser literarischer Meinungen negative Folgen. Einmal vielleicht deshalb, weil man sich dieser Konfrontation nicht immer gewachsen fühlt. Dazu wäre zu sagen, daß Angst natürlich immer der schlechteste Berater ist, der überhaupt denkbar ist. Das gilt übrigens für alle Bereiche des menschlichen Lebens. Wer aber schon von dieser Angst nicht frei ist, sollte wenigstens andere nicht davon abhalten, sich dem Kampf zu stellen, die frei von dieser Angst sind. Eine andere Befürchtung besteht vielleicht darin, der Feind könne sich in unsere Auseinandersetzung einmischen. Das *wird* er tun. Daran kann es gar keinen Zweifel geben. Das Gegenteil wäre verdächtig. Na und, um so besser! [. . .] Natürlich gibt es Dinge, die vor dem Feind geheimgehalten werden müssen: militärische, technische, ökonomische, diplomatische [. . .] Geheimhaltung ist hier eben einer der größten Trümpfe. Für die Literatur trifft genau das Gegenteil zu. In der Literatur zählen nur Trümpfe, die offen auf dem Tisch des Hauses liegen. Das gehört zu ihrem Wesen. Literatur ist ihrer Funktion, ihrem Ursprung, ihrer Wirkung nach eine öffentliche Angelegenheit. Macht man sie zum Gegenstand einer Geheimdiplomatie, dann erwürgt man sie. Und das gilt ebensosehr für die Auseinandersetzung *über* ihre Probleme."[3]

Wenn hier referiert wird, daß die Positionen von Christa Wolf und Wilhelm Girnus (zwischen denen es in anderen Fragen sicher auch wieder Differenzen gibt) auf der einen und (zum Beispiel) Max Walter Schulz auf der anderen Seite unvereinbar sind, ist das nur die Beschreibung eines Sachverhalts. Schulz sähe hingegen hierin sicher wieder eine „diversante Absicht" gemäß der zentral ausgegebenen Methode: „Die DDR-Schriftsteller sind gegeneinander auszuspielen".[4] Eine Untersuchung, die sich nicht damit begnügt, zusammenzufassen, was gemeinsame Grundüberzeugungen der DDR-Schriftsteller sein könnten, sondern darauf aus ist, das Selbstverständnis einzelner Autoren zu ermitteln, also die Besonderheiten festzustellen, mit denen sie auf die Herausforderungen ihrer neuen Gesellschaftsordnung reagieren, stieße dann wohl auch von vornherein auf das Mißtrauen von Schulz und seinesgleichen.

Eine gerechte Würdigung des Buchs „Nachdenken über Christa T." wird aber wohl doch erleichtert, wenn man es in den Zusammenhang mit den Ansichten, Positionen und Fragestellungen bringt, die die Autorin in ungefähr zwei Jahrzehnten publizistischer Tätigkeit vorgebracht hat. Es könnte sich ergeben, daß die bisherige Kritik in Ost und West insoweit Unrecht hat, als sie das Buch kaum für vereinbar hält mit dem Bild jener Christa Wolf, die man zu kennen glaubt — denn alle die Reaktionen der Enttäuschung, Verärgerung, Verwunderung oder Begeisterung beruhen ja auf der Meinung, die Autorin sei abgewichen von dem, was zu erwarten gewesen sei.

Dem Selbstverständnis der Christa Wolf auf die Spur zu kommen, scheint leichter als bei anderen Autoren, da sie schon vor der Publikation ihrer ersten künstlerischen Prosaarbeit jahrelang als Literaturkritikerin und Lektorin tätig war und auch später mit Essays und Reden hervortrat, bis hin zu ihrem letzten Sammelband „Lesen und Schreiben" (1971). Darin liefert sie weder feuilletonistische Arabesken noch nüchterne Werkstattberichte. Sie zeigt keine Scheu vor Grundworten: die Schwierigkeit, Antworten zu finden, läßt sie nicht davor zurückschrecken, Fragen zu stellen, die das Ganze der menschlichen Existenz und ihrer gesellschaftlichen Verwirklichung betreffen. Aus wechselnder Perspektive sucht sie einzukreisen, was sich dem Zugriff entzieht und gerade deswegen oft durch phrasenhafte Definitionen in imaginäre Ketten gelegt wird: Erinnerung, Wirklichkeit, Wahrheit.

Versuchen wir also zu beschreiben, wie Christa Wolf sich den objektiven und subjektiven Schwierigkeiten des Künstlers stellte, um der Wahrheit teilhaftig zu werden. Im Juni-Heft 1958 der Zeitschrift „Neue Deutsche Literatur", deren Redaktionsmitglied sie damals war, stellte sie in der Überschrift eines längeren Aufsatzes die provokatorisch klingende Frage „Kann man eigentlich über alles schreiben?"[5] Sie griff damit ein in der Öffentlichkeit selten behandeltes Problem auf, das aber intern in Literatenkreisen eine gewichtige Rolle spielte, sowohl in der Form „Man darf heute ja doch nicht über alles schreiben!", die Resignation oder Empörung verriet, als auch in der nachdenklichen Variante, die formale Weite und thematische Vielfalt als zukünftiges Ziel festhält, davon aber Abstriche macht, solange die Menschen oder die Ordnung noch nicht genügend „gefestigt" erscheinen: „Kann man, sollte man heute schon über alles schreiben?"

Christa Wolf faßte ihr Thema so zusammen: „Kann ein Schriftsteller bei uns alles schreiben, was er will? Kann er also zum Beispiel — wenn er einen Gegenwartsstoff gestaltet — Unzulänglichkeiten, die in unserer Gesellschaftsordnung auftreten, beim Namen nennen und kritisieren? Kann er auf Widersprüche hinweisen, die sich im Leben der Menschen zu tragischen Konflikten auswachsen? Kann er — darauf läuft diese Frage doch meistens hinaus — ‚die Wahrheit' schreiben? Das kommt nun freilich ganz darauf an, was er für ‚die Wahrheit' hält." Die Autorin setzt also hier zunächst die Wahrheit in Anführungsstriche der Distanz, ja sie scheint den Anspruch auf Wahrheit selber zu ironisieren. Dann wendet sie sich noch immer nicht ihrem Thema zu, sondern schiebt die Geschichte „Hoher Nachmittag auf der Brücke" von Egon Günther ein, einen Erzählmonolog, den die Kritikerin anscheinend für eine Reportage hält, deren Verfasser ungenau recherchiert hat und die er zudem literarisch verformte. Der Ursprung sei aber eine „möglicherweise ‚wahre', das heißt passierte Geschichte" gewesen. Die sprachlich ungelenke Formulierung von der „passierten Geschichte" soll in diesem Zusammenhang wohl andeuten, daß es für den Wahrheitsgehalt nicht entscheidend sei, ob die Dinge sich so und nicht anders zugetragen haben.

Die Skizze Günthers, auf deren Qualität es hier nicht ankommt, dient als Beispiel einer Flut düsterer pessimistischer Geschichten, die unter dem Motto „Es ist ja alles so maßlos traurig" die Schreibtische der Lektoren überschwemmten. Christa Wolf deutet an, daß manche dieser Lektoren die Autoren dieser Manuskripte lobten und ihnen gleichzeitig mitteilten, daß der Druck nicht möglich sei. Sie knüpft daran Schlußfolgerungen, die zugleich die Quintessenz ihres ganzen Artikels darstellen: „Dadurch trägt man nur dazu bei, die Legende am Leben zu halten, wonach die Wahrheit zu schreiben verboten sei. Es ist ja nicht die Wahrheit, was sie schreiben. Sie halten es nur dafür. Und man druckt sie nicht, weil es in manchen Situationen gefährlich ist, die Unwahrheit oder auch nur die halbe Wahrheit zu verbreiten. Zu dieser Einsicht muß man ihnen verhelfen."

Zu dieser Einsicht mußte sich Christa Wolf damals offenbar auch selbst verhelfen. Wenn man erwartet, daß das Problem endlich behandelt wird, also der doch immerhin mögliche Konflikt zwischen der Wahrhaftigkeit des Subjekts und der geforderten didaktisch-politischen Beeinflussung der Leser in den Blick gerät, schiebt die Autorin es beiseite. Wahrheit gibt es gar nicht als subjektive Überzeugung, „sie halten es nur dafür". Erst wenn die Bewußtheit des einzelnen übereinstimmt mit den objektiven Erfordernissen, kann von der Wahrheit gesprochen werden, einer sowohl notwendigen wie nützlichen. Die Autorin banalisiert die meisten mit ihrer Fragestellung zusammenhängenden Teilprobleme und verdreht die Machtverhältnisse auf ideologischem Gebiet, wenn sie gegen „überzeugte Antidogmatiker" stichelt, die „eifernd ihre Dogmen verkünden", aber von den „hier und da" wirklich noch auftretenden bürokratischen Hemmnissen (die sie durchaus als unnötig und lästig qualifiziert) verharmlosend behauptet, sie hätten „in keinem Fall die Macht, ein gutes Buch am Erscheinen zu hindern."

Künstlerisches Talent ist ihr in der Hauptsache die Fähigkeit, eine Idee bzw. Fabel zu finden, „an der sich Gesetzmäßigkeiten der gesellschaftlichen Entwicklung zeigen lassen". Voraussetzung dafür soll sein — und erst hier kommt die Subjektivität des Autors wieder ins Spiel, freilich als eine identische aller sozialistischen Autoren —, daß der Schriftsteller das feste und richtige Weltbild hat, „welches die Rolle des ordnenden und wertenden Prinzips übernehmen muß." Kein Zweifel, hier werden dogmatische und mechanistische Vorstellungen vorgetragen, und es wäre sicher ganz abwegig, dies im Lichte späterer Aussagen der Autorin beschönigen zu wollen. Nur macht es derjenige sich doch zu einfach, der die Kritikerin Christa Wolf im Jahre 1958 als willfährige, gar zynische Handlangerin in einer zentral angezettelten Kampagne gegen die sogenannte „harte Schreibweise" einordnet. Dem Aufsatz fehlt nämlich alles Denunziatorische; über den angegriffenen Egon Günther wird ausdrücklich gesagt: „Nicht, daß der Autor absichtlich für die falsche Seite habe Partei ergreifen wollen. Er ist zu oberflächlich gewesen, daran liegt es". Im übrigen nennt Christa Wolf gar keine Namen, sie läßt vielmehr durchblicken, daß sie die meisten Autoren, gegen deren Texte sie sich so schroff wendet, eigentlich schätzt, und sie drückt die Geschichte von Egon Günther, die sie nicht für publikationsfähig hält, vollständig ab, um beweisen zu können, was sie dagegen hat. Für den Leser bleibt so überprüfbar, was sie an Argumenten vorbringt — sie erweisen sich dem (wirklich nicht bedeutenden) Text Günthers gegenüber als ganz und gar unangemessen, etwa wenn dem Verfasser der Story vom arbeitslosen Ingenieur vorgehalten wird, er habe nicht überprüft, ob die Gesetze der DDR in dem beschriebenen Fall überhaupt eine Entlassung zuließen, so als sei der Erzähler als Reporter unterwegs gewesen. Aber immerhin wird wenigstens in diesem Teil des Aufsatzes vorgezeigt, wovon eigentlich die Rede ist, so daß ein Diskussionsfeld, wie auch immer eingeschränkt, bleibt.

Allein, dieser Widerspruch zeigt die Unsicherheit der Autorin: In einem Aufsatz, der begründen soll, warum das politisch Schädliche oder jedenfalls Unnütze nicht gedruckt werden darf, entschließt sie sich in einem Fall dazu, gerade dies zu tun, weil sie wohl ahnt, daß ihre apodiktischen Verallgemeinerungen, die dann in Hülle und

Fülle folgen, ohne jedes Beispiel ganz und gar unglaubwürdig wären. Sie praktiziert damit eine Methode, die sie *expressis verbis* ablehnt, die aber leicht Schule machen und ein bewegtes literarisches Leben erzeugen konnte, das geprägt gewesen wäre von unvorhersehbaren Zügen der Spontaneität. Ein kritischer Leser konnte sich — entgegen den ausdrücklichen Intentionen der Autorin — jedenfalls zu einer naheliegenden Frage angeregt fühlen: Ist es denn wirklich so abwegig, die Texte zu publizieren und sie *danach* einer scharfen, kräftigen, auch vernichtenden Kritik zu unterwerfen? Ein solches Verfahren war abwegig, man nannte dergleichen damals im vulgärmarxistischen Sprachgebrauch „objektivistisch".

Christa Wolf wußte, daß man das so nannte, und sie nannte es selbst so. Heute dient der Begriff, wie das „Philosophische Wörterbuch" von Klaus und Buhr ausweist, nur mehr dazu, die Selbsttäuschung der bürgerlichen Ideologie zu benennen, sich für klassenindifferent und „objektiv" zu halten.[6] In den 50er Jahren verwendete man die Bezeichnung „objektivistisch" auch als Kampfbegriff in der innersozialistischen Diskussion. Das Insistieren auf unwiderleglichen Fakten, ja die Erwähnung oder Betonung von Tatsachen, deren Erörterung von der politischen Führung für schädlich oder gefährlich gehalten wurde, galt als „objektivistisch", sei es, weil man dem Reifestand der Bevölkerung, sei es, weil man der Kraft der eigenen Argumentation, d. h. dem wertenden parteilichen Prinzip, nicht vertrauen zu können glaubte. Gerade kämpferische Kommunisten, die offensiv auftreten wollten, da sie davon überzeugt waren, daß die Verschweigetaktik auf lange Sicht der Sache des Sozialismus schaden könnte, weil sie dessen Glaubwürdigkeit und Attraktivität erschüttern mochte, setzten sich der Gefahr aus, als „Objektivisten" isoliert und bekämpft zu werden. Die Unterscheidung von objektiv und objektivistisch war also weit mehr als eine terminologische Finesse.

Auf der Suche nach einem auch für sie selbst tragfähigen Verständnis von Wahrheit kam Christa Wolf nicht daran vorbei, sich mit dieser politischen Kernfrage auseinanderzusetzen. Sie tat dies im Juli 1958, als sie unter der Überschrift „Eine Lektion über Wahrheit und Objektivität"[7] von einer Diskussion berichtete, die die SED-Kreisleitung Eisleben aus Anlaß der Herausgabe einer Sammlung von Erlebnisberichten veranstaltete, in denen Arbeiter aus dem Mansfelder Gebiet aus ihrem Leben erzählten. Der Herausgeber hatte diese Berichte kommentarlos zusammengestellt, und er hatte sich nicht auf revolutionäre Kommunisten beschränkt, deren Erinnerungsvermögen mit dem aktuellen Stand der Parteigeschichte übereinstimmte. Inhaltlich wurde ihm vorgeworfen, er habe statt einer kämpferischen eine unterdrückte Arbeiterklasse gezeigt, methodisch wurde er des Objektivismus bezichtigt. („Er hoffte ganz besonders objektiv zu sein, indem er kein Wort an den Berichten änderte"). Christa Wolf räumt auch in diesem Fall die gute Absicht ein: mit anschaulichen Elendsschilderungen wollte der kritisierte Wissenschaftler die Legende von der guten alten Zeit zerstören helfen. Aber falsche, zu kurz greifende Absichten verdienten keine Rücksichtnahme.

In unserem Zusammenhang kommt es mehr auf die verallgemeinernden Schlußfolgerungen an, die Christa Wolf damals in bezug auf den Wahrheitsbegriff der Literatur zog. Der Schlußabsatz wird wohl nicht überinterpretiert, wenn man ihn als Ausdruck der Sehnsucht einer Intellektuellen nach dem einfachen Weltbild versteht. Da sie bedrohliche Zweifel nicht an sich herankommen lassen, sondern verdrängen will, setzt sie irrational die „erregende Atmosphäre dieser Auseinandersetzung", also die Stimmung bei einem Tribunal mit wohlorganisiertem Ablauf, als Argument in eine Diskussion über Literatur ein. Der Minderwertigkeitskomplex des „bloß Schreibenden" verleitet sie sowohl zu der banalen Antithese „aufgeschlossener Arbeiter" — „blasierter Literat" wie auch zu einer negativen Bewertung von Theorie, die als überflüssig einer gleichsam unmittelbar einleuchtenden Lebenspraxis entgegengesetzt wird. Der Absatz lautet im Zusammenhang so: „An diesem Tag in Eisleben saßen die Menschen vor uns, die vom Schriftsteller die geformte Wahrheit als Waffe in die Hand bekommen wollen; angesichts dieser aufgeschlossenen, intelligenten, durch jahrzehntelange Klassenkämpfe geprägten Gesichter wäre jedem Literaten das Naserümpfen vergangen. Hätten mehr Schriftsteller die erregende Atmosphäre dieser Auseinandersetzung miterleben können, manche theoretische Diskussion in Berlin wäre überflüssig geworden."

Die Wahrheit zu handlichen Klumpen geformt, als Wurfgeschoß vielseitig verwendbar — ein recht schlichtes Ergebnis, bedenkt man, daß Christa Wolf in dem Beitrag beim Referieren des Sachverhalts sich selber in den komplizierten Aspekten der historischen, der künstlerischen, der richtigen, der erlebten Wahrheit zu verfangen drohte: „Also lautete die erste Frage — es ist die erste Frage jeder literarischen Kritik: Ist denn das wahr, was in dem Buch steht? (Ich will die Parallelen zum literarischen Kunstwerk nicht vereinfachen; aber immerhin muß auch die künstlerische Wahrheit der historischen Wahrheit entsprechen; dabei taucht, genau wie in der Diskussion, von der ich berichte, auch für den Schriftsteller das Problem der richtigen Auswahl des Stoffes und der Konflikte auf.) Der Herausgeber der Erlebnisberichte glaubte antworten zu können: Ja, es ist wahr; denn die Erlebnisberichte wurden von den Arbeitern so aufgeschrieben oder vorgetragen, wie sie in dem Buch stehen. Ähnlich antwortet mancher Schriftsteller auf den Vorwurf, seine Geschichte sei unwahr, mit der glaubwürdigen Bemerkung: Sie ist aber wirklich passiert!)" Allein die vielen Parenthesen zeigen, daß die Autorin weiß, daß sich bei diesem Thema ein Labyrinth auftut. Da hilft nur, die Tür rasch wieder zuzuschlagen! Die Antwort auf alle belastenden Probleme hat autosuggestiven Charakter: „Wem nützt es? Auf diese Frage lief schließlich alles hinaus. Auf diese banale und von vielen für primitiv gehaltene Frage läuft auch in der Literatur über Gegenwartsthemen doch meist alles hinaus. *Sie* ist Maßstab, nicht der subjektive Wille des Autors."

Die Reduktion aller Schwierigkeiten auf eine einfache Frage ergibt sich aber nicht folgerichtig und zwingend, sie hat Überredungs- und Selbstüberredungscharakter, was sich in der verschwommenen Wendung zeigt, darauf laufe „doch meist alles hinaus". *Alles* Weh und Ach der Wahrheitsfindung ist aus einem Punkte zu kurieren — *meist,* also nicht immer. In der Lücke zwischen „alles" und „meist" stecken die heimlichen Vorbehalte, die nicht schon dadurch verscheucht werden konnten, daß man sich einen Erkenntnisvorsprung zuschrieb gegenüber den vielen, die das zugegebenermaßen banale Ergebnis auch noch für primitiv halten. Die Sprache ist verräterisch, sie offenbart, wie mühsam sich die Autorin jenes einfache Weltbild abzupressen sucht. So, wenn sie an anderer Stelle von einem Schriftsteller sagt, er sei „in dem Wunsch nach objektiver Berichterstattung, nach Wahrheitstreue, nach Härte, und unter dem Einfluß von Depressionen in eine objektivistische Darstellung abgeglitten"[8]. Hier unterläuft der Schreiberin in dem Bemühen, die (falschen) guten Absichten zu schonen, das abgründige Eingeständnis, der „Wunsch nach Wahrheitstreue" sei schon ein gefährlicher Abweg, erst die Hinzufügung der mysteriösen „Depressionen" — offenbar ein psychischer Defekt ohne weitere gesellschaftliche Ursache — lenkt ab von solchen ungewollten Enthüllungen. Man kann das hin und her wenden, wie man will, das Gedankengebäude steht auf weichem Untergrund. Ob nun der Wunsch nach Wahrheitstreue zu Depressionen führt, ob diese zufällig hinzukamen oder ob erst Depressionen das Streben nach Wahrheit zu einer Gefahr werden lassen, bleibt unklar.

Daß die Sprache Zwischenräume freiläßt, in denen sich gegen die bewußte Absicht der Verfasserin der Zweifel einnistet, hat seinen Grund darin, daß Christa Wolf schon damals überhaupt kein Talent zum Zynismus hatte. Sie macht sich nicht einfach zum Sprachrohr einer kulturpolitischen Zielsetzung, sondern sie will überzeugt sein von dem, was sie vorbringt, sie will selbst einfach nur *glauben* können, was sie schreibt und von dem sie hofft, daß es endlich auf das richtige Weltbild „hinauslaufen" möge. Ihr diskursiver Stil sperrte sich gegen die dogmatische Position, die sie gleichwohl als ihre eigene zu beschreiben trachtete. Paradoxerweise hatte ihr über ein Jahrzehnt später ein Max Walter Schulz kaum mehr entgegenzuhalten als ihre Position aus den fünfziger Jahren, nämlich daß es auf die Absichten nicht ankomme und wem das Nachdenken über Christa T. nütze.

Als sie gemeinsam mit ihrem Mann Gerhard Wolf 1959 eine Anthologie mit Prosa aus zehn Jahren Deutscher Demokratischer Republik herausgibt, schreiben beide im Vorwort, die meisten literarischen Diskussionen dieser Jahre seien ideologische, inhaltliche Auseinandersetzungen gewesen, „wie natürlich: ehe man das Leben richtig darstellen kann, muß man es richtig sehen"[9]. Erst sehen, dann darstellen — natürlich immer richtig! Mechanistischer und schablonenhafter lassen sich erkenntnistheoretische Wahrnehmungsvorgänge und künstlerische Schaffensprozesse wohl kaum erläutern. Mancher Leser könnte es für unfair halten, daß hier Peinlichkeiten von gestern hervorkramt, Kulissen wiederaufgebaut werden, aus denen die Autorin längst geflüchtet ist. Aber es scheint mir, daß Christa Wolf zu den Schriftstellern gehört, die den Mangel an kollektivem und individuellem Erinnerungsvermögen beklagen: sie hielte den Schleier des Vergessens wohl kaum für wohltätig.

Es wäre immer möglich gewesen — zur Verblüffung oder zur Beruhigung der Leser — den Zitaten aus den fünfziger Jahren solche aus den sechziger Jahren gegenüberzustellen, um die Weite des gedanklichen und künstlerischen Weges abzustecken, den die Autorin mittlerweile zurückgelegt hat. Im Fall des unsäglichen Satzes, daß man — wie natürlich! — das Leben erst richtig sehen und dann richtig darstellen müsse, soll diese Kontrastierung erfolgen. Im Essay „Lesen und Schreiben" von 1968 stellt Christa Wolf die Frage, „ob nicht Aussagen, bei deren Wiederholung nichts anderes im Bewußtsein des Lesers aufleuchtet als ein Lämpchen mit der Beschriftung ‚falsch' oder ‚richtig' — ob nicht solche Aussagen in andere Bereiche gehören und die Literatur, die Prosa, von der hier die Rede ist, den Mut haben muß, auf Erkundung zu gehen."[10]

Haben also die Kritiker doch recht, die verwirrt und überrascht vor der Christa Wolf der Jahre 1968/69 stehen und ihren Augen erst beim zweiten oder dritten Blick zu trauen beginnen? Gewiß, die Konfrontation der Arbeiten von 1958 mit denen von 1968 scheint einen riesigen Sprung, den artistischen Akt einer Persönlichkeitsverwandlung anzudeuten, die an Zauberei grenzt. Weniger sensationell sieht es aus, wenn man den komplizierten Weg der Autorin durch die sechziger Jahre verfolgt und jenen Emanzipationsprozeß nachzeichnet, der in ganz kleinen Schritten vorangeht, gebunden an die Erfahrungen beim Schreiben erzählender Werke. Ihr Kollege Günter de Bruyn hat in einem sehr persönlichen Porträt angedeutet, mit welch schmerzlichen Enttäuschungen der Abbau von Illusionen verbunden war. Er stellt in einer knappen Bemerkung jenen Zusammenhang her, der im folgenden ausführlicher aufgezeigt werden soll. Vom Stichwort „Entdeckung der Wirklichkeit" ausgehend, schreibt er: „Die Moskauer Novelle zeigt noch wenig davon, doch ist ein Stil schon da, ein Anspruch wird angemeldet, ein Bild vom Menschen formuliert, das auf das hindeutet, was danach kommt: der geteilte Himmel, die Christa T."[11]

De Bruyn kennzeichnet die Widersprüchlichkeiten in der „Moskauer Novelle" von 1961, dem Debüt der Erzählerin Christa Wolf, ganz zutreffend. Diese merkwürdige Liebesgeschichte zwischen der deutschen Ärztin Vera und dem Russen Pawel, der auch durch Veras Mitschuld seinen Berufswunsch, ebenfalls Arzt zu werden, nicht verwirklichen kann, rühmt den Verzicht aus Charakterstärke. Als politisches Modell, das die deutsche Schuld ernstnimmt, die das Entstehen einer Freundschaft zwischen den beiden Völkern kompliziert, bleibt die Fabel eigentümlich abstrakt. Obwohl, wie erinnerlich, die Kritikerin Christa Wolf in jenen Jahren auf verquere Weise die Unabhängigkeit der künstlerischen und politischen Wahrheit von den „tatsächlich passierenden Fakten" postuliert, soweit das Bestehen auf diesen Fakten den Leser gefährlich weit weg führen könnte von dem, was sein sollte, ist sie sich des Zusammenhangs von Glaubwürdigkeit und Oberflächen-Genauigkeit doch soweit bewußt, daß sie defensiv von ihrer Geschichte behauptet, sie sei „in ihrem äußeren Ablauf nicht so unwahrscheinlich [. . .], wie sie manchem vorkommen wird".[12] Aber wirklich wichtig ist ihr nicht jene Wahrscheinlichkeit, die ein Leser einzuräumen bereit ist, wenn das Geschilderte den Klischees seines Weltbildes entspricht, entscheidend ist für sie wieder *die Wahrheit* in einem emphatischen Sinne.

Je apodiktischer, einfacher, klarer, auch aggressiver sie ihr Weltbild als das aller fortschrittlichen Menschen festzulegen suchte, desto mehr zeigte sich, daß die Einwände, die sie zurückweisen und widerlegen wollte, ihre eigenen Vorbehalte waren. Aus dieser schwierigen Lage boten erzählerische Formen einen Ausweg. Christa Wolf konnte zu ihren widersprüchlichen literaturpolitischen Monologen, hinter deren „allgemeinen Einschätzungen der Lage" sich die permanente Auseinandersetzung mit dem Zustand des eigenen Bewußtseins kaum verbergen ließ, endlich Distanz gewinnen. Sie hatte nunmehr Figuren, denen sie im Dialog zuweisen konnte, was die Autorin bedrängte.

In der „Moskauer Novelle" führt sie ihr Wahrheitsthema durch Projektion in die Zukunft weiter. Bei einem Gespräch im Eisenbahnabteil unterhalten sich die Mitglieder einer DDR-Delegation mit ihren sowjetischen Gastgebern über das Jahr 2000. Pawel, nach den Eigenschaften „seines" Zukunftsmenschen befragt, antwortet „erregt und tief beteiligt": „Brüderlichkeit. [. . .] Mit offenem Visier leben können. Dem anderen nicht mißtrauen müssen. Ihm den Erfolg nicht neiden, den Mißerfolg tragen helfen. Seine Schwächen nicht verstecken müssen. Die Wahrheit sagen können. Arglosigkeit, Naivität, Weichheit sind keine Schimpfwörter mehr. Lebenstüchtigkeit heißt nicht mehr: heucheln können".[13] Dieser Ausbruch ist umrahmt von Vorschlägen der anderen Gesprächsteilnehmer, die vom Forscherdrang bis zur Kraft der Selbstüberwindung den Katalog guter moralischer Eigenschaften etwas summarisch vervollständigen, ohne daß sich daraus wie bei Pawel eine Art Provokation des Lesers ergibt. Denn es ist ja ganz und gar ohne Pointe, wenn der Bürger des Jahres 2000 einzig mit Qualitäten versehen wird, die den „neuen Menschen" auch schon vierzig Jahre früher auszeichnen oder wenigstens auszeichnen sollen.

Von Pawel aber werden Gegenwart und Zukunft in ein Spannungsverhältnis gesetzt – die große Utopie öffnet den Horizont. Nicht *mehr* als arglos und weich beschimpft zu werden, nicht *mehr* Lebenstüchtigkeit mit der Fähigkeit, heucheln zu können, in eins setzen müssen: das heißt natürlich in logischer Umkehrung, daß in der Gegenwart die Heuchelei hoch im Kurs steht und Arglosigkeit und Weichheit nichts gelten, weil sie mindestens die „Kampffähigkeit" lähmen. „Die Wahrheit sagen können" als Ziel fürs Jahr 2000! Ein ganz einfacher Begriff von Wahrheit, den jeder versteht, da jeder ihn so in der alltäglichen Umgangssprache zu verwenden gewohnt ist, wird nun nach vielen Haarspaltereien, die der Rechtfertigung von Manipulationen dienen sollten, wieder in sein Recht eingesetzt. Freilich nicht unmittelbar als Credo der Verfasserin, sondern als „erregtes", also vielleicht nicht völlig durchdachtes Bekenntnis einer literarischen Figur, die in einer Lebenskrise steckt und von der also nicht *a priori* abgeklärte „richtige" Erkenntnisse zu erwarten sind. Pawel ist aber ohne Abstriche ein positiver Held, wie sich in der psychologischen Bewältigung seiner schwierigen Situation zeigt; insofern ist es berechtigt, in der zitierten Stelle, in der sich eigentlich nur eine erfundene Figur „situationsabhängig" ausdrückt, wieder einen Beitrag der Autorin in ihrem so mühevollen und so langsam vorankommenden Prozeß der Selbstfindung zu erblikken.

Manch einer wird die Stelle für nicht besonders bemerkenswert halten, sie erscheint nicht gerade waghalsig, vielleicht nicht einmal mutig. Es fehlt die politische Konkretheit, und es gab andere Autoren, die radikalere Schlußfolgerungen zogen, nachdem die Enthüllungen des XX. Parteitages es erschwert hatten, sehenden Auges in Blindheit zu leben. Christa Wolf bewegte sich nur sehr vorsichtig weg von jenem Gelände, das sie sich mühsam „gegen sich selbst", auf der Suche einer Unsicheren nach *der* Sicherheit, erobert hatte. („Da sie an der Welt nicht zweifeln konnte, blieb ihr nur der Zweifel an sich"[14], schrieb Christa Wolf später über ihre Heldin Christa T.). Aber der Schritt erscheint größer, wenn man ihn mißt an ihrer theoretisch-literaturkritischen Position im Jahre 1958. Damals hatte sie Autoren, die das „menschliche Leben" mit offenem Visier, ohne Mißtrauen und ohne Heuchelei als Zukunftsziel ansteuerten, als Objektivisten ohne Kompaß befehdet. In ihrer selbstquälerischen Simplifizierung ging sie so weit, dieser gegenwartskritischen Haltung anzulasten, sie setze sozialistisches und kapitalistisches Weltsystem gleich. Als sei es dem spätbürgerlichen Bewußtsein eigen, eine optimistische sozialistische Zukunftsperspektive zu entwickeln! Denn diese war den inkriminierten Autoren ja nicht ohne weiteres abzusprechen, so daß es nötig wurde, ihnen mit dem drohenden Ruf „Entweder-Oder" die Pistole auf die Brust zu drücken, um ihre antisozialistische Fehlhaltung zu entlarven.

Nachdem eine ideologische Landkarte eingeführt worden war, auf der man nur zwei Wege eingezeichnet hatte, von denen einer begehbar war, wurde der Hinweis auf weitere Möglichkeiten der Geländeerkundung als bösartige Bedrohung der Kartographen eingestuft. Die Bekämpfung der sogenannten „Vertreter des dritten Weges" erhielt Vorrang. Ohne daß dieses Schlagwort fällt, unterstellt die Christa Wolf der fünfziger Jahre den ungenannt bleibenden literarischen Utopisten, sie hätten ganz und gar undialektisch die Vermittlungen zwischen der gegenwärtigen Ordnung fast ohne Privateigentum an Produktionsmitteln und der zur Verwirklichung anstehenden kommunistischen Zukunftsgesellschaft bestritten. In Wahrheit wurde von den Opponenten nur gegen die Verwechslung von Anfang und Ziel zu Felde gezogen. Christa Wolf aber macht sich 1958 simple Kontrahenten zurecht, um simpel gegen sie losschlagen zu können, wenn sie deren Weltbild so zusammenfaßt und so kommentiert: „Einstmals, im Sozialismus, wird es der Menschheit natürlich besser gehen; aber heutzutage hat der Mensch keine Chance, Mensch zu bleiben, weder hüben noch drüben. Eine pessimistische Perspektive, eine antihumane Haltung, die der Realität widerspricht".[15] Man muß Pawels Bekenntnis in der „Moskauer Novelle" vor dem Hintergrund solcher Wertungen, die nur zwei oder drei Jahre zurückliegen, lesen und beurteilen. Es erscheint dann als eine versteckte Zurücknahme jener platten Aburteilung, ja als deren Gegenteil, denn Pawel formuliert offensichtlich eine optimistische Perspektive.

Es kann nicht verwundern, daß Christa Wolf in ihrem zweiten Erzählwerk, dem viel diskutierten „Geteilten Himmel" von 1963, wieder auf die „Wahrheitsfrage" zurückkommt. Im Vordergrund stehen wieder — wie in der „Moskauer Novelle" — die Reaktionsweisen, die Verhaltensformen der Menschen. Die psychologische Hauptmotivation der Autorin richtet die Scheinwerfer auf die Fähigkeit der einzelnen, die Wahrheit zu sagen, wobei zugleich die angemessenen oder unzulänglichen Reaktionen der Mitmenschen auf die mit vollem existentiellen Ernst abgegebenen Bekenntnisse beleuchtet werden. Die so oft vorschnell in Anspruch genommene Übereinstimmung der Erkenntnis mit der unabhängig vom menschlichen Bewußtsein existierenden objektiven Realität tritt dabei als Wahrheitskriterium zurück hinter der Bereitschaft des Subjekts, sein Denken und Fühlen offenzulegen.

Wo gesellschaftlicher Druck den Willen des einzelnen dazu auf der einen Seite lähmt bzw. auf der anderen Seite unter dem Stichwort „Kritik und Selbstkritik" zu ganz bestimmten, die Heuchelei begünstigenden zerknirschten Selbstenthüllungen drängt, liegt es nahe, zunächst vom Aussprechen der Wahrheit zu handeln. Am Ende des 8. Kapitels denkt Rita über Gründe nach, die ihren Geliebten Manfred nach dem Westen gehen ließen. Ihre Überlegungen münden in eine Frage. Die Stelle lautet: „Zum erstenmal fällt ihr auf, daß es in dieser Zeit alle Augenblicke vorkommt, daß einer dem anderen sein Bekenntnis abnehmen und sich ihm gewachsen zeigen muß. Die Luft ist schwer von Bekenntnissen, als hänge jetzt vieles davon ab, daß aus dem Innersten der Menschen Wahrheit an den Tag kommt. Sie denkt: Habe ich denn genug anzufangen gewußt mit seiner Wahrheit?"[16]

Der Beichtvorgang ist nicht nur säkularisiert, er ist auch demokratisiert: jeder kann jederzeit Beichtkind oder Beichtvater sein. Aber der gesellschaftliche Bezug verschwimmt im Allgemeinen: Auf die vage Metapher von der schweren Luft folgt ein Konjunktiv, der es im ungewissen läßt, ob „vieles" (aber was denn?) davon abhängt, „daß aus dem Innersten der Menschen Wahrheit an den Tag kommt". Einfach nur Wahrheit – ohne den bestimmten und ohne den unbestimmten Artikel davor. Es handelt sich um die Addition der in den Bekenntnissen vorgebrachten individuellen Wahrheiten, deren eine die Manfreds ist. In Ritas schuldbewußter Frage, ob sie möglicherweise auf „seine Wahrheit" nicht in der rechten Weise eingegangen ist, bleibt die Richtung ihrer grüblerischen Vorwürfe unklar. Sie hat nicht genug damit angefangen, vielleicht. Sie hat sie nicht widerlegt und nicht akzeptiert, sie hat sie nicht zerlegt und nicht gefiltert, wie auch immer. Wichtig ist, daß es meine, deine, seine, auch unsere Wahrheit gibt – die Überzeugung der Subjekte, das Richtige zu treffen.

Das Recht, diese Überzeugung auszusprechen, wird bestritten von all jenen, denen sich bei jeder Gelegenheit die Frage „Wem nützt es?" auf die Lippen drängt. Auch Christa Wolf hatte diese „Lektion über Wahrheit und Objektivität" ja zu lernen versucht. In der Erzählung „Der geteilte Himmel" stellt sie nun einen Dozenten vor, der sich im Konflikt mit solchen Dogmatikern befindet. Schwarzenbach hat in einer pädagogischen Zeitschrift einen Aufsatz über Dogmatismus im Unterricht veröffentlicht. Er wird angegriffen: „Mußt du das gerade jetzt schreiben? Haben wir nicht eine besondere Lage, die verbietet, alles auszusprechen?" (Sind wir Sozialisten denn allein auf der Welt? wird Christa Wolf nach dem Erscheinen ihrer dritten Erzählung gefragt werden). Nicht frei von Pathos erklärt Schwarzenbach, beflügelt von dem Gedanken, „wie gierig [. . .] nach Aufrichtigkeit" die junge Rita ist, was er auf solche Vorwürfe zu antworten gewillt ist: „Jawohl, wir haben eine besondere Lage. Zum erstenmal sind wir reif, der Wahrheit ins Gesicht zu sehen. Das Schwere nicht in leicht umdeuten, das Dunkle nicht in hell. Vertrauen nicht mißbrauchen. Es ist das Kostbarste, was wir uns erworben haben. Taktik – gewiß. Aber doch nur Taktik, die zur Wahrheit hinführt." Auf die selbstgestellte Frage „Hat es Sinn, die Wahrheit, die man kennt, immer und unter allen Umständen zu sagen?" antwortet er mit einer These und mit einer rhetorischen Gegenfrage: „Die reine nackte Wahrheit, und nur sie, ist auf die Dauer der Schlüssel zum Menschen. Warum sollen wir unseren entscheidenden Vorteil freiwillig aus der Hand legen?"[17]

Wahrheit ist in dieser Passage noch immer nicht ein Erkenntniswert, dessen Rang sich nicht nach dem möglichen Nutzen bestimmt. Wahrheit wird vielmehr als Mittel eingesetzt, das bessere Erfolge bei der Umerziehung der Menschen, bei der Formung ihres Bewußtseins, verspricht. Kurzfristig scheint das Vertuschen der dunklen und schweren Aspekte Beruhigung zu bringen, aber „auf die Dauer" hilft es nur, der Bevölkerung reinen Wein einzuschenken, Schwierigkeiten schonungslos zu benennen. Langfristig ist man auf eine Strategie der Wahrheit angewiesen. Die Taktik – und in diesem Zusammenhang kann ja nur eine Taktik gemeint sein, die das Verabreichen von Wahrheit dosiert – wird gerechtfertigt, soweit sie „zur Wahrheit hinführt". Eine unklare halbherzige Formulierung, der zufolge unter bestimmten Umständen um der Wahrheit willen deren Manipulation zulässig ist. Taktik ist auf jeden Fall im Spiel.

Die so ganz bedingungslos hingestellte „reine nackte Wahrheit" dient als Werkzeug einer dauerhaften Menschenbeeinflussung. Objektive politische Gründe, etwa solche der Machtkonsolidierung, werden nicht zugestanden – dem Dogmatiker wird unterstellt, er begebe sich freiwillig (warum bloß?) eines entscheidenden Vorteils. Um das Vertrauen der Menschen nicht zu enttäuschen, muß man sich des passenden Schlüssels zu ihnen bedienen. Im Prinzip wird an dem Verhältnis zwischen Wissenden und Unwissenden nicht gerüttelt. Unter den Wissenden aber herrscht ein Streit darüber, ob man mit der Wahrheit oder mit anderen Abschattierungen von Erkenntnis bis hin zum Gegenteil der Wahrheit weiterkommt.

Die dogmatische Ausrede von der „besonderen Lage", die zur Vorsicht mahnt, weil die Menschen noch nicht bewußt genug sind oder weil der Klassenfeind nicht schläft, sondern mithört, wird freilich rigoros weggewischt. Zum ersten Mal wird die Reife in Anspruch genommen, der Wahrheit ins Gesicht zu sehen. Sozialistische Parteilichkeit drückt sich in der Überzeugung aus, daß die neue Gesellschaftsordnung es nicht nötig habe, die wirkliche Lage zu beschönigen, so wie es zum Wesen der Klassengesellschaft gehöre, einen ideologischen Schleier über das Faktum Ausbeutung zu breiten.

Dabei fällt für die Erzählung vom „Geteilten Himmel" besonders ins Gewicht, daß die innere Festigung der DDR durch die Schließung der bis zum August 1961 an einer Stelle noch offenen Grenze zum Westen hin in der Sicht vieler Intellektueller der Wahrheit in dem hier von Schwarzenbach bzw. von Christa Wolf gemeinten Sinne eine neue Chance zu bieten schien. Die tonangebenden Propagandisten scheuten freilich schon davor zurück, den Hauptgrund für den Bau der Mauer offen darzulegen, nämlich die Unmöglichkeit, in kurzer Zeit das Lebensstandardgefälle zum Westen auszugleichen, das vielmehr durch den massenhaften Weggang von Arbeitskräften sich ständig vergrößerte. Der Vorwurf des Dogmatikers Mangold, Schwarzenbach sei „anfällig für politische Schwärmerei", war vielleicht doch nicht so lächerlich, wie er der moralischen Intention des Buches nach gemeint sein mußte. Ohnehin gelang es nicht, den moralischen Rigorismus („die Wahrheit [...] immer und unter allen Umständen zu sagen"), der ein einigermaßen friedliches Zusammenleben auch unter Gleichgesinnten zu verhindern imstande wäre, mit der Rechtfertigung taktischer politischer Überlegungen zu verbinden.

In der Radikalität der alles oder nichts fordernden Frage steckt die Erinnerung an den Anspruch des Galileo Galilei und an seinen Verrat: „Hat es Sinn, die Wahrheit, die man kennt, immer und unter allen Umständen zu sagen?" Wie sollte man die Wahrheit, die man nicht kennt, sagen können? Der Einschub „die man kennt" verweist auf die beiden Kernsätze des Brechtschen Galilei: „Wer die Wahrheit nicht weiß, der ist bloß ein Dummkopf. Aber wer sie weiß und sie eine Lüge nennt, der ist ein Verbrecher!"[18] Mut und Aufrichtigkeit wurden also in der Erzählung gefordert, das bemerkten die Leser in der DDR. Wenn da jemand nach Wahrheit rief, da wußte jeder, wovon und wogegen die Rede war. Eine Analyse der inneren Spannungen dieser Passage, wie ich sie hier versucht habe, blieb aus.

Die Aufnahme und die Wirkung von Literatur hängen ja auch nicht von der Glätte und Widerspruchsfreiheit einer Argumentation ab, die einer Figur in den Mund gelegt wird. Hans Bunge, der in der Ehrenrettung der „reinen nackten Wahrheit" eine Maxime Christa Wolfs erblickte, gab damals eine zutreffende Wertung der politischen Wirkung: „Sie bricht da mit Gewohnheiten, die in der DDR-Literatur nicht unüblich waren. Aber es zeigt sich, daß die Beurteilung, ob ein literarisches Werk pessimistisch oder optimistisch ist, nicht so sehr von den Tatsachen abhängt, die mitgeteilt werden, als vielmehr davon, welche Impulse durch die Art und Weise der Beschreibung geweckt werden. Unter diesen Umständen muß Christa Wolf als besonderes Verdienst angerechnet werden, daß sie viele Unsitten, beispielsweise die Heuchelei, nicht nur als existent nachweist, sondern auch unerbittlich in ihrer verheerenden Wirkung bloß-stellt."[19]

Die Heuchelei — gesellschaftlich erzwungen — erscheint als Unsitte. Wenn sich der einzelne nur ein bißchen zusammenreißt, wird er diese Unsitte ja wohl ablegen können! Charakterstärke ist gefordert — Wahrhaftigkeit, Aufrichtigkeit, Ehrlichkeit sind und bleiben menschliche Tugenden. Sie sind freilich, wie das „Philosophische Wörterbuch" von Klaus und Buhr ausweist, von der „erkenntnistheoretischen Kategorie der Wahrheit, die ausschließlich die Übereinstimmung der rationalen Erkenntnis mit der objektiven Realität widerspiegelt"[20], fein säuberlich zu trennen. Das leuchtet unmittelbar ein: natürlich kann einer aufrichtig und grundehrlich die dümmsten Sachen auftischen und felsenfest an deren Richtigkeit glauben. Die Träger von Vorurteilen sind bekanntlich nicht allesamt Demagogen.

Aber diese logisch einsichtige Trennung widerspricht, wie Christa Wolf weiß, aller Lebenserfahrung: es bedarf der Aufrichtigkeit, wenn die Wahrheit überhaupt gesagt werden soll. Ist sie (oder das was ihr Verkünder nach bestem Wissen und Gewissen dafür hält) ausgesprochen, kann erst die Prüfung eingeleitet werden, ob die Aussage mit dem Sachverhalt übereinstimmt oder nicht. Deswegen rücken bei der Autorin Wahrheit und Wahrhaftigkeit so eng zusammen. Es hat seinen Grund nicht nur darin, daß der „künstlerischen Wahrheit" aus Gründen voller Wirksamkeit ein wenig mehr Spielraum zuzubilligen wäre, wie das mancher DDR-Kritiker meint, wenn er sich über das Spezifische in der Kunst äußert. Zum Beispiel so: „Aber in der Kunst verliert die Wahrheit ihre bewegende Kraft, wenn sie als bloße Feststellung eines objektiven Tatbestands oder als bloße Illustration auch unbestreitbar wahrheitsgemäßer Thesen Gestalt oder vielmehr Nicht-Gestalt findet." Aber warnend fügt dieser Kritiker, Hans Koch, in einer im ganzen rühmenden Besprechung des „Geteilten Himmel" hinzu: „Die Wahrheit richtet sich nicht nach der ‚ehrlichen Haltung'; die ehrliche Haltung muß vielmehr der Wahrheit untertan sein. Die Gefahr des Subjektivismus ist in ästhetischen Dingen tatsächlich größer als anderswo". Dieses Mißtrauen führt Koch zu einer schematischen Verbindungslinie zwischen Erkenntnis und Ehrlichkeit: „Wahrheit wird nur dann lebendig und emotional bewegend sein, wenn sie als subjektive Aufrichtigkeit und Überzeugung in sein Werk eingeht, wenn sie gleichsam durch die ethische Haltung eines Künstlers zur Wirklichkeit ‚hindurchgegangen', mit einem Tropfen Herzblut geschrieben ist."[21]

Koch simplifiziert die Dialektik der Sache zu einem Transformationsproblem: Wer etwas als Wahrheit verbreiten will, muß erst einmal selbst daran glauben, sonst nimmt es ihm womöglich keiner ab; man muß es als Leser merken, daß der Autor daran glaubt. Über die objektive Wahrheit wird andernorts entschieden als „im Herzen des Künstlers". Ein Tropfen Herzblut ist nur das zuletzt hinzugefügte Aroma, das die Speise besser munden läßt. Wahrheit wird nachträglich in Wahrhaftigkeit umgewandelt. Bei der Wahrheitsfindung und bei der Auswahl ihrer Elemente, erst recht bei der Festsetzung ihrer Kriterien (die in der vielberufenen Praxis stecken), darf der Aufrichtigkeit an sich, sprich: dem Subjektivismus, nicht Tür und Tor geöffnet werden.

Vor diesem kulturpolitisch-ästhetischen Hintergrund muß die Position der Christa Wolf betrachtet werden, die sich nach den verdeckten Weiterführungen der Wahrheitsfrage in den Erzählungen 1964 wieder unmittelbar dem Thema zuwendet, das sie nicht losläßt. Sie tut dies in einer wichtigen öffentlichen Rede mit dem gestiegenen Selbstbewußtsein einer Autorin, deren Buch gegen mancherlei dogmatischen Widerstand angenommen und mit Preisen ausgezeichnet worden ist. Sie spricht, auch als Kandidatin des Zentralkomitees der SED, auf einer Tagung, die die Ideologische Kommission beim Politbüro des ZK der SED und das Ministerium für Kultur am 24. und 25. April 1964 im Kulturpalast des Elektrochemischen Kombinats Bitterfeld veranstalten. Viele Spitzenfunktionäre, darunter Walter Ulbricht und Kurt Hager, sind auf dieser sogenannten „Zweiten Bitterfelder Konferenz" anwesend. Die Rednerin führt jetzt im Klartext aus, was sie ihren Dozenten Schwarzenbach schon hatte andeuten lassen.

Sie identifiziert sich mit dessen Überzeugung, die sozialistische Gesellschaft sei die erste wirklich wahrheitsfreundliche Ordnung in der Welt. Frühere Gesellschaften, die gleichzeitig mit dem sozialistischen Weltsystem bestehende spätkapitalistische eingeschlossen, hätten die Wahrheit zu fürchten gehabt, weil sie Argumente lieferte zur Bedrohung und Abschaffung dieser Ausbeuterordnungen. Anders die sozialistische: „Die Wahrheit über sie zu verbreiten schadet ihr nicht, sondern nützt ihr. Zum erstenmal in der menschlichen Geschichte stellt sie keinen unüberbrückbaren Widerspruch mehr dar zum humanistischen Wesen der Kunst. Soweit, glaube ich, sind wir uns alle einig".[22] Erst diese Voraussetzung, in der sich kommunistische Parteilichkeit manifestiert, ermöglicht es, Verstöße gegen dieses Wahrheitspostulat als der Idee und dem Wesen des Sozialismus fremd zu kennzeichnen. Sie ist die Operationsbasis, von der aus die immanente Veränderung der Gesellschaft, die man für die einzig zukunftsträchtige hält, betrieben werden kann. Der Vergleich mit der Praxis macht nicht diese These unwahr, sie setzt vielmehr Energien frei, sich mit dem jeweiligen Zustand dieser Praxis nicht abzufinden. Diese Grundthese über die Perspektive, die der Sozialismus auch und gerade der Kunst bietet, schafft nicht falsche Zufriedenheit, sondern sie ermöglicht es, weder der Resignation noch dem Zynismus anheimzufallen.

Jedenfalls stecken solche Motive hinter den Ausführungen der Christa Wolf, die freilich nicht verkennt, daß diese grundsätzliche Einigkeit viele einschließt, die sich beglückt zeigen über das Loblied auf den Sozialismus als der besten aller möglichen Ordnungen, bei den operativen Schlußfolgerungen aber bedenklich den Kopf wiegen. Deswegen besagt dieser allgemeine Gleichklang noch wenig: „Jetzt nämlich beginnen die Meinungsverschiedenheiten über konkrete Sachen: Was ist denn Wahrheit? Und was ist die Wahrheit der Kunst, die statistische, die soziologische, die agitatorische? Was kann man den Lesern an Problematik und Konflikten zumuten?"[23] Wieder stellt Christa Wolf Fragen zu dem großen Thema, das sie nicht losläßt, weil sie das Zentrum einer jeden Schriftstellerexistenz betreffen, die sich weigert, die Flucht in die Hoffnungslosigkeit oder in den Sarkasmus anzutreten.

Die Illusionen des einfachen Weltbilds sind verflogen. Ihre Fragen, die sie früher als die abwegigen Einwände der anderen, die in befremdlicher Distanz zu den Aufgaben der Stunde verharrten, von sich fernhalten wollte, indem sie sich eifrig und gelegentlich eifernd Antwort zu geben suchte, diese ihre Fragen drängen schärfer und dringender nach vorn. Sie benutzt eine repräsentative Veranstaltung, um sie zu stellen, aber sie antwortet nicht mehr in Verallgemeinerungen, weder in dogmatischen noch in differenzierten. Sondern die Erzählerin Christa Wolf erzählt jetzt Geschichten, Fälle, Beispiele, die zum Thema gehören. Selbsterlebtes und Selbstgehörtes dient jetzt der eigenen Argumentation, während sie in früheren Stadien dieser immer noch anhängigen Auseinandersetzung höchst mißtrauisch reagiert hatte, wenn ihre Kontrahenten auf Tatsachen zu sprechen kamen, die sich wirklich ereignet hatten.

Zwei der von Christa Wolf in Bitterfeld berichteten Vorfälle sollen im folgenden ohne jede Auslassung zitiert werden, weil sie interessante Bezugspunkte zu den Leseerwartungen der Auftraggeber und des Publikums (was nicht dasselbe sein muß) enthalten: „Ich will euch hier ein Beispiel erzählen, das mir kürzlich ein Kollege von seiner Zusammenarbeit mit einer Zeitung berichtete. Man hatte ihn als Reporter zu einem besonders gut beleumundeten Brigadier einer Baubrigade geschickt, der kürzlich in die Partei eingetreten und dessen Bild schon überall erschienen war. Man hatte ihm gesagt: Und nun zu dem Bild die wahrheitsgetreue, lebensechte Reportage! Er ging zu dem Brigadier und fand einen sehr aufgeschlossenen Menschen, der ihn sofort einlud mitzukommen und ihm alles erzählte.

Schon auf der Autofahrt in seine Wohnung ging es los. Der Kollege sagte: ‚Es ist nett, daß du mich mit nach Hause nimmst zu deiner Familie!‘ ‚Ach Gott, Familie, mit der Frau stehe ich in Scheidung.‘ ‚Aber du hast doch Kinder?‘ ‚Na ja‘, sagte der Brigadier, ‚Kinder [...] Mein Sohn sitzt gerade im Kittchen wegen versuchter Republikflucht.‘ Dann sagte mein Kollege: ‚Aber du bist doch in die Partei eingetreten aus Überzeugung?‘ Sagte der andere ehrlich: ‚Klar, ehrlich. Das war so: Unsere Brigade hatte furchtbar viel gegen schlechte Arbeitsorganisation und alle möglichen Mängel und Fehler zu kämpfen. Und wir sind nicht durchgekommen, obwohl ich ein ganz gut ausgebildetes Mundwerk habe. Da haben meine Kumpel gesagt: Hier nützt bloß eins, einer von uns tritt in die Partei ein, dann kann er besser auf den Tisch hauen. Da ich der Brigadier bin, fiel die Wahl natürlich auf mich, und so bin ich in die Partei eingetreten.‘ (Heiterkeit.)

Der Schriftsteller schwieg darauf wahrscheinlich eine gewisse Zeit lang, ein wenig betroffen. Da sagte der Brigadier nach einer Weile zu ihm: ‚Weißte, laß dir darüber keine grauen Haare wachsen. Es ist schon in Ordnung, daß ich drin bin, das habe ich inzwischen gemerkt.‘ (Heiterkeit und Beifall.)

Der Schriftsteller findet das prima und schreibt das. Nun fängt der Kuhhandel an. Ihr müßt wissen, es ist keine ausgedachte Geschichte – darum erzähle ich sie. Bei ausgedachten Geschichten ist es ja noch schwieriger. (Heiterkeit und Beifall.)

Also jetzt geht es los: ‚Muß denn der mit seiner Frau in Scheidung stehen?‘

‚Ja‘, sagt der Schriftsteller, ‚ich weiß nicht, ob er muß, aber er steht.‘ (Heiterkeit.)

‚Kannst du das nicht streichen?‘

‚Gut, aber dann haben wir gar kein Familienleben, und kein Familienleben, das ist für den sozialistischen Menschen auch nicht typisch.‘

‚Dann laß wenigstens das mit dem Sohn weg!‘

‚Aber die Leute, die den Brigadier kennen, kennen auch den Sohn!‘

Darauf hat der Schriftsteller gesagt: ‚Hört zu, ihr habt mich zu dem geschickt, ich habe mir das nicht ausgesucht.'

Da stellte sich heraus, sie hatten einen anderen Brigadier im Kopf, sie wollten einen anderen auf der Zeitungsseite haben. Der Auftrag wurde zurückgezogen, ein Auftragshonorar wurde gezahlt. Insofern ging die Sache friedlich aus. – Es wurde gestern über die Mitarbeit des Schriftstellers an unserer Presse gesprochen. Stellt euch vor, zwei, drei oder vier solcher Erfahrungen, und jeder Schriftsteller faltet seinen Bleistift zusammen und versucht sich anderweitig.

Ich war vorige Woche in der 8. Klasse einer Schule, in der ich zur Jugendweihe sprechen soll, und habe versucht, die Kinder vorher etwas kennenzulernen. Ich habe über Literatur gesprochen. Da meldete sich ein kleiner Junge von 14 Jahren und sagte: ‚Frau Wolf, ich habe in letzter Zeit vier Jugendbücher gelesen. In allen vieren gab es einen durch und durch überzeugten FDJler, der alle positiven Eigenschaften hatte, die es auf der Welt gibt, und seine viel schlechteren, ihn umgebenden Kameraden überzeugte. Finden Sie das richtig?'

Ich war diplomatisch und fragte ihn: ‚Wie ist es denn in Wirklichkeit?'

Da antwortete er ganz lakonisch: ‚Abweichend.' (Heiterkeit.) Nun habe ich tatsächlich nicht den Mut aufgebracht, diesem Jungen die Gesetze des Typischen in der Literatur zu erklären, sondern ich habe gesagt: ‚Es sollte ruhig mal einer über das Abweichende schreiben.' "[24]

Der Brigadier mit dem wenig vorbildlichen Privatleben erwies sich als ungeeignet, den Helden für eine sozialistische Reportage abzugeben. Die von Christa Wolf auf das Zeugnis eines Kollegen hin beschriebene Figur mußte gestrichen werden; eine Aufhellung und Beschönigung scheiterte daran, daß unter den Lesern der Reportage auch die Freunde, Bekannten und Arbeitskameraden des Porträtierten gewesen wären, die die Fälschung hätten bemerken müssen. Von Bedeutung ist dabei Christa Wolfs Feststellung, daß die Schwierigkeiten „bei ausgedachten Geschichten" noch zunehmen. Denn dann fallen alle Gegenargumente des Autors, der Mensch X. sei aber so und so beschaffen, weg; der Schreiber ist ganz und gar verantwortlich für die Erfindung der Fabel und der Personen, so daß man von ihm auch verlangen kann, daß er didaktisch und politisch mit seiner Geschichte die richtige Orientierung weist.

Christa Wolf hat in den frühen fünfziger Jahren, als nach Stalins Tod eine Umorientierung der Kulturpolitik möglich schien, auf die Verengungen hingewiesen, die durch ein Klischeebild vom „Positiven" entstanden waren. (Die kritischen Akzente hat sie freilich zeitweise zum Teil wieder zurückgenommen. Einesteils war sie damals als Publizistin und Zeitschriftenredakteurin abhängig von der jeweiligen Lage, andererseits setzte sie sich selbst unter inneren Druck, weil damals ihr „Weltbild" seine Beglaubigung dadurch erfahren sollte, daß sie die angebotenen Dogmen akzeptieren wollte. Die Zurücknahme war nicht endgültig; sie erfolgte, wie schon gezeigt wurde, in höchst widersprüchlicher Weise. Letztlich war ihr Kampf gegen ihre eigenen vernünftigen Überzeugungen vergeblich.)

In der Rezension eines Romans von Werner Reinowski, einem Schriftsteller, den man lobte, anstatt ihm durch offene Kritik zu helfen, erklärte Christa Wolf unter dem Titel „Komplikationen, aber keine Konflikte": „Jeder Mensch weiß, daß in der Wirklichkeit sehr viel ‚passiert'. Unter anderem passieren auch menschliche Tragödien;

unsere Literatur ignoriert sie, weil sie ,nicht typisch' seien, denn typisch sei nur das Positive. Auf diese Weise lassen unsere Schriftsteller, gerade unsere jüngeren Schriftsteller, die in unserem neuen Leben ihre Stoffe finden, um einer falsch verstandenen Definition willen und aus Angst vor genauso falsch orientierten Verlagslektoren ihre Leser allein, die ja von ihnen auch wissen wollen, wieso denn heute noch Menschen durch eigene oder fremde Schuld zugrundegehen oder schwere Fehler einzelner Funktionäre großen Schaden anrichten können."[25] Das ist 1954 geschrieben worden — und es klingt wie ein Literaturprogramm, das Bücher wie das anderthalb Jahrzehnte später entstehende „Nachdenken über Christa T." hervorbringen sollte. 1964 sagt sie einem kritischen Jungen von 14 Jahren, anstatt ihm „die Gesetze des Typischen in der Literatur" zu erklären, es sollte ruhig mal einer über das Abweichende schreiben. Auch dies verwirklicht sie selbst mit der großen Erzählung von 1969. Dazwischen liegen viele Ermutigungen und Entmutigungen.

Den Streit darüber, ob die Arbeiter im „Geteilten Himmel" positiv und typisch und ob die Atmosphäre des Buches im ganzen nicht zu düster sei, hatte die Autorin mit mächtigen Fürsprechern im Rücken gut überstanden. (Während der Bitterfelder Rede, in der sie so gelassen und offen Kritik vorträgt, wird sie öfters durch Heiterkeit und Beifall unterbrochen, was sie zu der Anmerkung veranlaßt: „Ihr könnt jetzt darüber lachen, und ich kann Witze erzählen. Vor einem halben Jahr noch hätte ich keine Witze erzählt, und ihr hättet vielleicht nicht gelacht. Das gehört zu dem Kapitel ,Konflikt und Überwindung' "[26]). Ideologisches Zentrum der Gegner der Erzählung war die „Freiheit", die SED-Zeitung des Bezirks Halle, in dem der volkseigene Betrieb Waggonbau Ammendorf liegt, wo die Autorin sich bei der Vorbereitung ihres Buches studienhalber längere Zeit aufgehalten hatte.

Daß die Arbeiter in der Erzählung von der überlieferten Schablone abstechen (wobei dahingestellt bleiben mag, ob der Grad der Abweichung durch Bezugnahme auf eine andere erzählerische Norm, z. B. die der moralischen Vorbildlichkeit, möglicherweise nur zu einer Variation der Klischees führte und nicht zu deren Durchbrechung), bot dem Jahre vorher von der Kritikerin Wolf ein wenig zerzausten Schriftsteller Werner Reinowski Gelegenheit zur politischen Revanche[27]. Er erklärte, er nehme es der Autorin nicht ab, daß ihre Heldin Rita in ihrem Betrieb keine ,normalen' Genossen getroffen habe. Unter normal verstand er soviel wie „durch und durch gut", wie seine Frage zeigte: „Hat die Partei in diesem Betrieb nicht wie in jedem anderen seit ihrem Bestehen ein unerschöpfliches Reservoir untadeliger Genossen?" Reinowski verließ den Boden einer sachlichen Auseinandersetzung, als er — seit 1932 KPD-Mitglied — der jungen Christa Wolf vorhielt, er kenne die Partei „erheblich länger und auch etwas besser" als sie. Ungeschickt lieferte er damit Argumente für einen Generationskonflikt, wie er ohnehin latent die Erfahrungen mancher jüngerer Autoren bestimmte, sehr zum Leidwesen der führenden Ideologen, die an solchen Frontstellungen absolut kein Interesse haben konnten. Seine dogmatischen Übersteigerungen, etwa sein Ruf nach Helden, die von sich sagen könnten, „mein Leben lang ist die Partei mit mir zufrieden gewesen wie ich mit ihr", machten es den Verteidigern des Buches leicht.

Aber der Kampf um diese Erzählung wurde durchaus auch auf höherem Niveau geführt — an ihr konnte eine Fülle literaturpolitischer und ästhetischer Fragen abgehandelt werden, auch unter Einbeziehung der Leser, die sich schon thematisch von vielem angezogen fühlen konnten, sei es von der Liebesgeschichte, sei es vom Problem der deutschen Spaltung, sei es von den skeptischen Argumenten des „Republikflüchtlings" Manfred, sei es von der Alltagswirklichkeit im Betrieb oder von dem Aufgreifen der schlimmen Folgen des Dogmatismus. Die einfache Sprache, die gelegentlich die Grenze zum Trivialen um etliche Fußbreit überschritt, ließ das Buch — trotz der, gemessen am Zustand der damaligen DDR-Literatur, komplizierten Erzählstruktur mit Rückblendecharakter und innerem Monolog der Hauptfigur — zu einer „Massenlektüre" werden.

Die Bedeutung des „Geteilten Himmel" für die Erschließung und Eroberung größerer formaler Möglichkeiten und vielfältiger stofflicher Freiheiten darf man auch in der Rückschau nicht unterschätzen. Hans Bunge, Ostberliner Brecht-Forscher, Kritiker, Dramaturg und Regisseur, hat das sehr früh erkannt. Was er 1964 schrieb, ist heute noch gültig: „Die Tatsache, daß ein solches Buch in der DDR wegen seiner Tendenz *schon* ausgezeichnet [. . .] und gleichzeitig *noch* angegriffen wird, ist nicht nur für die Literatur oder für die Kritik bedeutsam: sie markiert vor allem einen politischen Drehpunkt. Unter diesem Gesichtspunkt kann Christa Wolf ein noch so feinsinniges ästhetisches Urteil — daß ihre Erzählung nicht in die große Literatur eingehen wird — gefaßt beiseite legen: das Buch hat eine große politische Bedeutung. Es wird mittelbar vielleicht auch ein besseres Klima für die Literatur in der DDR schaffen."[28]

Ohne den „Geteilten Himmel", so kann man dem heute hinzufügen, hätte es nie das „Nachdenken über Christa T." gegeben, so viel diese beiden Bücher auch zu trennen scheint. Das Thema der Selbstverwirklichung wie das des unwiderruflichen individuellen Todes drängte schon lange vor der so verwundert aufgenommenen letzten Erzählung ins Werk der Christa Wolf. Nur ein paar Beispiele dafür seien hier eingefügt. „Sie erwartete Außerordentliches, außerordentliche Freuden und Leiden, außerordentliche Geschehnisse und Erkenntnisse. Das ganze Land war in Unruhe und Aufbruchstimmung (das fiel ihr nicht auf, sie kannte es nicht anders), aber wo blieb einer, der ihr half, einen winzigen Teil dieses großen Stromes in ihr eigenes kleines, wichtiges Leben abzuleiten? [. . .] Schon bemerkte sie an sich mit Schrecken Zeichen der Gewöhnung an den einförmigen Ablauf ihrer Tage."[29] Das wird nicht über Christa T. gesagt, sondern über Rita Seidel, die junge Heldin des Buches, das angeblich so ganz und gar nichts mit dem nachfolgenden zu tun haben soll.

Gedanken der Rita über individuelle Entfaltungsmöglichkeiten sind solchen der Christa T. zum Verwechseln ähnlich, so wenn Rita über Veränderungen und Verwandlungen nachgrübelt: „Beim Schreiben merkte sie beschämt, daß sich ihr ganzes Leben auf einer halben Seite unterbringen ließ. Jedes Jahr, dachte sie, müßte man seinem Lebenslauf wenigstens einen Satz zufügen können, der des Aufschreibens wert ist."[30] Natürlich ist es kein Zufall, daß die jeweilige Hauptfigur in den Erzählungen, mit der sich die Autorin weithin schon dadurch identifiziert, daß sie deren Perspektive wählt, ohne doch Rollenprosa zu verfassen, eine Frau auf der Suche nach sich selbst ist.

Sogar die Vera der „Moskauer Novelle" ist eine Verwandte der Rita und der

Christa T. Wenn man sich von der Trivialsprache des Erstlings („Vera warf den Kopf in den Nacken und lachte hell auf"[31]), die auch im „Geteilten Himmel" zwar zurückgenommen, aber noch nicht verschwunden ist („Sein Blick hatte sie getroffen wie ein Stoß"[32]), nicht irritieren läßt, erkennt man, wie die Figur der Christa T. sich schon in der „Moskauer Novelle" ankündigt. Pawel charakterisiert Vera im Gespräch als sensibel und zweiflerisch, als gefährdet in der Welt der Robusten: „Weißt du, was mir an dir so gefällt? Daß du nie fertig wirst. Daß du nie auf alle Fragen eine Antwort weißt. Daß du nie aufhörst zu wachsen [. . .] Aber gerade deshalb habe ich Angst um dich. Du bist so ungeschützt; das merkt kaum einer, aber ich kenne dich doch. Immer schon hast du die Menschen zu nahe an dich herangelassen. Irgendwann wirst du sehr enttäuscht werden."[33] Im „Geteilten Himmel" sagt Schwarzenbach: „Gerade die Empfindlichen brauchen wir. Was sollen uns die Stumpfen nützen?"[34]

Hat man die beiden letzten Erzählungen, die von 1963 und die von 1969, unmittelbar hintereinander gelesen und erinnert sich an einzelne Stellen, kann man sie nur anhand ihrer stilistischen Qualität lokalisieren. Das Wort von der „blanken Klinge", die „in die filzige Decke der Gewohnheiten"[35] fährt, könnte der gegen Verkrustung und Verhärtung gerichteten Tendenz nach durchaus in das spätere Buch gehören — wenn die Autorin des späteren Werks sich eine solche unglückliche Metapher noch leisten würde.

In der vergleichenden Rückschau lassen sich dann auch in der „Moskauer Novelle", abgesehen von den ähnlichen Frauenfiguren, motivische Vorwegnahmen auffinden. Im „Selbstinterview" zu „Nachdenken über Christa T." bekennt Christa Wolf sich zu einem „ganz subjektiven Antrieb", der das Buch hervorgebracht habe: „Ein Mensch, der mir nahe war, starb, zu früh. Ich wehre mich gegen diesen Todt."[36] Aber in der kurzen Debüterzählung von 1961 hatte eine Nebenfigur (Gisela) schon folgenden (wieder etwas trivialen) Text zu sprechen: „Ist es denn nicht furchtbar, wenn ein Mensch zu früh sterben muß? Ich halte es gar nicht aus, daran zu denken. Dabei ist die Welt voll von diesem sinnlosen Zugrundegehen. Und wie viele, die man zu Grabe trägt, haben nie gelebt."

Das Problem wird als bedrängend empfunden, denn Christa Wolf hat sich dem frisch-fröhlichen Optimismus nie ergeben. Aber der Verdrängungsmechanismus funktioniert noch: Die nie richtig gelebt haben, sind selbst dran schuld, haben sich selbst aufgegeben, suchten sich ein Plätzchen am Rande oder gar auf der anderen Seite! Selbstgewiß werden sie voll Verachtung beiseitegeschoben: „Sie können uns nicht aufhalten. Tote Seelen, sich selbst zur Last."[37] Damals ging man mit einigen Metaphern aus der klassischen russischen Literatur wie den „überflüssigen Menschen" oder „toten Seelen" recht inflatorisch um und schnitzte leichtfertige Verallgemeinerungen aus Gogol und Gontscharow, die als quasi-wissenschaftliche Terminologie gute Dienste leisten konnten bei der moralischen Disqualifizierung abseitiger, d. h. abseits stehender Menschen oder Menschengruppen. Das „Plätzchen am Rande", das in der „Moskauer Novelle" als eine Art selbstgewählter Friedhof für nur scheinbar Lebendige vorkommt, verfällt in „Nachdenken über Christa T." nicht mehr dem Verdikt. Die seinerzeitige Rede von den „Menschenhüllen" wird gelöscht; ihre (mindestens latente) Inhumanität ist erkannt. In „Nachdenken über Christa T." erscheint der „Rand des Geschehens", der „Lebenswinkel", der in den einen der Konflikt zwischen

Wollen und Nichtkönnen drängen kann, als der Ort, an dem Poesie eine Zuflucht findet. Jedenfalls in der Sicht der Christa T., als sie ihre Staatsexamensarbeit über Theodor Storm schreibt.

Kritiker des Buchs haben Parallelen zwischen der (von der Autorin nicht verurteilten) Haltung ihrer Hauptfigur und der beschriebenen Position Theodor Storms festgestellt. Sie knüpften daran Bemerkungen über die Unzulässigkeit, „die objektive gesellschaftliche Situation des 19. Jahrhunderts auf die Gegenwart"[38] zu übertragen. Derlei geschieht aber gar nicht. Nur wer in der Kunst wissenschaftliche Aussagen sucht, kann diese Stellen so deuten. Wenn jemand die Auseinandersetzung mit sich selbst führt, indem er eine eigene innere Problematik entweder auf einen ihm wahlverwandten Dichter (auch einer früheren Epoche) projiziert oder aber in dessen Biographie eine vergleichbare Lebenssituation entdeckt, kann eine solche Identifizierung paradoxerweise erst jene Distanz schaffen, die zur Selbsterkenntnis notwendig ist. Daß damit nach Zeit und Struktur völlig divergierende Gesellschaftsordnungen, zuungunsten der späteren, historisch fortgeschritteneren, einander gleichgesetzt würden, ist eine Erfindung von Rezensenten, deren wichtigste literaturkritische Kategorie das Mißtrauen darstellt.

Dennoch bleibt es in allen bisherigen Gesellschaften ein möglicher Konflikt, daß jemand (aus objektiven oder subjektiven Gründen) nicht verwirklichen kann, was er will. Wer von der Literatur erwartet, daß sie Gutachten über die charakterliche Entwicklungsfähigkeit ihrer Helden abgibt, und von der Kritik, daß sie prüft, ob diese Gutachten ordentlich ausgefallen sind, ist enttäuscht von einem Buch, das sich einem solchen Beurteilungsschema entzieht. Solch ein Zeugnis hat Christa Wolf nicht ausgeschrieben, auf Zensuren hat sie verzichtet, obwohl die Notentafel feste Wertungen anbietet wie individualistisch oder in schlimmeren Fällen auch anarchistisch.

Der „ethische Rigorismus"[39] (Peter Gugisch) der „Moskauer Novelle" ist verschwunden. Nachdenken erwies sich als produktiver denn Verurteilen. Den Toten wird nicht mehr nachgerufen, sie seien selbst daran schuld gewesen, wenn ihr Leben unerfüllt war oder vielleicht auch nur unerfüllt schien, „weil die Ergebnisse ihres Lebens nicht leicht aufzählbar und vorweisbar sind". Nein, die Autorin sagt über ihre Heldin: „Ich habe gefunden, daß sie in der Zeit, die ihr gegeben war, voll gelebt hat".[40] Die Erzählerin wirft sich nicht zur Richterin auf — das ist der Kern des Vorwurfs, sie distanziere sich nicht genug von der Figur, die sich einer Gesellschaft nicht völlig anpaßt, in der prinzipiell alle kollektiv die Schmiede ihres gemeinsamen Glükkes seien. In Christa Wolfs kurzer Erzählung „Juninachmittag" kommt die dicke Frau B. vor, die beim Umgang mit ihren Nachbarn die Grenze hütet, „die unverschuldetes Schicksal und selbstverschuldetes Unglück auf immer voneinander trennt".[41] Manche ihrer Kritiker in der DDR hüten diese Grenze ebenfalls, und dies so selbstsicher, als definiere auch dieser Unterschied zwei entgegengesetzte Gesellschaftssysteme, als komme im Sozialismus jedenfalls nur noch selbstverschuldetes Scheitern vor.

Die Frauengestalten der Christa Wolf ähneln einander darin, daß sie dieselben Fragen ans Leben stellen, ans eigene und an das der Gesellschaft. Gemeinsam ist ihnen auch eine beunruhigende Ernsthaftigkeit. Sie sind fast todernst, mindestens wenn man an ihr Unvermögen denkt, auf spielerisch-witzige Weise Bedrängendes von sich abzutun. Ihnen fehlt die „Wurschtigkeit", die das Staunen verlernt hat. „So ist nun mal die Welt" kommt bei ihnen nicht vor. Soweit Lässigkeit sich einstellt, etwa beim Umgang der Studentin Christa T. mit der strengen, kaum Spielraum lassenden Studienordnung, ist sie nicht Resultat selbstbewußter Relativierung des vorgegebenen Rahmens, sondern Folge komplizierter psychischer Strukturen.

Stellen nun diese „Veras, Ritas und Christas" (um einmal parodistisch eine Methode der DDR-Germanistik zu verwenden, die glaubt, durch Pluralbildungen aus konkreten literarischen Figuren „historische Verallgemeinerungen" gewinnen zu können) den neuen Typus der Frau in der DDR dar, ja sind sie „überhaupt typisch"? Man wird sich davor hüten müssen, die verwandten Reaktionsweisen der weiblichen Hauptfiguren derart zu deuten, daß eine bejahende Antwort auf solche Fragen möglich wird. Horst Redeker hat auf den Vorwurf, in der jüngsten DDR-Literatur kämen die Frauen „schlecht weg", dialektisch geantwortet, d. h. die positive Kehrseite des Negativen ins volle Licht gerückt: „Die Liebeskonflikte [. . .], auch die ‚unglücklichen Ausgänge', hängen damit zusammen, daß der Glücksbegriff für diese Frauengestalten weiter geworden ist. Hier kommt also ein tatsächlicher Aufstieg der Frau, gesellschaftlich und im Reichtum ihrer Persönlichkeit zum Ausdruck, der außerordentlich konfliktgeladen ist. Wenn hier gelitten wird, dann ist das Leiden etwas Höheres, als es der landläufige Begriff ‚unerfüllte Liebe' trifft."[42]

Es bedeutet nicht, die Prosa der Christa Wolf als im engeren Sinne autobiographisch mißzuverstehen, wenn man die subjektive Wahrheit ihrer Frauengestalten aus Erfahrungen herleitet, die die Autorin selbst durchlebt hat. Nicht jeder Autor, natürlich auch nicht jede Autorin, stellt unablässig die Frage, wo und was Wahrheit sei wie Christa Wolf, die ihre Figuren davon nirgends entbindet. Bei ihr werde, so sagt der DDR-Germanist Peter Gugisch, „das individuelle Schicksal durchlässig [. . .] für Grundfragen der Epoche". Das ist sicher richtig: Seine Formulierung rettet gleichsam den Begriff des Typischen als eines Übergeordneten, ohne die Individuen zu Sprachrohren des Zeitgeistes herabzuwürdigen. Aber wenn Gugisch Schlüsse aus der besonderen Figurenwahl der Autorin ziehen will, bleibt er ganz allgemein: „Christa Wolf hat in jedem ihrer Werke die Geschichte einer Frau erzählt: durchaus nicht im einschränkenden Sinne einer — wie immer gearteten — Frauenliteratur, sondern als Geschichten aus einer Zeit, die sich auch dadurch zu erkennen gibt, wie sie die Frau gleich-berechtigt und gleich-verantwortlich an ihren Hauptfragen teilnehmen läßt."[43] Die verwirklichte Gleichberechtigung sollte also das Motiv gewesen sein, immer wieder die Geschichte einer Frau zu erzählen? Hinter dieser wenig überzeugenden Deutung steckt wieder die Suche nach dem Typischen, nun freilich nicht mehr im Sinne eines politischen Kampfbegriffs, sondern nur noch als dem kleinsten gemeinsamen Nenner.

Wie subtil auch immer in der philosophischen Diskussion die Dialektik von Erscheinung und Wesen oder die Wechselbeziehung zwischen dem Allgemeinen und dem Besonderen abgehandelt wurde — wenn es um die kulturpolitische Praxis ging, erfolgte die Fixierung dessen, was typisch sei, von einem pragmatischen Interessenstandpunkt, auch wenn dies nachträglich theoretisch aufgeputzt wurde. Das „Typische" fand seinen Anwendungsbereich, indem es als Kategorie der Bestätigung gute Dienste zu leisten imstande schien. „Det ist ja ma wieder typisch" zeigt als umgangssprachliche Redewendung an, daß der Sprecher keinen Anlaß zum Staunen sieht, weil alles so gekommen ist, wie man es nach vielen Erfahrungen erwarten mußte. Der Mann fühlt sich bestätigt, gleichgültig ob er „das Neue", von dem er Kenntnis nimmt, an erworbener Sachkenntnis oder nur am übernommenen Vorurteil mißt. Während aber die volkstümliche Anwendungsweise im Mutterwitz ein skeptisches Verhältnis zur Realität offenbart, findet die obrigkeitliche Variante Gefallen daran, mit Hilfe des „Typischen" sich bestätigen zu lassen, wie gut und schön letztlich alles sei, worauf es wirklich ankomme.

Schöne Literatur, die sich diesem einfachen Wertsystem unterordnet, ist Bestätigungsliteratur. Sie ist dies offenkundig, insoweit sie — wider besseres Wissen oder auch aus gutem Glauben des Autors — in dem Sinne ideologisch ist, als sie „falschem Bewußtsein" durch konkrete Geschichten den Schein von Wahrheit verleihen will. Sie bleibt aber auch Bestätigungsliteratur, wenn sie verifizierte, unstrittige oder positivistisch gesicherte Ergebnisse der Wissenschaften aufnimmt, um sie das Publikum dann in verwandelter belletristischer Form wiederauffinden zu lassen. Man erfährt, was man schon weiß oder schon wissen könnte. Unter dem Zwang, den Abstraktionsgrad der Wissenschaft oder der Ideologie zu erreichen, also auch im Roman gleichsam „allgemeingültig" zu schreiben, verflüchtigt sich, was die Kunst als Kontrastprogramm zu anderen Formen der Wirklichkeitserkenntnis leisten könnte. Daher kann es verheerende Folgen haben, wenn die Soziologie oder, anspruchsvoller, die Lehre von den allgemeinen Bewegungsgesetzen der Gesellschaft, fordern, die Kunst und die Literatur möge unmittelbar widergeben, was „typisch" sei, gleichgültig, ob darunter das statistisch ermittelte oder nur das sozial Wünschenswerte verstanden wird. Diese Auseinandersetzung ist mit wechselnden Frontlinien auch in der DDR immer wieder geführt worden.

Die Geschichte des Begriffs und seiner jeweiligen taktisch-operativen Verwendung kann hier nicht nachgezeichnet werden. Nur einige Anmerkungen sollen folgen, damit der Bezugsrahmen noch etwas deutlicher wird, in dem das Typische oder Nicht-Typische der Figuren im „Geteilten Himmel" in der DDR diskutiert wurde. Brecht schrieb kritische Notizen zum Problem auf: „Es scheint viele Berater zu geben, die alles, was sie gern verborgen haben möchten, oder alles, was statistisch nicht häufig ist, für nicht typisch erklären. Man macht aus dem Wort einen Fetisch, indem typisch einfach das Gewünschte ist. Oft ist es, als ließe sich einer porträtieren und sagt dem Maler: Aber, nicht wahr, die Warze hier, und daß die Ohren abstehen, das ist nicht typisch für mich." Brechts Definitionsversuch: „geschichtlich bedeutsam" sollte die Alternative zwischen dem Durchschnittlichen im Sinne des häufig Vorkommenden und dem erst im Keim vorhandenen Zukunftsträchtigen wegwischen. Das Kriterium, ob ein Verhalten oft oder selten ist, schob er beiseite. Denn „Vorkommnisse und Menschen müssen [. . .] realistisch, d. h. mit ihren Widersprüchen dargestellt werden, und auch der Häufigkeitsgrad ihres Auftretens muß zu erkennen sein".[44] Erstmals veröffentlicht wurde dieser Text freilich erst im Jahre 1964. Sein Inhalt konnte in der Auseinandersetzung der fünfziger Jahre daher keine Rolle spielen.

Von großer Bedeutung waren damals politische Deklarationen zum Problem aus dem Munde derjenigen, die Brecht mit dem ominösen Wort „Berater" belegt hat. In der DDR wurden offizielle sowjetische Erklärungen zum Thema übernommen und autoritativ abgesegnet. Das gilt vor allem für die Definition des Typischen, die Malenkow auf dem 19. Parteitag der KPdSU im Oktober 1952 gegeben hatte und von der die Künstler nach der Entmachtung des Politikers wenige Jahre später wieder loszukommen suchten. Daß der Rechenschaftsbericht eines Parteitages[45] sich mit dem Typischen befaßte und diese wenigen Sätze einen Rattenschwanz von konformen und von gewitzten Kommentaren auslösten, zeigt, daß hier ein zentraler Punkt der kulturpolitischen Orientierung getroffen wurde. Malenkow hat das so verdeutlicht: „Das Typische ist die Hauptsphäre für die Äußerung der Parteilichkeit in der realistischen Kunst. Das Problem des Typischen ist stets ein politisches Problem.'' So eng die Definition Malenkows (,,Typisch ist, was dem Wesen der gegebenen sozialen und historischen Erscheinung entspricht'') auch gemeint sein mochte, sie blieb doch vage genug, um in verschiedener Weise ausgelegt und ausgebeutet zu werden. Insbesondere die Legitimierung von Übertreibung und Zuspitzung war geeignet, den Spielraum der Künste zu erweitern. Aber im wesentlichen bedeutete die Abtrennung des Typischen von ,,irgendeinem statistischen Durchschnitt'' weniger eine Befreiung vom bloßen Widerspiegelungsnaturalismus, als die Kanonisierung einer Didaktik des Außerordentlichen, des Vorbildhaften, des Heldischen, das, gerade weil es in der Realität selten vorkam, um so mehr Gegenstand der Literatur werden sollte, um die Leser zur Nachahmung des richtigen Verhaltens anzuspornen, in dem das ,,Wesen'' der Epoche des Sozialismus sich angeblich ausdrückte.

Bei der späteren Abwehr dieser These half der Rückgriff auf eine eher beiläufig von Friedrich Engels gegebene Realismus-Definition (,,typische Charaktere in typischen Umständen''[46]) nur wenig. Man konnte allenfalls das Wort ,,Charaktere'' gesperrt drucken, um dem nicht näher beschriebenen Typischen eine Bestimmtheit zu geben, die vom Allgemeinen wegführte. Auf der Suche nach Autoritäten fand sich bei Lenin eine — ebenfalls beiläufige — Stelle, die, aus dem Zusammenhang gerissen, geeignet war, die schöne Literatur aus den Verbindlichkeiten wissenschaftlicher oder politischer Darstellungen zu entlassen. In einem Brief vom 24. Januar 1915 an die Revolutionärin Inès Armand, mit der Lenin ein vertrautes Verhältnis verband, kritisierte er deren Absicht, in einer populären Broschüre über sexuelle Freiheit von möglichen Einzelfällen auszugehen. Um ihr dies auszureden, bediente er sich des Arguments, derlei gehöre in die schöne Literatur.

Ob dies genügt, um daraus eine ästhetische Grundposition aufzubauen, bleibe dahingestellt. Die Stelle lautet: ,,Aber geht es denn um Fälle? Wenn man das Thema so wählt: ein Einzelfall, ein individueller Fall [. . .] dieses Thema müßte man in einem Roman behandeln (denn hierbei bilden den Angelpunkt die *individuellen* Umstände, die Analyse der *Charaktere* und die seelische Verfassung *bestimmter* Typen). Aber in einer Broschüre?''[47] Solche Äußerungen sind gewiß nützlich, solange es in einer Auseinandersetzung nötig bleibt, sich auf Autoritäten zu stützen. Situationsabhängige Briefstellen sollte man jedoch nicht aus dem Argumentationszusammenhang herauslösen. Lenin entwickelt hier nicht eine ästhetische Konzeption, sondern er sucht einen plausiblen Weg, eine Kampfgenossin vom Verfassen einer politisch schädlichen Broschüre (die dann auch nie entstand) abzubringen.

Wollte jemand andererseits beweisen, daß Lenin immer etwas gegen die gehäufte Darstellung von Sonderfällen im Roman gehabt habe, brauchte er sich nur eines anderen Briefes an Inès Armand zu bedienen. Da hatte Lenin sich über den Roman eines gewissen Winnitschenko geärgert („schade um die verlorene Zeit fürs Lesen") und schrieb nun, daß die Schrecklichkeiten dieses Buches durchaus im Leben vorkommen könnten. „Aber sie zusammenfassen, und zwar *so* zusammenfassen, bedeutet den Teufel an die Wand malen, bedeutet sich selbst und den Leser zu schrecken und zu verrohen."[48] Lenin nimmt hier selbst, als er merkt, daß – aus Ärger – ein allgemeines Verdikt herauskommen könnte, durch das eingeschobene „und zwar *so*" das Regelhafte zurück, so daß statt einer ästhetischen Vorschrift ein negatives Urteil über einen schlechten Roman übrigbleibt. Soviel zu einer Tendenz in der DDR, sich im Streit um Einzelfragen des jeweiligen Beistands der Klassiker des Marxismus-Leninismus zu versichern, was aufgrund der Tatsache, daß diese keine Ästhetik hinterlassen haben, die sich etwa wie die politische Ökonomie in Hauptwerken manifestiert, zu angestrengten Überinterpretationen führen muß.

Die meisten der hierzu herangezogenen und besprochenen Beispiele haben in der heftigen Auseinandersetzung um Christa Wolfs Erzählung „Der geteilte Himmel" eine Rolle gespielt. Was manchem Leser wie eine Abschweifung vorgekommen sein mag, hat daher hier durchaus seinen Platz. Denn diese Erzählung, deren kulturpolitische Bedeutung im Westen oft unterschätzt wurde, hat nicht nur die schriftstellerische Emanzipation der Autorin befördert, sie hat auch eine Diskussion unter Politikern, Kritikern und Lesern entstehen lassen, als deren Ergebnis die damaligen Grenzen für literarische Formen und Themen zwar nicht gesprengt, aber doch erweitert werden konnten. Die Verfechter des „Typischen" konnten danach jedenfalls nie mehr auf frisch-fröhliche Weise ihre repressiven Absichten durchsetzen.

Ein Hauptvorwurf der Gegner des Buches war es, die Nebenfiguren, nämlich der Arbeiter Meternagel, der Betriebsleiter Wendland, der Dozent Schwarzenbach und erst recht der opportunistische Buchhalter Ulrich Herrfurth, seien allesamt „angeknackst", repräsentierten also nicht die vorbildliche Partei, die SED, der sie angehören. Über die ersten drei der Genannten schrieb die Kritikerin Irma Schmidt: „Sie alle haben ein gemeinsames ,Schicksal'. Jeder von ihnen ist einmal mit der Partei [. . .] in Konflikt geraten und wurde dabei ungerecht behandelt. (Ist das denn das Typische?) Niemals spürt man hinter ihnen das Kollektiv und die Kraft der Partei."[49] Diese Position ist sehr häufig vertreten worden. Ich begnüge mich mit diesem Beleg, wie ich auch stellvertretend für die Gegenposition nur eine Stimme anführe, nämlich die des Kritikers Günther Dahlke, der hinter solchen Angriffen alte Vorstellungen vom Typischen vermutet, denn daß es solche Genossen wie die beschriebenen gebe, könne von den Wortführern gegen das Buch ja nicht bestritten werden. Dahlke schrieb: „Es ist nicht zu übersehen, daß von den Kritikern im Grunde gefordert wird, Christa Wolf hätte entweder *den* Genossen unserer Tage darstellen müssen, d. h. einen Genossen, der in sich entweder alle Seiten und Züge der Partei in unseren Tagen oder das Wesen der Partei verkörpert, oder mindestens einen ,normalen' Genossen, der gewissermaßen den Durchschnitt aller Mitglieder unserer Partei repräsentiert. Beide Forderungen widersprechen nicht nur den Erfahrungen, dem Anliegen und den Aufgaben einer realistischen Kunst überhaupt, sondern stehen auch im Widerspruch zur marxistisch-leninistischen Erkenntnistheorie und der Theorie vom Typischen als einer Kategorie der Ästhetik."[50]

Sie widersprachen vielleicht einer künftigen, noch zu entwickelnden Theorie vom Typischen, aber keineswegs den bis dahin gültigen Auffassungen darüber, die bis heute noch nicht völlig überwunden sind. Gründliche Aufräumungsarbeit auf dem Felde der mechanistischen Funktionalisierung von Literatur leistete Horst Redeker in seiner wichtigen Studie „Abbildung und Aktion" mit dem Untertitel „Versuch über die Dialektik des Realismus". Gegen die Vorstellungen vom Autor als dem Medium der Wirklichkeitsspiegelung akzentuierte er die Subjektivität auch der aufs Objektive zielenden Weltinterpretation. Sein Ausgangspunkt war dabei die Polemik gegen westliche Beschreibungen des „sozialistischen Realismus", deren Methode er so kennzeichnete: „sich einen engen, schematischen *Begriff* von der Sache machen und dann gegen Enge und Schematismus der *Sache* selbst zu Felde ziehen".

Aber Redeker räumt, Einwände sogleich abfangend, durchaus ein, daß ein solches Verfahren erleichtert wurde durch das Auftreten der Verteidiger und Vertreter des sozialistischen Realismus. Als Beispiele nennt er einige charakteristische Urteile über den „Geteilten Himmel". Etwa eine der schlichten Sprache Stalins nachempfundene Kritik in Form eines Frage- und Antwortspiels: „Gab es solche Funktionäre? Sicherlich! Gibt es sie noch? Vielleicht noch hier und da. Gibt es solche Wissenschaftler wie in jener makabren Abendgesellschaft? Möglich. Aber — gibt es *nur* solche, oder sind sie auch nur in der Überzahl? Bestimmt nicht." Vor solchem Anspruch wird jeder in einem Buch vorkommende Funktionär oder Wissenschaftler zu *dem* Funktionär und zu *dem* Wissenschaftler in der Wirklichkeit. Redeker sieht darin eine platte Unterordnung der Kunst unter die Wirklichkeit.[51]

Nach allem, was wir über die triviale Anwendung des „Typischen" gesagt haben, ist wohl ohne weiteres verständlich, daß die Anhänger der Bestätigungsliteratur ihre Betroffenheit über kritisch gestaltete Personen, die im sozialistischen Staat beruflich oder auch politisch Ämter und Würden bekleiden, abreagieren. Empört eröffnen sie ein „Mensch, ärgere dich!"-Spiel, bei dem unsichtbar „die vielen guten ehrlichen lieben tadellosen Menschen der Republik" den von Schriftstellern bevorzugten gebrochenen, in sich widerspruchsvollen, problematischen Figuren gegenübersitzen, die es hier und da, aber nur vielleicht, unter Umständen, aber natürlich nicht so, sondern auch viel positiver, noch, kurze Zeit, seit Erscheinen des Buches eigentlich gar nicht mehr, geben mag — wenn es denn sein muß.

Aber selbst wenn dieses Motiv fehlt, ist die „Pluralisierung" bedenklich, der z. B. die Literaturwissenschaft verfallen kann, wenn sie allgemeine Tendenzen zusammenfassen, Etappen der literarischen Entwicklung fixieren will. Dann werden ganz unterschiedliche Figuren soweit auf Gemeinsames reduziert, daß sie für etwas Allgemeines einstehen sollen. Da die Interpreten in der Regel unmittelbar auf die Realität, wenn auch vielleicht gelegentlich nur auf den Teil von ihr, der sich in einer bestimmten Form in Parteitagsbeschlüssen wiederfindet, rekurrieren, hat diese Nebenordnung nicht einmal Vergleichscharakter. Das Einwirken von Literatur auf Literatur wird dabei vernachlässigt, den Abhängigkeiten bestimmter Romanfiguren von ihnen vorangehenden spürt man nicht genug nach. Bloß zu sagen, daß die Gestalt des Dogmatikers Mangold eine besondere Entdeckung Christa Wolfs sei, ist wenig ergiebig, wenn man den Gründen nicht nachgeht, warum er eine Figuren-Reihe eröffnete, der danach Frieda Simson in „Ole Bienkopp" von Strittmatter und Bleibtreu in „Spur der Steine" von Neutsch folgten.

Hatte Christa Wolf hier vielleicht einen Weg freigeschaufelt oder wenigstens eine Bresche geschlagen? Vorbilder aus der Literatur oder Vorbilder aus dem Leben? Selbst wenn sich eine extreme Zuspitzung dieser Frage verbietet, bleibt dies Problem auch für eine Literaturkritik, die eine auf Realität zielende Norm des Erzählens bevorzugt, von Bedeutung. Die — zugegebenermaßen knapp gefaßte — Literaturgeschichte aus der DDR, auf die ich mich hier beziehe, sieht in den genannten Figuren wieder nur Beispiele für andernorts, in diesem heiklen Falle höheren Orts, festgestellte schädliche Tendenzen, was, träfe es zu, den Autor zum Illustrator stempelte, der — vor allem als kritischer Wirklichkeitsbetrachter — ganz und gar neue Fragen gar nicht aufzuwerfen wagte: „Alle drei Charaktere sind eine literarische Reflexion auf bestimmte historische Erscheinungen, die zuerst auf dem XX. Parteitag der KPdSU in aller Schärfe verurteilt wurden. Die genannten Schriftsteller entlarven mit diesen literarischen Gestalten engstirniges, sektiererisches Verhalten. Wenn es den Autoren auch noch nicht gelang, diese Figuren in den Gesamtprozeß der historischen Entwicklung umfassend einzuordnen, so vertiefen (sie) doch den kritischen Aspekt in der sozialistisch-realistischen Erzählkunst und tragen zur Überwindung provinzialistischer Züge bei."[52]

Danach wurde die Wahrheit über bestimmte historische Erscheinungen(!), über die man sich nicht unbestimmt genug auslassen kann, „zuerst" (in Wirklichkeit sehr spät) auf einem Parteitag in der Sowjetunion enthüllt. Aber was damit an Thematik für die literarische Behandlung offensteht, sanktioniert durch autoritative Gremien, kann den Autoren lange vorher als für die Gestaltung reif bewußt gewesen sein. Daß im Falle des Stalinismus oder Dogmatismus (und wie die anderen Hilfsbegriffe lauten mögen, die anzeigen, daß eine marxistische Analyse der „bürokratischen Entstellungen", wie es auch oft verharmlosend heißt, bisher nicht geleistet worden ist) ausgerechnet den Literaten vorgeworfen wird, sie hätten die kleinen Exponenten der falschen Politik und der falschen Methoden in ihren Romanen nicht umfassend in den Gesamtprozeß der historischen Entwicklung eingeordnet, ist angesichts des theoretisch-ideologischen Mankos ein billiger Vorwurf, es sei denn man wollte von der schönen Literatur etwas erhoffen, was sie leichter als die Theoretiker und Ideologen zur Sprache bringen könnte.

Den Verfassern der Literaturgeschichte schwebt eine solche „Erhöhung" der Literaten aber keineswegs vor. (Es gäbe dafür ja einige gute Gründe; denn wenn sich bei Schriftstellern der Mut zur Entdeckung der Wahrheit mit dem taktischen Geschick verbindet, sie nicht nur im geschriebenen, sondern auch im *gedruckten* Wort sichtbar zu machen, zeigt sich rasch, wie Literatur die Chance bietet, verdrängte oder auch bewußt totgeschwiegene Probleme zur Sprache zu bringen). Für die Autoren der genannten Literaturgeschichte gelten die Schriftsteller letztlich doch nur als „ausführende Organe", die mit den Mitteln der Belletristik arbeiten. Das Lob, das ihnen gezollt wird, bezieht sich auf etwas so Vages wie die Überwindung „provinzialistischer Züge". Gemeint sind wohl provinzielle — aber auch dieses Werturteil zeigt nur Wohlwollen an und ist im übrigen leer. Wenn als Angriffsziel „engstirniges, sektiererisches Verhalten" genannt wird, verharmlost eine solche Beschreibung die kritischen Möglichkeiten der Stunde und des Stoffes. Erstens wurde der „falsche, herzlose Umgang mit den Menschen" im Interesse einer wirksameren Massenarbeit auch zu Stalins Zeiten —

und oft genug von ihm selbst – angeprangert, weil diese Begriffe weit genug sind, um jede Abweichung von der Linie, vornehmlich freilich die linke Abweichung, zu umfassen. Zweitens enthält solches Moralisieren die Möglichkeit, die Schuld dem einzelnen, der sich des Fehlverhaltens schuldig macht, anzulasten, und somit die Regeln der didaktischen Vorbildliteratur nicht zu verletzen: „So wie dieser da darfst du es nicht machen!"

Die westliche Pressekritik hat die genannten Werke – und nicht nur sie – in der Regel als völlig im Einklang mit dem jeweils kulturpolitisch Erwünschten befindlich beschrieben; d. h. sie ging von der Annahme aus, der kritische Anteil sei so dosiert worden, wie man es „oben" haben wollte. Letztlich wird hier die mechanistische Betrachtungsweise, aus der in der genannten Literaturgeschichte Lob fließt, vom anderen Ufer her wiederholt, nun freilich mit dem tadelnden Ausdruck des Bedauerns. Obwohl den meisten Schreibern im Westen der bewußte Zwang oder die unbewußte Verführung zum Kompromiß bekannt sein dürfte, wird ausgerechnet von Autoren, deren Situation man als wenig rosig einzuschätzen gewohnt ist, Unbedingtheit verlangt, also das Absehen von den Umständen, in denen, und von den Lesern, für die sie schreiben.

Geübt darin, dem eigenen Lesestoff keine Trivialliteratur anspruchslosen Zuschnitts untermengen zu lassen, lassen manche Rezensenten aus geschmackvollem Kennertum herrührende vergleichende Urteile einfließen wie „die rote Marlitt" oder „der ländliche Courths-Mahler", wofür man übrigens mit elegantem Schwung Dutzende von Stilbeispielen aus dem kritischen Ärmel schütteln kann. Der Zusammenhang zwischen der Erschließung neuer Leserschichten und dem vorherrschenden Anspruchsniveau wird vernachlässigt, obwohl sich damit in Schriften, Tagebüchern, Gesprächen sowohl die großen Alten Becher, Brecht oder Eisler wie auch die in der DDR Nachgeborenen herumplagen, was anzeigt, daß sich hier ein dynamischer Prozeß wachsender Ansprüche und damit auch wachsender Zumutbarkeiten vollzieht.

Die ästhetische Abwertung findet ihr Pendant in einer politischen Zurückstufung, wenn nicht die SED, so offiziell wie nur möglich, Zeter und Mordio schreit. Nehmen die Herausgeber der kulturpolitischen Leitlinien, wie die für den Kurs auf diesem Gebiet Verantwortlichen einmal vereinfachend genannt werden sollen, ein Buch aber hin oder begrüßen sie es sogar, wird unterstellt, es sei also genau das geliefert worden, was der Auftraggeber bestellt habe. Unberücksichtigt bleibt in solcher Sicht, daß der Auftraggeber auf die Lieferung von Büchern angewiesen ist, also auch passieren läßt, was nur leidlich oder nur annähernd seinen Wünschen entspricht, ohne immer hinauszuposaunen, daß ihm „die ganze Richtung" nicht paßt. Oft paßt ihm manches, anderes nicht. Neue Bücher und die Reaktionen der Leser verändern die Maßstäbe, was verschleiert erscheint, weil auf die Fiktion einer in sich konsequenten, geradlinigen, kontinuierlichen Politik wegen ihres Stabilisierungseffekts nicht verzichtet wird. Es gibt Streitigkeiten und Auseinandersetzungen, unter und über der Oberfläche, zu oft noch unter der Oberfläche. Das Zu-sich-selber-Kommen einer Schriftstellerin wie Christa Wolf, das identisch ist mit ihrem Bemühen, soviel wie möglich an Wahrheit fassen zu können, spielt sich in solch schwierigem Gelände ab, das zu erkunden und zu begehen freilich auch reizvoll ist.

Die summarischen Bemerkungen über einige Stereotypen bei der Beschäftigung mit DDR-Literatur in der Bundesrepublik sollen nicht vergessen machen, daß an einem Ende des Spektrums auch Autoren einen Platz haben, deren Bücher nicht an dem Ort gedruckt werden, wo ihre Primärleserschaft zu Hause ist, von der subtilen Art, Manuskripte durch Selbstzensur zu verhindern, gar nicht zu reden. Auch wird zugestanden, daß am anderen Ende jene Schreiber placiert werden müssen, die die allgemeinen Forderungen an die Literatur samt den wechselnden zugehörigen Durchführungsbestimmungen dermaßen verinnerlicht haben, daß sie gar nicht in die Gefahr kommen, durch ihre Arbeit Konfliktsituationen heraufzubeschwören und durchzustehen. Mit der zunehmenden Emanzipation der Literatur von unmittelbarer Bevormundung verringert sich jedoch die Bedeutung dieser Autoren – entweder sie „qualifizieren" sich oder sie werden an den Rand gedrängt, als Schriftstellerveteranen ohne Rücksicht auf ihr Lebensalter.

Was oft leichthin zum Zwecke der Harmonisierung gesagt wurde, nämlich daß beim politisch bewußten Autor sozialer Auftrag und innerer Drang, objektives Erfordernis und persönliche Intention zusammenfielen, eins seien, verwirklicht sich in einem allmählichen Prozeß, freilich in paradoxer Umkehrung der Ansprüche aneinander: Die Schriftsteller machen Offerten und erklären, für die von ihnen gewählte Art des Angebots einen Auftrag erhalten zu haben. Sie halten, was sie vorlegen, für nützlich bei der Weiterentwicklung der sozialistischen Gesellschaft. Die Entgegensetzung von Schriftstellern auf der einen Seite und „der Partei" auf der anderen ist ungeeignet, dies sehr ungesicherte Wechselspiel zu beschreiben. Die Schriftsteller sind selbst Teil der Partei und nehmen gerade daraus ihr Recht, verantwortlich, d. h. mit Mut und Maß mitzureden, wobei das Mischungsverhältnis abhängt von Temperament und Charakterstärke. Der Teil der Partei, der die Kultur verwaltet, paßt sich diesem Entwicklungsprozeß allmählich an, indem er die direkte Anleitung der Literaturschaffenden mehr und mehr ersetzt durch die nachträgliche „Einschätzung" ihrer Produkte.

In der Spätphase der Ära Ulbricht hatte die Parteispitze nicht mehr die Kraft, flexibel zu reagieren. Sie entschloß sich 1965 auf dem 11. Plenum nach dem VII. Parteitag zu einem Repressionskurs auf kulturellem Gebiet, der nur zu „Verhinderungs-", also Scheinerfolgen führte. Unter der Oberfläche lief weiter, was hätte abgewürgt werden sollen. Die Korrektur durch den VIII. Parteitag nach dem Führungswechsel zu Erich Honecker hin erfolgte vorsichtig, ermutigte aber auch durch schwache Signale, die vor dem Hintergrund der vorherigen mehrjährigen äußerlichen Friedhofsruhe laut genug klangen. Die Parteiführung *re*agiert, läßt Spielraum, aber eben Spielraum – sollten die Benutzer zu laut und zu ungebärdig werden, ist seine Schließung wiederum möglich. Daß sie ausgerechnet diesmal eine solche Maßnahme als sinnvoll einsehen sollten, steht nicht zu erwarten. Anhänger und Gegner des Experiments „Offener Meinungsstreit" warten ab, geeint in der Überzeugung, die Praxis sei das Kriterium der Wahrheit.

Die opportunistische Version, wahr sei, was die jeweilige Praxis erfordere, hätte nach der Repression von 1965 Selbstkritiken der Künstler in Hülle und Fülle auslösen müssen. Sie blieben, mit ganz wenigen Ausnahmen, aus. Christa Wolf, die mit dem „Geteilten Himmel" schon eine Art Testfall geliefert hatte, bei dem Verdammung und Lobpreisung merkwürdig nahe beieinander liegende Wertungsmöglichkeiten waren, wie das Protokoll der kritischen Aufnahme des Buches zeigt, war 1965 alarmiert. Sie wollte mit ihrer nunmehr, verglichen mit dem Bitterfelder Auftritt anderthalb Jahre vorher, schwachen Autorität mahnen und warnen. Ihre Rede auf dem 11. Plenum des Zentralkomitees[53], dem sie damals als Kandidatin angehörte, wurde nicht durch Heiterkeitsausbrüche, sondern durch tadelnde Zwischenrufe unterbrochen. Aber die Autorin hatte erkannt, daß es nicht um das Verbot von ein paar Filmen oder Stücken ging, sondern um eine prinzipielle Umorientierung mit Einschüchterungseffekt. Deswegen warnte sie davor, eine schon erreichte ästhetisch-politische Position einfach wieder preiszugeben. Sie setzte sich dafür ein, „daß man nicht wieder zurückfällt auf den Begriff des Typischen, den wir schon mal hatten und der dazu geführt hat, daß die Kunst überhaupt nur noch Typen schafft". Auf den Einwurf der Volksbildungsministerin Margot Honecker „Dagegen sind wir doch auch!" reagierte sie mit Zustimmung und Zweifel: „Das weiß ich. Ich weiß aber auch ganz genau, Genossin Honecker, daß diese Gefahr nicht überwunden ist."

Im Kern sollte ihre in dieser Situation zweifellos ungewöhnliche Rede dem Verzicht auf Errungenschaften entgegenwirken, die nicht zuletzt als Ergebnis des Pro und Contra um den „Geteilten Himmel" eine Art gesicherten Allgemeinguts geworden schienen: „Man darf nicht zulassen, daß das freie Verhältnis zum Stoff, das wir uns in den letzten Jahren durch einige Bücher, durch Diskussionen und durch bestimmte Fortschritte unserer Ästhetik erworben haben, wieder verlorengeht. Ich weiß nicht, ob es angebracht ist, hier über Psychologie zu sprechen. Aber es ist so, daß die Psychologie des Schreibens ein kompliziertes Ding ist und daß man vielleicht eine gewisse Zeit, wenn auch nicht gut und nicht leicht, meinetwegen einen Betrieb leiten kann, vielleicht sogar ein halbes Kulturministerium, wenn man sich in einem tiefen Konflikt befindet, aber schreiben kann man dann nicht. Auf der Bitterfelder Konferenz wurde gesagt, daß Kunst nicht möglich ist ohne Wagnis. Die Kunst muß auch Fragen aufwerfen, die neu sind, die der Künstler zu sehen glaubt, auch solche, für die er noch nicht die Lösung sieht."

Christa Wolf ist in dieser Zeit auf dem Wege, sich der Fessel der Verallgemeinerung zu entledigen. Sie erklärt, anstatt Besserung zu geloben: „es wird nach wie vor passieren — es wird auch mir passieren oder schon passiert sein —, daß man etwas verallgemeinert, was nicht verallgemeinernswert ist. Das kann sein". Darin steckt die Überzeugung, daß die Kulturkampagne der Repression langfristig erfolglos bleiben muß, ja daß die erzwungene Ruhe nicht einmal kurzfristig einen Erfolg darstellt. Auch die Hinweise auf die Psychologie des Schreibens, gehen in diese Richtung. (Wird nichts mehr geschrieben, gibt es auch nichts mehr zu tadeln.) Spricht sie in diesen Sätzen noch so, als gebe es jedermann einsichtige, unstrittige Kriterien für das, was „verallgemeinernswert" ist (worin ja wieder das ganze Dilemma des Typischen steckt), obwohl ja gerade bei dessen Beurteilung gleichsam beliebig verworfen oder gepriesen wird, führt sie den Gedankengang in einer Weise fort, die nahelegt, sie habe unmittelbar vorher einen Standpunkt referiert, den sie ohnehin nicht teilt: „Dazu möchte ich aber sagen, daß die Kunst sowieso von Sonderfällen ausgeht und daß Kunst nach wie vor nicht darauf verzichten kann, subjektiv zu sein, d. h., die Handschrift, die Sprache, die Gedankenwelt des Künstlers wiederzugeben."

Heute gelesen, wirkt dieser Text merkwürdigerweise bis in die Wortwahl hinein, wie die Vorwegnahme von Sätzen, die Erich Honecker als Erster Sekretär der SED auf dem VIII. Parteitag im Juni 1971 und auf dem 4. Plenum des Zentralkomitees im Dezember des gleichen Jahres der Kunst und Literatur widmete.[54] Den Künstlern wurde versprochen, man bringe „der schöpferischen Suche nach neuen Formen volles Verständnis entgegen", und es war auch die Rede von „dem ganzen Reichtum ihrer Handschriften und Ausdrucksweisen", vom Wegfall der Tabus auf diesem Gebiet usw. Zur Klimaverbesserung zwischen Künstlern und Politikern trug auch ein Satz Honeckers bei, der jenen Ideologen galt, die zu rascher, emotional aufgeladener Verdammung des vermeintlich Schädlichen in der Kunst neigen: „Dem Schaffen des Künstlers kann sich selbstverständlich nur jener als Partner anbieten, der sich bemüht, in den Inhalt und das Wesen eines Kunstwerkes einzudringen, das ihm zur Beurteilung vorliegt." Damit war indirekt auch eine Distanzierung von der Form und dem Ton erfolgt, in denen seit 1965 von mancher Seite die Auseinandersetzung mit Christa Wolf geführt worden war.

Auch eine von den gröbsten Schematismen freigehaltene konventionelle Bestätigungsliteratur war für die Verfasserin des „Geteilten Himmel" kein mögliches Ziel ihrer literarischen Bemühungen mehr. Sie zeigte sich desinteressiert an Gestalten, die nie für sich selbst sprachen, sondern immer nur für andere und anderes einzustehen hatten. Sie wollte weg vom Repräsentieren, gleichgültig ob nun Negatives oder Positives „verkörpert" werden sollte, oder auch, was manche für einen Ausweg hielten, eine graue Melange, die von beidem etwas enthielt. Die Kunst geht von Sonderfällen aus — darüber hatte die Autorin sich in einem schmerzhaften und langwierigen Prozeß Gewißheit verschafft. Als sie ein Jahr nach ihrer letzten Rede als ZK-Kandidatin eine Studie über die ihr — bei allen prinzipiellen weltanschaulichen Unterschieden — in mancher Hinsicht wesensverwandte Ingeborg Bachmann[55] schrieb, sagte sie von ihr: „Sie berichtet keine Fälle, sondern denkt über Fälle nach — über den ‚Grenzfall, der in jedem Fall steckt' ". Der Essay über die Bachmann, übrigens mit dem bezeichnenden Titel „Die zumutbare Wahrheit", ist über weite Strecken ein verdecktes Selbstporträt. Auch von Christa Wolf läßt sich sagen, daß sie „keine ursprüngliche Erzählerin" ist, „wenn man darunter verstehen will, daß jemand unbefangen Geschichten erzählen und sich selbst dabei vergessen kann".

Aber es werden nicht nur Querverbindungen zwischen zwei in unterschiedlichen Gesellschaften arbeitenden Autorinnen gezogen; als Kritikerin gelangt Christa Wolf nunmehr zu Aussagen über das Verhältnis von Kunst und Wahrheit, wie sie ihr noch nicht möglich waren, solange sie subjektive Impulse mit von außen herangetragenen Forderungen mühsam zu versöhnen trachtete. „Wahrheitsgemäß", heißt jetzt für sie: „nach eigener Erfahrung sich äußernd, über Gewisses und Ungewisses". (Mit einem Zusatz über das Verstummen, das notwendig werden kann: „Und wahrheitsgemäß schweigend, wenn die Stimme versagt".) Christa Wolf gelangt — aus Anlaß der Prosa Ingeborg Bachmanns — sogar zu einer frappanten lakonischen Definition dessen, was Dichtung erstreben sollte: „Wahrhaben, was ist — wahrmachen, was sein soll. Mehr hat Dichtung sich nie zum Ziel setzen können". Bestandsaufnahme (ohne Scheuklappen) und Veränderungswille (eingegrenzt auf wünschenswerte Ziele) werden zusammengedacht in einer Formulierung, die ihr den Vorwurf der unhistorischen Betrachtungsweise eintragen könnte. Zu Unrecht, denn hier wird ja nicht eine immer gültige Definition von Dichtung an sich gegeben. Dichtung hat, so wird zwischen den Zeilen eingeräumt, immer auch anderes, wohl auch weniger, ausdrücken oder bewirken wollen – Christa Wolf benennt nur ein Äußerstes als erstrebenswert, ohne mit der Nennung eines Ziels auch schon dessen Erreichbarkeit zu postulieren. In dem Essay zeichnet die Autorin erstaunlich einfühlsam eine humanistische Position in spätbürgerlicher Gesellschaft nach, wobei sie ganz deutlich die Differenzpunkte markiert – aber ohne die Selbstgerechtigkeit derer, die alles besser wissen, weil sie sich eine ganze historische Epoche weiter fühlen. Das letzte Wort des Aufsatzes ist nicht Abgrenzung, sondern Verbundenheit aus Zeitgenossenschaft.[56]

Wieder ist man versucht, diese verständnisvolle Haltung gegenüber der „bürgerlichen Wahrheitssucherin" zu konfrontieren mit Christa Wolfs Aussagen aus der Zeit, in der es ihr fast um den Preis der Selbstverleugnung auf den „festen Halt" ankam. „Bei uns", so schrieb sie im schon einmal erwähnten Vorwort zu einer Anthologie mit Erzählungen aus den fünfziger Jahren, „[...] muß sich ein Schriftsteller viel mehr um den Wahrheitsgehalt seiner Bücher sorgen als in der bürgerlichen Gesellschaft, wo seine Geschichten und Meditationen nur wenige Menschen erreichen und in ihr Leben kaum eingreifen".[57] Wenn im Kapitalismus Kunst und Literatur sowieso kaum Bedeutung haben, dann kommt es auf deren Wahrheit so sehr nicht an – das war die vulgärmarxistische These von 1959. Und daß der DDR-Schriftsteller sich viele Sorgen um den Wahrheitsgehalt seiner Bücher machen muß, war in solchen Zusammenhang sicher nicht doppeldeutig gemeint. Die Autorin hat also einen weiten und steinigen Weg zurückgelegt; all ihre Erfahrungen und Enttäuschungen haben sie wohl vor allem anderen gelehrt, daß Weg und Ziel weit auseinanderliegen und es sehr viel Zähigkeit und Energie erfordert, auf bereitwillig angebotenen Ruhebänken und Raststätten keinen Daueraufenthalt zu nehmen.

Was ist Wahrheit? Der begeisterte marxistische Impetus hatte die junge Studentin und Kritikerin davor bewahrt, der Lethargie des Agnostizismus zu verfallen: Wenn man wollte, konnte man schon Bescheid wissen. Die größere Leistung war es, der viel stärkeren Versuchung zu widerstehen, Bilanz zu machen, ohne zu bemerken oder ohne wissen zu wollen, wieviel falsche Posten in die Abschlußrechnung eingegangen waren. Sie hatte es zuweilen versucht, sich und anderen endgültige Antworten zu geben, auch auf ihre große Frage. Aber als Erzählerin schuf sie sich allmählich Luft – sie legte die Sicherheitsgurte ab, als sie merkte, welche Fesseln sie sich auferlegt hatte und an sich ertrug. Nicht gleich alle auf einmal, sie wollte ja nicht den Fall ins Bodenlose proben! Christa Wolf führt keine plötzlichen magischen Erleuchtungen vor. Sondern der Weg von der „Moskauer Novelle" über den „Geteilten Himmel" bis hin zu „Nachdenken über Christa T." stellt einen kontinuierlichen Prozeß zunehmender Rücksichtslosigkeit gegenüber den aufgestellten Verbotsschildern und Wegweisern dar.

Ihre Bitterfelder Rede von 1964 hatte sie mit einem Ausflug in die Zirkusartisten-Metaphorik beendet: „Ich bin der Meinung, daß man zum Beispiel als Trapezkünstler unbedingt mit Seil, Schutzgürtel und Netz arbeiten muß. Aber wenn man schreibt – auf welchem Gebiet auch immer –, kann man nicht mit Netz arbeiten; da muß man schon ein kleines Risiko eingehen, das aber mit Verantwortung verbunden sein soll."[58] Dieser interessante Vergleich gibt exakt eine Positionsbestimmung der Christa Wolf im

Jahre 1964, nicht im Simme eines Standorts, sondern als Momentaufnahme während eines dynamischen Fortschreitens: Von den drei Requisiten, mit denen der Trapezkünstler sein Tun absichert, verwirft sie (wohl auch im Namen vieler anderer Schreiber) vorerst nur das Netz.

Die Sprache enthüllt hier — vermutlich ohne die bewußte Absicht der Autorin —, wie schwer es ihr fällt, ganz und gar mit eigenen Beinen zu stehen, zu stolpern und womöglich auch zu fallen. Seil und Schutzgürtel soll sich der Schriftsteller also immer noch um den Leib binden — das Risiko soll klein gehalten werden. Heißt der Schutzgürtel Verantwortung? In wessen Interesse wird er getragen? Auf Wunsch der Artisten, des Publikums oder der Zirkusleitung? Verantwortung — ein vieldeutiges Wort. Es reicht von der Erforschung dessen, was man mit seinem (künstlerischen, politischen und moralischen) Gewissen vereinbaren kann, bis hin zu dem Gedanken, sich vor anderen verantworten zu müssen. Man darf dabei auch den Trick nicht vergessen, der das „Zeigen oder Tragen” von Verantwortung mit „bewußter Einsicht in die Notwendigkeit” verbindet, eine philosophische These über die Haltung objektiven Abläufen gegenüber also vulgärmarxistisch zu einer Maxime für Verhalten im Alltag werden läßt, weil mittels Überredung und Überrumplung einmal getroffene Entscheidungen als einzig möglich ausgegeben werden sollen. Wenn von Verantwortung die Rede ist, kann also, falls nähere Bestimmungen fehlen, durchaus die Rechtfertigung von Selbstzensur naheliegen. Aber der Mißbrauch tötet Grundworte nicht ab — der Mut zum Wagnis bedeutet nicht den Weg in die Verantwortungslosigkeit.

Um im Bilde zu bleiben: erst mit der letzten größeren Erzählung, mit „Nachdenken über Christa T.” von 1968, hat Christa Wolf Seil und Schutzgürtel dem schon vorher abgeräumten Netz in die Rumpelkammer folgen lassen. Wer nur darauf achtet, mag leicht übersehen, wieviel Training nötig war, ehe auch dieser Schritt gewagt werden konnte. Er sieht dann nur die Unterschiede zu und nicht die Gemeinsamkeiten mit den früheren Büchern. Aber eines trifft zu: Erst bei diesem schriftstellerischen Auftritt vertraute sie ganz ihrem Talent, ihrer Geschicklichkeit und ihrer festen Überzeugung, nicht ratlos in der Zirkuskuppel zu hängen. Vermutlich deshalb blieb so vielen Beobachtern, den sensationslüsternen wie den ängstlichen, der Mund vor Staunen offen stehen.

Für das große Thema, die Wahrheit zu erforschen, also erst einmal Pfade zu finden, die zu ihr hinführen könnten, hat der Entschluß der Autorin, wagemutiger aber nicht waghalsig zu werden, weitreichende Konsequenzen. In einer ausführlichen und kenntnisreichen Analyse des Buches „Nachdenken über Christa T.” schrieb Heinrich Mohr: „Was Christa Wolf unternimmt, ist ein ernstes Geschäft von moralischer und politischer Relevanz: Herstellung der Wahrheit mit den Mitteln der Poesie.”[59] Mohr betont mit Recht die zentrale Bedeutung der „Wahrheit” für die verschiedenen Perspektiven des Buches. Aber auch wenn man unglückliche Formulierungen wie die vom „ernsten Geschäft” nicht überbewerten will, scheinen mir mindestens hinter der zusammenfassenden Beschreibung, es gehe der Autorin um die „Herstellung der Wahrheit mit den Mitteln der Poesie” einige Fragezeichen angebracht. Daß Christa Wolf selbst statt von Poesie nur von Prosa sprechen würde, fällt dabei noch nicht einmal ins Gewicht, denn ein Interpret ist ja nicht genötigt, die Ausdrucksweise der Interpretierten zu übernehmen. Wohl aber bedarf die Trennung von Ziel und Methode der Kritik: es werden nicht poetische *Mittel* eingesetzt, um etwas anderes, das Eigentliche nämlich, anzufertigen.

Das Verhältnis von Poesie (oder Prosa) und Wahrheit ist in diesem Buch nicht das von Werkzeug und Produkt. Darüber hinaus ist aber die Rede von der „Herstellung der Wahrheit" überhaupt irreführend, denn „herstellen" kann man sie nach Meinung der Autorin ja gerade nicht. Sie ist kein Produkt, das man nach Hause tragen kann — weil Wahrheit nicht produzierbar ist. Schon die Nähe der Begriffe Herstellung und Manipulation macht die Benutzung eines technischen Vokabulars bei der Kennzeichnung einer Wahrheitssuche fragwürdig. Eigenen Erfahrungen zu vertrauen und zu mißtrauen, ist etwas anderes als mehr oder weniger versiert an der Wahrheit zu basteln. In ihrem „Kurzen Entwurf zu einem Autor" schreibt Christa Wolf: „Denn es ist schwierig, unverwandt und unbedingt wahrhaftig von den eigenen Erfahrungen auszugehen. Dies, manchmal als Gewissensprüfung für den Autor hingestellt, ist in Wirklichkeit blanker Eigennutz: jede Manipulation mit den eigenen Erfahrungen zerstörte unverzüglich den Kontakt zu den lebendigen Quellen der Inspiration und würde den Autor zwingen, Gespenster auszustoßen, Mißgeburten, die mit verdrehten Augen und falschen Zungen reden."[60]

Ganz altmodisch wird hier von den „lebendigen Quellen der Inspiration" gesprochen, also von einem Aspekt, den Mohr an dieser Stelle vernachlässigt, um eine Art Parallele zu der im Westen viel geübten Methode ziehen zu können, durch Konstruktion von Modellen oder Verdoppelung und Vervielfachung von Personen Identitäten wiederzugewinnen und der Wirklichkeit erneut habhaft zu werden, nachdem die Allmacht des Erzählers dahinschwand. Hans Mayer hat mit Recht darauf hingewiesen, daß diese Gemeinsamkeiten aber nur oberflächlicher Natur sind: „Um es möglichst komplex auszudrücken: die Schriftstellerin und Germanistin Christa Wolf verfaßt den Bericht über das Leben der Schriftstellerin und Germanistin Christa T. Womit sich auch dieses Buch aus der DDR einreiht in die Phalanx von Romanen aus jüngerer Zeit, deren Romanheld eigentlich ein Schriftsteller ist, welcher sich erfolglos damit abmüht, Realität in Fiktion zu verwandeln. All diese Elemente finden sich auch bei Christa Wolf. Dennoch haben sie hier, was mit der DDR zusammenhängt, eine andere und wesentlich interessantere Funktion. Die bereits beim Klischee angelangten erfolglosen Schriftsteller in westlichen Romanen demonstrieren bloß, daß literarische Freiheit innerhalb eines geschlossenen Systems von Entfremdungen wenig auszurichten vermag. Die Schriftstellergestalten bei Christa Wolf, sowohl das Subjekt wie das Objekt des Erzählens, behandeln den Vorgang einer Befreiung durch Schreiben."[61]

Die Wahrheit kann nicht hergestellt werden — diese Erkenntnis ist nicht erst das Resultat des Bemühens. Die Erzählerin weiß das, ehe sie beginnt. Deswegen gelangt sie nicht in die Sackgasse der Relativismen. Aus der Unmöglichkeit, Wahrheit herzustellen, folgt bei ihr, daß man keinen Weg auslassen darf, der in die engere oder weitere Umgebung von Wahrheit führen könnte. Die Ambivalenz zwischen Dokumentation und Fiktion und den jeweils zugeordneten Wahrheitsbegriffen hat ihren Grund hierin. Heinrich Mohr belegt dies — gleichsam außerhalb seiner hier diskutierten These — anschaulich und überzeugend, so daß ich mich unter Hinweis auf diese ausgezeichnete Analyse kurz fassen kann.

Ich will nur auf einige zentrale Stellen eingehen, in denen die Autorin darüber nachdenkt, was für eine Art Wahrheit sie in früheren Zeiten ihres Lebens zu glauben und anzuwenden sich gewöhnt hatte. In der Rückschau sehen die Folgen der sogenannten ungarischen Ereignisse von 1956 so aus: „Ein Wort kam auf, als sei es neu erfunden, wir glaubten ihm näher zu sein denn je: ‚Die Wahrheit' sagten wir, konnten es nicht lassen, diesen Namen immer wieder auszusprechen: Wahrheit, Wahrheit, als sei sie ein kleinäugiges Tier, das im Dunkeln lebt und scheu ist, das man aber überlisten und fangen kann, um es dann ein für allemal zu besitzen. Wie wir unsere früheren Wahrheiten besessen hatten. Da hielten wir ein. Nichts ist so schwierig wie die Hinwendung zu den Dingen, wie sie wirklich sind, zu den Ereignissen, wie sie wirklich passieren, wenn man ihrer lange entwöhnt war und ihren Abglanz in Wünschen, Glaubenssätzen und Urteilen für sie selbst genommen hat. Christa T. verstand, daß sie, daß wir alle unseren Anteil an unseren Irrtümern annehmen mußten, weil wir sonst auch an unseren Wahrheiten keinen Anteil hätten.''[62]

Mir scheint, daß Christa Wolf hier bestätigt, was an ihren Kritiken und Aufsätzen aus den späten fünfziger Jahren nachzuweisen versucht worden ist: Als die früheren Wahrheiten zerplatzten, wollte sie, vielleicht für eine ganze Generation sprechend, erst recht „die Wahrheit" und nun die richtige, packen. Am sogenannten festen Weltbild sollte festgehalten werden: Subjektives und scheinbar Objektives klammerten sich aneinander. Daraus resultierte das Schwanken zwischen den meist unter der Oberfläche steckenden Zweifeln und den schrillen Vereinfachungen, die an das laute Singen des ängstlichen Kindes im Walde erinnerten. „Wir [. . .] waren vollauf damit beschäftigt, uns unantastbar zu machen, wenn einer noch nachfühlen kann, was das heißt. Nicht nur nichts Fremdes in uns aufnehmen — und was alles erklärten wir für fremd! —, auch im eigenen Innern nichts Fremdes aufkommen lassen, und wenn es schon aufkam — ein Zweifel, ein Verdacht, Beobachtungen, Fragen —, dann doch nichts davon anmerken zu lassen. Weniger aus Angst, obwohl viele auch ängstlich waren, als aus Unsicherheit. Eine Unsicherheit, die schwerer vergeht als irgend etwas anderes, was ich kenne. Außer der Sicherheit, deren Kehrseite sie ist. Wie soll man es nur erklären? So ist es.''[63] Der zitierte Absatz beginnt übrigens mit der Ankündigung „Die Wahrheit ist:" — und am Ende des Gedankengangs steht, nach einem Aufseufzen über die Schwierigkeit, diese psychische Situation klarzumachen, ein definitives: „So ist es".

Es gibt in dem Buch also durchaus auch die emphatische Verwendung des Begriffs „Wahrheit" für etwas, das gewiß scheint. Mißbräuche und subjektive Irrtümer, alle gedeckt durch das große Wort Wahrheit, bringen sie nicht dazu, die so oft enttäuschte und getäuschte Wahrheitssuche selbst höhnisch zu diskreditieren. Die Wahrheit über einen vergangenen Zeitabschnitt herauszufinden, auch über einen, den man tätig miterlebt, kann — entgegen der Abrede, Distanz schaffe Klarheit — weniger leicht sein, als sich seines Standpunkts im Hier und Heute zu vergewissern. Deswegen spürt man hinter dem definitiven „So ist es" ein fragendes „So ist es doch?" Das 5. Kapitel des Buches, aus dem der eben zitierte Passus stammt, beginnt schon mit Bemerkungen über das Schweigen als ein Signal, das Nichtwissen anzeigt, wieder im letztlich optimistischen Sinne des Noch-nicht-Wissens.

Man darf diese Haltung nicht verwechseln mit einem Verstummen aus Resignation, erst recht nicht mit dem arroganten Rückzug des Wissenden, der sich verkriecht, weil man seine Wahrheit nicht haben will. Der Anfang dieses 5. Kapitels lautet so (wobei die Hervorhebungen von mir stammen): „Wir wissen nicht viel über diese Jahre, denn man weiß nicht wirklich, was *noch nicht* ausgesprochen ist – die Möglichkeit, durch Aussprechen zu verfestigen, mit eingerechnet. Das eigene Zögern belehrt mich, daß *noch nicht* die Zeit ist, flüssig und leicht über alles und jedes zu berichten, wobei man anwesend war oder es doch hätte sein können. Warum dann aber überhaupt? Warum nicht schweigen, wenn man sich für befangen erklären muß? Nun ja – wenn es sich um eine Wahl gehandelt hätte. Sie ist es ja, Christa T., die mich hineinzieht."[64]

Nach Gründen, warum es so schwierig sein soll, über eine Zeit zu schreiben, die knapp zwanzig Jahre zurückliegt und vom mithandelnden Augenzeugen doch inzwischen mit einigem Abstand für beschreibbar gehalten werden sollte, muß der nachdenkliche Leser allein suchen. Wenn man sieht, wie die DDR-Kritik das, was Christa Wolf andeutet, irritiert als „raunende Randbemerkungen"[65] über die Mitte der fünfziger Jahre aus dem Bewußtsein zu verdrängen sucht, liegt es nahe, die politischen Umstände als hauptsächliche Ursache zu nennen. Denn simpel gesagt, hat sich in der DDR die Angewohnheit verbreitet, das erste Jahrzehnt der DDR durch eine Brille zu betrachten, deren formschöne Gläser jedem eine milde Optik garantieren, der auf hübsche Blickwinkel Wert legt. Man scheidet auch von der jüngsten Vergangenheit heiter – mit dem Gefühl, daß alles gut war, denn was schlecht war (falls es überhaupt erwähnenswert ist), erscheint als seit langem überwunden. Aber sowohl eine humoristische (Beispiel: Hermann Kant) wie auch eine polemisch-aggressive Art (Beispiele nicht vorhanden oder ungedruckt), sich dieser Jahre zu vergewissern, scheiden für Christa Wolf aus. Die eine, weil das „flüssige und leichte" Abtun auf oberflächliches Verharmlosen hinauslaufen kann, die andere, weil sie „dabei" war, aufrichtig, bemüht, betroffen, leidend, zweifelnd und über die Zweifel scheinbar immer wieder triumphierend – wie könnte sie sich also auf eine Außenposition begeben und von dorther aburteilen wollen!

So hängt das Zögern eng mit den eigenen Fähigkeiten zusammen, auch mit dem Vermögen, die persönlichen Erfahrungen zu objektivieren. Die fehlenden Bücher wären also nicht einfach da, wenn die objektive Ungunst der Umstände, also die ideologische und administrative Fessel der Literaturpolitik, weggedacht würde. Man muß aber kein Prophet sein, wenn man es für wahrscheinlich hält, daß Christa Wolf auf dieses sie bedrängende Thema der Erfahrungen ihrer Generation nach 1945 wieder zurückkommen wird. Bei aller Strukturierung und Stilisierung drängen die autobiographischen Elemente in „Nachdenken über Christa T." mit Macht in jede Lücke, die zwischen der Handlung und ihrer Kommentierung durch die Erzählerin bleibt. Heinrich Mohr hat dies so beschrieben: „Nicht Subjekt und Objekt der Erzählung sind identisch, wohl aber die Figur der Erzählerin im Roman und dessen Autorin. Die Erzählerin wird nicht – oder doch nur ganz ansatzweise – in eine literarische Figur umgesetzt, deshalb muß sie gesichts- und namenlos bleiben. Die Anonymität der Erzählerin ist der Preis, den Christa Wolf dafür zahlt, daß sie selbst im Roman präsent sein kann. Das bedeutet ein direktes Engagement der Autorin."[66] Dies berechtigt dazu, die „Ich"- oder „Wir"-Passagen in dem Buch unmittelbar für die Darstellung des Selbstverständnisses der Autorin heranzuziehen. Man muß sich in unserem Zusammenhang den Aussagen zur Wahrheitsfrage nicht so vorsichtig nähern, als handle es sich um Rollenprosa.

Über die verwirrende Mischung von Fiktivem und Authentischem, zwischen vielleicht auch vorgeblich Fiktivem und vorgeblich Authentischem in diesem Buch hat man viel geschrieben. Auch das „Selbstinterview" hat den ironischen Umgang mit dem Material, dem vorgefundenen und dem erfundenen, natürlich nicht in Eindeutigkeiten aufgelöst, sondern ihn mit neuen schillernden Formulierungen noch einmal wiederholt. Ich will darauf nur soweit eingehen, wie daraus Einsichten über Methoden einer wahrhaftigen und wahren Darstellung von Wirklichkeit zu gewinnen sind. Die Erzählerin läßt den Leser wissen, daß die früh verstorbene Christa T. sich gleichsam aufgedrängt, ihr nicht die Wahl gelassen habe, sie anders oder gar nicht vorzustellen.

Was das Ganze der Biographie mit dem tödlichen Ende betrifft, die in der Rückschau dem eigenen und dem fremden Nachdenken überantwortet wird, gibt sich die Erzählerin als abhängig von den Fakten aus. Ja, es empfiehlt sich wohl, den Intentionen der Autorin zu folgen und nicht mißtrauisch den Fuß zwischen die Türe zu schieben: sagen wir also ruhig, sie ist in bezug auf das Ganze abhängig von den Fakten, deren unwiderruflichstes der Tod der Christa T. ist. An bestimmten wichtigen Ereignissen der Handlung darf also nicht aus ästhetischen oder vorgeblich ästhetischen Gründen gerüttelt werden, denn „so war es" oder „so war sie". Damit gewinnt die Autorin Spielraum gegenüber den für „ausgedachte Geschichten" geltenden Regeln, etwa in bezug auf die Vorbildlichkeit der Helden, auf die Beachtung irgendwelcher auf Typisches gerichteter Erwartungen usw. Ironisch schlüpft sie in die Rolle einer braven Schreiberin, die nichts lieber täte, als diesen Regeln zu entsprechen, aber leider, leider . . . : „Ach, hätte ich die schöne freie Wahl erfundener Eindeutigkeit . . . Nie wäre ich, das möchte ich doch schwören, auf sie verfallen. Denn sie ist, als Beispiel nicht beispielhaft, als Gestalt kein Vor-Bild. Ich unterdrücke die Vermutung, daß es nicht anders erginge mit jedem wirklich lebenden Menschen, und bekenne mich zur Freiheit und zur Pflicht des Erfindens. Einmal nur, dieses eine Mal, möchte ich erfahren und sagen dürfen, wie es wirklich gewesen ist, unbeispielhaft und ohne Anspruch auf Verwendbarkeit."[67]

Diese Stelle ist von äußerster Doppelbödigkeit, wenn man sich von dem oberflächlichen Anschein der Klarheit nicht täuschen läßt. Denn die „Regeln" werden nicht etwa außer Kraft gesetzt (wozu die Macht der Autorin auch nicht reichte), sie werden nicht einmal direkt attackiert — Christa Wolf erteilt sich nur für diesen einen Fall davon Dispens, freilich mit einer Entschiedenheit, die anzeigt, wie sehr die Beachtung der Regeln sie einengt. Wieder gibt sie einen Beitrag zum Problem des Typischen: diese Christa T. ist nicht typisch in jenem pragmatisch-ideologisch vorgeprägtem Sinn, der nachahmenswerte positive Lebenshaltungen, immerwährende politische Zuversicht eingeschlossen, vorführt. Aber sie ist dennoch ein Beispiel — denn wenige Zeilen vorher hat die Autorin Schreiben definiert als „Beispiele anbieten". Ganz ähnlich verhält es sich mit dem „Anspruch auf Verwendbarkeit", dem hier angeblich nicht Genüge getan werden soll. Denn die „Befreiung durch Schreiben", von der Hans Mayer gesprochen hat, bedeutet ja nicht das Durchstehen einer persönlichen Krise, über die Rechenschaft abgelegt werden soll, sondern eine Ermutigung für andere, sich ebenfalls befreien zu wollen. („Wann, wenn nicht jetzt"[68], wie es leitmotivisch immer wieder heißt). Also auch verwendbar und anwendbar soll sein, was als Prozeß und Ergebnis eines Nachdenkens gezeigt wird.

Christa Wolf hält keinen Monolog ohne Rücksicht auf die Zuhörer: die Leserschaft soll etwas damit anfangen können. Deswegen muß die Stelle, in der der „Anspruch auf Verwendbarkeit" verworfen wird, durch ein Zitat aus dem Vorwort ergänzt werden: „Ein für allemal: Sie braucht uns nicht. Halten wir also fest, es ist unseretwegen, denn es scheint, wir brauchen sie".[69] Christa T. ist also doch ein verwendbares Beispiel. „Mir liegt daran, gerade auf sie zu zeigen. Auf den Reichtum, den sie erschloß, auf die Größe, die ihr erreichbar, auf die Nützlichkeit, die ihr zugänglich war".[70] Es handelt sich nur um die Zurückweisung einer ganz bestimmten Beispielhaftigkeit und einer ganz bestimmten Verwendbarkeit, nämlich derjenigen, die sich in den kulturpolitischen Normen niedergeschlagen haben und die dann auch prompt, wie die Autorin es im Buch vorhergesagt hatte („wer [. . .] auf größere, nützlichere Lebensläufe zeigt, hat nichts verstanden"[71]), von der DDR-Kritik eingeklagt wurden.

Die wirkliche Christa T. gibt mit allem, was man von ihr wissen, d. h. auf den verschiedensten Wegen in Erfahrung bringen kann, ein Beispiel ab. Die Autorin gestattet es nicht, ihre Heldin als „verfehlte Existenz" wegzuschieben. Wenn die Erzählerin in schöner freier Wahl auch nicht auf diese Figur gekommen wäre — nachdem sie einmal „da" ist, wird sie ernst genommen und nicht mit dem Vorbehalt beschrieben, eigentlich hätte die Autorin sich lieber ein aktivere, geradliniger lebende Heldin gezaubert. Deswegen die Feststellung: „Wenn ich sie erfinden müßte — verändern würde ich sie nicht". Nur eines hätte sie doch verändert: Christa T. hätte nicht sterben müssen. Sie hätte ihr Zeit gegeben, die Selbstverwirklichung weiter zu versuchen, gemeinsam mit anderen in einer Gesellschaft, die so widersprüchlich ist, daß sie immerhin doch auch ermöglicht, was sie verhindert. „Ich würde sie leben lassen, unter uns, die sie, bewußt wie wenige, zu Mitlebenden gewählt hatte."[72] Denn diese Gesellschaft braucht, wie es schon im „Geteilten Himmel" geheißen hatte, die Empfindlichen und nicht die Stumpfen.

Dieser vertrackte Optimismus, den auch dieses so gern als bloß elegisch klassifizierte Buch ausstrahlt, ist im Westen wie im Osten offenbar schwer zu verstehen. Im Westen wird dem Tod der Christa T. ein Symbolwert zugeschrieben, aus dem man eine anklägerische Absage an die Entwicklungsmöglichkeiten der DDR-Gesellschaft ableitet, obwohl das Buch seiner ganzen Intention nach gegen die Verführung durch Resignation angeht. Im Osten hat sich die tonangebende Kritik darauf geeinigt, daß Optimismus frisch-fröhliche Apologie des Bestehenden zu sein hat, dem Veränderungen allenfalls in Form von Schönheitskorrekturen zuzumuten sind. Ein Optimismus, der sich auf Umwegen zu beglaubigen sucht, findet nur schwer Anerkennung.

Der typische Sozialist sollte vorbildlich sein für alle, die es mehr oder weniger schon waren, und für alle, die es werden wollten oder sollten. Vom Schriftsteller wurde erwartet, daß er solche Figuren „schafft", wo sie in Wirklichkeit nicht, zu wenig oder aber nicht als personhaftes Bündel vieler guter Eigenschaften vorhanden waren. Das Wortspiel mit dem Bindestrich „Vor-Bild" deutet auf den abstrakten Entwurf, den das Typische oft darstellte. Ehe er sich auf die Wirklichkeit überhaupt einließ, wessen es natürlich bedurfte, um die didaktische Zielsetzung mit glaubwürdigen und wahrscheinlichen, „realistischen", Elementen anzureichern, hatte auch der Autor das „Vor-Bild" vor Augen. In dem Fall meiner literarischen Figur Christa T. gilt dies nicht, sagt Christa Wolf, denn sie hat wirklich gelebt, und ich habe sie gekannt. Jeder wirklich lebende Mensch ist ungeeignet, ein Vorbild abzugeben — von diesem Gedanken behauptet die Autorin, sie unterdrücke eine solche Vermutung. Indem sie dies hinschreibt, tut sie paradoxerweise gerade nicht, was sie sagt. Die Vermutung steht schwarz auf weiß da, gemäß der aus dem ABC für Redner bekannten Floskel: „Ich will ja gar nicht davon sprechen, daß . . . ."

Man darf in diesem Zusammenhang nicht überlesen, daß das Unterdrücken der genannten Vermutung unmittelbar folgt aus dem Bekenntnis „zur Freiheit und zur Pflicht des Erfindens". Das Bekenntnis wird bekräftigt, obwohl der Hinweis auf das Erfinden als Pflicht noch einmal verdeutlicht, daß darunter nicht vor allem freischwebende Phantasie oder subjektive Weltbetrachtung verstanden wird, sondern das Ausfüllen einer Wunschlandschaft, für die eine Umrißkarte von den offiziellen Auftraggebern bereits vorgelegt worden ist. Aber dieses Buch über Christa T. soll sich bewußt nicht daran halten — es entsteht *entgegen* der Freiheit und Pflicht des Erzählens. Oder mit einem banalen Bild ausgedrückt: Die Erzählerin tanzt aus der Reihe und sagt, daß sie das für diesmal tue, sich nächstens aber wieder einzufügen gedenke. „Einmal nur, dieses eine Mal, möchte ich erfahren und sagen dürfen, wie es wirklich gewesen ist [. . .]."[73]

Eingeladen zum Nachdenken, kann der Leser auch darüber rätseln, ob dies nun eine besonders vorsichtige oder eine besonders provokatorische Formulierung ist. Wird beruhigend versichert, es handle sich um einen erzählerischen Seitensprung, eine bewußte, keineswegs fahrlässige, aber eben doch einmalige Abweichung? (Der DDR-Kritiker Horst Haase, der sich bei der Ausübung seines Handwerks dadurch belästigt fühlt, daß „die Autorin die Möglichkeiten des Reflexionsstils dazu nützt, kritischen Einwänden auf die verschiedenste Weise vorzubeugen", hofft auf Christa Wolfs nächstes Buch: „Die Probleme dieses Buches, soweit sie als unbewältigt betrachtet werden müssen, sind deshalb letztlich wiederum nur in künstlerischer Gestaltung aufhebbar."[74] Oder muß man es als eine besondere Herausforderung verstehen, daß zum Ausnahmefall gestempelt wird, sagen zu dürfen, „wie es wirklich gewesen ist"?

Natürlich hängt die Autorin nicht der naiven Vorstellung an, die Ausbreitung eines dokumentarischen Materials oder das Aufzählen empirischer Daten aus einem Lebenslauf verbürge, „wie es wirklich gewesen ist". Wir haben gesagt, daß sich die Erzählerin nur, was *das Ganze* der Biographie ihrer Heldin angeht, als von den Fakten abhängig zeigt. Im einzelnen aber „kann man sich, leider, an die Tatsachen nicht klammern, die mit zuviel Zufall gemischt sind und wenig besagen". Und weiter heißt es: „Aber es wird auch schon schwerer, auseinanderzuhalten: was man mit Sicherheit weiß und seit wann; was sie selbst, was andere einem enthüllten; was ihre Hinterlassenschaft hinzufügt, was auch sie verbirgt; was man erfinden muß, um der Wahrheit willen: jener Gestalt, die mir manchmal schon erscheint und der ich mich mit Vorsicht nähere."[75] Hatte die Autorin sich, wie schon ausgeführt wurde, durch die Berufung auf einige unumstößliche Fakten Spielraum gegenüber den für „ausgedachte Geschichten" geltenden Regeln verschafft, so verzichtet sie gleichwohl nicht darauf, ihre subjektiven Möglichkeiten auszunutzen, das Material also zu arrangieren und zu ergänzen. Sie verschafft sich Bewegungsraum nach mehreren Seiten — um nicht schon durch methodische Verengungen die Chancen zu verbauen, in die Nähe der Wahrheit vorzustoßen.

Da die Autorin aber ihre Verfahrensweise fast auf jeder Seite offenlegt und mit sich und dem Leser erörtert, ist es nicht zulässig, irgendeine einzelne Formulierung herauszuklauben, sie für das Konzentrat zu halten und weitreichende Schlußfolgerungen daran zu knüpfen. Das tut z. B. der DDR-Kritiker Hermann Kähler, wenn er folgenden Ausschnitt zitiert[76]: „Aber was sind Tatsachen? Die Spuren, die die Ereignisse in unserem Innern hinterlassen." Er nennt dies einen „unseligen Satz", als handle es sich um eine allgemeingültige Definition und nicht um ein Stück aus einer mehrdimensional verwendeten Kette von Material.

Die Ich-Erzählerin zitiert hier aus einem Blatt, auf dem Christa T. eine paar Bemerkungen, „deren Zusammenhang mir dunkel blieb", aufgeschrieben hatte. Eine Notiz wird so wiedergegeben: „Tatsachen! An Tatsachen halten. Und darunter in einer Klammer: *Aber was sind Tatsachen?*" Die Frage ist durch Kursivdruck hervorgehoben. Was Kähler als Teil des „unseligen Satzes" ausgibt und was jetzt folgt, ist schon der Beginn des nächsten Absatzes: „Die Spuren, die die Ereignisse in unserem Innern hinterlassen. Das war ihre Meinung, sagt Gertrud Born, die jetzt Dölling heißt."[77] Das heißt, es handelt sich dabei weder um eine Eintragung der Christa T. noch um einen Kommentar der Ich-Erzählerin, sondern um die Wiedergabe der Meinung von Christa T. durch eine Zeugin namens Gertrud Born. Mag der sich anschließende Dialog zwischen dieser Gertrud und der Ich-Erzählerin auch vorgestellt sein und dadurch — wie alles in dem Buch — letztlich unter dem Gesetz der Fiktion, also unter der Verantwortung der Christa Wolf stehen — entscheidend ist, daß es sich um eine Erörterung handelt, aus der einzelne Mosaiksteinchen herauszubrechen und als angebliche Endresultate auszugeben, mehr als fahrlässig ist. Im Verlauf der Unterhaltung wird die Einstellung der Christa T. zu den Tatsachen einseitig genannt, also unvollständig; richtig und falsch zugleich. Aber unberechtigt ist es ja wohl nicht, den Begriff der objektiven Tatsache sich einmal an dem begrenzten Aufnahmevermögen des einzelnen brechen zu lassen: „Wie könnte denn alles, was passiert, für jeden Menschen zur Tatsache werden? Sie hat sich die Tatsachen herausgesucht, die zu ihr paßten — wie jeder, sagte sie still. Übrigens war sie süchtig nach Aufrichtigkeit."[78]

Die Auswahl des Wesentlichen — kein Problem? Tatsachen, die keine werden, weil niemand sie meldet? Kriterien dafür, ob etwas Neuigkeits- oder Mitteilungswert hat? Gibt es dies alles oder nicht? Kennt jemand die Praxis einer Parteilichkeit, die nur die Tatsachen heraussucht, die passen, unter Verzicht auf die lästige Aufrichtigkeit, im Dienste allgemeiner großer Ziele? Kähler erregt sich darüber, daß die Erzählerin die so ganz und gar falsche Einstellung der Christa T. nicht mit scharfen Worten verdammt; er hält es für ein starkes Stück, sie nur „einseitig" zu nennen — „angesichts der Wucht heutiger Tatsachen".[79] Eine verräterische Formulierung, denn wenn es so ist, hilft ja wohl nur das Sich-ducken, Zusammenzucken, Ja-sagen, Sich-anpassen. Das Buch ist eine einzige leise, aber eindringliche Reaktion auf solche Haltungen — und die Kritik antwortet auf das Buch durchaus in jenem Geist, den Christa Wolf in ihrer unpolemisch-nachdenklichen Art in Frage stellen wollte.

Deswegen finden sich Entgegnungen auf die kritischen Einwände meist schon in der Erzählung vorweggenommen, und nicht etwa, wie vermutet wurde, deswegen, weil die Kritiker hilflos oder unsicher gemacht werden sollten. So liegt es nahe, Hermann Kähler und seiner selbstgerechten Attacke ein paar Fragen aus dem 6. Kapitel entgegenzuhalten: „Die Macht der Tatsachen, an die wir glaubten . . . . Aber was ist Macht? Was sind Tatsachen? Und schafft nicht auch – Nachdenken Tatsachen? Oder bereitet sie doch vor?"[80] Hierin steckt zweifellos auch der Veränderungswille, den die Autorin in ihr Buch hat eingehen lassen: ihr Schreiben bezieht sich unmittelbar auf eine Realität, die anders werden kann, indem man über sie nachdenkt. Wirklichkeitsinterpretation und Wirklichkeitsveränderung schließen einander nicht aus, sie bedingen sich wechselseitig. Vor allem für den, der die Schranken zwischen Denken und Tun als schmerzhaft empfindet. Der bequeme Ausweg, einfach mitzumachen, ohne zu fragen, warum und wozu, erscheint als gefährliche Angleichung ans Übliche. „So ist es nun einmal, was willst du machen!" – so drückt sich die müde Variante der Anpassung aus. Nicht weniger bedrückend erscheint aber die kräftig aktivistische, die Motive und Ziele einfach ungeprüft übernimmt und Alarm schlägt, wenn einer auf eigene Rechnung und Gefahr ans Nachdenken geht. Die Aversion gegenüber den „Phantasielosen", den „Hopp-Hopp-Menschen" verbindet die Ich-Erzählerin und ihre Heldin.

Das Synonym „Tatsachenmenschen" könnte dem Mißverständnis Nahrung liefern, als „wahrhaft menschlich" werde eine Haltung empfohlen, die schwärmerisch die Bedingtheiten der wirklichen Welt überfliegt. Die Wahrheit der objektiven Tatsachen und die Wahrheit der subjektiven Erfahrung werden aber nicht mechanisch gegeneinandergestellt. Sondern: da beide sich im menschlichen Bewußtsein durchdringen, lassen sie sich auch nicht voneinander so isolieren, daß der einen Wahrheitsgehalt zukomme, der anderen aber nicht. Das ist der Sinn solcher Momente, in denen die Erzählerin innehält: „Soweit, um den Tatsachen Genüge zu tun, die Handlung. Die Wahrheit aber ist das nicht."[81] Deswegen der Hinweis, daß man die Oberfläche der Geschehnisse „leicht Wahrheit nennt".[82]

Die Gereiztheit, mit der in der DDR zunächst auf diese Überlegungen zum Wahrheitsproblem reagiert wurde, hat etwas Verblüffendes. Denn vieles, was Anlaß zur Aufregung bot, wird ein Leser, der sich in der kulturpolitischen Landschaft der DDR wenig auskennt, für so selbstverständlich halten, daß es ihm nicht auffällt oder er die Brisanz des Themas nicht erkennt. Schließlich hat ja auch sozialistische Kunst, etwa die Brechts, ihre Aufgabe darin gesehen, die gewöhnlichen Dinge auffällig zu machen, also hinter die Oberflächenwahrheit zu dringen. Ebenso wenig ist neu, die Dialektik von Notwendigkeit und Zufall am Beispiel des Tatsachenbegriffs zu diskutieren. Und die „Verteidigung der Poesie" nicht nur gegenüber dem nüchternen Leistungsprinzip ist ja seit Johannes R. Bechers Bemühungen aktuell geblieben. Man tut also gut daran, mindestens einen Teil der zurückhaltenden oder aggressiven Äußerungen gegen das Buch mit den Verödungen im intellektuellen Leben der DDR in der zweiten Hälfte der sechziger Jahre zu erklären.

Läßt man diese wenig verbindlichen Maßstäbe einmal beiseite, wird deutlich, daß die ästhetischen Konsequenzen, die Christa Wolf für ihre schriftstellerische Praxis aus dem Nachdenken über die Gestaltbarkeit von Wahrheit zog, lange vor „Christa T." in ihrem kritischen und erzählerischen Werk angelegt und vorbereitet wurden. Der große Essay „Lesen und Schreiben", der ungefähr gleichzeitig mit der Erzählung entstand, liefert gewiß einen theoretischen Hintergrund, wie ihn die Autorin in früheren Jahren noch nicht hätte zeichnen können. Aber Ansätze und Entwürfe dazu sind schon wesentlich älter. Nur scheint ihr die Lage der Kunst (als Erzählerin, die sich scheut, andere Bereiche immer gleich mit abzuhaken, spricht sie vorsichtig immer nur von Prosa) insgesamt heute bedrohlicher zu sein.

Forscher, so erklärt sie in einem „Lamento" genannten Abschnitt des Essays, hätten es viel leichter als Literaten, ihre Nützlichkeit zu beweisen. Die Nüchternheit, die auch in der Leserschaft um sich greife, führe dazu, daß wer wissen wolle, wie es wirklich gewesen sei, zu Tatsachenberichten, Biographien, Dokumentensammlungen, Tagebüchern und Memoiren greife. „Der Kuchen ‚Wirklichkeit', von dem der Prosaschreiber sich früher in aller Seelenruhe Stück für Stück abschnitt, ist aufgeteilt."[83] Der Erzähler sollte das Wettrennen mit den exakten Wissenschaften nicht mitmachen wollen — nur wenn seine Prosa etwas anderes auszukundschaften vermag als diese, kann sie überleben. Christa Wolf nennt Stichworte wie Phantasie, Spiel mit offenen Möglichkeiten. Was die Leser bewege, sei „weder ‚das Leben selbst' noch eine Information über Fakten, und doch hat es mit Wahrheit zu tun". Denn: „Es gibt eine Wahrheit jenseits der wichtigen Welt der Fakten." Der Erzähler solle durchaus die wissenschaftlichen Ergebnisse kennen und nutzen, „aber was er selbst auf der Suche nach der Natur des gesellschaftlich lebenden Menschen entdeckt, darf wohl als ‚wahr' gelten, ohne daß der Nachweis der ‚Richtigkeit' erforderlich wäre, den jeder naturwissenschaftliche Schluß verlangt".[84] So ließen sich wohl die Reflexionen übers eigene Metier, die auch die Struktur von „Nachdenken über Christa T." bis in die feinsten Verästelungen bestimmen, summarisch zusammenfassen.

Nach-Denken, nun auch einmal mit Bindestrich geschrieben, heißt doch wohl vom Vergangenen, vom Gewesenen auszugehen, ihm nachzuspüren, damit es nicht abgetan wird, ohne Spuren im Inneren, also Erfahrungen, zu hinterlassen. Deswegen nennt Christa Wolf Prosa „die authentische Sprache der Erinnerung".[85] Das ist eine späte Definition, sie stammt aus einem Aufsatz, der vom März 1972 datiert ist. Aber ihre Praxis als Erzählerin war immer diesem Anspruch verpflichtet, ungeachtet des unterschiedlichen ästhetischen Rangs der Erzählungen. Schon der veröffentlichte Erstling (frühere Manuskripte ließ sie einer Aussage von 1965 zufolge nicht passieren[86]), die „Moskauer Novelle" von 1961 lebt von der Rückschau aufs Jahr 1945. „Rein äußerlich gesehen geschieht da nicht viel. Es ist keine Handlung, bis zum Rand gefüllt mit Begebenheiten, sondern das Geschehen wird gleichsam verinnerlicht und ist dennoch voll außerordentlicher Dynamik, obwohl sämtliche Rückblenden über eine Art Spiegelverfahren gebrochen, nämlich über die Reflexion Xs an uns herangelangt sind. Überhaupt ist X der Reflektor des ganzen inneren Geschehens, alles wird von ihrem Blickpunkt aus betrachtet, alles ist auf sie bezogen, nicht zuletzt dadurch gewinnt diese [. . .] Erzählung ihre Wärme und Intimität, die dem Leser spontane Anteilnahme abfordert."[87]

Das ist ein Ausschnitt aus einer Rezension der „Moskauer Novelle", sie stammt aus dem Jahre 1961 und, wo ich ein X gesetzt habe, gehört der Name Veras, der weiblichen Hauptfigur, hin. Aber setzt man Rita ein, dann stimmt die Beschreibung des erzählerischen Verfahrens auch für den „Geteilten Himmel". („. . . weil sie doch nicht anders kann, als immer und immer darüber nachzudenken"[88] — diese Stelle entstammt nicht einer Parodie, sondern dem Original der Erzählung). Und wenn man für das X in der zitierten Kritik die Ich-Erzählerin bzw. die mit ihr oft einswerdende Christa T. einsetzt, ergibt sich eine stimmige Darstellung des Stilprinzips in „Nachdenken über Christa T.".

Die Autorin hat immer Bücher der erinnernden Reflexion verfaßt. Die Entscheidung für diese ihr gemäße Methode schon in einem frühen Stadium ihrer Arbeit und das Festhalten an diesem Prinzip, das sie natürlich immer kunstvoller und differenzierter zu beherrschen gelernt hat, läßt als wahrscheinlich erscheinen, daß sich auch ästhetische Konstanten aufspüren lassen, die sie variiert und modifiziert beibehalten hat.

Christa Wolf meidet die extreme, die grelle, die exaltierte Tonlage, obwohl sie der subjektiven Sicht den Vorzug gibt. Die Verinnerlichung zwingt dazu, einen perspektivisch möglichst weitwinkligen Weltausschnitt auf geringer Bandbreite unterzubringen. Das hat zur Folge oder zur Bedingung, wie man will, daß sie bei sich und bei Autoren, die sie rezensiert, einer doppelten Gefahr entgegentritt: sie wendet sich gegen naturalistische und gegen symbolische Schreibweisen.

Die Abwehr des Naturalismus war leichter zu leisten, sie erfolgte auch konsequenter. Naturalist wollte ja keiner sein, alle waren auf Realismus, also auf das Wesentliche aus; niemand hatte die erklärte Absicht, nur zusammenzuzählen, Details anzuhäufen. Zwar wurde dem Anspruch neugewonnener Leser nach leichter Verständlichkeit oft nachgegeben, auch seinem Wunsch, „das Leben selbst" wiederzuerkennen, was lange Zeit zu einer noch heute nachwirkenden Verketzerung sogenannter modernistischer oder dekadenter Darstellungsmittel führte – aber „naturalistisch" sollte das Ergebnis dennoch nicht aussehen. Historisch gesehen, hing der Literaturepoche, die man Naturalismus nennt, ohnehin die (oft fatalistische) Zurschaustellung des Tristen, Häßlichen an, während die propagierte Kunst Gegenwart und Zukunft als freies Feld für den aktiven Veränderungswillen einer optimistischen Klasse zu bearbeiten hatte. Statt an den Gegebenheiten zu kleben, konnte „revolutionäre Romantik" zum Zuge kommen; einer Subjektivität, die als objektive Parteilichkeit auftrat, sollte nichts im Wege stehen. (Ich erinnere an die Lehre vom Typischen.) Trotzdem bestand die Gefahr des Naturalismus, gewiß eines verschönten mit partieller Faktenauswahl, aber eben doch eines Naturalismus, der durch die Anhäufung illustrativer „progressiver" Einzelheiten gesteigerte Wirkung zu erzielen hoffte.

Schriftsteller, die das Leben in der Brigaden der volkseigenen Betriebe studierten, fanden sich mit der Forderung nach Porträtähnlichkeit konfrontiert. Ein „Zirkel schreibender Arbeiter des VEB Waggonbau Ammendorf" – dort hatte Christa Wolf sich für die Arbeit am „Geteilten Himmel" umgesehen – schrieb der Autorin später einen freundlich-kritischen Brief, in dem getadelt wurde, daß das Leben der Brigade durch das Krankenbettprisma der Rita verliere und eine düstere Atmosphäre bekomme. Und in bezug auf den Arbeiter Meternagel, der sich ohne Rücksicht auf seine Gesundheit als isolierter Einzelkämpfer dickköpfig abrackert und andere mitreißt, schrieben die Arbeiter: „Wir fragen uns [. . .], weshalb Du nicht stärker bei der Wirklichkeit geblieben bist. Der ‚wirkliche' Meternagel hat den Sozialismus nicht erst während der Kriegsgefangenschaft kennengelernt, er war schon im Kommunistischen

Jugendverband. Das macht doch seine Haltung ganz anders verständlich. Die verunglückte Geburtstagsfeier des Brigadiers hat nicht stattgefunden, dafür gab es einige gut gelungene Brigadeabende, auf denen der Werkleiter anwesend war und über die Brigade die Patenschaft übernahm"[89] usw.

Das Mißverständnis, daß stärker bei der Wirklichkeit bleibe, wer nichts frei und nur wenig dazu erfinde, resultiert aus einer naiven Gleichsetzung von Kunst und Leben, wie sie sich mit einer gewissen Notwendigkeit ergibt, wenn neue Leserschichten einen Weg zur Literatur finden. Erst wenn sich Theoretiker auftreiben lassen, die solch enge Vorstellungen nicht als historisch erklärbar und überwindbar darstellen, sondern als „echte Bedürfnisse der Werktätigen" legitimieren und in Form von Arbeitsanweisungen weitergeben, wird es fatal. Aber auch solche Ideologen nennen ihre in der Sache partiell naturalistische Konzeption realistisch. Es gab also in diesem Punkt häufig verbale Übereinstimmungen zwischen Vertretern entgegengesetzter Auffassungen.

Aus diesen oft nur in Form sophistischer Haarspaltereien ausgetragenen Konflikten hielt Christa Wolf sich heraus. Das hieß nicht, daß sie an den Bedürfnissen der Leser vorbeischrieb. Aber sie wehrte sich dagegen, daß aus dem jeweiligen aktuellen Stand der Rezeptionsfähigkeit der Massen Fesseln für die Literatur geknüpft wurden. Man durfte sich nicht mit den vorhandenen Ansprüchen einfach abfinden, sondern mußte sie weiterentwickeln, über kleinbürgerliche Gewohnheiten hinaus. Daß der Sozialismus nur mit den Menschen aufgebaut werden konnte, die vorhanden waren, man also nicht auf überlebensgroße untadelige Helden warten konnte, mit denen es schneller und besser ginge, hatte auch Folgen für das herrschende Kunstverständnis. Die Antwort durfte aber weder intellektuelle Arroganz noch volkstümelndes Anbiedern sein.

Die Entschiedenheit, mit der Christa Wolf im ästhetischen Streit um „Tatsachen" das Recht auf Fiktion zu behaupten sucht, begründet sich sowohl aus der Eigenart ihrer schriftstellerischen Praxis wie aus den Erfahrungen der Leserversammlungen, die sie bis heute gern besucht, da sie hier auf ernstzunehmende, nicht von vornherein manipulierte Argumente trifft, neben den Klischees und Naivitäten, die natürlich weiter existieren und auch immer wieder falsche Bestätigung finden. Die Gesellschaft ist, wie Christa Wolf meint, inzwischen differenzierter geworden, und damit ist auch die Bereitschaft gewachsen, in der Kunst differenziertere Antworten aufzunehmen: „Reaktionen bei Lesungen zeigen mir, in welchem Maße Leser bereit sind, ein literarisches Vorhaben, das ihrer eigenen Erfahrungswelt entstammt, durch Assoziationen anzureichern. Ich kann nur hoffen, daß die Beobachtung sich auch weiterhin bestätigt."[90]

Christa Wolfs Abwehr der symbolischen Schreibweise erwies sich als schwierigeres Unterfangen. Hier waren Differenzierungen nötig, denn der symbolische Weg schien ja in die Tiefe der Erscheinungen zu führen. Die Argumentation konnte also nicht einfach einem Impuls gegen die Oberflächlichkeit folgen, wie es bei der antinaturalistischen Kritik nahelag. Im Gegenteil, die „bedeutsame" Schreibweise galt vielen als probates Gegenmittel bei der Bekämpfung des Naturalismus. Christa Wolf hat darauf in einer Kritik aus dem Jahre 1955 aufmerksam gemacht: „Nicht zufällig führt dieser Weg der Loslösung vom naturalistischen Detail häufig über eine Stufe der Symbolisierung unbedeutender Objekte. Geringfügigen Erscheinungen und Prozessen wird ein

tieferer Sinn aufgeladen, den zu tragen sie nicht imstande sind. Erwin Strittmatter
hat diese Phase bis auf geringe Überbleibsel überwunden, aber andere Gegenwartsautoren müssen diese abstrakte Symbolisierung noch als die Kehrseite des Naturalismus begreifen lernen."[91] Die Ablehnung wird eingeschränkt auf die „falsche" Symbolisierung des Geringfügigen. „Große" Erscheinungen und Prozesse legen aber Sym-
bolisierungen nahe, erlauben sie jedenfalls zumindest.

Die Autorin versucht die Mitte zwischen den Extremen zu halten, aber es ergibt
sich doch eine Kurskorrektur zugunsten der „großen Grundidee", die sich ihre Sym-
bolwelt schafft. Das zeigt sich z. B. in den folgenden beiden Sätzen aus der Rezension
eines Buches von Anna Seghers: „Die historische Konkretheit bewahrt es vor Exaltiertheit, vor dem Allegorisieren. Die große Grundidee, die wie eine Energiequelle
für alle Bücher von Anna Seghers wirkt, bewahrt es vor jeder Spur von provinziellem
Naturalismus."[92] Während die Kritikerin hier in dem Roman „Die Entscheidung"
das Vermeiden der beiden eng zusammen liegenden Gefahren lobt, glaubte sie, daß
Ehm Welk in dem historischen Roman „Im Morgennebel" ihnen erlegen sei. Der
Roman, so Christa Wolf in ihrer Kritik aus dem Jahre 1954, zehre „von einer Schein-
polarität zwischen Naturalismus und Symbolik". Seine Symbolisierungsversuche
scheiterten, „weil der Gegenstand, der symbolischen, das heißt einen tieferen Sinn
tragen soll, sich für diese Rolle als ungeeignet erweist". So entstehe nur „allegori-
sches Beiwerk, ganz äußerlich in den Roman hineinmontiert und ohne tiefere Bedeutung". Die Vorwürfe gelten ausschließlich der mißglückten Realisierung eines an sich
richtigen Ziels. Ausdrücklich schreibt Christa Wolf: „Diese Bemühungen entspringen
dem richtigen Gefühl, daß große realistische Kunst ganz gewöhnlichen realen Vorgängen einen tieferen Sinn zu geben vermag, eine besondere Bedeutung, die diese Vorgänge weit über den Bereich des Alltäglichen erhebt und sie stellvertretend setzt für
tausend ähnlich gearteter Geschehnisse."[93]

Lassen wir dahingestellt, ob die behandelten Romane gerecht oder ungerecht beurteilt worden sind — es kommt in diesem Zusammenhang darauf nicht an. Es soll nur
gezeigt werden, daß Christa Wolf, vornehmlich in den fünfziger Jahren, eine repräsentative Schreibweise, die die Geschehnisse mit tieferer Bedeutung auflädt, für erstrebenswert hält. Die unverwechselbare Eigenart des einzelnen beschriebenen Falles
wird so eingeschränkt, aber als „historische Konkretheit" bewahrt und aufgehoben.
Auf definitorische Unterschiede zwischen symbolisch und allegorisch läßt sich die
Autorin nicht ein — sie nennt die geglückte Verallgemeinerung symbolisch, die miß-
glückte allegorisch. Da sie bloß Werturteile *pro* und *contra* abgibt, bringt sie das Allegorisieren, das man gemeinhin mit dem Abtöten der spontanen Bildlichkeit durch
dürre Gedanklichkeit zusammendenkt, in die Nähe von Exaltiertheit. Es geht ihr um
die Abwehr von Übersteigerungen eines an sich für richtig gehaltenen Prinzips. Letztlich werden gar keine stilistischen Besonderheiten diskutiert, sondern sie wendet in
einem neuen Anlauf aus einer anderen Richtung die gängige Lehre vom Typischen an.

Die Versuche der Symbolisierung, die sie selbst im „Geteilten Himmel" angeboten
hat, scheinen mir — im Gegensatz zu der Meinung Dieter Schlenstedts, der diesem
Aspekt eine längere interessante Studie[94] gewidmet hat — denkbar unglücklich geraten zu sein. Wenn das Verhältnis Rita — Manfred in einer bestimmten Phase mit dem
variierten antiken Mythos „Euridike holt Orpheus aus dem Schattenreich"[95] paralle-

lisiert wird, handelt es sich um eine aufgesetzte literarische Anspielung, die zudem in die Erzählperspektive der Rita nicht integrierbar ist. Auch das mühsam durch einen Traum Manfreds in die Handlung eingeführte Gleichnis vom zerbrechlichen kleinen Kahn der Liebenden[96], für den es einen Leuchtturm gibt, den sehen kann, wer sehen will, hat eine peinliche Aufdringlichkeit an sich, die wegzuwischen weder Hinweise auf eine „philosophische Konzeption" noch auf literarische Analogien (die Lampe Heros, der Leuchtturm Borcherts!) imstande sind.

Auch Schlenstedt räumt ein, daß „ihre äußerst bewußte Gestaltung" die Autorin dazu trieb, „die Methode zu überfordern, den Symbolen zuviel zuzumuten". Diese Erkenntnis führt dazu, daß der Kritiker sein Lob defensiv begründen muß, etwa so: „Der fiktionale Erzählraum verwandelt sich keineswegs in ein Gehäuse von ausschließlich gedankenträchtigen Chiffren."[97] „Das wäre ja auch noch schöner!" möchte man da rufen, auch wenn man nicht wüßte, was Christa Wolf vom Allegorisieren hält. Schlenstedts Ausdrucksweise erinnert an einen Arzt, dem angesichts der Gebrechen seines Patienten vor allem der Satz einfällt: „Tot ist er aber nicht!"

Will man Schlenstedts Wertungen Gerechtigkeit widerfahren lassen, muß man auf den kulturpolitischen Bedingungszusammenhang achten, den der Kritiker hergestellt hat. Es ging ihm nämlich — ebenso wie der Autorin — darum, das Recht auf Stilisierung überhaupt zu verteidigen. Beide hielten es für notwendig, die erzählerischen Dimensionen durch die Befreiung von Naturalismen zu erweitern. Die Einführung altbekannter metaphorischer Formen war in einer Gegend Neulandgewinnung, in der Natur vor allem „natürlich" zu sein hatte. Nur durch die Rehabilitierung von Andeutung und Anspielung (die freilich fürs erste recht eingängig und überdeutlich sein mußten, um nicht den Vorwurf dekadenter Rätselhaftigkeit auf sich zu ziehen) ließ sich die vorherrschende Erzählweise abbauen, in der es üblich war, „dick aufzutragen". Gegen die grobe direkte Lehrhaftigkeit sollte angegangen werden, oder wie Schlenstedt schrieb: „Das Buch Christa Wolfs ist gerade der Versuch, sich der Didaktik zu entledigen."[98] Aber eine Metaphorik, die den einen passenden Schlüssel für die Auslegung mitliefert und sich damit dem Kriterium der schnellen Verstehbarkeit unterwirft, steht auch im Dienst der Didaktik.

Das alte Ziel wurde auf schwierigeren Wegen gesucht, um so leichter geriet man ins Stolpern. Die Erzählerin trat formal anspruchsvoller auf als viele ihrer Kollegen, sie mußte aber „kurz treten", nämlich sicherstellen, daß das Gemeinte „objektiv" identifizierbar blieb, der Leser also nicht dieses oder jenes herauslesen konnte. Bei der Wahl der Figuren und der erzählerischen Perspektiven war Christa Wolf wesentlich freier als bei der Wahl der sogenannten Symbole. Deswegen wurde in der DDR über die Personen, ihre Haltungen und Perspektiven gestritten — die Symbole fanden hingegen nur die passende (manchmal wortreiche, manchmal wortkarge) Auslegung. Was die Kritikerin Christa Wolf als Gefahr diagnostiziert hatte, nämlich im antinaturalistischen Eifer Ereignisse nicht nur mit Bedeutsamkeit, sondern mit *einer* Bedeutsamkeit auszustatten, betraf ihre eigenen Methoden der Überhöhung.

Als Durchgangsstufe zu einem Erzählen, das sich seiner Mittel so sicher geworden ist, daß es sie nicht mehr „einsetzt" und gerade dadurch an Reflektiertheit gewinnt, ist die Symbolik des „Geteilten Himmel" sicher wichtig gewesen. Der Kölner Kritiker Gerhard Reitschert[99] meinte, „die neuen Mythen" in der Erzählung seien von der „ungemein raffinierten Schriftstellerin" eingebracht worden, um die kritische Intention konformistisch abzuwürgen. Eher ließe sich sagen, daß sie dazu dienen sollten, diese kritischen Intentionen abzuschirmen. Es handelt sich um Kompromisse aus Vorsicht und Unsicherheit, nicht nur um politische, sondern auch um literarische. So wurde die Geschichte vom Scheitern einer Liebe in einer für alle mühevollen Gegenwart eingelegt in einen monumentalen Kosmonauten-Mythos, der geschichtsphilosophisch eine optimistische Zukunftsentwicklung bezeugen soll.

Der immer wieder mystifikatorisch als NACHRICHT angekündigte Raumflug Juri Gagarins öffnete aber nicht, wie sich in der Rückschau zeigt, eine neue welthistorische Dimension, sondern machte die Fabel ein zweites Mal datierbar, lieferte sie ohne Not und gegen die Absicht einer beschränkten Aktualität aus. Die Sensation, daß etwas das erste Mal geschah, verfliegt. Ein Ereignis des technisch-wissenschaftlichen Fortschritts, der sich selbst so rasch überholt, ist letztlich ungeeignet, den Fortschritt bei der Selbstwerdung und Selbstfindung des Menschen zu symbolisieren. Auch dann nicht, wenn man die Faust-Sage zu Hilfe nimmt. Dem Bekanntwerden der Meldung, daß „die Russen einen Mann im Kosmos" haben, geht ein kurzer Dialog zwischen dem Betriebsleiter Wendland und seinem skeptischen Kontrahenten Manfred Herrfurth voraus. Wendland sagt: „Vor Jahrhunderten [. . .] hat einer Ihrer größten Vorgänger in der Alchemie — wohl auch in der Humanität — seinen teuflischen Widersacher attackiert: Du Spottgeburt aus Dreck und Feuer! — Im Zorn, allerdings, und nicht in Resignation und Melancholie." Und weiter geht es im Text so: „ ,Eben', sagte Manfred. ,Aber zwischen diesem faustischen Zorn und uns liegen die Jahrhunderte. Das ist, was ich sage.' Sie schwiegen unlustig." Dem folgt die Nachricht von Gagarins Raumflug am 12. April 1961. Eine Nachricht ist nach marxistisch-leninistischer Definition Agitation durch Tatsachen, und sie wird im Buch in diesem Sinne angewandt: Manfreds Zweifel sollen durch Fakten widerlegt werden, die in Christa Wolfs Diktion freilich in Lyrismen aufgeweicht werden, wie es sich für einen säkularisierten Mythos gehört: „Dadurch bekam alles, was bisher geschehen ist, seinen Sinn: daß ein Bauernsohn den Himmel pflügt und Sterne als Saatkörner über ihn verstreut . . . ."[100]

Die DDR-Germanistik, in der eine Tendenz zu hypertrophen Vergleichen und Analogien umgeht, walzte die gegebenen Anknüpfungspunkte zu langen knotigen Halteseilen aus. Nicht nur war, wie Klaus Hammer in dem Aufsatz „Probleme der Klassik-Rezeption im sozialistischen Roman der DDR" wissen ließ, die Brigade Meternagel eine „pädagogische Provinz" im Sinne Goethes, Christa Wolf hatte überhaupt das Faust-Thema die weltanschauliche Romankonzeption im „Geteilten Himmel" bestimmen lassen. Als Beleg genügt ihm die eben zitierte Stelle, aus der er folgendes Urteil über Manfred ableitet: „Da er so seinem zersetzenden, destruktiven Denken nicht die konstruktiven Bestandteile einer der Zukunft zugewandten Weltanschauung gegenüberstellen kann, endet er in tiefer Menschenverachtung. Im dreiundzwanzigsten Kapitel wird Manfreds Absage an die humanistische Faust-Idee durch ein menschheitsumspannendes Ereignis ad absurdum geführt: den ersten Weltraumflug."[101]

Auch Horst Haase war darüber erfreut, daß der erste Kosmonaut der Welt direkt in die Debatte eingegriffen habe, sein Flug sei die „poetisch günstige Antwort"[102] auf Manfreds Redereien. Es ist also nicht verwunderlich, daß dieser selbe Horst Haase sich später besonders von einer Stelle in Christa Wolfs Buch „Nachdenken über Christa T." enttäuscht zeigte. Im 16. Kapitel fallen die Stichwörter Frieden, Vernunft, Wissenschaft, das wissenschaftliche Zeitalter. Dann folgt der Satz: „Da traten wir nachts auf den Balkon, um für Minuten eine Spur der neuen Sterne den Horizont entlangziehen zu sehen." Die Szene findet dieses Ende: „Die glückliche, allen Anfängen günstige Zeit früher Unbefangenheit war vertan, wir wußten es. Wir schütteten den letzten Wein in den Apfelbaum. Der neue Stern hatte sich nicht gezeigt. Wir froren und gingen ins Zimmer, das Mondlicht fiel herein."[103] Ich verzichte darauf, mitzuteilen, mit Hilfe welche Phrasen Haase seiner Empörung freien Lauf läßt darüber, daß Christa Wolf angeblich Wissenschaft und Technik „mit herablassender Verachtung"[104] behandle.

Rührend muß demgegenüber Peter Gugischs freundlicher Versuch genannt werden, die Stelle dadurch zu „retten", daß er gewollte Kritik am Bewußtseinsstand derjenigen heraus- oder hineinliest, die da auf den Balkon getreten sind: „Stellte das Weltraum-Symbol dort Zusammenhänge her" (gemeint ist der „Geteilte Himmel"), „so dient es hier dazu, die Begrenztheit der eigenen kleinen Welt und zugleich die Unmöglichkeit, des größeren Zusammenhangs teilhaftig zu werden, vor Augen zu führen".[105] Unbestreitbar ist wohl, daß die „Weltraum-Passagen" in den beiden Büchern aufeinander bezogen sind. Es liegt auch nahe, in der Balkon-Szene den Widerruf des sinngebenden, einfach geglaubten Kosmonauten-Mythos aus dem früheren Buch zu erblicken.

Man wundert sich, daß die Analogiesucher nicht sogleich Adrian Leverkühn aus Thomas Manns spätem Faust-Buch herbeizitiert haben. Gut also, eine bewußte Zurücknahme! Aber was wird aufgegeben? Wie es scheint, konnten die mit quasi-religiösem Anspruch auf Geglaubtwerden formulierten eisernen Definitionen der Korrosion nicht widerstehen. In der Diskussion um die bessere oder schlechtere Welt und um das Verhalten der Menschen hier und heute kann nicht durch den triumphierenden Hinweis auf ein gelungenes technisches Projekt ein Punktum! gesetzt werden. Die Fragen nach dem Warum und Wozu beginnen dann erst. Nicht aufgegeben wird die Überzeugung, daß allein der Sozialismus in Entwicklung und Weiterentwicklung Chancen für das Zu-sich-selbst-Kommen des Menschen bietet. Die Zurücknahme gilt nicht der Wissenschaft — wem darüber Zweifel kommen, der braucht nur Christa Wolfs Reportage über den Besuch bei Hans Stubbe, dem Direktor des Instituts für Kulturpflanzenforschung in Gatersleben, zu lesen. In ihr wird gerade über Möglichkeiten der Versöhnung zwischen Kunst und Wissenschaft gesprochen. Natürlich versucht Christa Wolf auch hier, ironische Nutzanwendungen zur Stärkung des Subjekts in der Gesellschaft zu finden, wenn sie von den Mutationen auf den Gaterslebener Feldern sagt, sie ließen es sich glücklicherweise einfallen, aus der Reihe zu tanzen.[106]

Der Widerruf gilt also nicht in zivilisationsfeindlicher Abseitigkeit der Technik und Wissenschaft, sondern nur einer monumentalen Symbolik, die Großbauten oder Großtaten benutzen will, um konkrete Widersprüchlichkeiten „auf großartige Weise" zu erschlagen. Ein literarisches Verfahren ist als ungeeignet erkannt worden und wird beiseitegelegt. Wenn man die Erwartungen Horst Haases, der von Christa Wolfs nächstem Buch die Korrektur der „Christa T." erhofft, paraphrasieren will, kann man sagen, daß eine Problematik aus dem „Geteilten Himmel" sich schon in einer späteren künstlerischen Gestaltung als aufhebbar erwiesen hat. Erst jetzt ist eine erzählerische Balance gelungen, die kleinlichem Naturalismus (der für die Erzählerin nie eine Gefahr darstellte) ebenso fernsteht wie bombastischer Bedeutsamkeit. Man braucht wohl nicht besonders darauf hinzuweisen, wie selbstverständlich die wichtigen Sätze der Balkonszene einfach dastehen, ohne dabei auf sich selbst zu zeigen, und wie überlegen sie in die benachbarten Reflexionen eingeschmolzen sind, die nicht noch einmal wiederholen, was in der Metapher stecken soll, aber womöglich nicht gefunden wird.

Die Überwindung einer gleichsam auftrumpfenden Symbolsprache fällt zusammen mit Christa Wolfs Abkehr von der großen Gebärde. Früher wollte sie mit Hilfe „großer" Grundideen oder „großer" Prozesse die naturalistische Detailhuberei zurückdämmen, inzwischen weiß sie, daß dies eine breite Straße in vage, verschwommene Gegenden eröffnet, die auch dann nicht deutlicher sichtbar werden, wenn man ein Warnschild mit dem Zauberwort „Bleibe historisch konkret!" aufstellt. Es gibt keine großen und kleinen Themen, sagt sie aus Anlaß von Juri Kasakow, „jedes Thema kann großzügig oder kleinlich behandelt werden".[107]

Der Kampf gegen ein als Größe getarntes hohles Pathos hat nicht die Kapitulation vor dem Kleinlichen zur Voraussetzung oder zur Folge. An der antinaturalistischen Position wird nicht der kleinste Abstrich vorgenommen: „Matte Erfindungen, blasse, zaghafte Visionen, unfähig, die Wirklichkeit ‚wirklich' zu übersteigen, finden matten, kurzlebigen Widerhall."[108] Christa Wolf versucht ihren Kompaß auf die realistische Mitte einzustellen. An einer wichtigen Stelle des Essays „Lesen und Schreiben" führt sie dies näher aus: „Nicht Dürre der Konstruktion oder Naturalismus, aber auch der Überschwang erhitzter Empfindungen nicht. Sondern: phantastische Genauigkeit. Man glaubt ihr schon begegnet zu sein. Wenn nicht alles täuscht, in den Berichten der Physiker."[109]

Oder der Chemiker. Man ist der Formulierung auch bei Christa Wolf schon begegnet. „Bloß mein Beruf, der ist gut. Gerade genug Exaktheit, gerade genug Phantasie."[110] Das sagt Manfred im „Geteilten Himmel", die Figur, die die DDR-Kritik nicht rasch genug zum Sprachrohr des Nihilismus „verallgemeinern" konnte. Anstatt die Gelegenheit zu nutzen, über seine Motive und Argumente nachzudenken, wurden sie abgestempelt. Überspitzt gesagt: Während die — gewiß deutlicher ausgesprochene — Einladung zum Nachdenken über Christa T. im allgemeinen ausgeschlagen wird, wurde im Falle des Manfred gar nicht bemerkt, daß man eine erhalten hatte. Nur selten wurde zustimmend gesagt, daß Manfred auch die „mögliche Sympathie des Lesers" zulasse; Meinungen wie die folgende, auf einem Diskussionsabend in Dresden geäußerte, blieben die Ausnahme: „Manfred ist kein Karrierist. Das Menschliche in ihm leuchtet überall durch. Auch dort, wo er sich mit seiner Arbeit auseinandersetzt."[111] Solche Ansichten bestätigen aber, daß Christa Wolf schon im „Geteilten Himmel" den Leser nicht festgenagelt, sondern ihm Möglichkeiten unterschiedlicher Auslegung angeboten hat.

Der Streit um das Buch war nicht nur durch eine bestimmte kulturpolitische Situation bedingt, sondern auch abhängig von der Art des von der Autorin vorgelegten Materials. Diese literarische und kulturpolitische Diskussion biß sich an dem Problem fest, ob der zynische, skeptische, verächtliche Manfred auch genügend ausführlich und genügend kräftig widerlegt werde. Man erregte sich darüber, daß Werkleiter Wendland nichts Besseres tun kann, als die Attacken Manfreds aus Taktgefühl zu überhören: „Was ist das für ein Funktionär unserer Partei, was für ein Werkleiter, der den Staat, von dem er überzeugt ist, für den er alles tut, nicht gegenüber einem Zyniker wie Manfred verteidigt, der noch nicht einmal den Versuch unternimmt, diesen jungen, durch falsche Erziehung irregeleiteten Menschen auf den richtigen Weg zu stoßen?"[112] Hier wird so gesprochen, als sei dieser Wendland leibhaftig da und werde im nächsten Moment aufstehen und vor dem Kollektiv eine Selbstkritik abgeben. Aber natürlich soll eigentlich die Autorin in die Verantwortung genommen werden, der man eine Scheu davor unterstellt, „die Feinheit der psychologischen Motivierung durch eindeutige politische Argumente zu verletzen".[113]

Daß diese Einwände so banausenhaft kunstfeindlich auftraten, erleichterte die Zurückweisung. Die Mehrheit der Kritiker und Literaturwissenschaftler wollte so dogmatisch nicht mehr sein: sie brach eine Lanze für eine gleichsam unterschwellige Parteilichkeit in der Kunst. Man stellte fest, die Widerlegung des Manfred sei keine Frage des Dialogs, des Widersprechens. „Solche Redebücher, in denen sich die Gestalten agitieren, hatten wir genug."[114] Die Agitation durch die zu Symbolen überhöhten Fakten, allen voran das des Weltraumflugs, sei wesentlich wirkungsvoller. Der indirekten Wertung wird der Vorzug vor der direkten Replik gegeben. Den selbstgerechten Schulmeistern wird auf die Finger geklopft, wenn sie Einzelnes, seien es Figuren, Szenen, Dialoge, herausklauben, um das Ganze zu verunglimpfen. Der Wahrheitsgehalt eines Kunstwerks sei, so sagt Horst Redeker, nicht einmal aus der Summe der Einzelmomente, sondern erst aus dem Funktionszusammenhang aller Teile im Ganzen ablesbar.[115] „Der geteilte Himmel" erleichterte es also, einige der gröbsten Schematismen über Bord zu werfen, insbesondere das, der bevormundete Leser müsse sich vom Autor oder von den als seine Puppen agierenden Figuren sagen lassen, was er sich auch bei der Rezeption der strukturellen Komposition des Kunstwerks sowieso denken könne.

Aber auch die Verteidiger des Buches ließen sich eigentlich nicht tief genug mit den von der Autorin vorgebrachten oder auch unter der Oberfläche wirkenden Problemen ein. So wurden vor allem ihre Zweifel an der Sprache, oder genauer an der Ausdrucksfähigkeit der Sprechenden überhaupt nicht diskutiert. Offenbar deshalb, weil sie dem naiven Widerspiegelungsverständnis („aussprechen, was ist!") überhaupt nicht auffielen. Das Zögern oder der Verzicht, etwas in Worte zu fassen, wurde als jeweiliges situationsbedingtes Verhalten der Figur gesehen und als „lebensnah" akzeptiert, weil jeder sich an viele Begegnungen erinnert, bei denen ihm „die richtigen Worte" nicht einfielen. Man wurde erst hellhörig, als man über Christa T. lesen mußte: „Sie muß frühzeitig Kenntnis bekommen haben von unserer Unfähigkeit, die Dinge so zu sagen, wie sie sind."[116]

Die Sprachlosigkeit steckt jedoch schon in der „Moskauer Novelle", wo die Figuren einander verschweigen, was sie sagen müßten. Vera wirft Pawel vor: „Du denkst zuviel und sprichst zuwenig aus", und von ihr sagt die Erzählerin: „Nur wenn er nicht bei ihr war, dachte sie sich die Worte aus, die sie ihm sagen mußte. Neben ihm schwieg sie und erwartete nicht, daß er sprach."[117] Im „Geteilten Himmel" finden sich ebenfalls Stellen des beredten Schweigens: „Es gab etwas wie eine stumme Verständigung. Jedes Wort hätte verletzen müssen, aber Blicke . . . . In seinen Augen las sie den Entschluß: Auf nichts mehr bauen, in nichts mehr Hoffnung setzen. Und er las in ihrem Blick die Erwiderung: Nie und nimmer erkenn ich das an."[118] Schlenstedt[119], der bemerkt hat, daß das Sprachproblem im Buch motivisch auftaucht, und anführt, wie oft Fragen ohne Antwort bleiben, Figuren lachend, wortlos reagieren, flüchtet sich in die Kompliziertheit, mit der spontanes Denken in entfaltete Bewußtheit übergeht: Christa Wolf schreibt eben realistisch. Nicht alle Gefühle und Stimmungen lassen sich in Worte fassen.

Neben solcher psychologischen Motivation („Sie behielt ihre Ratlosigkeit für sich, das war ihre unbewußte [. . .] Art von Tapferkeit"[120]) hat das Schweigen auch eine politische Dimension. Zum Beispiel spricht man zur rechten Zeit, dann wenn es nützt. Meternagel wartet mit seinen Enthüllungen über die Zustände im Betrieb, bis der neue Werkleiter in seine Abteilung kommt, denn er hat das Warten gelernt: „Nichts ist so dumm wie Heldentum am falschen Platz."[121] Wer schweigt oder zurückhaltend spricht, weil er zuerst fragend prüfen will, bildet den Gegentyp zum dogmatischen Alleswisser, der, wenn er bei anderen nachdenkliches Abwägen bemerkt, sogleich ideologische Schwankungen und feindliche Vorbehalte vermutet.

Sowohl Vera wie Rita, beide eher still denn aufbrausend, sind kaum zu halten, wenn sie es mit solchen weisen Übermenschen zu tun kriegen. Veras Ausbruch wird in der „Moskauer Novelle" noch als „die Lust, ungerecht zu sein" abgefangen, aber immerhin darf sie hinter solchem Schutzschild dieses sagen: „Ja, ihr! Ihr habt alles hinter euch und kennt keine Zweifel und wißt jede Antwort und macht uns ganz mutlos mit eurer Vollkommenheit. Aber es langweilt mich, hörst du, es hängt mir zum Halse heraus, immer nur brav zu sein. Das ist ja nicht mehr menschlich, was ihr verlangt!"[122] Rita zeigt sich unzufrieden mit den Wortführern an ihrem pädagogischen Institut: „Sie sind alle so klug dort. Sie wissen ja alles. Sie wundern sich über rein gar nichts mehr."[123] Diese Kritik an den bequemen Vielrednern und Nachplapperern, die in „Nachdenken über Christa T." radikalisiert wird, ist in den beiden vorhergehenden Erzählungen also durchaus schon vorhanden. In der „Moskauer Novelle" gibt es ironische Andeutungen, daß solches Fehlverhalten unausrottbar ist und als unangenehme Eigenschaft auch den Menschen der Zukunft, den „hochgebildeten, vielseitigen Herrn Enkel" begleiten wird: „Eine seiner Schwächen wird übrigens sein, daß er über unsere Debatten erhaben lächelt, wenn er sie zufällig in alten Büchern aufgezeichnet findet. Na ja, er wird alles besser wissen."[124]

Aber solange man die Sprachhemmungen nicht aus ihrer Gebundenheit an die Figuren löst, steht man immer noch im Vorfeld. Denn die Aussprechbarkeit der Probleme, das Benennen von Sachverhalten ist zu guter Letzt eben doch die Schwierigkeit des Schriftstellers, die er in seine Figuren projiziert, die „in Wirklichkeit" wortkarg oder geschwätzig *sind,* ohne darüber zu reflektieren, warum sie es sind. Erst in der letzten Erzählung wird das ganz deutlich – denn „die doppelten Christas" erscheinen wie Zwillingsschwestern: beide haben Germanistik studiert und beide schreiben. Nun heißt es über Christa T.: „Sie zweifelte ja, inmitten unseres Rausches der Neubenennungen, sie zweifelte ja an der Wirklichkeit von Namen, mit denen sie doch umging; sie ahnte ja, daß die Benennung kaum je gelingt und daß sie dann nur für kurze Zeit mit dem Ding zusammenfällt, auf das sie gelegt wurde."[125]

Jetzt wird eine prinzipielle Sprachkritik vorgetragen: Benennungen decken sich allenfalls kurze Zeit mit der Sache, dann entschlüpft die Sache dem Namen. Jetzt ist vom „Rausch der Neubenennungen" die Rede, also von der Sucht, sich durch das Aufkleben von Etiketten über die vorhandene Substanz zu täuschen. Im „Geteilten Himmel" hatte es, derlei vorbereitend, schon geheißen (oder man kann auch sagen: vorsichtig hatte es noch geheißen): „Manchmal glauben wir, etwas zu verändern, indem wir es neu benennen."[126]

In der Geschichte „Juninachmittag" gibt es ein Spiel mit wechselnden Kombinationen zusammengesetzter Substantive. Komische Effekte lassen sich erzielen, wenn die vorgegebenen Materialien anschaulich sind. Von Regen-Wurm, Glücks-Pilz, Nacht-Gespenst führt ein Weg zu Mausepilz, Glücksgespenst und Nachtwurm — wenn die Spieler bei Laune sind und ein neues Wort schnell parat haben. Einmal spielte „der Ingenieur" mit. „Natürlich betrog er uns. Zu den Spielregeln gehört ja, daß jeder ohne nachzudenken das Wort nennt, das obenauf liegt. Der Ingenieur aber grub vor unseren Augen sein Gehirn sekundenlang um und um, er strengte sich mächtig an, bis er, sehr erleichtert, Aufbau-Stunde zutage förderte. Wir ließen uns natürlich nicht lumpen und gruben auch und bedienten ihn mit Arbeits-Brigade und Sonder-Schicht und Gewerkschafts-Zeitung, und das Kind brachte verwirrt Pionier-Leiter heraus. Aber ein richtiges Spiel wurde nicht aus Gewerkschaftsaufbau und Brigadestunde und Sonderarbeit und Schichtleiter und Zeitungspionier, wir trieben es lustlos ein Weilchen, lachten pflichtgemäß kurz auf bei Leitergewerkschaft und brachen dann ab."[127] Die neugebildeten Komposita gab es schon. In dieser abstrakten Sprache waren Überraschungen unmöglich. Was herauskam, brachte keinen zum Lachen. Ein mißglücktes Spiel geriet zum Beispiel subtiler Sprachkritik.

Von der Scheinveränderung durch Neubenennung war sowohl im „Geteilten Himmel" wie in „Nachdenken über Christa T." die Rede. Es ist leicht, weitere Parallelstellen aus beiden Erzählungen heranzuziehen, auch solche, die sich erst auf sehr vermittelte Weise aufeinander beziehen lassen. In „Nachdenken über Christa T." ist von dem geliebten Anfangsgefühl die Rede, das sich in späteren Lebensphasen nicht durchhalten läßt. Ungarn 1956 — das ist solch ein plötzlicher Lichtwechsel. Ernüchterung findet statt, die Bühnenscheinwerfer sind gelöscht — man mußte sich daran gewöhnen, „in das nüchterne Licht wirklicher Tage und Nächte zu sehen".[128] Und dennoch ist die Utopie nicht, wie hämische Stimmen es wissen wollten, gescheitert. „Der geteilte Himmel" spielte 1961, Jahre nach jener, so viel später geschilderten Herbstnacht des Jahres 1956. Hatte die Ernüchterung in dieser Geschichte schon damals Eingang gefunden? Auf verdeckte, widersprüchliche Weise gewiß. In einer Szene spielt sich für Rita, scheinbar ganz beschränkt auf ihre Liebe, dasselbe ab, was der Radiohörer-Runde anläßlich des Ungarnaufstands widerfährt. Manfred rückt für sie „aus der unscharfen Nähe in einen Abstand, der erlaubt, zu mustern, zu messen, zu beurteilen. Es heißt, dieser unvermeidliche Augenblick sei das Ende der Liebe. Aber er ist nur das Ende der Verzauberung." Und wenig später heißt es: „Manches, was gestern noch denkbar war, ist seit heute für immer vorbei [. . .]. Wunder sind nicht mehr möglich."[129] Ende des Anfangsgefühls, der Wunder, der Verzauberung in beiden Fällen.

In der Lebenskrise der Rita verbergen sich — vermutlich war es der Autorin nicht bewußt — Symptome einer Weltanschauungskrise der Christa Wolf. In keiner Dunkelkammer läßt sich das sogenannte feste Weltbild noch entwickeln. Scheinbar geht es nur um den seelischen Zustand nach der Trennung von Manfred, wenn Rita denkt: „Der Kreis der Gewißheiten, früher unermeßlich weit, verengte sich auf schmerzliche Weise. Vorsichtig schritt sie ihn ab, immer neuer Einstürze gewärtig. Was hielt stand?"[130] Das sind Sätze, die – nun freilich direkt auf die gesellschaftlich-politische Bewußtseinslage nach der Entzauberung bezogen – wörtlich auch über Christa T. gesagt werden könnten und die sinngemäß viele Teile des neuen Buches bestimmen. Erst jetzt wird den Fragen nicht mehr ausgewichen, was zweifellos einen gravierenden Unterschied ausmacht. „Wir müssen wissen, was mit uns geschehen ist, sagte sie. Man muß wissen, was mit einem geschieht. Warum denn? Und wenn es uns lähmen würde? Sie hielt dafür: taub und blind könne man nicht handeln, es sei denn taub und blind."[131]

Im „Geteilten Himmel" dagegen hat die Autorin sich und ihre Heldin noch einmal gezwungen, ihr Denken zu „festigen", indem sie auf einer Klarheit des Bewußtseins bestand, die nicht lähmend wirken sollte. Das Bedrängende wird auf die einfachste Weise verdrängt: Wem Gewißheiten einstürzen, befindet sich in einem „krankhaften Gemütszustand". Rita gesundet: „Indem sie die Zeit ihre Arbeit tun ließ, hat sie die ungeheure Macht zurückgewonnen, die Dinge beim richtigen Namen zu nennen."[132] Ein ungeheuerlicher Satz! Wollte man der Lust zum Pointieren nachgeben, könnte man sagen, das Buch über Christa T. sei gegen diesen einen Satz geschrieben worden.

Anstatt der kritischen Vernunft zum vollen Durchbruch zu verhelfen, wird der Flucht in den magischen Zauber das Wort geredet. Wer im Märchen die Zauberformel kennt, gewinnt Macht über die Dinge. Rita findet ihren Kinderglauben wieder („zurückgewonnen"), die einfache heile Welt entsteht neu, in der jedes Ding seine richtige Bezeichnung hat. Erreicht wird diese Stufe (hier geht jemand die Treppe wieder hinunter!), indem man die Zeit ihre Arbeit tun läßt. Die schlichte Gewöhnung an den Alltag und an die Pflichten verscheucht die Zweifel, man ist wieder gesund, man ist wieder normal. Benennungswahn und Anpassungsbereitschaft, die im „Geteilten Himmel" ein halbwegs gutes Ende garantieren sollten, werden in der neuen Erzählung zum Gegenstand nachdenklicher Kritik. Im „Geteilten Himmel" war am Ende nicht für das ungeduldige Aufbegehren, sondern eher für den Schlaf der Gerechten plädiert worden. Die Schlußsätze des Epilogs, die diejenigen des Prologs nur unwesentlich variieren, lauteten so: „Das wiegt alles auf: Daß wir uns gewöhnen, ruhig zu schlafen. Daß wir aus dem vollen leben, als gäbe es übergenug von diesem seltsamen Stoff Leben. Als könnte er nie zu Ende gehen."[133]

Freilich, wie zufrieden und quietistisch das klingen mag, die Konjunktive enthüllen ebenso wie die vorhin erwähnte Märchenformel den Selbstbetrug: Wie allgemein die These auch formuliert wird, die banale Wahrheit schafft sie nicht aus der Welt, daß die Zeit, die dem individuellen Leben zur Lebensverwirklichung bleibt, begrenzt ist. Nicht zuletzt davon handelt ja die Erzählung über das kurze Dasein der Christa T. Was die Autorin ihrem Geschöpf, der Rita Seidel, aufzwingen wollte, löste nicht die Widersprüche, Fragen und Zweifel, mit denen Christa Wolf sich abplagte. Ihre Heldin war ein junges Mädchen – was die Autorin ihr zumutete, hätte sie wohl kaum einer Angehörigen ihrer eigenen, durch vielerlei Erfahrungen geprägten Generation aufgebürdet. Das erschwerte es aber auch, sich in der Figur der jungen Rita eine Repräsentantin zu schaffen, der stellvertretend für die Autorin ein glaubwürdiges, dauerhaftes, vor sich selbst zu rechtfertigendes Einigeln in einem sogenannten festen Weltbild noch einmal gelingen konnte.

Der Generationenkonflikt bestimmt ja auch das Liebesverhältnis zwischen dem älteren Manfred mit seiner „mir kann keiner was vormachen"-Attitüde und der naiven, penetrant natürlichen Rita, die mit ihrem „So-sein" zu argumentieren hat. Dieser Gegensatz hat für manche Kritiker die Anwendbarkeit und Beispielhaftigkeit der Geschichte stark reduziert: „Manfred und Rita werden als Charaktere verschieden angelegt, der Fall selbst dem Leser nicht als ‚Muß'-, sondern als ‚Kann-Fall' angeboten; wie eine auf Manfreds Niveau stehende Geliebte gehandelt hätte, bleibt unausgesprochen."[134] So der Westkritiker Hans Peter Anderle. Ostkritiker Arno Hochmuth wertet (gemeinsam mit einem Autorenkollektiv) das natürlich anders, aber er geht dabei ebenfalls von dieser Diskrepanz aus, daß Manfred keinen ebenbürtigen Gegenspieler erhalten hat: „Er selbst findet sich aus seiner Verwirrung nicht heraus. Rita aber hat noch nicht die Möglichkeit, ihm zu helfen, weil sie selbst erst im Leben Fuß fassen muß."[135]

Die Passivität der positiven Hauptfigur hat den Kritikern in der DDR viel Kopfzerbrechen bereitet. War sie nur Objekt für die Einwirkung anderer? Kam ihr nichts anderes zu, als sich über das Leben zu wundern? Man half sich damit, daß ihre Offenheit für neue Erfahrungen und ihr Interesse an schwierigen Auseinandersetzungen eine außerordentliche geistige und emotionale Aktivität verlangt hätten. Die Vorliebe für eine Beobachtungshaltung läßt Christa Wolf oft zu der Bühnenmetapher greifen. In „Nachdenken über Christa T." wird die Desillusionierung der politisch Gläubigen verglichen mit dem plötzlichen Blick auf eine durch Auslöschen der Scheinwerfer verdunkelte Bühne. Und schon von Rita war gesagt worden: „Als Zuschauer saß sie vor einer Bühne mit wechselnder Beleuchtung und Szenerie, sie sah die Spieler agieren, und der Gedanke verfolgte sie, daß all diese Bruchstücke am Ende ein Schauspiel ergeben müßten, hinter dessen Sinn sie allein kommen sollte."[136] Die Bereitschaft und die Anstrengung, sich einen Reim auf das Ganze machen zu wollen, konnte man als *aktive* Zuschaurolle ausgeben. Das mochte hingehen, wenn Passivität eine Art Schimpfwort sein sollte. Die Stelle stammt aus dem ersten Teil der Erzählung, bezieht sich also auf eine frühe Phase von Ritas Stadtleben. Im weiteren Handlungsverlauf boten sich Helfer an, die ihr den Sinn durch Wort und Tat erläutern wollten. Unter ihnen der opferbereite Arbeiter Meternagel, von dem es auch heißt: „Er muß so sein, wie er ist."[137] Rita muß es auch sein, und selbst wo sie nur inaktiv registriert, tut sie dies mit „natürlicher Unbefangenheit", mit „selbstverständlicher Sicherheit".

Christa Wolfs Schriftstellerkollege Günter de Bruyn hat in einer Parodie Manfred die Kernfrage (er „sprach im erbärmlichsten Ton unseres Erdenkonzertes") an Rita richten lassen: „Woher hast *du* die Kraft?" Und sie antwortet: „Ich weiß nicht, niemand weiß es." Sie weiß den richtigen Weg zu gehen, weil „Fortschrittlichkeit" als jederzeit aktualisierbares seelisches Vermögen in ihr angelegt ist. De Bruyn hat dies in seiner Parodie treffend zugespitzt: „Rot war auch das Tuch, das sie immer getragen hatte, lächelnd, *unbewußt*. Da kommen ihr schon die Tränen, weil ihr einfällt, wie Manfred sie immer mit diesem Tuch geärgert hat."[138] Gegen Hetzreden „ist sie wie gefeit"[139], schreibt eine Kritikerin. Eduard Zak sieht in Rita die Summe der Eigenschaften eines sympathischen Menschenbilds, das er mit einem leichten Anflug von Ironie so nachzeichnet: „schön und klug, sinnlich und sauber, zart und entschieden, grazil und tüchtig, erfahren, aber keiner Anfechtung erliegend, reagiert sie instinktiv stets richtig, glänzt auf Tanzfesten und bei Professoreneinladungen durch Charme und Sicherheit und ist doch die bescheidene, höchst lernbrave Lehrerstudentin". Mit Recht stellt dieser Kritiker fest, daß Rita „durch ihre Voraussetzungslosigkeit etwas von einer Traumgestalt" hat, „ähnlich der Gestalt der Grit bei Karl-Heinz Jakobs".[140]

Der Vergleich mit Grit ermöglicht weitergehende Assoziationen mit Gretchen, deren Naturhaftigkeit nicht einfach ins 20. Jahrhundert transponiert werden könne. Übrigens hatte auch de Bruyn mit seiner Parodie auf Christa Wolf das Kapitel „Gretchenfragen ... oder die Weiterverarbeitung des klassischen Erbes" in seiner Sammlung „Maskeraden" eingeleitet. Dabei brachte er eine frei erfundene Bemerkung Goethes zu Eckermann unter: „Ein so reines Geschöpf wie Gretchen gibt es in der platten Wirklichkeit nicht, aber gerade deshalb wird sie Vorbild werden für viele unserer dichtenden Nachfahren."[141] Aber hier soll nicht eine Typologie der Frauenfiguren im sozialistischen Roman versucht werden. Allerdings ist eine gewisse Abhängigkeit Christa Wolfs von dem Roman „Beschreibung eines Sommers" von Karl-Heinz Jakobs (1961) unbestreitbar. Das betrifft nicht den Stil (Jakobs orientierte sich damals an Hemingway), sondern die Figurenkonstellation.

Der Held (und Ich-Erzähler) Tom Breitsprecher gehört der gleichen Generation wie Manfred Herrfurth an. „Der Faschismus und das Verhalten der älteren Generation haben ihre Ideale zerstört, und aus Furcht vor neuer Enttäuschung verfallen sie einer Psychologie des Wartens, die sie abhält, sich eine neue Position zu schaffen. Sie sind Wanderer zwischen zwei Welten [. . .]."[142] Tom freilich, den ideologischen Verheißungen gegenüber so skeptisch wie Manfred („ich bin für die Mathematik"[143]), läßt sich durch seine Liebe zu Grit in der DDR „festmachen". (Von beiden Figuren führen auch Verbindungslinien in die sowjetische Literatur der dreißiger Jahre: Als Christa Wolf das Buch von Jakobs rezensierte, wies sie besonders auf Ilja Ehrenburgs Roman „Der zweite Tag" hin, der bei Jakobs ausdrücklich zitiert wird und dessen Held Wolodja Safonow in bestimmten Charakterzügen Toms wiederkehrt. Nachdem dann die Geschichte von Manfred vorlag, fanden sich in der Kritik wieder Hinweise auf das Vorbild, den „Nihilisten" Safonow.)

Für Christa Wolf war an Jakobs Buch wohl am wichtigsten, daß in der Heldenwahl auf schwarz/weiß, auf die Konfrontation durchaus negativer und durchaus positiver Helden verzichtet worden war. Im einzelnen sollte es kritische, skeptische, falsche Einwände und Verhaltensweisen geben dürfen, wenn nur das Ganze vom Sieg des Neuen Zeugnis ablegte. Deswegen schrieb sie in ihrer Kritik: „Aus vielerlei Komponenten setzt sich hier wie meist der Gesamteindruck einer positiven Einstellung zu unserer Gesellschaft zusammen, und es ist falsch, den Begriff ‚positiv' gerade für die Literatur auf das Synonym ‚unkritisch-optimistisch' einzuengen."[144] Auch im „Geteilten Himmel" wird die einzelne übertriebene oder zu Unrecht verallgemeinerte, „falsche" Kritik aus dem Munde des Manfred (die für zutreffend oder abwegig zu halten letztlich doch dem Leser überlassen bleibt) nicht im einzelnen widerlegt, schon gar nicht an dem Ort und der Stelle, an der sein Defätismus die Gesprächspartner jeweils provozieren soll.

Um dem Roman und seiner positiven Figur Rita das Schulmeistern, die leitartikel-hafte Didaktik zu ersparen, wird sie als eine Art „Unschuld vom Lande", als unbe-schriebenes Blatt in die Handlung eingeführt. „Zu Hause in ihrem Dorf war alles ein-fach gewesen, durchschaubar, von Kind auf gekannt. Etwas von dem ‚Siehe, es war gut!' des letzten Schöpfungstages hatte noch über der gelassenen Natur gelegen und über den Menschen, die ihr nahe waren. Wenn es eine Unberührtheit der Seele gibt, so hatte sie sie einst besessen und verlor sie jetzt. Der Spiegel, der ihr die Welt zurück-warf, war wie von einem kalten Hauch getrübt."[145] Rita durchlebt die Erfahrungen der Liebe, der Arbeit im Betrieb, im Lehrerbildungsinstitut usw. gewiß konfliktreich, aber nicht in den Formen irgendeiner rationalen Auseinandersetzung, sondern bloß als emotionales Sich-Durchringen.

Schlenstedt hat darin einen Beitrag zur Diskussion über Entfremdung gesehen, die, da sie im Sozialismus keine objektive Grundlage habe, allenfalls als „falsches" Bewußtsein, als „Entfremdungsgefühl" auftreten könne. „Im Gefühl auch muß sie deshalb überwunden werden"[146], schließt er aus seinen Prämissen. Abgesehen von den recht schroffen, mechanischen Entgegensetzungen von Verstand und Gefühl, ist es logisch gar nicht zwingend, daß „falsches" Gefühl durch „richtiges" Gefühl abge-löst werden müßte. Hans-Georg Hölsken resümierte: „Es scheint ein Gestaltungsprin-zip der Autorin zu sein, daß sie Zweifel am Sozialismus nicht durch eine intellektuell-ideologische Beweisführung überwindet, sondern durch persönliche Erfahrungen in der sozialistischen Lebenswirklichkeit auf emotionalem Wege entschärft."[147]

Hat dieses Verfahren nicht doch noch tiefere Gründe als die politische Entschär-fung oder das Umgehen der unmittelbaren Agitation? Beides soll gewiß nicht gering geachtet werden, aber letztlich steckt hinter der Kunstfigur der Rita die Sehnsucht der Autorin, auf eine ebenso selbstverständliche, allmähliche Art in den Sozialismus hineinwachsen zu können — zu einem Weltbild der festen, emotional gesicherten Gewißheiten hin, das man sich am Ende des Reifungsprozesses erworben hat. Dahin-ter verbirgt sich der Gedanke, daß, wer von Geburt an in einer sozialistischen Umwelt aufwächst, es leicht habe, gleichsam wie von selbst zum Sozialisten zu werden. Rita soll dafür als Beispiel stehen. Umgekehrt bedeutet diese Erkenntnis aber auch, daß Christa Wolf weiß, daß für sie selbst und ihre Generation überhaupt der schnurgerade Weg nicht begehbar war. Für sie, die ihre Kindheit und frühe Jugend im faschistischen Deutschland verbracht hat, war die Neuorientierung schwierig und widersprüchlich. Diese Grundüberzeugung ist ein wesentlicher Bestandteil auch des literarischen Selbst-verständnisses der Christa Wolf.

Wir haben schon an den kritischen und essayistischen Arbeiten aus den fünfziger Jahren zu zeigen versucht, wie die Widersprüche darin vor allem aus der Bereitschaft resultieren, das ideologische Angebot im Ganzen zu akzeptieren und zu glauben, es aber auch im einzelnen vor der intellektuellen Analyse standhalten zu lassen, wozu sowohl der erworbene Bildungsstand wie das Wahrhaftigkeitsgebot zwangen. Das führte, bei dem Zustand der Theorie und Praxis von Stalinismus und Nachstalinismus, zu unaufhebbaren Spannungen und gelegentlich akrobatischen Verrenkungen, die sich nur ersparen konnte, wer resignierte, Zyniker wurde oder die Flucht ergriff. Manfred Herrfurth tut dies — aber auch er hat seine Schwierigkeiten, soweit sie als subjektive benannt wurden, generationsspezifisch erklärt. Wenn er Ritas Unkompliziertheit bewundert, dann in dem Bewußtsein: „Irgendwo zwischen ihr und mir fängt die neue Generation an."[148]

Objektiv wirksam sollte für Manfreds Haltungen und Entscheidungen vor allem die kapitalistische Vergangenheit sein, die in seinem Denken untilgbare Spuren hinterlassen hatte, weil er ihr als wehrloser Zögling in der Form faschistischer Erziehung ausgeliefert gewesen war. Der Rest war Versagen und Schuld. Die Erzählung hält sich, weil sie sich nicht nur den Leitsätzen des Weltbilds verpflichtet sieht, sondern auch dem Wahrhaftigkeitsgebot, nicht stur an dieses Schema; wohl hat es der tonangebende Teil der DDR-Kritik aber herausgelesen, etwa Hans Jürgen Geerdts: „Dieser skeptisch-ironische Mensch wird mit seinen Schwierigkeiten nicht fertig; mag sein, daß objektive Momente seiner negativen Entwicklung im Einfluß einzelner Dogmatiker zu suchen sind, entscheidend für seine Niederlage ist jedoch sein Unvermögen, die gesellschaftliche Situation zu erkennen [. . .]."[149]

Die Mühsale des eigenen weltanschaulichen Weges, die Schmerzen und Narben, die einem zugefügt wurden, wenn man den Windungen und Wendungen zu folgen suchte, die das jeweils Richtige darstellen sollten, hat Christa Wolf lange Zeit als Folgen ihrer Herkunft verinnerlicht. In einer 1965 veröffentlichten kurzen autobiographischen Skizze formuliert sie das so: „Nicht vergessen kann ich, wie man uns, die wir bei Kriegsbeginn zehn Jahre alt waren, falsche Trauer, falsche Liebe, falschen Haß einimpfen wollte; wie das fast gelang; welche Anstrengung wir brauchten, uns aus dieser Verstrickung wieder herauszureißen; wieviel Hilfe wir nötig hatten, von wie vielen Menschen, wieviel Nachdenken, wieviel ernste Arbeit, wieviel heiße Debatten."[150] Dieses Problem der Umerziehung und Selbsterziehung hat sicher eine wichtige Rolle gespielt, auch in den Entwicklungsromanen der Kriegsgeneration, z. B. bei Noll oder Schulz in den Figuren des Werner Holt oder des Rudi Hagedorn. Als Christa Wolf 1959 eine Anthologie mit „Proben junger Erzähler" herausgab, betonte sie im Vorwort, daß viele der Autoren erst das Ende des Faschismus mit erwachendem Bewußtsein erlebt hätten; denn 1933 waren sie noch keine zehn Jahre alt. Manchen sei bei Kriegsschluß jeder innere Halt weggebrochen. „Vor den meisten stand ein mühseliger, oft langwieriger Prozeß: es galt abzurechnen mit der eigenen Vergangenheit und zu erkennen, wo Neues sich entwickelte und welcher Art dieses Neue war. Es galt Bitterkeit, Resignation, das Gefühl eigener Mitschuld und zielloses Rebellieren durch Arbeit in Zuversicht und Bewußtheit zu verwandeln."[151]

Die autobiographischen Skizzen der Christa Wolf bezeugen, wie ernst auch ihr dieses Thema ist, das sie — die jüngere — in einem Buch über die Kindheit ihrer Generation erneut aufgreifen will. Aber die Ausschließlichkeit, mit der sie die Anpassungsschwierigkeiten auf die Tiefenwirkung der Kriegsjahre zurückführte, war wohl auch eine Anwendungsform der These, die Negativa der innersozialistischen Entwicklung seien in letzter Instanz die nicht abgetöteten Überbleibsel der alten Zeit. Skrupel, Zweifel, Unentschiedenheiten sind für Christa Wolf in der frühen Phase ihres Schreibens, wo sie sich überhaupt ins Bewußtsein drängen, lästige bürgerliche Rückstände, die man noch mitschleppt, weil man das Unglück hatte, 1929 und nicht 1942 geboren worden zu sein.

Überdeutlich läßt sie dies eine Nebenfigur ihrer „Moskauer Novelle" ausdrücken. Heinz, der Redakteur einer DDR-Studentenzeitung, erhält dort folgenden Text: „Die Jungen werden in unserer Welt leben wie der Fisch im Wasser. Diese Zeit ist ihr Element, selbstverständlicher Lebenshintergrund, ihnen angewachsen wie ihre Haut. Kein geringer Vorteil, wenn ich bedenke, was es heißt, in einem Leben vom Faschismus in den Sozialismus hinüberzuwechseln."[152] Eine merkwürdige Utopie! Das richtige Bewußtsein angewachsen wie eine Haut; das einfache Leben kehrt wieder auf höherer sozialistischer Stufe. Eduard Zak hat in seiner klugen Kritik am „Geteilten Himmel" die Rita als Vorwegnahme dieses Menschenbildes gedeutet. Er schrieb: „Dereinst wird vielleicht eine Generation schon ganz selbstverständlich im Sozialismus wurzeln, wird auch dann historisch richtig denken und handeln, wenn sie sich scheinbar spontan ihren Regungen überläßt. Jedenfalls ist das einer der Träume der Autorin Christa Wolf, er liegt der Konzeption der Hauptgestalt in der Erzählung ‚Der geteilte Himmel' zugrunde."[153]

Die Sehnsucht, spontan handeln und leben zu können, ohne ständig eine Instanz der Selbstkontrolle einschalten zu müssen, die darüber wacht, ob das was man tut oder meint, schädlich oder nützlich, abweichend oder übereinstimmend ist, wird hier bewahrt — aber um welchen Preis! Erst der programmierte Mensch, der für selbstverständlich hält, was ihn umgibt und was von ihm gefordert wird, dem also die Zerrissenheit fehlt, weil die Verhältnisse harmonisch erscheinen, kann sich wieder der Spontaneität überlassen, weil eine andere als die mit dem historisch Notwendigen übereinstimmende überhaupt keine Existenzbedingungen vorfände. Anstatt es als immerwährende Herausforderung an die Menschen zu begreifen, in jeder Gesellschaftsordnung den Schein des Selbstverständlichen, Unbefragten zu enthüllen, um die Entwicklung voranzutreiben, findet die Dialektik ein plötzliches Ende. Aus gleichen Motiven wurde Brechts „Verfremdung", das Auffälligmachen des Gewohnten, als Kunstmittel der antagonistischen Klassengesellschaft weggedrängt, weil einer Menschengemeinschaft das distanzierte Beobachten fremd sei.

Als Eduard Zak Christa Wolf über das Buch der verlorenen Illusionen und der bewahrten Hoffnungen, über „Nachdenken über Christa T." befragte, wollte er wohl an jene Utopie des unproblematischen Menschen erinnern und erkundigte sich danach, ob sich der Inhalt des Buches in dem Motto zusammenfassen lasse: „Wie wir waren und wie wir vielleicht niemals mehr sein müssen." Die Autorin wich einer Bestätigung aus. Aber sie hat im gleichen Interview einen Satz gesagt, der darauf hindeutet, daß sie an einer „über-intellektuellen" emotionalen Zustimmung der Menschen zum Sozialismus festhalten möchte: „Das Subjekt, der sozialistische Mensch, lebt immer souveräner in seiner Gesellschaft, die er, zum ersten Mal mit Recht, als sein Werk empfindet: nicht nur denkt und weiß, sondern *empfindet*."[154] Die Hervorhebung steht im Originaltext. Empfinden erscheint als eine höhere Erkenntnisstufe als Denken und Wissen.

Das bleibt ein problematischer Standpunkt, auch wenn er hier in einem emanzipatorischen Zusammenhang eingenommen wird, nämlich um das Recht des Subjekts auf einen totalen Lebensanspruch zu bekräftigen. Die Problematik liegt sowohl in der gefühlshaften Attitüde wie in der allumfassenden Identifikation des einzelnen mit der Gesellschaft, deren Anonymität ja auch im Sozialismus durch „Gemeinschaftsgefühl" nur verschleiert wird. Man wird diese meine Kritik als Ausdruck bürgerlicher Ignoranz bewerten, der das neue Verhältnis zwischen den Menschen in der DDR verborgen bleiben müsse — dennoch: ein Satz wie der zitierte, der Steigerungen von „souverän" kennt, ein Wunschbild ins Präsens setzt und die gleichgültige Passivität vieler, die sich weiterhin als Objekte fühlen, nicht wahrhaben will, klingt trotzig und trägt immer noch Züge jener Selbstüberredung, die die Autorin weithin zu überwinden gelernt hat.

Tendenzen einer gewollten Naivität drängen sich immer wieder nach vorn — offenbar begünstigt durch die Neigung, gefühlsgestimmte, lyrisch geprägte Prosa zu schreiben. Die Last früheren Wissens und früherer Erfahrungen abzuschütteln, um in einer zupackenden Unmittelbarkeit sich der Realität öffnen zu können, ist ein als dichterische Methode empfohlener Wunschtraum der Autorin, den sie 1962 auf einer Tagung des Mitteldeutschen Verlages in Halle vorbrachte: „Wir müssen so gehen, als ob wir nichts wüßten und möglichst alles erfahren wollten — wie in ein neu entdecktes Land. Ich glaube, auf diese Weise bekommt man erst Gefühl und Sinn für die Poesie, die im alltäglichen Leben steckt und ohne die unsere Literatur kalt und nüchtern würde."[155] Die Furcht, das Unterbewußtsein könne dem Intellekt, der längst seine bewußte Zustimmung gegeben hat, in die Quere kommen und die mühsam erworbene Position wieder aufweichen, scheint auch manche ihrer Äußerungen bestimmt zu haben. Solange der Autor nicht mit Leib und Seele, von ganzem Herzen usw. für die Sache eintritt, hat er „den für unsere Zeit so charakteristischen Widerspruch zwischen Bewußtsein, Erkenntnis und dem Unbewußten, Triebhaften"[156] noch nicht befriedigend gelöst. Das Mißtrauen gegenüber dem geheimen Gefühlsvorbehalt bestimmt z. B. eine sowohl dogmatische wie banale Bemerkung aus Anlaß eines von Christa Wolf heftig kritisierten Romans von Ehm Welk: „Die Parteilichkeit des Autors erschöpft sich nicht in der ideologisch richtigen Aussage, in der intellektuellen *Erkenntnis,* sondern verlangt gerade vom Künstler, daß er auch *gefühlsmäßig* mit seinem ganzen Wesen, in Sympathie und Abneigung auf der richtigen Seite steht. Geheime, oft unbewußte Ressentiments und Vorurteile werden — ob der Schriftsteller das will oder nicht — in die Gestaltung seiner Bücher einfließen."[157] Das ideologisch Richtige könnte also gewollt oder ungewollt dadurch dementiert werden, daß aus tieferen seelischen Schichten als denen, wo die bloß intellektuelle Erkenntnis wohnt, Einsprüche erfolgen und Vorbehalte angemeldet werden. Gegen diese Gefahr müsse der Autor ankämpfen, indem er die Kontrollinstanz Parteilichkeit nicht nur im Hirn (wo sie ein verhältnismäßig leichtes Arbeiten hätte), sondern auch im Herzen schalten und walten läßt. Diese für den aufrichtigen Autor oft qualvollen Kämpfe — Folgen des Drucks, der aus der Verinnerlichung der akzeptierten, auch von außen herangetragenen Forderungen herrührt — hören erst auf, wenn sich alles Getrennte vereinigt, d. h. wenn Gefühl und Intellekt gleichgerichtet reagieren, „selbstverständlich", menschlich spontan und historisch-politisch richtig in einem, funktionsgerecht und dem subjektiven Bedürfnis genügend wie eine zweite Haut.

Diese Utopie, wenn es eine ist, was bezweifeln möchte, wer einen Horror vor den Horrorutopien vom Orwellschen Typ hat, stellt den nachfolgenden Generationen eine dubiose Art des Befreitseins in Aussicht, während die erste Generation der Übergangszeit, in der es keiner leicht hat, einer immerwährenden Prüfungssituation ausgesetzt ist. Denn was für den Autor gilt, soll wie die schon genannten Zitate aus den Erzählungen zeigen, mehr oder weniger auf jeden Sozialisten der neuen Gesellschaft zutreffen.

Sucht man nach äußeren Quellen für diese Ansicht Christa Wolfs, wird man sich kaum mit dem allgemein umgehenden Anspruch „auf den ganzen Menschen" begnügen können. Es scheint vielmehr so, als habe sie Bemerkungen von Anna Seghers über drei Stufen im Schaffensprozeß des Künstlers aufgenommen und interpretiert. Anna Seghers bezieht sich dabei auf Tagebuchstellen, in denen Tolstoi Jahrzehnte nach der Entstehung von „Krieg und Frieden" auf die drei Stufen im Umgang des Künstlers mit seinem Wirklichkeitsmaterial zu sprechen kommt. Sie schreibt, Tolstoi folgend: „Zuerst erlebt er die Wirklichkeit frisch und unmittelbar, wie die Natur auf ein Kind wirkt. Auf der zweiten Stufe versucht er, sich die Zusammenhänge bewußt zu machen. Dabei droht seiner Kunst die Gefahr, an Frische und Unmittelbarkeit zu verlieren. Er muß die dritte Stufe erreichen, auf der ihm die Ergebnisse seines Denkens wie eine zweite Natur geworden sind."[158] Das Problem hat auch schon in dem berühmten Briefwechsel mit Georg Lukács aus den Jahren 1938/39 eine große Rolle gespielt.

Anna Seghers ist dann noch oft, z. B. in einem Brief an Jorge Amado und in verschiedenen Interviews, die Christa Wolf mit ihr geführt hat, auf diese „Drei-Stufen-Lehre" zurückgekommen, um sie vor allem zur Bezeichnung von charakteristischen Schwächen in der Gegenwartsliteratur der DDR anzuwenden. Sie wirft, ohne Namen zu nennen, vielen Künstlern vor, auf der zweiten Stufe zu beginnen und zu enden. „Sie sind nicht von der Wirklichkeit ausgegangen, die frisch und unmittelbar auf sie wirkte. Sie gehen sogleich von ihrem Bewußtsein aus, von ihren als richtig erkannten Gedanken, für die sie dann in der Wirklichkeit gleichsam Belege suchen."[159] Oder es heißt im Brief an Amado über eine falsche Ausgangshaltung des Autors: „Ich glaube aber, es kann nicht richtig sein, wenn er, bevor er sich an die Arbeit setzt, zuerst darüber nachdenkt, was für Personen er darstellen muß, damit sie ‚typisch' sind, und was für Wege diese einschlagen müssen, um zu einem echten ‚Konflikt' zu führen. Dann sieht er zuerst die Idee und dann die Wirklichkeit; er stellt zuerst das ‚Typische' fest und sucht danach die Gestalt, die es ausdrücken soll."[160]

Diese Kritik an einer illustrativen Literatur, die eigentlich die „richtigen Leitsätze" an den Mann bringen will und aus gleichsam technischen Gründen, nämlich weil ein Roman oder eine Erzählung herauskommen soll, die Fabeln und Figuren sucht, denen sie die zu vermittelnden Ideen anhängen kann, war berechtigt, wenn es auch nicht ganz korrekt erscheint, allein dem Autor die Verantwortung für solche Werke aufzubürden, anstatt nach den politischen und gesellschaftlichen Ursachen für ein solches Verhalten zu fragen. In diesen Bemerkungen scheint aber auch die Basis für Christa Wolfs Vorstellung zu liegen, der Mensch müsse eine neue Spontaneität finden, in der seine bewußte Erkenntnis enthalten ist, ohne daß dadurch die vor allem emotional aufgefaßte Spontaneität gebremst würde. Es ist einsichtig, daß das Stehenbleiben auf der zweiten Stufe die Kunst zerstören kann. Unklar bleibt aber, ob der individuelle Schaffensprozeß des Künstlers von Anna Seghers so gesehen wird, als sei es diesem in einem gewissen Lebensalter oder nach der Qualität seiner Erfahrungen ein für allemal gegeben, von der Stufe 3 her zu schreiben, wenn es ihm einmal gelungen ist, sie zu erreichen. Oder ob dies abhängig ist vom jeweils gewählten Stoff oder Wirklichkeitsausschnitt, der immer aufs neue erforderlich macht, die Stufen eins bis drei zu durchlaufen.

Es scheint eher so, daß Anna Seghers der ersten Meinung zuneigt, nämlich der, daß der Autor, der einmal die dritte Stufe erreicht hat, dieses Vermögen verinnerlichen und für sich fixieren möge, damit die Struktur und Erzählweise all seiner künftigen Werke davon bestimmt werde, er also nicht zeitweise auf die Vorstufen zurückfallen solle, um immer aufs neue das Stadium der Reife erreichen zu können. Denn in einem Gespräch mit Christa Wolf hat Anna Seghers ihre Auffassung so erläutert: „Viele unserer Schriftsteller — ich meine hier bei uns in der DDR viele junge Schriftsteller, auch alte gewiß —, aus falsch aufgefaßter Parteilichkeit machen sie sich jedes Teilchen der Wirklichkeit zunächst einmal bewußt [. . .]. Ihre schriftstellerischen Arbeiten muten einen an, als ob sie sich mühevoll andauernd beim Schreiben jedes Detail mit all seinen sozialen Beziehungen bewußt machen müssen. Das sollte aber, wenn sie wirklich Künstler sein wollen und wenn sie erwachsene Leute sind, bereits hinter ihnen liegen. Es muß ihnen bereits selbstverständlich sein."[161]

Der Hinweis auf das Erwachsensein zeigt an, daß als Ergebnis eines Lernprozesses intendiert wird, der reife Künstler müsse sowohl das Lernen wie das Gelernte (im Sinne politisch-parteilicher Bewußtheit) vergessen können, weil es ihm in einer Art gehobener Intuition frei verfügbar geworden ist. Was ihm in Fleisch und Blut übergegangen ist, braucht nicht mehr Gegenstand des Grübelns zu sein. Er muß das Übungsgelände der Theorie verlassen, um ein freies Feld zu gewinnen, auf dem sich Künstlertum überhaupt erst entfalten kann. Die bei diesen Überlegungen benutzte Kategorie des Selbstverständlichen erweist sich aber sowohl bei Anna Seghers wie bei Christa Wolf als doppelgesichtig. Denn der Subjektivität wird, solange man diese Kategorie benutzt, nur insoweit vertraut, als in ihr die objektiv genannte Wahrheit des politisch Notwendigen verinnerlicht worden ist. Dem „wirklichen Künstler" dürfte aber überhaupt nichts selbstverständlich sein: er müßte gerade die zu festen Überzeugungen oder Vorurteilen geronnenen Gemeinplätze des Weltbilds danach befragen, ob sie noch standhalten.

Christa Wolf ist in ihrer letzten Erzählung in dieser Richtung schon recht weit gegangen. Ob sie heute noch, wie in den fünfziger und beginnenden sechziger Jahren, die Ansätze von Anna Seghers auf die Spitze treiben und behaupten würde, daß die Menschen der neuen Generationen, die bewußt im Sozialismus aufwachsen, was um sie geschieht für so selbstverständlich halten werden wie der Fisch das Wasser, darf man wohl bezweifeln. Sie hält aber wie ihr großes Vorbild fest an der Verteidigung einer Kunst, die sich nicht dadurch abwürgt, daß sie Ideologie aus Zweckmäßigkeitsgründen (etwa aus solchen der leichteren Verständlichkeit oder der größeren Reichweite) in Geschichten einpackt.

In ihren neueren Arbeiten wird dieser Aspekt betont, so wenn es heißt, Anna Seghers plädiere (gegen trockene Vernünftelei) für das Wagnis des Sehens, das der Künstler auf sich nehmen müsse, der die Menschen nach und nach in tiefere, unbekanntere Schichten der Wirklichkeit ziehe. Christa Wolf findet jetzt das ebenfalls bei der Seghers entdeckte Bild vom Autor als einer „Umschlagstelle" dialektischer als das 3-Stufen-Schema und assoziiert: „Zusammenprall von Eigenem und Fremdem, Spannungsfeld, Gefahrenstelle."[162] Die kluge Beobachtung von Anna Seghers, daß die napoleonische Übermenschen-Idee in Dostojewskis Raskolnikow nachwirke und in ihm einen wilden Kampf auslöse („Alles hat sich im Innern des Menschen vollzogen"[163]) wird für Christa Wolf zur Keimzelle einer eigenen (psychologischen) Theorie der Literatur: „Literatur, die aufhörte, den Wandlungen und Gefahren im Innern der Menschen nachzuspüren, würde ihrer Bestimmung untreu und verzichtete auf die Wirkungsmöglichkeit, die ihr und nur ihr vorbehalten ist."[164]

In dieser Auffassung fühlt sich Christa Wolf auch von sowjetischen Autoren, die sie schätzt, bestärkt, z. B. von der älteren Vera Inber oder dem jüngeren Juri Kasakow. So lernt sie aus Vera Inbers Erzählungen aus der Bürgerkriegszeit nach der Oktoberrevolution, daß gerade in „ungünstigen, turbulenten Zeiten in der tiefsten Schicht der Menschen, im innersten Innern" Prozesse vor sich gehen, die eine lebendige Literatur aufgreifen muß: „Es gibt kein Außen und Innen mehr, die Revolution ist überall. Bessere Bedingungen zum Schreiben kann es nicht geben."[165] Bei Juri Kasakow findet Christa Wolf Stellen, die sie ohne jeden Abstrich zustimmend zitieren kann: „Aber ich neige dazu, der Biographie des Innenlebens den Vorrang zu geben. Für einen Schriftsteller ist sie besonders wichtig. Wer in seinem Innern eine reiche Entwicklung durchgemacht hat, der kann sich in seinem Schaffen dazu erheben, seiner Epoche Gestalt zu verleihen, obwohl er ein an äußeren Ereignissen armes Leben geführt hat."[166]

Sie erkennt in solchen Worten eigene Grundüberzeugungen wieder; aber daß sie diese überhaupt entwickeln konnte, geht unzweifelhaft auf das bewunderte Vorbild Anna Seghers, auf deren Essays, Romane und Erzählungen zurück. Von ihr ist sie ermutigt worden, mit bohrender Intensität Nachrichten hervorzuholen „aus dem innersten Innern, jener tiefsten Schicht, in die man schwerer vordringt als unter die Erdrinde oder in die Stratosphäre, weil sie sicherer bewacht ist: von uns selbst".[167] Auch die einfühlsamste Erfindungskraft stößt hier an Grenzen. Nur wenig scheint bisher ins Tageslicht gehoben. „Wie lange noch soll die kleine Spitze des Eisbergs beschrieben werden, und sechs Siebentel darunter bleiben unbekannt, unbenannt, unerlöst?"[168] Wem nichts dazu einfällt, als in verquerem Deutsch zu stottern, das sei der Sieg der romantischen Innenschau, des Ausdrucks oder Eindrucks „über die Richtung auf die Realität"[169], hat nicht nur schematische Vorstellungen von der Subjekt-Objekt-Beziehung; er will offenbar auch wichtige Traditionslinien in der deutschen sozialistischen Literatur nicht wahrhaben.

Nur in einer Nebenbemerkung kann hier darauf eingegangen werden, daß das Verhältnis Erkenntnis-Spontaneität im Werk, insbesondere im Frühwerk, der Anna Seghers auch in der Literaturwissenschaft der DDR unterschiedlich beurteilt wird. Die Meinung von Inge Diersen, die an manchen Figuren ein Zuviel an dumpfem Getriebensein und ein Zuwenig an intellektueller Physiognomie bemerken will, hat Annemarie Auer als Fehlurteil bezeichnet: „Das absolute Novum der Seghersschen Gestaltungsweise liegt und die Tiefe ihres poetischen Engagements beweist sich ja eben darin, daß sie die frühproletarische Didaktik, ob nun autobiographisch oder reportagehaft, durchaus hinter sich läßt. Ihre Gestalten haben einen höheren Reifegrad, gerade weil sie mit einem emotional verwurzelten, unmittelbar klassenmäßigen Reagieren ausgestattet sind." So kehrt als Echo zurück, was Anna Seghers selbst über Unmittelbarkeit und über Didaktik ausgeführt hat. Annemarie Auer versagt sich in diesem Zusammenhang

nicht, der „reaktionären Kritik" einen Seitenhieb auszuteilen: Anna Seghers sei keineswegs, wie diese ihr unterstelle, eine „raunende Sybille, die somnambul mehr weiß
und in mystischer Hoffnung den Kämpfenden Mut einflößt".[170]

Hier wird reichlich grob auf diejenigen eingedroschen, die sich bemühen, dem Wesen der Anna Seghers auf die Spur zu kommen. Dabei kommt es wohl nur auf die
Wortwahl an: ist das Gemeinte immer noch falsch, wenn statt von raunen, mystisch
und somnambul von zaubern, bezaubern und magisch die Rede ist? In einem ein-
fühlsamen Porträt über Anna Seghers schreibt Christa Wolf von deren Verlegenheit
darüber, daß sie alles durchschaut, von dem entschuldigenden Lächeln, das sie zeigt,
„während sie unbeirrbar ihr Magierhandwerk betreibt, dessen Wert sie kennt".[171]
Der meisterhafte Beginn dieser essayistischen Huldigung für die wachsame Künstle-
rin, die so sehr sie konnte denjenigen Einhalt gebot, die die Kunst zur Entzauberung
der Welt mißbrauchen wollten, mag hier mit seiner ebenso gewagten wie eleganten
Artistik auf dem Schwebebalken für sich sprechen: „Sie zaubert. Bezaubert. Wie
geht das zu: Zaubern in nüchterner Zeit? Indem sie sich selbst nicht gestattet, zu
wissen, was sie da tut. Eine Ahnung davon sorgfältig vor sich versteckt. So weiß
sie also und weiß nicht und wacht streng über alles: über die Dauer des Zaubers, seine Zusammensetzung und seine Wirkung, über Wissen und Nichtwissen und darüber,
daß dies alles immer in der richtigen Mischung vorhanden, der Vorrat immer aufge-
füllt ist, die Anstrengung hinter dem schwebenden Gleichgewicht unbemerkt bleibt
und wir also getrost und zu unserem Glück daran glauben können."[172]

In ihrem großen Essay „Lesen und Schreiben" hat Christa Wolf sich in Gedanken eine Zaubervorstellung mit bösen Folgen geleistet: Was wäre, wenn jede Erinnerung,
jede Wirkung, jede Spur, die Prosaliteratur in ihrem Kopf hinterlassen hat, auf einen
Schlag ausgelöscht würde? Die Antwort ist eindeutig: sie sähe ihre Identität vernichtet. „Denn ich, ohne Bücher, bin nicht ich."[173] Es ist vielleicht aufschlußreich, einen
Moment an ein ähnliches Gedankenspiel von Max Frisch zu erinnern. Er hatte, aus
festlichem Anlaß, in einer Rede in der Frankfurter Paulskirche[174] gefragt, was geschä-
he, wenn von einem Tag auf den anderen alle Theater geschlossen würden. Diese, wie
Frisch meinte, „belebende" Vorstellung könnte vielleicht von der Illusion heilen, das
Theater zu überschätzen. Sein Ausgangspunkt war Skepsis — und der Redner zeigte
sich überrascht, als herauszukommen schien, daß eine Welt ohne Theater doch anders
aussähe — trotz des bürgerlichen Kunstbetriebs mit all seinen Fragwürdigkeiten.

Bei Christa Wolf war die Fragestellung radikaler und subjektiver als bei Frisch: es
ging um Prosaliteratur, um Bücher, also wohl um mehr als die historisch wandelbaren
Stätten theatralischer Schaustellungen, und gefragt wurde nach dem, wofür man zuallererst zuständig ist, nach den Folgen fürs eigene Leben. Eigentlich hält natürlich
auch Christa Wolf eine Antwort für unmöglich, denn gäbe es sie, wüßte man ja auch
endlich etwas Gewisses über die Wirkung von Literatur. Aber sie zählt tapfer auf, was
fehlte, was man nicht wüßte, nicht fühlte, nicht erhoffte, nicht fürchtete. Dabei fällt
auf, welch großes Gewicht die Autorin auf die Lese- oder vielleicht auch Vorleseer-
fahrungen der frühen Kindheit legt, auf die Urmuster der Märchen, Sagen und Fabeln.
Verblüfft und verwirrt reagiert man als Leser jedoch erst, als man zu einem kühnen

Sprung genötigt wird. Von dem eben noch als unmögliches Gedankenexperiment apostrophierten Leben ohne Literatur wird plötzlich behauptet, es sei in der Nazizeit wirklich der Generation der Autorin widerfahren. „Lückenloser kann die Absperrung von aller Literatur der Zeit nicht erdacht werden, als sie uns zugefügt wurde, bis zu unserem sechzehnten Jahr."[175] Die Schreiberin sieht darin Gründe für das verzögerte Reifwerden des kritischen Verstands und auch der Gefühlswelt ihrer Generation.

Dieser plötzliche Umschlag in die Realität vor 1945 zeigt erneut, was wir schon aus anderem Anlaß bemerkten, nämlich eine merkwürdige Zurückführung von Konflikten und Problemen auf traumatisch erfahrene Prägungen der Kindheit und frühen Jugend. Die Erweiterung dieser schmerzlichen persönlichen Rückbesinnung zu einem allgemeinen Generationserlebnis ist schon auf Widerspruch gestoßen, auf einen, wie ich glaube, berechtigten Widerspruch. Günther Cwojdrak hat in seiner Rezension[176] ganz andere Erfahrungen aus der gleichen Zeit berichtet – die lückenlose Absperrung von der Literatur aller Zeiten war von den Nazis nicht zu bewerkstelligen. Da mußten ungünstige häusliche Umstände, falsche Vorbilder bei den Lehrern hinzutreten, die junge Menschen daran hinderten, die auch damals – trotz der Bücherverbrennungen und Bücherverbote – zugängliche Weltliteratur aufzustöbern.

Aber kehren wir aus der realen Vergangenheit zurück ins Gedankenexperiment. Die Bücher der Kinder, Märchen, Sagen, Fabeln, sind für Christa Wolf lebensnotwendige Quellen der Menschwerdung, Zaubermittel gegen das phantasielose Vernünftigsein: „Eine Welt, die nicht zur rechten Zeit verzaubert und dunkel war, wird, wenn das Wissen wächst, nicht klar, sondern dürr. Fad und unfruchtbar sind die Wunder, die man seziert, ehe man an sie glauben durfte."[177] Die Furcht, ein frühzeitig anerzogenes völlig durchrationalisiertes Weltbild könnte die Vorstellungskraft austrocknen lassen, ist sicher nicht abwegig. Die Sehnsucht des geprüften, auch leidgeprüften Erwachsenen nach der Geborgenheit von Kindern, die ihre Ängste und Befürchtungen nötig haben, um jene Ichstärke zu gewinnen, ohne die sie es im Leben noch schwerer hätten, bestimmt den Tenor dieser Passagen. Ja, das Bedürfnis nach unbezweifelbaren Sicherheiten versucht sich auch hier wieder Geltung zu verschaffen, wie sich an den gefährlichen Sätzen über die moralischen Folgen einer Kindheit ohne Märchen ablesen läßt: „Vergleichen, urteilen fällt mir schwer. Schön und häßlich, gut und böse sind schwankende, unsichere Begriffe. Es steht schlecht um mich."[178]

Wieso steht es schlecht um einen, wenn ihm Vergleichen und Urteilen schwer fällt, wenn er es sich schwer macht oder schwer gemacht sieht? Und schön und häßlich, gut und böse sind eben schwankende und unsichere Begriffe in jedem Falle, in dem man sie anzuwenden hat, also ein Phänomen oder ein Verhalten zu bewerten ist. In der Ästhetik wird für häßlich gehalten, was der Gewohnheit des Sehens widerspricht. Ob eine Handlung gut oder böse genannt wird, hängt oft ab vom Interessenstandpunkt desjenigen, der da urteilt. Der Marxismus hat wertvolle Aufschlüsse über die Klassengebundenheit der Moral geliefert – ein weites Feld gewiß. Bleiben wir bei einem einfachen Beispiel aus der Welt der Kinder: wie oft werden sie böse genannt, weil ihr natürliches Verhalten die Pläne und Normen der Erwachsenen stört! Übrigens ist auch dies ein Thema der Christa Wolf: in der Erzählung „Juninachmittag" geht es darum, wie das durch Anstrengung erworbene und zur Gewohnheit verfestigte bewußte Agieren und Reagieren der Eltern irritiert wird durch kindliche Spontaneität. Meine banalen Exempel könnten der Autorin, brächte ich sie in einer Diskussion mit ihr vor, ohnehin nichts mitteilen, was sie nicht wüßte. Es geht also nicht um Vorhaltungen von der Art, es sei etwas übersehen worden. Sondern es soll nachgewiesen werden, wie eine Sehnsucht nach Sicherheit, nach einer Sicherheit, die in unbezweifelbaren Begriffen manifest geworden ist, noch in die späten ganz und gar undogmatischen Aufsätze eingeht. Die Autorin ist selbstkritisch genug, um die Ursachen dafür gelegentlich am Rande namhaft zu machen: es geschieht, ,,weil wir Bestätigung brauchen für unser eigenes beruhigend eindeutiges Empfinden: schön oder häßlich, gut oder böse".[179]

Das zerbrochene ,,ganzheitliche Weltbild", das ehedem durch scheinbar folgerichtige Anpassung an jeweils veränderte Verhältnisse bewahrt und dadurch einer inneren Korrektur gerade entzogen werden sollte, ist unwiederholbar dahin. Christa Wolf hatte, so ist hier zu zeigen versucht worden, auch in den fünfziger Jahren nur Bruchstücke eines solchen ,,Weltbilds" zur inneren Verfügung — ihre Aufsätze und Kritiken waren in jener Zeit der immerwährende Versuch, sie an jeweils verschiedenen Kanten, Ecken und Rändern und mit Hilfe unterschiedlicher Bindemittel zum Ganzen zusammenzukleben. Sie war nicht naiv genug, auch nicht auf vermeintlich höherer Stufe, als daß dies gelingen konnte — die Wirklichkeit, die sie gern ,,Lebensstoff" nennt und die zu verdrängen sie nicht lernen wollte, verrammelte ihr schließlich die Fluchtwege, ehe diese sich vollends zur Sackgasse verengen mußten. 1956 ist dabei nur *eine* Jahreszahl, die die historische Dimension dieses Prozesses anzeigt.

Aber die Autorin gedenkt mit Nachsicht und mit einer wehmütigen Sehnsucht des vergangenen Zustands der Unreife. Die Erinnerung bewahrt, wie schön der Glaube war, es könnte, wenn man nur wollte, alles ein für allemal sonnenklar sein. Es war ein Kinderglaube, gewiß ein verspäteter, aber sie hielt ihre Generation ja überhaupt für eine verspätete. Kinderglaube als Kinderglaube, zur rechten Zeit also, sei etwas Nützliches, ja für die spätere Entwicklung Notwendiges. So verlagert Christa Wolf das Gewinnen von Sicherheiten in die Zeit der Kindheit: hier muß die Grundlegung erfolgen, die Desillusionierungen erträglich werden läßt. Immer noch wird sicherer Boden gesucht, als müßte aus dem ,,cogito, ergo sum" nun endlich ein ,,scio, ergo sum" werden. Aber schlecht stünde es — Märchenlektüre hin, Märchenlektüre her — erst um den, der schön und häßlich, gut und böse für feste Orientierungsbegriffe hielte, mit deren Hilfe er wie die bekannten Vögel im Märchen alles, was ihm vor den Schnabel kommt, ins Kröpfchen oder ins Töpfchen sortiert.

Mit solchen kritischen Feststellungen soll nicht einem uferlosen Relativismus der Werte das Wort geredet werden — die Bedenken gelten nur den Festlegungen. Wer Unsicherheit als Makel versteht, obwohl das Wort auf negative Art die Offenheit für neue Erfahrung und die Bereitschaft zur Preisgabe des vermeintlich unbezweifelbar Gültigen ausdrückt, verkennt den Prozeßcharakter der Erkenntnis. Da das Thema der letzten Arbeiten von Christa Wolf, sowohl der erzählerischen wie der essayistischen, gerade der Mut zu solcher Offenheit ist, zeigt sich auch in diesen noch immer der alte Widerspruch zwischen der schwierigen intellektuellen Durchdringung der Welt (auf eigene Rechnung und Gefahr) und dem Wunsch nach einer geistigen Geborgenheit, die man auf leichtere Art in Gewißheiten zu finden hofft, an denen zu rütteln man sich und anderen am liebsten verwehren möchte. Ein Beispiel ist die schon im ersten

Kapitel von „Nachdenken über Christa T." vorgetragene Behauptung der Erzählerin, jene Christa T. habe sie auch darüber belehrt, „daß es nicht schaden kann, bestimmter Erscheinungen, der wichtigsten vielleicht, als Kind ein für allemal gewiß zu werden".[180]

Der Satz ist so allgemein gehalten — die bestimmten Erscheinungen werden nicht näher bestimmt —, daß er unterschiedlich akzentuierte Interpretationen erlaubt. Setzt man z. B. statt inhaltlich fixierter Urteile (oder Vorurteile) das Wörtchen „ich" ein, ergibt sich, daß man als Kind lernen müßte — und das nun wirklich ein für allemal —, „ich" zu sagen, ohne dafür bei dem Kollektiv der Mitmenschen um Entschuldigung zu bitten. Eine solche Deutung wird z. B. durch einen Satz nahegelegt, in dem Christa Wolf über das Tagebuch sagt: „Wenn es die an ein gewisses Lebensalter gebundenen Stadien der Selbsterforschung, der Selbstbekenntnisse durchlaufen hat, kann es sich öffnen für die Spiegelung aller möglichen Arten von Realität."[181] Auch dies reizt zum Widerspruch, denn die Selbsterforschung kann nicht in einem bestimmten Lebensalter zu Ende sein. Andererseits scheint es zutreffend, daß eine zulängliche Betrachtung und Bewertung der objektiven Realität außerhalb des eigenen Kopfes erst auf der Basis eines entwickelten Selbstbewußtseins möglich wird.

So durchdringen einander auf widersprüchliche Weise Vorstellungen von kindlicher Freiheit und von kindlicher Unreife; so viele Gewißheiten wie nur eben möglich sollen ins erwachsene Leben hinübergerettet werden, dessen Beginn durch Konvention und gesellschaftliche Notwendigkeit mit Hilfe gesetzlicher Regelungen und biologischer Daten willkürlich festgelegt wird. Auf der Suche nach emotionaler und intellektueller Sicherheit werden neue Haltepunkte gesucht, nachdem zweifelhaft geworden ist, wo und wann der auf das Unternehmen Utopie ausgeschriebene Garantieschein vorzulegen ist. Gerade weil an der Utopie festgehalten werden soll und weil es dazu großen Mutes bedarf, wenn nicht die Selbsttäuschung alle Vermittlungen zur Realität ersetzen soll, werden Sicherheiten statt in der Zukunft eher in der Vergangenheit gesucht. In der eigenen Kindheit und in der Kindheit der eigenen Kinder.

Das hat weder etwas mit Flucht noch mit Idyllik zu tun, denn Kindheit wird nicht als Zeit der Ursprünglichkeit imaginiert. Sie wird mit fremden, mit erwachsenen Augen gemustert, von einem Interessenstandpunkt her. Die Autorin ist sich darüber im klaren, daß sie Deutungen und Umdeutungen vornimmt. Die Kindheit wird nicht als Lebensphase der beruhigenden Eindeutigkeit vorgeführt — die Erzählerin mißtraut ihrer Gedächtnis- und Erinnerungsfähigkeit viel zu sehr. Sie spricht von Medaillons, in denen beliebig reproduzierbare Momente von Situationen aufbewahrt werden. So zum Beispiel die Vorbereitungen zur Flucht kurz vor Kriegsende: „Gereizte Antreiberei von Erwachsenen. Mitten in dem Durcheinander eine ungeschickte Figur, wieder einmal total überrascht, unfähig zum Handeln vor Ungläubigkeit: die muß man wohl ‚ich' nennen. Ich werde herumgeschubst."[182] Gesucht wird, was hinter der Situation steckt, das nicht Verfilmbare, aber der Sprache vielleicht doch noch Zugängliche — in der „anstrengenden Bewegung" des Sich-Erinnerns gegen den „scheinbar natürlichen Strom des Vergessens".

Christa Wolf zeichnet eine Szene, in der sie als Vierzehnjährige glücklich im Kartoffelfeld liegt und dabei weiß, „daß ich es nicht sein dürfte und daß ich mich für immer daran erinnern werde. Nachts wird Fliegeralarm sein. Ich zwinge mich, an die Menschen zu denken, die auch in dieser Minute getötet werden. Schlechten Gewissens gebe ich mir zu, daß ich kein schlechtes Gewissen haben kann über mein Glück: harmloser Vorbote der gemischten Gefühle, die, mehr als alles andere, Erwachsensein bedeuten." Wer erzählt hier und wie? Die Autorin stellt die Frage selbst und muß zugeben, daß die 25 Jahre seit jenem Hochsommertag auch an der beschriebenen Szene gearbeitet haben. Trotz aller Bemühung, getreu zu sein — objektiv wurde nicht erzählt, weil es nicht möglich ist. Anstatt entmutigt zu sein, entschließt sie sich zu ihrer Definition von Erzählen: ,,wahrheitsgetreu zu erfinden auf Grund eigener Erfahrung".[183]

Der Mut zur Freiheit, zur Phantasie, zur Spontaneität ist aus den Beobachtungen ablesbar, zu denen ihr die eigenen Kinder Gelegenheit geben: ,,Kindergeschichten machen mir Spaß, Geschichten der eigenen Kinder. Sie haben an sich, daß sie keine Geschichten sind, sondern kleine Etüden mit offenen Schlüsseln nach überallhin."[184] Schon in einem kleinen Abriß über ihre Arbeit als Schriftstellerin aus dem Jahre 1964 hat Christa Wolf sich auf Kinderträume bezogen, in denen sich der Wunsch nach Verwandlung, die Lust, ein anderer zu sein, ausdrückt. Die Literatur versuche dasselbe auf höherer Stufe, und dies gelte sowohl für den Antrieb zum Schreiben wie für die beabsichtigte Wirkung: ,,Auch meine Kindheitsträume hingen oft mit Verwandlungen zusammen. Manchmal wünschte ich sie mir, manchmal fürchtete ich sie: Was, wenn ich eines Morgens als Kind anderer Eltern erwachte? Ich habe früh versucht, die Verwandlung zu vollziehen, auf weißem Papier: Der Schmerz über die Einmaligkeit und Unwiederholbarkeit des Lebens ließ sich mildern. — Später vergessen wir zu schnell, worüber wir schon als Kinder trauern konnten . . . ." Sie schließt die kurze Betrachtung mit dem Gedanken, die Literatur könnte ein Zauberstab sein, die Menschen zu erlösen, was soviel heißen sollte wie ,,Ihnen Mut zu sich selbst zu machen, zu ihren oft unbewußten Träumen, Sehnsüchten und Fähigkeiten . . . ".[185]

Auch dies ist wieder eine programmatische Vorwegnahme dessen, was als großes Thema der Selbstverwirklichung des Menschen die Erzählung über Christa T. bestimmen sollte. In ihrer großen Rede auf einem internationalen Kolloquium in Ostberlin 1964 findet sich eine Warnung vor technokratischen Gefahren, vor der Setzung der Mittel zum Zweck, die als einer der Schwerpunkte der Erzählung über Christa T. wiederkehrte und dann die Ostberliner Kritiker so zu überraschen schien, als hätten sie nie vorher von dem Problem gehört. Auch diese Rede beginnt mit einer Geschichte über die damals achtjährige Tochter der Autorin. Das Kind stellte seine Lage in der Welt in konzentrischen Kreisen dar. Ganz außen der Kosmos (mit einer Menge von Kosmonauten), dann die Erdkugel, dann Europa, dann Deutschland, dann die DDR, dann Berlin, daneben ein kleiner Kreis für Kleinmachnow bei Berlin, wo die Familie wohnt. ,,In der Mitte dieses Kreises schließlich macht sie einen Punkt, und daneben schreibt sie: ,Ich'."[186]

Die Leichtigkeit des Kindes, ich zu sagen — die Schwierigkeit des Erwachsenen, ich zu sagen (Grundidee in ,,Nachdenken über Christa T.") — vielleicht liegt in dieser Spannung ein Antrieb für das Bemühen, soviel wie möglich von solch kindlicher Selbstverständlichkeit herüberzuretten in die ,,gemischte" Welt der Großen. Freilich, wer zuviel an geglaubten Wahrheiten hinüberschleppt, die von Autoritäten verkündet werden, welche Bewunderung und Nacheiferung erwarten, kann es sich schwerer statt leichter machen. Solche Erfahrungen lassen sich nicht ausstreichen: wer sie bewußt aufnimmt, kann daraus lernen und wird dennoch nicht von sich abtun, was schön war an den Illusionen, solange man nicht wußte, daß es Illusionen waren. Das 5. Kapitel in „Nachdenken über Christa T." endet mit solch einer Erinnerung an Gespräche über die paradiesische klassenlose Gesellschaft: „Wer aber, wer würde würdig sein, es zu bewohnen? Die Allerreinsten nur, das schien doch festzustehen. Also unterwarfen wir uns erneut den Exerzitien, lächeln heute, wenn wir uns gegenseitig daran erinnern. Werden noch einmal, für Minuten, einander ähnlich, wie wir es damals durch diesen Glauben jahrelang waren. Können uns heute noch an einem Wort, einer Losung erkennen. Blinzeln uns zu. Das Paradies kann sich rar machen, das ist so seine Art. Soll den Mund verziehen, wer will: Einmal im Leben, zur rechten Zeit, sollte man an Unmögliches geglaubt haben."[187]

Muß man wirklich aus schmerzlicher Erfahrung – die beschriebene Stelle taucht sie ins milde Licht erinnernder Verklärung – eine Maxime für andere ziehen und sich ein moralisches Plus zurechnen, nur weil man nicht sehen konnte oder nicht sehen wollte? Zur rechten Zeit, einmal, sollte man an die verzauberte Welt geglaubt haben – davon war sinngemäß schon die Rede gewesen, als die Notwendigkeit der Märchen fürs seelische Gleichgewicht begründet werden sollte. War es wirklich die rechte Zeit, als die Studenten in Leipzig „einmal im Leben" noch ans Unmögliche glaubten? Auch sie Kinder noch immer?

Aber wir wollen von der Erlaubnis, den Mund zu verziehen, gar nicht Gebrauch machen. Der Widerstand an zwei Fronten, gegen Zynismus und gegen Resignation, verlangt auch seinen Preis. Kehren wir zurück zu jener Rede von 1964, in der sehr temperamentvoll viele jener Fragen gestellt werden, von denen man Jahre später, als man sie in der Erzählung fand, behauptete, sie seien unerhört im doppelten Wortsinn: „Wofür arbeiten wir? Wofür machen wir überhaupt diesen Sozialismus? Denn es kann passieren, daß über den Mitteln – Politik, Ökonomie – das Ziel vergessen wird: der Mensch. Hier, glaube ich, ist der Punkt, an dem die Literatur aufpassen und ihren Platz verteidigen muß. Mich interessiert natürlich nicht in erster Linie, mit welchen Produktionsmitteln werden wir morgen produzieren. Mich interessiert, was für Menschen werden diese automatischen Anlagen bedienen? Was für einen Menschentyp bringt unsere Gesellschaft hervor? Wird dies ein apolitischer Technokrat sein? Werden es Sozialisten sein? Hier hat unsere Literatur, glaube ich, ihre eigentliche Aufgabe, die ihr auch nicht streitig gemacht wird (obwohl wir keine wirkliche Literaturkritik und eine noch weitgehend dogmatische Literaturwissenschaft haben und obwohl es immer noch vorkommt, daß ganz falsche, oberflächliche Einschätzungen von Büchern eine große Rolle spielen). Wer gewinnt also die Oberhand? Werden das die Zyniker sein, die wir auch haben? Oder sind es diejenigen, die ehrliche, echte Fragen haben und die, wenn wir sie nicht unterstützen, wenn wir nicht auch ihre Fragen formulieren helfen, tatsächlich unterliegen können? Ich kann mich nicht auf den Standpunkt dessen stellen, der abwartet: wer wird denn da nun gewinnen? und am Ende sagt: Ich hab's doch immer gesagt: die Zyniker!"[188]

Merkwürdigerweise nimmt man Christa Wolf bis heute in der DDR vor allem übel, was sie nebenher in Klammern über fehlende Literaturkritik und über dogmatische Literaturwissenschaft gesagt hat. Das liegt wohl daran, daß Literaturwissenschaftler (im Gegensatz zum Zyniker) eine Berufsbezeichnung ist, es also Personen gab, die sich betroffen fühlen *mußten*. Übrigens hatte Christa Wolf ihr Verdikt über die qualitativ unzulängliche Kritik wenige Monate vorher schon auf der 2. Bitterfelder Konferenz vorgebracht, als sie vermutete, viele Kritiker schrieben weder für das Publikum noch für den Autor, „sondern für irgendwelche Instanzen, die sich dazu freundlich äußern sollen".[189]

An anderer Stelle, in einem Brief an Horst Redeker, sieht Christa Wolf den Grund für die geringe Resonanz der Kritik darin, „daß kaum einer es wagt, eigene Meinungen prononciert auszusprechen".[190] Gegen diese „Verketzerung der Kritik als dogmatisch", wurde vor allem folgender Einwand erhoben: „Christa Wolf reduziert die Unzulänglichkeiten der Kritik auf ein psychologisches Problem. Mehr Mut des Kritikers, und die Kritik verbessere sich. Sowenig die Psychologie des Kritikers unterschätzt werden soll, mit ihr allein ließe sich das Problem Kritik nicht beherrschbar machen. Das Dilemma lag tiefer. Es hing nicht zuletzt mit der Neubestimmung der gesellschaftlichen Funktion der Literatur in der entwickelten sozialistischen Gesellschaft zusammen. [. . .] Die konkrete Anwendung des Marxismus-Leninismus bereitete den Kritikern große Schwierigkeiten."[191] Sicher hat Klaus Jarmatz, von dem diese Bemerkung stammt, recht damit, daß das Dilemma tiefer lag, man also nach den gesellschaftlichen Ursachen für das Darniederliegen der Kritik fragen muß. Aber auch er gelangt nur bis zu der Phrase von der Kompliziertheit der jeweiligen Entwicklungsetappe, deren Ansprüchen zu genügen die Kritiker nicht mitkommen. Auch er endet bei der „Psychologie des Kritikers", nur daß er, um zu entschärfen, statt vom mangelnden Mut von mangelnder Anwendung des Marxismus-Leninismus spricht.

Man muß Jarmatz auch entgegenhalten, daß es sich ja nicht um den Niedergang einer ehedem blühenden Kritik handelt; das Niveau gerade der Kritik wurde in der DDR immer wieder beklagt, sobald die Einladung zum Meinungsstreit auch dieser Klage ein Ventil öffnete. Gerade jetzt, 1972 und 1973, kann man, vor allem in den Zeitschriften „Sonntag" und „Sinn und Form" wieder viel darüber lesen. Pointiert gesagt, hat es in der DDR überhaupt nur zwei Kritiker von überragender Bedeutung gegeben, Wolfgang Harich und Paul Rilla. Jener zog sich sehr früh zugunsten seiner philosophischen Interessen aus der Tageskritik zurück, dieser starb schon 1954 – und kein Verlag der DDR machte sich bis heute daran, sein kritisches Gesamtwerk zu sichten und herauszugeben. So wird das große Beispiel mißachtet – weil man vom Kritiker des neuen Typs am allerwenigsten erwartete, daß er „ich" sagte. Weil „eigene Meinung" nicht gefragt oder nur soweit gefragt ist, wie sie mit einem „allgemeinen Anliegen" übereinstimmt, mißverstehen sich die meisten Kritiker als ausführende Organe kulturpolitischer Instanzen. Sie beschreiben den Inhalt eines Werkes und merken an, was und wieviel nützlich oder schädlich, richtig oder falsch ist. Natürlich gibt es hervorragende Kritiken von Stephan Hermlin, Annemarie Auer, Günther Cwojdrak, Eduard Zak und anderen; aber die durchschnittliche Qualität und Originalität läßt gleichsam alle Wünsche, vor allem die der allein gelassenen Schriftsteller, unerfüllt. Darüber kann man sich auch nicht mit der These hinwegtrösten, „Originalität" sei ein aus der Ära des bürgerlichen Individuums übrig gebliebener Begriff, den allein Kritiker im Spätkapitalismus noch zu kultivieren suchten, um auf sich aufmerksam zu machen und ihren Platz innerhalb der Marktmechanismen des Literaturbetriebs zu behaupten.

Daß sich die Kritiker als verlängerte Arme kulturpolitischer Instanzen *mißverstehen*, ist nur die halbe Wahrheit. Sie werden in diesem Mißverständnis, das es letztlich ganz gleichgültig macht, wessen Name unter oder über der Rezension steht, so sehr bestätigt, daß sie allergisch reagieren, wenn ihre Vorstellungen von den Aufgaben der Kritik prinzipiell angegangen werden, was dann freilich auch immer die Kulturpolitik im Ganzen betrifft. Auch in Christa Wolfs Bemerkungen über den fehlenden Mut der Kritiker sind ja die gesellschaftlichen Ursachen dafür mitgedacht, wenn auch nicht ausgeführt. Schließlich wird ihr niemand unterstellen wollen, sie halte vor allem Kritiker für charakterlich labil, für über die Maßen feige. Aber an dem heiklen Punkt, zu prüfen, ob es systembedingte Mängel der sozialistischen Gesellschaft gibt, nicht an deren Entwurf, wohl aber an deren jeweiliger historischer Erscheinungsform, wird Halt gemacht. Das ist der eine Grund dafür, daß häufig Personen statt der Verhältnisse über Gebühr in die Verantwortung genommen, Mißstände vor allem auf moralische oder politische Schwächen der einzelnen zurückgeführt werden. Verwunderlich bleibt dabei, daß die zahlreichen großartigen Menschen die wenigen „negativen Außenseiter" nicht so weit umzingeln, daß sie zum Installieren von Mißständen gar nicht mehr kommen! Die wirklichen Menschen verschwinden hinter einem Menschenbild der moralischen Anfeuerung.

Als Vergangenheitsbeschreibung enthält das 6. Kapitel von „Nachdenken über Christa T." eine deutliche Passage über das Ineinanderfließen von Schein und Sein. „Denn die Menschen waren nicht leicht zu sehen hinter den überlebensgroßen Papptafeln, die sie trugen, und an die wir uns, was sehr merkwürdig ist, schließlich sogar gewöhnten. Für die wir dann zu streiten anfingen: Wer würde heute noch an sie erinnern, wenn sie wirklich ganz und gar draußen geblieben und nicht auf vielen Wegen in uns eingedrungen wären? So daß nicht mehr sie uns mißtrauten, sie und die schrecklich strahlenden Helden der Zeitungen, Filme und Bücher, sondern wir uns selber: Wir hatten den Maßstab angenommen und — beklommen, erschrocken — begonnen, uns mit jenen zu vergleichen. Es war dafür gesorgt, daß der Vergleich zu unseren Ungunsten ausfiel."[192] Wer dafür aus welchem Interesse gesorgt hatte, wird nicht gesagt. Vielleicht ist der Satz eine Andeutung dafür, daß auch in der sozialistischen Gesellschaft die Möglichkeit besteht, daß sich die Verhältnisse über die Köpfe der Subjekte hinweg partiell verselbständigen können.

Ein zweiter Grund für die Inanspruchnahme der einzelnen für die Richtung und das Tempo der Entwicklung ist die Eignung einer operativen, zukunftweisenden Hypothese als Heilmittel gegen Gleichgültigkeit und Verbitterung. Die Verhältnisse sind nur veränderbar, wenn die Menschen es wollen und tun, wenn ihnen also Mut gemacht wird, ihre Wünsche und Bedürfnisse zu artikulieren, damit die Versteinerungen und Gewöhnungen ans Unzumutbare aufgebrochen werden können. Diese Handlungsmaxime wird von Christa Wolf immer zögernder, weil illusionsloser formuliert. Zum Beispiel in der Frage, mit der die im November 1970 geschriebene Skizze über einen Besuch bei Anna Seghers schließt: „Was sollten wir nötiger brauchen als die Hoffnung, daß wir sein können, wie wir es uns insgeheim wünschen — wenn wir nur wirklich wollten?"[193] Beglaubigt wird diese Hoffnung dadurch, daß sie — fast magisch — verkörpert und gelebt erscheint in der Person der verehrten Klassikerin einer modernen Erzählkunst.

Hier ist der Platz, noch eine charakteristische Stelle aus einem „dogmatischen"
Aufsatz der Christa Wolf aus den fünfziger Jahren zu zitieren, eine Stelle, die wiederum zeigt, wie „persönlich gefärbt", wie widersprüchlich bei ihr damals der Versuch ausfiel, „aufrichtig dogmatisch" zu sein. Sie macht sich Gedanken darüber,
ob und wie in der DDR Tragisches möglich sei, in der Wirklichkeit und dann gespiegelt in der Literatur: „Die Tragödien in unserer Gesellschaft unterscheiden sich
qualitativ von denen in der kapitalistischen Ordnung. Dort sind sie Ausdruck der
Grundtendenz der gesellschaftlichen Entwicklung; der bürgerliche Schriftsteller
muß letzten Endes vor ihnen resignieren. Hier sind sie, soweit durch subjektive
Fehler verschuldet, hassenswerte, verändernswerte, vor allem aber veränder*bare* Auswüchse, die der Grundtendenz der Gesellschaftsentwicklung widersprechen – so
stark widersprechen, daß sie sie sogar gefährden können, ließe man sie überhandnehmen."[194]
Wieder finden sich mehrere sprachliche Indizien dafür, daß sie unbewußt Vorbehalte gegenüber ihrer eigenen These hat. Die Formulierung „soweit durch subjektive
Fehler verschuldet" enthält eine wichtige Einschränkung, nämlich daß es offenbar
auch Tragödien gibt, die nicht durch subjektive Fehler hervorgerufen werden. Auf
diese wird überhaupt nicht eingegangen, weil die These, daß die „neuen" Tragödien
sich prinzipiell von denen im Kapitalismus unterschieden, ihre schöne „So ist es und
nicht anders"-Struktur verlieren könnte. Verräterisch ist weiter der Begriff der „Auswüchse". Er wird als moralische Metapher verwendet: der Gärtner ist angehalten, sie
zu vernichten, abzuschneiden, zu verbrennen. Nur: auch die Auswüchse sind gewachsen auf dem Boden der vorhandenen Gesellschaftsordnung, weisen auf diese zurück
als auf ihre Wurzeln. Auch die merkwürdige Dialektik, daß die verderblichen Auswüchse der gesellschaftlichen Grundtendenz so sehr widersprechen, daß die Ordnung
ernsthaft gefährdet werden könnte, beschnitte man sie nicht, akzentuiert die Schwäche der Ordnung auf ungewöhnliche Weise. Im allgemeinen wurden nämlich die subjektiven Schwächen (als die einzigen, die überhaupt ins Gewicht fielen) so weit relativiert, daß sie das übermächtig Positive der neuen Gesellschaft überhaupt nicht bedro-
hen konnten, sie waren allenfalls geeignet, das künftige Entwicklungstempo zu bremsen und verdienten schon deshalb unnachsichtige Bekämpfung.
Hinter diesen Widersprüchlichkeiten aber steckt, was als Grundhaltung der Autorin
bis heute gleichgeblieben ist: der ungebrochene Wille zur Veränderung, das Risiko des
subjektiven Eingreifens, gerade auch mit Hilfe der Literatur. Mit Büchern mischt man
sich ein – weil man auch bei den inneren Auseinandersetzungen der sozialistischen Gesellschaft Partei nehmen muß und nicht abwarten kann, wer gewinnt. Christa Wolf hat
1964 eingeräumt, daß der Zusammenhang von Wahrheitsfindung und Parteilichkeits-
prinzip noch nicht genügend durchdacht worden ist. Im Anschluß an eine Fragestellung von Rolf Hochhuth sprach sie über den Spalt, der sich auftun könne zwischen
Wahrheit und blindem Parteigängertum.[195] Aber im Grundsatz schien das Abwerfen
der dogmatischen Fesseln den Spielraum für die notwendige Funktion von Literatur
ein für allemal erweitert zu haben.
Ihr anti-resignativer Grundgestus verführt die Autorin dabei gelegentlich zu einem
voreiligen Optimismus, der nun endlich eingetreten wähnt, was immer wieder als langfristige historische Perspektive drapiert werden muß, wenn man die Zuversicht oder

auch nur Hoffnung auf die besseren Zeiten nicht aufzugeben gewillt ist. Zwar hält sie den Ausgang eines Konflikts, solange er nicht ausgestanden ist, durchaus für offen: es war auch für Christa Wolf nicht ausgeschlossen, daß die Gegner des „Geteilten Himmel" die Oberhand hätten gewinnen können. Ganz ähnlich hielt sie es für möglich, daß in der scharfen Diskussion um Erwin Strittmatters Roman „Ole Bienkopp" die Dogmatiker sich hätten durchsetzen können.

Aber nachdem dies nicht geschehen ist, resümiert sie: „Aber eben das ist nicht eingetreten: wegen aller dieser offenen Diskussionen und weil dieses Buch von einer breiten Leserzustimmung getragen war, gegen die einige Dogmatiker nichts hätten machen können, selbst wenn sie es gewollt hätten."[196] Das wurde gegen Ende des Jahres 1964 gesagt – ein Jahr später konnten die Dogmatiker sich wieder durchsetzen, weil sie es nun wieder *wollten*. Oder besser gesagt: die dogmatischen Positionen wurden wieder bekräftigt, jedenfalls in der praktischen Kulturpolitik, weil die Führung es für nötig hielt, zu bremsen, einzuschüchtern, lahmzulegen, ganz ohne Rücksicht auf die Interessen der Autoren und Leser. Die Personalisierung auf „einige Dogmatiker" ist meist eine Verharmlosung des Sachverhalts, zu der immer wieder neigen wird, wer den Verhältnissen als objektiven Faktoren nicht die Schuld anlasten will.

Die Korrekturen, die seit dem VIII. Parteitag der SED an den „Überspitzungen" des 11. Plenums des Zentralkomitees der SED nach dem VII. Parteitag (das Festhalten an der Fiktion einer kontinuierlichen Politik erlaubt anscheinend keinen schärferen Tadel) vorgenommen werden, übrigens relativ geräuschlos, aber doch mit wirksamen Folgen in der Verlagspolitik, in der Spielplangestaltung, im Charakter der Zeitschriften usw., sind natürlich wieder geeignet, die langfristige Zuversicht zu bestätigen. Bis der nächste Rückschlag kommt, der diese Zuversicht wieder *nicht* zuschanden werden läßt. Daß gerade die von offiziellen Sprechern der Parteiführung am meisten gerügten Autoren unbeirrt an den produktiven Möglichkeiten der Gesellschaftsordnung festhalten, zu der sie sich bekennen, wird im Westen oft nicht verstanden und als taktisches Zugeständnis fehlinterpretiert.

In Wahrheit gibt aber erst diese Grundüberzeugung jenen kräftigen Impuls zum Schreiben, der fähig macht, sich durch Widerstände nicht nur nicht entmutigen zu lassen, sondern aus ihnen zusätzliche Energien zu gewinnen. Das Bewußtsein, daß die Literatur in der sozialistischen Gesellschaft gebraucht wird, läßt Selbstzweifel über den Sinn und Zweck von Büchern gar nicht erst entstehen. Ein Hauptthema, mit dem Schriftsteller im Westen sich quälen oder mit dem sie zuweilen auch nur kokettieren, entfällt. Der Schriftsteller in der DDR weiß, daß er auf Bedürfnisse antwortet, und zwar sowohl auf diejenigen der Leser im besonderen wie auf diejenigen der konkreten Entwicklung der Gesellschaft im allgemeinen. So ist der Begriff der Gebrauchsliteratur weder in herabsetzender Absicht noch als Gegensatz zu „echter Kunst" verwendbar. Die Gegner stärken mit offenen oder versteckten Angriffen nur die Selbstsicherheit und den Verteidigungswillen der Literaten. Die heftigen Reaktionen auf Bücher, auch die administrativen Eingriffe der ideologisch verengten Besserwisser, ersparen dem Autor das bedrückende Ohnmachtserlebnis. Anders als es zumeist in der bisherigen deutschen Literaturgeschichte üblich war, muß sich der Autor nicht mehr ins Abseits drängen lassen. Resignation, Pessimismus, Zynismus oder den

Weg in die Idylle hat der sozialistische Autor demzufolge nach Meinung von Christa Wolf nicht mehr nötig.

Der Autor, der sich in Übereinstimmung mit der Haupttendenz der Gesellschaft glaubt, muß sich auch nicht mit dem Problem befassen, ob er eine Außenseiterrolle spielt. Weder ist das, was er schreibt, unwichtig oder nutzlos, noch kann oder will er damit „die Welt aus den Angeln heben". Was ich mit dem Begriff des „Sozialliteraten" zu umschreiben suche, meint in diesem Zusammenhang, daß auch der in die Gesellschaft eingebettete Autor, der in sozialer Verantwortung zu schreiben gewillt ist, sich dessen bewußt bleibt, daß er „nur" Literatur macht. Er weiß, daß die schöne Festredner-Phrase, daß Bücher die Welt verändern, eine idealistische Entstellung des wirklichen Sachverhalts ist.

Die Hauptrichtung, in die eine Gesellschaft geht, kann nicht durch die Literatur vorwegbestimmt werden. Deswegen ist es dem Dichter auch nicht möglich, sich allein und nur im Reich der Dichtung zu befreien, wie Christa Wolf in ihrem Essay über Ingeborg Bachmann anmerkt: „[. . .] die höchst fragwürdige Gesellschaft tatsächlich, das heißt durch Tatsachen, in Frage zu stellen, setzt voraus, den ,Rahmen des Gegebenen' zu sprengen. Dann erst, auf neuer gesellschaftlicher Grundlage, beginnt wirklich die ,Verteidigung der Poesie'."[197] An anderer Stelle dieses Aufsatzes ist von „handelnder Verbindung mit wirklichen gesellschaftlichen Prozessen"[198] die Rede. Das heißt: Über Funktion und Wirkung von Literatur wird nicht oder nicht allein am Schreibtisch entschieden.

Auf jenem berüchtigten 11. Plenum des ZK der SED im Dezember 1965 hat Christa Wolf knapp eine Diskussion referiert, die sie kurz zuvor in der Bundesrepublik geführt hatte: „Man hat zu mir gesagt: Wie stehen Sie zur Gesellschaftskritik, zur Kritik in der Literatur? – Daraufhin habe ich geantwortet: Literatur ohne Kritik ist nicht denkbar. Aber was Sie meinen, ist etwas anderes. Sie meinen Kritik an den Grundlagen unserer Gesellschaft. – Ja. – Dann sagte ich: Dazu stehe ich negativ, absolut. – Warum? Dann können Sie keine gute Literatur machen, entgegnete man mir. Da habe ich gesagt: In dem Moment, da ich der Ansicht wäre, daß es richtig und nötig wäre, an den Grundlagen unserer Gesellschaft zu zweifeln, würde ich versuchen, so zu schreiben. Dieser Ansicht bin ich aber nicht. Ganz im Gegenteil, ich bin der Ansicht, daß die sozialistische Gesellschaft nicht nur die Gesellschaft an sich weiterentwickelt, sondern die einzige Gesellschaft ist, die der Literatur und Kunst eine wirklich freie Entwicklung ermöglicht."[199] Das ist zwar in einer kritischen Situation, nicht ganz ohne Befangenheit in einer heiklen Lage, gesagt — aber es besteht kein Grund, anzuzweifeln, daß die Autorin auch hier ihre wirkliche Überzeugung ausgesprochen hat.

Man muß freilich den Unterschied zwischen „ermöglicht" und „verwirklicht" bedenken. Letztlich gibt die sozialistische Gesellschaft *potentiell* alle Entfaltungsmöglichkeiten, woran gearbeitet werden muß, auch mit Hilfe der Literatur. Es wird kein erreichter Zustand beschrieben, sondern ein Prozeß, der aktives Eingreifen erfordert. Die Chancen müssen genutzt werden, Chancen, die nur in einer sozialistischen Gesellschaft bestehen, in dieser neuen Welt, von der es in „Nachdenken über Christa T." deutlich genug heißt: „Was aber immer mit ihr geschah oder geschehen wird, es ist und bleibt unsere Sache. Unter den Tauschangeboten ist keines, nach dem auch nur den Kopf zu drehen sich lohnen würde . . . ."[200]

Die Literatur erscheint unter solchem Blickwinkel als Medium der Selbstverwirklichung des Menschen in einer Gesellschaft, die überhaupt an diesem Ziel und Anspruch gemessen werden muß. Prosa, so heißt es am Ende des großen Essays „Lesen und Schreiben", „unterstützt das Subjektwerden des Menschen. Sie ist revolutionär und realistisch: sie verführt und ermutigt zum Unmöglichen".[201] Die Parallelität zwischen Literatur (wie es scheint, zwischen Literatur überhaupt, nicht erst der sozialistischen) und sozialistischer Gesellschaft ist eine Herausforderung an den Schriftsteller. Es liegt an ihm, ob er die historische Gelegenheit nutzt oder vor kleinlichen kurzfristigen Zumutungen kapituliert.

In ihrem „Kurzen Entwurf zu einem Autor" beschreibt Christa Wolf die Dialektik von Bindung und Freiheit so: „Der geographische Ort, an dem ein Autor lebt und der zugleich ein geschichtlicher Ort ist, bindet ihn. Das ignorieren oder leugnen zu wollen, wäre nicht nur ein vergebliches, sondern auch ein unnützes Unterfangen: Warum sollte er sich fahrlässig des Vorteils begeben, der darin liegt, daß seine Gesellschaft die Selbstverwirklichung ihrer Mitglieder anstrebt? Eine der wichtigsten Voraussetzungen für das Entstehen von Literatur ist aber Sehnsucht nach Selbstverwirklichung: daher der Zwang des Aufschreibens, als vielleicht einzige Möglichkeit des Autors, sich nicht zu verfehlen (dies erklärt die Zähigkeit, mit der Schreiber auch unter widrigen Umständen an ihrem Beruf festhalten). Der Autor also, der hier skizziert wird, nutzt die Vorteile unserer Gesellschaft, deren größter es für ihn ist, daß sein Denken nicht von einem Leben in einer antagonistischen Klassengesellschaft geprägt wurde: das heißt, er hat eine wichtige Freiheit, die es ihm zur Pflicht machen sollte, sich weiter in die Zukunft vorauszuwerfen als sein Kollege, der in der Klassengesellschaft lebt. Er soll den Vorteil des geographischen und historischen Orts bis auf den Grund ausschöpfen und sich, als Person, jeder Empfindung stellen, die ein tief beteiligtes Leben mit sich bringt."[202]

Der Autor, der hier beschrieben wird, ist selbst ein Entwurf — wie die Gesellschaft, in der er lebt und für die er arbeitet. Für ihn gilt daher dasselbe wie für die Gesellschaft: beide stehen mitten drin in einem Prozeß. Nun wird nicht mehr wie in „dogmatischen Zeiten" zur Entspannung vom wenig verheißungsvollen Alltag ausgemalt, wie denn der schöne Endzustand, um dessentwillen man alles aushält und gleiches von anderen verlangt, aussehen wird. Sondern: man hält an der Utopie fest, indem man nach deren Vermittlungen in der Wirklichkeit des Hier und Heute fragt.

In „Nachdenken über Christa T." kann man an vielen Stellen nachlesen, wie der gehobene Zustand immerwährender Verdrängungen zum Zwecke der Bewahrung von Begeisterungsfähigkeit schließlich doch an den Erfahrungen zunichte wurde. „Wir sind es nicht, doch wir werden es sein, wir haben es nicht, doch wir werden es haben, das war unsere Formel. Die Zukunft? Das ist das gründlich andere. Alles zu seiner Zeit. Die Zukunft, die Schönheit und die Vollkommenheit, die sparen wir uns auf, eine Belohnung eines Tages, für unermüdlichen Fleiß. Dann werden wir etwas sein, dann werden wir etwas haben." Diese Illusion zerging, „da [. . .] die Zukunft immer vor uns hergeschoben wurde, da wir sahen, sie ist nichts weiter als die Verlängerung der Zeit, die mit uns vergeht, und erreichen kann man sie nicht".[203] Das Ergebnis solcher Ernüchterung steckt in der fordernden Frage, die in dem Buch immer wiederkehrt und auch das letzte Wort bleibt: „Wann, wenn nicht jetzt?" Diese knappe Formel des aktiven Eingreifens räumen die Kritiker in Ost und West sträflich beiseite, die der Autorin unbedingt falsche Innerlichkeit und falsche Idyllik unterstellen wollen.

Mit Recht sagt Peter Gugisch über die Heldin des Buches: „Je unbedingter ihr Glaube an die Gesellschaft ist, deren Wachstum sie erlebt und zu fördern willig ist, je höher sie den Anspruch an sich und ihre Mitmenschen setzt, um so schmerzlicher empfindet sie, was ihrem Ideal an objektiven und subjektiven Hemmnissen im Wege steht. Christa T. ist nicht bereit, Diskrepanzen zwischen Ideal und Wirklichkeit, zwischen gesellschaftlichem Programm und derzeitiger Verwirklichung hinzunehmen."[204] Man wird hinzufügen müssen, daß dies alles auch für die Autorin Christa Wolf gilt, und das nicht erst in und seit diesem Buch. Schon 1963 konnte man aus ihrer Feder lesen, das Hauptproblem sei und bleibe „die Spannung zwischen Ideal und Wirklichkeit, zwischen Glückserwarten und Glückserfüllung, der Widerspruch zwischen den [. . .] Möglichkeiten, die wir schon haben und ihrer oft unvollkommenen Verwirklichung durch uns alle".[205]

Schreiben als Prozeß der Selbstverständigung innerhalb der sozialistischen Gesellschaft bezieht die Vergangenheit ein in den Aktivierungszusammenhang. Das heißt: es wird nicht in ironischer, selbstgewisser Distanz erinnert an längst dahin geschwundene Entwicklungsetappen und Übergangsschwierigkeiten, die man sich nun endlich bewußt machen kann, weil sie als überwunden ausgegeben werden, während sie tabu waren, solange jedermann mit ihnen zu leben hatte. Sogar im „Geteilten Himmel" kam es am meisten an auf die widersprüchliche Gegenwart, auf die nun endlich erwünschte Bereitschaft zur Wahrheit, obwohl das Problem der Motive, Gründe und Anlässe des Weggangs nach dem Westen in der DDR erst literaturfähig wurde, als die Mauer seine unmittelbare Aktualität gewaltsam beendet hatte. An „Nachdenken über Christa T." hat viele Kritiker in der DDR wohl vor allem betroffen gemacht, daß die Vergangenheit als unbewältigt dargestellt wird, ja daß von ihr sogar gesagt wird, vermutlich sei noch immer nicht die Zeit gekommen, mit ihr fertig zu werden, ohne Verdrängungen und Verfälschungen. Was Christa Wolf dabei an Möglichkeiten anbietet, das Gewesene ohne idealisierende Beschönigungen — „siehe, alles war alles in allem sehr gut" — ins Bewußtsein zu heben, hat ja schon Reaktionen von genügend großer Heftigkeit ausgelöst und bestätigt, was sie im Interview mit Eduard Zak ausführte: „Mit Vergangenem beschäftige ich mich nur im Hinblick auf das, was heute bewußt zu machen möglich und notwendig ist."[206]

Auf das Fundament der großen Zustimmung wird dann die differenzierte Ablehnung, ja Abwehr der falschen Zielsetzungen, der schädlichen Praktiken, der dummen Forderungen aufgetragen. Erst auf der Basis der prinzipiellen Parteinahme begründet Christa Wolf ihre Vorstellung von einer kritischen sozialistischen Literatur. Sie findet sich an vielen Stellen in ihren Reden und Aufsätzen, manchmal expliziert, manchmal nur angedeutet. Ihre Rede auf dem internationalen Kolloquium des Deutschen Schriftstellerverbands im Jahre 1964 enthält schon eine Zusammenfassung dessen, was Literatur nicht sein dürfe. Ihr Negativkatalog lautet so: „Apologetik des Bestehenden (die nämlich auch ein Verzicht auf Erkenntnis ist); provinzielle Selbstzufriedenheit und Enge; Isolation anstelle lebendiger Auseinandersetzung mit allen geistigen Erscheinungen, welche die Welt heute hervorbringt; jede Art von Simplifikation und Rechthaberei, und natürlich jede Art von Vergewaltigung des wirklichen Lebens sowohl in der Realität als auch in der Literatur."[207]

Diese Gefahren zu vermeiden, ist sicher ein gewaltiges Programm angesichts fortwirkender Beschränkungen administrativer und ideologisch-dogmatischer Art. In dem Essay „Lesen und Schreiben" wird es konkretisiert; die Schwierigkeiten, die der Verwirklichung entgegenstehen, werden ernster genommen; ein selbstkritischer Zug, sie und ihre Kollegen könnten zu oft ins Bequeme ausweichen, tritt hinzu. Von der Schönen Literatur, der Prosa werden eindringliche Fragestellungen verlangt, Erkundungen in ungewisses Gelände. Eine Erfolgsbilanz kann noch nicht vorgelegt werden: „Noch scheuen wir dieses Abenteuer. Wir klammern uns an die Konventionen, wir befestigen mehr alte Denkinhalte, als daß wir nach neuen suchen. Es scheint, die Prosa ist noch nicht angekommen im wissenschaftlichen Zeitalter."[208] Wir haben solche Beschwichtigungstendenzen auch in Christa Wolfs Erzählung „Der geteilte Himmel" vorgefunden, vor allem im Prolog und Epilog und in der Figur der Rita.

Der Weg zu einer Prosa des Wagnisses, der Offenheit, der neuen Inhalte führt nur über eine aufgewertete Subjektivität des Künstlers. Er muß sowohl vulgäre Widerspiegelungstheorien, die die aktive Rolle des Autors lähmen, wie auch Beschönigungspraktiken, die die Waagschale einseitig zugunsten des konventionell Positiven belasten, hinter sich lassen. Lakonisch stellt Christa Wolf fest: „Lassen wir Spiegel das Ihre tun: Spiegeln. Sie können nichts anderes. Literatur und Wirklichkeit stehen sich nicht gegenüber wie Spiegel und das, was gespiegelt wird. Sie sind ineinander verschmolzen im Bewußtsein des Autors. Der Autor nämlich ist ein wichtiger Mensch."[209]

Mit Worten hat man auch in der DDR die „Schönfärberei" immer gegeißelt — manchmal hatte man bei solchem Tadel den Eindruck, dem Autor werde übelgenommen, daß man seine glättende Hand zu sehr merke, als ob die schöne Wirklichkeit solcher Korrekturen gar nicht bedürfe. Primitive Vorstellungen vom lächelnden Menschen in optimistischer Umwelt haben weithin Erwartungen erzeugt auf großflächige rosarote Menschen- und Gesellschaftsbilder mit einigen punktuellen Schattierungen. Man braucht als Beispiel nur das Schlußwort der Redaktion der Hallenser Tageszeitung „Freiheit" zu zitieren, die Christa Wolfs „Geteilten Himmel" bis zuletzt heftig bekämpfte, obwohl diese Erzählung sich den herrschenden Konventionen nur teilweise widersetzte und in mancher Hinsicht den Erwartungen gegenüber kompromißbereit zeigte. In der Ausgabe der Zeitung vom 30. November 1963 heißt es: „Von dem großen Glück, das mit dem ersten Arbeiter- und Bauern-Staat auf einem Drittel Deutschlands für ganz Deutschland Wirklichkeit geworden ist, läßt Christa Wolf an einigen Stellen lediglich einen geringen Schimmer ahnen. Wir aber meinen, wer nicht das Glück, das die Zukunft hat, als das Wesentliche erkennt, in wessen Vorstellungen natürliche, objektive Schwierigkeiten den Sozialismus ausmachen, der bezieht die Position des ewig Griesgrämigen. Wir müssen doch auch von einer Autorin wie Christa Wolf verlangen, daß sie mit jeder Zeile, mit jedem Buchstaben das große Glück in Deutschland jedem einzelnen ihrer Leser noch bewußter macht. Sie aber wählte stattdessen eine Position des Trotzdem."[210]

Engherzige Anwendungen des Parteilichkeitsprinzips hatten ein paar Jahre vorher dem Erzähler Stefan Heym heftige Angriffe eingetragen, weil ihn seine hintersinnige

Idee der Ausgewogenheit zwischen dem Positiven und dem Negativen zu dem banalen und doch provozierenden Satz „Eines kann nicht existieren ohne das andere"[211] gebracht hatte. Er steht in Heyms Erzählungsband mit dem bezeichnenden Titel „Schatten und Licht", der satirische Naturen zu dem spöttischen Wort über die damalige DDR anregte, wo viel Schatten sei, müsse es ja auch viel Licht geben. Die Kritik aus Halle an Christa Wolf wirft ihr vor, sie zeige nur einen geringen Schimmer, wo man das volle Licht wünsche. Die Auseinandersetzung um die Häufigkeit und die Eigenart, um Quantität und Qualität des Positiven wurde oft metaphorisch geführt, entweder mit Hilfe von Licht-Metaphern oder mit Bildvergleichen aus dem Bereich des organischen Wachstums.

Christa Wolf versuchte in einer frühen Kritik von 1954 die dogmatische schematische Grenze ein bißchen weiter hinauszuschieben, sozusagen einen mittleren Kurs zu steuern, als sei das Eintreten für das Schlimme geeignet, das ganz Schlimme abzuwenden: „Wohl soll man zeigen, daß gute, starke Keime überall hervorbrechen; aber aus ihnen fertige Bäume zu zaubern, heißt die Methode des sozialistischen Realismus mißverstehen und den Menschen einen schlechten Dienst erweisen, die im täglichen Kampf diese Keime pflegen und schützen müssen."[212] Ungeschickte Naturbilder, die auf Gesetzmäßigkeiten der Entwicklung verweisen und den Menschen allenfalls gärtnerische Aufgaben zuerkennen bei der Pflege dessen, was auch ohne ihr Zutun entsteht — und doch ein Akzent gegen Exzesse bei der Schönfärberei, gesagt aus Anlaß eines „konfliktlosen" Romans. „Gute, starke Keime überall", also eine Schönfärberei minderen Grades, Gefährdungen einschließend, wenn auch Güte und Stärke der aufgegangenen Saat für reiche Ernte bürgt. Das ist doch schön genug — müssen wir denn übertreiben und so tun, als sähen wir fertige Bäume! Dies etwa die Position der Autorin vor beinahe zwanzig Jahren, als sie einen Standort suchte, den sie gleichermaßen vor sich und der „Forderung des Tages" verantworten zu können glaubte.

Heute würde sie ihre Haltung wohl annähernd zutreffend von Anna Seghers beschrieben sehen, die der Hell-Dunkel-Metaphorik eine realistische Wendung gab: „Jeder Verstoß gegen die Wirklichkeit muß sich rächen. Werden denn nicht oft Menschen allein gelassen? Gibt es denn nicht noch viele Mängel, schlechte und gierige Menschen? Leid und Erschöpfung und Ratlosigkeit? Ja, das alles gibt es, aber wenn jemand so klar sieht, wie er sehen muß, um einen ernsten Konflikt darstellen zu können, wird er auch Lichtpünktchen entdecken, auch die Keime vom Anderswerden."[213] Die Perspektive erscheint also als „Lichtpünktchen" und nicht in voller Festbeleuchtung, wenn die Verbindung zur ästhetischen Wahrheit nicht abreißen soll.

Diese Parallelstelle bei Anna Seghers bringt uns zu der Frage nach literarischen Vorbildern und Einflüssen im Werk der Christa Wolf. Von der Bewunderung für die Seghers war schon die Rede, vor allem für ihre Gelassenheit, ihre ruhiges Selbstbewußtsein. Übrigens hat Anna Seghers in einem Gespräch, das Christa Wolf mit ihr führte, gesagt, „das Verhältnis zwischen den Fähigkeiten eines Menschen und seinen Leistungen" sei „ein wichtiges Thema in unserer Zeit".[214] Sie hat damit — in einer Vorwegnahme — recht genau bezeichnet, was das Hauptthema der Erzählung vom „Nachdenken über Christa T." werden sollte. Der Hinweis Christa Wolfs, die Prosa sei noch nicht angekommen im wissenschaftlichen Zeitalter, verweist auf Brecht als auf einen, dessen Anregungen noch nicht eingeholt und eingebracht sind. Es gibt bei ihr Andeutungen, daß die Prosa eine ähnliche Theorie nötig hätte wie sie in der vom epischen Theater für eine andere literarische Gattung vorliegt. Die Erfahrung „Zu schreiben kann erst beginnen, wem die Realität nicht mehr selbstverständlich ist"[215] dürfte sich unter anderem auch von Brecht her legitimieren, obwohl das Isolieren theoretischer Einsichten auf eine direkte Übernahme von bestimmten Personen hin fragwürdig ist. (Dasselbe glaubt Christa Wolf auch von Anna Seghers gelernt zu haben: „Dem wirklichen Künstler ist das Allergewöhnlichste merkwürdig."[216]) Man wird freilich sagen müssen, daß Brecht erst recht spät für Christa Wolfs Literatur- und Gesellschaftsauffassung bedeutsam wurde.

Die Sehnsucht nach Selbstverständlichkeit, jene letztlich bewußtlose „Fisch-im-Wasser"-Ideologie wie ihr Bedürfnis nach geschlossener gefestigter „Weltanschauung" versperrte ihr lange den Zugang zu dem nüchternen, prinzipiell kritischen, absichtsvoll widersprüchlichen, unangepaßten Brecht, der gar nicht darunter litt, sondern es liebte, eigene Einsichten und fremde Behauptungen immer wieder skeptisch zu prüfen. Man merkt das noch ihrer Antwort auf die Frage nach entscheidenden Kunsterlebnissen an. Sie nennt, 1966, wie sie sagt, „unbedacht" den Namen Brecht und beschreibt, wie die Begegnung mit Brechts Stücken in den beginnenden fünfziger Jahren sie (und ihre Generation) eher verwirrte; Brecht „stieß, was er wohl vorausgesehen hat, auf unser Unverständnis oder Scheinverständnis".[217] Man hat den Begriff der „Freundlichkeit", wie er im Epilog zum „Geteilten Himmel" vorkommt, als bewußte Übernahme eines Brechtschen Grundwortes verstehen wollen. Wenn es so ist, handelt es sich um eine ganz äußerliche Übernahme. Denn die unausgegorene Mischung aus irrationalem Lyrismus und mechanischer Quantifizierung wäre, so darf man wohl vermuten, Brecht sehr zuwider gewesen: „Rita macht einen großen Umweg durch die Straßen und blickt in viele Fenster. Sie sieht, wie jeden Abend eine unendliche Menge an Freundlichkeit, die tagsüber verbraucht wurde, immer neu hervorgebracht wird. Sie hat keine Angst, daß sie leer ausgehen könnte beim Verteilen der Freundlichkeit."[218]

Überblickt man Christa Wolfs Äußerungen über ihre schriftstellerischen Erfahrungen im Ganzen, ergibt sich der Eindruck, daß die Autorin den Einfluß, den Literatur auf Literatur ausübt, unterschätzt. Das hängt mit ihrer Intention zusammen, unmittelbar auf die Realität zuzugehen. Zentralbegriff ist dabei der des „Lebensstoffs". Gemeint ist damit mehr als die bloße stoffliche Anregung — mitgedacht wird dabei eine Kraft, die Literatur dynamisch macht: Lebensstoff als Existenzprinzip von Literatur. Auch hier verschwimmen Definitionsversuche manchmal im ungefähren, im Sinne der Wendung „von diesem seltsamen Stoff Leben", die im Prolog und im Epilog des „Geteilten Himmel" auftaucht. Eine Art Urvertrauen zum Leben glaubt nun endlich in der sozialistischen Gesellschaft Rechtfertigungsgründe zu finden. Ohne der Literatur verwehren zu wollen, die Problematik des Menschen, der von der Gesellschaft zerbrochen wird, zu gestalten, gibt die Autorin gelegentlich Harmonisierungswünschen nach: „Zum erstenmal treibt die Wirklichkeit uns Lebensstoff zu, der uns nicht zwingt, unsere Figuren physisch oder moralisch zugrundegehen zu lassen."[219] Sie schränkt an anderer Stelle dies dann wieder ein, etwa durch die vorsichtige Be-

merkung, man fange gerade an, die ersten Sätze von solchen anderen „menschliche-
ren" Geschichten zu schreiben.

Denn sie weiß, daß mindestens die letzten Sätze solcher Geschichten die Wirklichkeit verfälschen, daß die glatten Nutzanwendungen unwahr sind. Von solchen Geschichten heißt es im 18. Kapitel von „Nachdenken über Christa T.": „[. . .] man
sieht sich gezwungen, sie ein wenig auszuschmücken, eine hübsche kleine Moral in
sie hineinzulegen und ihren Schluß vor allem, mag man davon halten, was man will,
zu unseren Gunsten zu gestalten. Es ist ja nichts dabei, wenn man so fest überzeugt
ist, daß das Ende doch zu unseren Gunsten ausgeht und daß sich die vielen einzelnen
kleinen Schlüsse ruhig dem großen Schluß unterordnen sollen. Kurz und gut, wir
prahlten. Wir arbeiteten an einer Vergangenheit, die man seinen Kindern erzählen
kann, die Zeit rückte schließlich heran."[220] Um einem solchen Verfahren zu entgehen, hat Christa Wolf eine Vorliebe für kleine Alltagsgeschichten mit offenen Schlüssen, ohne Moral oder mit verschiedenen Nutzanwendungen zum Aussuchen, entwik-
kelt. Sie notiert Monologe oder Dialoge von Leuten, die sie trifft, ohne nach der künftigen Verwendbarkeit zu fragen — das Tagebuch unterliege ja nicht dem Nützlichkeits-
zwang.

Wenig davon ist veröffentlicht — ein paar Beispiele stehen in dem Almanach des
Mitteldeutschen Verlags aus dem Jahre 1966 unter der Überschrift: „Abgebrochene
Romane". Die Vorbemerkung lautet so: „Auf Schritt und Tritt stößt man auf sie.
Romane, die für die Beteiligten Anfang und Höhepunkt und Ende haben, Zuspitzun-
gen und Kollisionen, Motive und Gegenmotive — aber nicht für uns, den zufälligen
Beobachter. Die Gier nach fremdem Leben läßt uns die Ohren spitzen und den Hals
verrenken, aber es nützt nichts. Unsere Station wird ausgerufen, wir verlassen den
Zug; unser Kaffee ist getrunken, wir müssen zahlen und gehen. Der fremde Roman
bleibt zurück, in dem wir niemals eine Rolle spielen werden."[221] Mit ihrer These vom
Lebensstoff als dem Primärmaterial der künstlerischen Literatur hat sicher die häufi-
ge Benutzung des Begriffs „Roman" in seiner umgangssprachlichen, nicht gattungs-
spezifischen Bedeutung zu tun. Der „Roman" wird ins gelebte Leben zurückverlegt,
obwohl wer in seinem Alltag das Wort Roman benutzt, umgangssprachliche Anleihen
in der Literatur macht. Es handelt sich um Wirkungen der Literatur aufs Leben, wenn
einer ein Erlebnis „interessanter" und die Zuhörer gespannter machen will, indem er
einflicht, er könne „darüber einen ganzen Roman erzählen".

Im „Geteilten Himmel" finden sich mehrfach Stellen mit „romanhafter" Verwendung des Terminus durch die Figuren. Etwa wenn Manfred zu Rita sagt: „Das braune
Fräulein mit brauner Pelzmütze. Wie in einem russischen Roman." Oder wenn Rita
kurz danach ihre Vorschläge, gemeinsam den Tag zu verbringen, leichter los wird, indem sie durch das Erborgen literarischer Konstellationen Mut fürs Aussprechen gewinnt: „Wir lassen den Roman einfach ablaufen [. . .]. Zum Beispiel sagt die Heldin
jetzt zum Helden: Komm, wir steigen in den blauen Bus ein, der da gerade um die
Ecke biegt " usw.[222] Später wird versucht, der Erfolgsbilanz des Arbeiters Rolf Meternagel, „wir bauen jetzt zwölf Fenster pro Schicht", einen aufregenden Hintergrund
zu geben: „Hinter so einem Satz steckt ein ganzer Roman. Leidenschaften, Helden-
taten, Intrigen — was man sich nur wünscht."[223] Wider die Absicht wird der Leser
durch solche Sätze, wenn er sie als Dialogpartikel oder als Gedanken eines inneren

Monologs der Figuren eines Buches vorgeführt bekommt, in dem Gefühl bestärkt, daß er sich in einem Buch befindet und nicht in der Realität. Mit solchen Tricks kann man der postulierten Identität von Literatur und Leben nicht näher kommen. Auch in dieser Hinsicht befreite sich die Autorin von Konventionen, indem sie die triviale Verwendung der literarischen Klischees aufgab. Man hat sich darauf einzurichten, daß „der biedere Zug Wirklichkeit" immer wieder „aus den Schienen springt". Solche Beobachtungen müssen für die Literatur Folgen haben. Wo sie sich solchen Erfahrungen nicht stellt, geht das Interesse zurück: „Ich kann nicht sagen, daß Romane meine erregendste Lektüre der letzten Jahre gewesen wäre."[224] Jetzt tritt sie ein für eine Literatur, deren Wie und Was einzig in diesem Medium formulierbar ist, womit sich der antinaturalistische Zug ihrer Prosa noch einmal verstärkt, sie gleichsam noch literarischer wird, was nicht mit Esoterik verwechselt werden darf.

Literatur wird wichtiger, ihr Realitätsbezug erhöht sich, wenn sie nicht mit anderen Informations- und Ausdrucksmitteln austauschbar bleibt. So sagt sie in der kurzen Skizze über die sowjetische Schriftstellerin Vera Inber — und hier handelt es sich weithin auch um ein verdecktes Selbstporträt —: „Ich liebe Bücher, deren Inhalt man nicht erzählen kann, die sich nicht auf die simple Mitteilung von Vorgängen und Ereignissen reduzieren lassen, die sich überhaupt auf nichts reduzieren lassen als auf sich selbst."[225] Die Erzählung „Juninachmittag", auch eine „Vision" genannt, beginnt mit zwei Fragen, die wie Entgegnungen an einen Leser klingen, der sich eine Geschichte gewünscht hat und dem man leider nicht liefern könne, was er zu konsumieren gewohnt ist: „Eine Geschichte? Etwas Festes, Greifbares, wie ein Topf mit zwei Henkeln, zum Anfassen und zum Daraus-Trinken?"[226]

So hat die fortdauernde Reflexion über Literatur, auch über vergangene, den schlichten Satz „Denn die Quelle einer jeden Literatur sind ja nicht andere Bücher, nicht diese oder jene Ahnenreihe, ihre Quelle ist der Lebensstoff"[227] relativiert und variiert. Seinerzeit, 1964, hatte übrigens vor allem Stephan Hermlin Protest angemeldet, als er Christa Wolf entgegenhielt: „Sie stellt das reale, uns umgebende Leben den literarischen Ahnen entgegen, aber dieses Leben selbst erreicht uns unablässig in präformierten künstlerischen Bildern und Gestalten [. . .]. Kunst kommt nicht nur einfach aus dem Leben, sondern auch aus dem bereits zur Kunst gewordenen Leben."[228]

Es ist merkwürdig, jedenfalls auf den ersten Blick, daß Christa Wolf in den Zeiten ihrer schriftstellerischen Anfänge und bis in die Mitte der sechziger Jahre die Bedeutung literarischer Einflüsse abzuschwächen suchte, in bewußtem Gegensatz gleichsam zu Erkenntnissen, die das Germanistik-Studium ihr vermittelt haben mußte. Aber es scheint so, daß sie dieses Wissen eher als Last betrachtete, denn als Hilfe. Der laienhaften Meinung, von der Germanistik oder Literaturkritik führe ein direkter Weg zur „richtigen Literatur", hat sie sich natürlich nicht anschließen können. Sie hatte es vielmehr schwerer, den bedrückenden Vergleichen zu entkommen: Es wird einem, so sagte sie, „je länger man sich mit Literatur beschäftigt, immer schwerer, selbst etwas zu veröffentlichen".[229]

Sie scheint auch heute noch dem Metier der Literaturwissenschaft, Einflüsse, Anklänge, Analogien aufzuspüren, mit einiger Distanz gegenüberzustehen. Tatsächlich ist dies ja immer eine schöne Gelegenheit für den Interpreten, mit seinem Bildungsgut zu brillieren. Aber vom Verrätseln und Enträtseln dieser Art hält Christa Wolf nur wenig.

Trotzdem muß dem Autor ja gar nicht bewußt gewesen sein, daß er eine Floskel, eine Zeile, einen Gedanken variierte — es genügt, daß beim Leser Assoziationen hervorgerufen werden, die in einen ähnlichen literarischen und gesellschaftlichen Zusammenhang weisen. So scheint es mir nicht gesucht, die Stelle über das Aufrufen von Namen im 6. Kapitel von „Nachdenken über Christa T." mit Günter Kunerts Gedicht „Unterschiede"[230] in Verbindung zu bringen, in dem das sprechende Ich beim Namensaufruf ausgespart wird, was einmal Betrübnis, das andere Mal Aufatmen auslöst. Das leitmotivische „Wann, wenn nicht jetzt?" erinnert an Volker Brauns „Wer, wenn nicht wir?"[231] Beide Fragen sind auf den Grundton der Ungeduld gestimmt — mit jeweils verschiedenem, auf die Zeit bzw. das Subjekt der Veränderung gerichteten Akzent. Es paßt zu Christa Wolfs Auffassung, daß sie bewußte literarische Bezüge nicht versteckt, sondern offen einmontiert — im Buch über Christa T. werden die Wegmarken Theodor Storm, Sophie Laroche und Dostojewski gesetzt, es gibt Anspielungen auf Flauberts „Madame Bovary" und Brechts „Erinnerung an die Marie A." Dem Kritiker Horst Haase fiel dazu ein: „Zuviel Literatur gelegentlich, möchte man meinen."[232]

Die Wahl einer Figur, die schreibend über die Dinge kommt, veranlaßte die DDR-Kritik zu dem Vorwurf, dadurch würden die Identifizierungsmöglichkeiten mit der Heldin verringert und das Künstlerische werde als das eigentlich Schöpferische verabsolutiert. Das ist ein Einwand auf dem Niveau, die Wahl eines Lokführers zum Helden verringere für alle Leser, die anderen Berufen nachgehen, die Identifizierungschancen, und verabsolutiere die Fortbewegung per Bahn, obwohl natürlich dem Düsenflugzeug und dem Raumschiff die Zukunft gehörten. Hermann Kähler macht sich überhaupt über den Wunsch, Schriftsteller zu werden, lustig. Er fragt: „Ist es wahr, daß der Schriftsteller von Beruf ‚ein Mensch' ist? Ist dieser Beruf das Refugium der autonomen Persönlichkeit?" In Wahrheit will er die Fragestellung überhaupt diskreditieren, denn sein „So ist nun mal die Welt" -Standpunkt läßt gar nicht mehr zu, überhaupt zu fragen, welcher Preis gezahlt wird, wenn man sich „in unserer arbeitsteiligen Gesellschaft [. . .] dem bis zu einem gewissen Grade standardisierten Status eines Berufs"[233] beugt. Mit plumper Ironie („Berufswunsch: Mensch?") fällt er über die Problemstellung her, als hätte er nie etwas davon gehört, daß ein gewisser Marx sich schon in jungen Jahren Gedanken über die künftige Aufhebung der Arbeitsteilung und der mit ihr verbundenen Entfremdung gemacht hat. Auf die in Christa Wolfs Buch steckende Einladung, die Spannung zwischen Utopie und Wirklichkeit ernsthaft zu diskutieren, gab es vorwiegend arrogante Reaktionen.

Gewiß ist das ein heikler Punkt. Es hat Gründe, daß ein in diesem Zusammenhang passender Text von Makarenko (aus dem 15. Kapitel des „Pädagogischen Poems Der Weg ins Leben") nur gekürzt in die russischen Werkausgaben gelangte. Makarenko schrieb gegen „die so früh beginnende und so langweilige Sorge um das künftige Stückchen Brot, um die vielgepriesene Qualifikation" an: „Und um was für eine Qualifikation? Die zum Tischler, zum Schuster, zum Müller. Nein, ich glaube fest daran, daß in unserem sowjetischen Leben für einen Jungen von sechzehn Jahren die wertvollste Qualifikation die zum Menschen ist [. . .]. Das neue Kollektiv unserer jüngsten Geschichte kann nicht in drei, vier Jahren geschaffen werden, das ist wahr, vielleicht haben wir nur vage seine wichtigsten Züge empfunden. Doch auch die wichtigsten Züge dieses neuen Kollektivs, nämlich jene wertvollen Besonderheiten des neuen Menschen als Kollektivisten, gebe ich nicht für irgendwelche Berufe her."[234]

Beschwichtigungen, daß gerade im (mehr oder weniger zufälligen) Beruf sich der Mensch voll entfalte, bleiben unterhalb des theoretischen Niveaus, auf dem Antworten möglich werden auf die ungelösten, auch gesellschaftlich ungelösten Fragen dieses Problemkreises. Übrigens beschäftigt sich Christa Wolf auch damit nicht erst in ihrem letzten großen Buch, so daß die Mischung aus Überraschung und Gezeter wiederum nicht recht verständlich ist. Schon in ihrem Erstling, der „Moskauer Novelle", läßt sie Pawel in seinen Meditationen über den Menschen der Zukunft sagen: „Er wird vergessen haben, was uns noch so drückt, und sich mit Problemen herumschlagen, die wir nicht einmal ahnen. Bei alledem aber wird er — und das wird seine größte Leistung sein — kein Roboter werden, kein perfektioniertes Ungetüm, sondern endlich: Mensch."[235]

Der Vorwurf, eine Schriftstellerin oder einen Schriftsteller zum Helden eines Buches auszuwählen, bedeute von vornherein eine Verengung, dürfte wohl auf die allgemeine Verärgerung, die Christa Wolfs Buch „Nachdenken über Christa T." hervorgerufen hat, zurückzuführen sein. Denn die Neigung eines Autors, von Bereichen oder Personen auszugehen, bei denen er sich auskennt, muß man wohl als ebenso normal bezeichnen wie die zunehmende Bereitschaft, übers eigene Handwerk nachzudenken.

Gerade in den beiden letzten Jahren haben eine ganze Reihe von Autoren der DDR Romane über Schriftsteller und verwandte Berufe vorgelegt oder abgeschlossen. Bernhard Seeger benutzt in „Vater Batti singt wieder" einen querköpfigen Schriftsteller zu verspäteter positiver Polemik gegen scheiternde Helden im Stil von Strittmatters „Ole Bienkopp". Günter de Bruyn geht in dem Roman „Preisverleihung" von einer Situation aus, in der ein Literaturdozent bei der Verleihung eines Preises die Laudatio auf einen mit ihm befreundeten Schriftsteller halten soll. Gregor Bienek, der Held von Jurek Beckers Roman „Irreführung der Behörden", gab vor, Jura zu studieren und hatte doch nichts anderes im Sinn, als ein erfolgreicher Schriftsteller zu werden, was ihm gelingt, ohne daß er dadurch zufrieden wird. Erwin Strittmatter schloß den zweiten Band seines Romans „Der Wundertäter" ab, dessen erster Teil schon 1957 erschienen ist. Der Held, Stanislaus Büdner, entschließt sich, Schriftsteller zu werden. So unterschiedlich alle diese Bücher nach Intention und Qualität auch sind — in der Wahl von Autoren zu Helden folgen sie Christa Wolf.

Unter den Einseitigkeiten, die hier und da in der westdeutschen Kritik des Buches „Nachdenken über Christa T. auftraten, fällt vor allem der Versuch auf, die Thematik so eng zu begreifen, als betreffe sie nur die Gesellschaft in der Deutschen Demokratischen Republik. Dafür zwei Beispiele: „Dieses Buch ist nicht für uns bestimmt. Das Ich, das darin spricht, sich oft zum Wir verallgemeinernd, schließt uns in seinen Plural nicht ein. Die besorgte Frage nach der Zukunft, auf die die Heutigen die Antwort finden müssen, gilt nicht uns" (Wolfgang Werth)[236]. „Uns, den westdeutschen Lesern, will die Autorin Christa Wolf gar nichts sagen. Dieses Buch ist für DDR-Bürger geschrieben. Für westdeutsche Leser kann es ein literarisch anspruchsvolles DDR-

Lehrbuch sein. Das ist viel. Wer ihren Roman einer über den Grenzen und Ländern schwebenden ‚Weltliteratur' zurechnet, tut der Autorin Unrecht" (Konrad Franke).[237]

In der Absicht, gegen die politische Rechte in der Bundesrepublik zu Felde zu ziehen, die sich mit der Existenz zweier deutscher Staaten nur mühsam vertraut macht und allerlei Kunststückchen probt, um aus gemeinsamer Sprache eine fortbestehende einheitliche Literatur abzuleiten oder, wenn dies zu schwierig wird, einzelne Werke aus der DDR-Literatur in ein ästhetisches Niemandsland auszugliedern, unterstellen die genannten Kritiker den Autoren der DDR, in diesem Fall Christa Wolf, ein provinzielles „Sektierertum", das diesen ganz fremd ist. Aus der Tatsache, daß jemand bewußt in der Gesellschaft und für die Gesellschaft schreibt, in der er lebt, folgt nicht, daß er auf Wirkungen jenseits der jeweiligen Staatsgrenzen verzichtet.

Verträte jemand die Meinung, Aragon schreibe nur für Franzosen oder die westliche Welt, Scholochow einzig für sowjetische Leser, er habe zum Beispiel westdeutschen Lesern nichts zu sagen, fiele jedem gleich die Absurdität einer solchen Ansicht auf, die Übersetzungen entbehrlich werden ließe. Um bloß zu Informationen zu gelangen, bedarf es nicht des Umwegs über die Kunst. Die Herabstufung von „Nachdenken über Christa T." zu einem Lehrbuch über die DDR (was es für einen Leser in der Bundesrepublik allenfalls sein könne) verrät Ignoranz. Daran ändern lobende Hinzufügungen wie „literarisch anspruchsvoll" gar nichts. Wer sich aus dem Problemkreis zurückzieht, weil er ihn für exotisch, einen Leser außerhalb der DDR nicht betreffend hält, tut der Autorin Unrecht, die jeden Leser zum Nachdenken auffordert. Johannes R. Bechers Frage, die das Motto abgibt, was das Zu-sich-selber-Kommen des Menschen sei, dürfte ja wohl nicht nur für die Menschen zwischen Elbe und Oder von Belang sein.

Probleme der Zukunft, die Rolle der Technokraten, die Gefahr der vollständigen Anpassung ans Gegebene, die Sehnsucht nach Selbstverwirklichung, die Trauer über den sinnlosen Tod – das soll uns hierzulande nichts angehen, das sollen bloß Sonderprobleme der DDR sein? Seit wann schließt das zusammenfassende „Wir" eines Buches alle Leser mit ein, oder auch nur alle Einwohner des Staates, in dem ein Buch entsteht? Das „Wir" dieses Buches muß in seinem Stellenwert jeweils näher bestimmt werden, manchmal vereint es nur Erzählerin und Hauptfigur, manchmal umfaßt es eine Generation (oder vielleicht auch nur einen Teil von ihr) und manchmal „organisiert" es Leute mit gleichen Zielsetzungen. Inwieweit die Leser sich damit identifizieren, hängt von ihnen ab: bekanntlich wehren sich in der DDR manche Kritiker, etwa unter dieses „wir" subsumiert zu werden.

Wer in der DDR in einem Buch „Wir" sagt, wird dadurch nicht zur „Stimme der DDR". Der Luftballon einer „über den Grenzen und Ländern schwebenden Weltliteratur" zerplatzt rascher, als man ihn überhaupt aufblasen kann. Da es Esperanto-Meisterwerke nicht gibt und Weltliteratur aus den Nationalliteraturen resultiert, ist es sinnlos, jemanden vor einer imaginären Zugehörigkeit in Schutz zu nehmen. Diese unlogischen Erläuterungen darüber, daß man, wie es die politische Lage in Europa gebietet, ausgegrenzt und ausgeschlossen sei, wenn man im Westen eine Erzählung oder einen Roman aus der DDR zur Hand nehme, hätten sich durch einen vernünftigen

Satz erübrigt, der alles enthält, was an den beiden genannten Kritik-Ausschnitten zutrifft: dieses Buch ist *in erster Linie* für DDR-Bürger geschrieben. Auch aus diesem Grunde ist es übrigens als Lehrbuch über die DDR ganz ungeeignet: Man muß nämlich sehr viel Wissen über die Geschichte dieser Gesellschaft mitbringen, um in der Erzählung jene Schicht hinlänglich zu verstehen, die die Spuren der inneren und äußeren Entwicklung der DDR im Bewußtsein reflektiert.

Wir wollen uns hier nicht mit der Feststellung begnügen, daß die Bereitschaft der Autorin, ihre Bücher auch in Westdeutschland erscheinen zu lassen, für sich selbst spricht. Im Selbstverständnis der Christa Wolf hat einen wichtigen Platz, daß die sozialistische Gesellschaft nur in einem Teil des alten Deutschland aufgebaut wird. Ihr ist nicht gleichgültig, was in Westdeutschland geschieht. Nicht zufällig hat sie an die Spitze ihrer in der Bundesrepublik 1972 herausgekommenen Sammlung „Lesen und Schreiben" einen politischen Kommentar vom Dezember 1966 gestellt, mit dem Titel „Deutsch sprechen". Die Kritik am nationalistischen Jargon im Westen (bei der damaligen NPD und darüber hinaus), die sie in der Wendung, es werde wieder deutsch geredet, zusammenfaßt, mündet in der Beschwörung der Hoffnung und Verantwortung, „daß auch wir – deutsch sprechen. Daß man unsere Worte hören, unsere Angebote und Verlautbarungen hören kann".[238]

Fast alle öffentlichen Reden Christa Wolfs gehen auf Erfahrungen ein, die sie von Lesungen und Diskussionen in Westdeutschland mitgebracht hat. So sehr sie dabei auf Schwarz/Weiß-Malerei zu verzichten sucht, was sie jeweils erlebt, ist geeignet, abermals ihr Bekenntnis zu ihrem sozialistischen Staat zu bestätigen und zu erneuern. „Wenn man zurückkommt, sagt man: zu Hause!"[239] Oder: „Ich kann mir nämlich vorstellen, *wie* ich heute wäre, hätte ich seit 1945 in Westdeutschland gelebt."[240] Auf die irrige West-Meinung, ein Kapitel aus dem „Geteilten Himmel", das sie in Frankfurt am Main gelesen hatte, sei doch kritisch, also müsse es sich bei der Autorin um einen versteckten Gegner handeln, der sich nur nicht offen äußern könne, reagierte sie, wenn man ihrem nachträglichen Bericht darüber folgt, so: „In diesem Moment dachte ich an den Ärger, den ich zu Hause habe. Ich dachte daran, daß ich mich oft über Engstirnigkeit ärgere – ärgere ist ein sehr schwaches Wort –, über Gängelei, über Banausentum, über falsche Anforderungen, die an Literatur gestellt werden, über falsches Lob, falschen Tadel, über mangelnde Weltoffenheit, über mangelnde Veröffentlichung von Büchern, deren Veröffentlichung ich für unerläßlich halte [. . .], und ich verteidigte, dies alles nicht vergessend, mit meiner ganzen Überzeugungskraft und Beredsamkeit in diesem Frankfurter Forum die DDR."[241] Später trägt sie noch nach, daß sie nicht verteidige, was nicht zu verteidigen sei, denn dem Vorwurf, auch dem Selbstvorwurf, aus einer Art falschverstandener revolutionärer Disziplin „schizophren" zu reden, will sie sich nicht aussetzen.

Der letzte Grund ihrer Parteinahme bleibt, daß sie in einem Land des Umbruchs und Aufbruchs, der permanenten und bewußten Veränderung lebt, in der Hoffnung, Richtung und Ziele mehr und mehr mitbestimmen zu können. Das Motiv ist also nicht, in einem wunderbar eingerichteten Staat glücklich zu leben, was manche lautstarke Meister des Worts in feierlicher Selbstzufriedenheit sich und anderen oft einzureden suchen. Diese Nüchternheit des Vergleichens hat manche Gegner von Christa Wolf behaupten lassen, sie nehme Partei für das „kleinere Übel". Wer solchen Tadel ausspricht, verwechselt nachdenkliche Zustimmung (die bei Christa Wolf wie bei vielen ihrer Generation auf enthusiastische Begeisterung, die sich plötzlich ohne Boden fand, folgte) mit heimlichen inneren Vorbehalten.

Das Mißtrauen gegenüber ihrer „Einstellung zur nationalen Frage" regte sich vor allem aus Anlaß des „Geteilten Himmel". Das begann schon bei Äußerlichkeiten, etwa bei Ritas Motiven, Westberlin negativ zu bewerten, als sie Manfred dort noch einmal besucht. So behauptet die Tageszeitung „Freiheit" in ihrer Kritik, Manfreds bedrückende Unterkunft, seine miese Verwandtschaft, menschenleere Straßenschluchten, also die zufällige Atmosphäre grauer Trostlosigkeit hätten Ritas Entschluß zur Rückkehr in die DDR bestimmt. Die Kritiker fragen mokant, in der Absicht, der Autorin eine Scheu vor politischen Argumenten nachzusagen: „Was wäre geschehen, wenn die Tante reizend, die Wohnung im Grunewald gelegen, der Tag wunderbar frisch gewesen wäre?"[242] Um diesen Vorwurf erheben zu können, wurden alle Stellen verschwiegen, die diesem düsteren Eindruck widersprachen. Beispielsweise denkt Rita: „Mehr Glas und Zellophan in den Geschäftsstraßen. Und Waren, die ich nicht einmal dem Namen nach kannte. Aber das weiß man doch vorher. Das gefiel mir. Ich konnte mir genau vorstellen, wie gern ich in solchen Läden einkaufen würde."[243] Rita kehrt dennoch zurück.

Gravierender war der Streit darüber, ob die deutsche Spaltung ein Unglück sei oder nicht. Als Manfred Rita zum Bleiben bewegen will, erinnert er an Landschaften: „Hör bloß mal ein paar Namen: Schwarzwald. Rhein. Bodensee. Sagt dir das nichts? Ist das nicht auch Deutschland? Ist dir das denn nur noch eine Sage oder eine Seite aus deinem Erdkundebuch? Ist es nicht unnatürlich, wenn du gar keine Sehnsucht danach hast?" Es heißt dann im Buch, die Sehnsucht nach allen Orten, an denen er von jetzt an sein würde, vernichtete sie fast. „Wer auf der Welt hatte das Recht, einen Menschen — und sei es einen einzigen! — vor solche Wahl zu stellen, die, wie immer er sich entschied, ein Stück von ihm forderte?"[244] Christa Wolf, die schon bevor sie dieses Buch schrieb, in einer Rezension bemerkt hatte, daß die „scharfe unnormale Situation in unserem gespaltenen Land" noch „viele tragische, traurige, unbefriedigende Lösungen von Liebesgeschichten hervorbringt"[245], ging von dem Gefühl ihrer Personen aus und nicht von den sophistischen Deutungen der Leitartikel, die vor dem Glücksgefühl über die Existenz der DDR übersehen möchten, daß es eine Spaltung mit schlimmen Folgen für die Menschen in Deutschland gibt.

Ein Kommunist muß ja keine Abstriche an seiner Parteilichkeit vornehmen, sondern nur der Logik folgen, um einzusehen, daß von seinem Standpunkt ein ungeteiltes kommunistisches Deutschland dem gegenwärtigen Zustand vorzuziehen wäre, er also nur mit vielen Einschränkungen den historisch entstandenen *status quo* als den besten aller möglichen ausgeben kann. Der Schriftstellerkollege Erik Neutsch vermißte hingegen bei Christa Wolf die Darstellung der Teilung als Bestandteil des Klassenkampfes und sprach von dem folgenschweren Irrtum, sie verstehe nicht die historische Leistung der Arbeiterklasse. Neutsch nahm die Kraft der objektiven Verhältnisse gar nicht mehr in den Blick und lastete moralisierend den Personen jegliche Verantwortung für ihr Tun an.

Auch bei Christa Wolf wird den Figuren die Entscheidung ja nicht abgenommen, der Sog der geschichtlichen Entwicklung wird einzig zur Bekräftigung des im Einklang mit objektiven Gesetzmäßigkeiten erfolgenden Entschlusses, zu bleiben, in Anspruch genommen. Nur durch zusammenhangloses und damit verfälschendes Zitieren gelingt es Neutsch, den durch Kompromisse mit herrschenden Auffassungen nicht besonders undogmatischen Ausgang der Geschichte als nicht parteilich genug zu kritisieren: „Wenn die Liebenden auseinandergetrieben werden, so nicht durch den ‚Sog einer geschichtlichen Entwicklung' an sich, wie es bei Christa Wolf heißt und letzten Endes für die Entscheidung der Rita angenommen wird, sondern durch die Unfähigkeit des einen oder des anderen Partners oder gar beider, sich ohne Ressentiments auf die Seite derjenigen Kräfte zu schlagen, die den Fortschritt verkörpern, und in ihrem Interesse um jeden Menschen zu ringen."[246]

Auf ähnlichem Niveau regten sich andere Kritiker darüber auf, daß Rita überhaupt wegen dieser verlorenen Liebe zusammenbrach und in eine Krise geriet. Sie wollten ihr nur zugestehen, daß sie sich darüber Vorwürfe macht, den Geliebten nicht als Kämpfer für die gute Sache der DDR gewonnen zu haben. Man muß sich dies in Erinnerung rufen, damit man erkennt, gegen welche „literarischen Kategorien" die Autorin anschreiben mußte und warum sie ihre Schritte zunächst so vorsichtig setzte.

Nachdem das Buch im Ganzen — auch auf den Kommandohöhen des Staates — akzeptiert worden war, begrub man schließlich diesen Streit. Man einigte sich darüber, daß Rita wie jeder Mensch Sehnsucht nach dem ungeteilten Himmel habe, der Grund für das Scheitern dieser Liebe aber nicht einfach in der Existenz einer Grenze liege. Mit Recht hat Horst Redeker vermerkt, daß es nicht um die Wahl zwischen zwei Staaten oder zwei Gesellschaftsordnungen geht, sondern daß Rita in den Konflikt zwischen ihrer Liebe zu Manfred und ihrer Liebe zur Heimat DDR gestellt wird: „Es geht [. . .] um eine Entscheidung zwischen für das Subjekt fast gleichwertigen, aber unvereinbaren Zielen [. . .]. Diese Gleichwertigkeit muß vom Leser nachvollziehbar sein, was dann bestimmt nicht der Fall ist, wenn eine der beiden Entscheidungsmöglichkeiten von vornherein als suspekt erscheint."[247]

Als Christa Wolf um die Jahreswende 1970/71 der Moskauer Monatszeitschrift „Woprossy Literatury" einige Fragen beantwortete, kontrastierte sie ihre Lage wiederum indirekt mit derjenigen, die sie in der Bundesrepublik anträfe, lebte sie dort: „Mir scheint, daß die starke Anspannung aller Kräfte, die frühe Übernahme von Verantwortung, die Möglichkeit, vielfältig tätig zu sein und mit der Haupttendenz der Gesellschaft übereinzustimmen, in unserem Teil Deutschlands in vielen Menschen Verhaltensweisen und Wünsche ausgeprägt haben, die produktiv sind und jene alte gefährliche Aggressivität nach innen und außen von Grund auf getilgt haben."

Daß es in Westdeutschland nicht so zu sein scheint, bleibt ein wichtiges Motiv ihrer Parteinahme; aber mit Vorbedacht spricht sie von „unserem Teil Deutschlands", das Bewußtsein von der deutschen Spaltung bewahrend. Sie teilt ihren sowjetischen Lesern in Kurzfassung ihre Auffassung mit, daß die Literatur verhindern müsse, daß Technik und Ökonomie zum Selbstzweck entarten: „Also sollte der sozialistische Autor auf keines der bequemen Kapitulationsangebote eingehen, von welcher Seite sie ihm auch gemacht werden mögen, wie immer man sie auch begründen mag. Er hat festzuhalten an der Aufgabe, seine Leser, so gut er es kann, zu aktivieren, gesellschaftlich Unbewußtes in die Sphäre des Bewußtseins zu heben und ein wahrheitsgetreuer Chronist zu sein."[248]

Wer nicht kapituliert, reizt den Gegner, wer dies auch sein mag. Christa Wolf hat einmal, gleichsam in launiger Stunde, ein Gleichnis über den Umgang mit Schriftstellern und Künstlern erzählt. Alle reisen gemütlich im Düsenflugzeug dem Sozialismus entgegen. Es wird auf ordentliches Betragen geachtet. Aber Schriftsteller und Künstler turnen im Gestänge und bohren herum. Es wird Alarm gegeben: Die bohren den Tank an! „Darauf müssen wir uns auf Diskussionen darüber einlassen, wo der Tank liegt, denn diese Leute haben nicht immer den Bauplan der Maschine vor Augen. Ich will nicht behaupten, daß alle Schriftsteller und Künstler ihn immer vor Augen hätten, aber es kommt doch vor. [. . .] Nun gut, es wird also Alarm gegeben, riesige Rettungsmannschaften werden in Bewegung gesetzt, die sowohl diese Leute als auch uns hindern, ordentlich auf unserem Gebiet zu arbeiten. Wir müssen mit einer Hand immer abwehren und sagen: Laßt doch, laßt doch, das ist nicht der Tank! Das dauert aber sehr lange. Wenn die Maschine jahrelang fliegt und nicht abstürzt und vielleicht sogar trotz unserer Bohrerei die Geschwindigkeit beschleunigt hat, dann erst sind sie bereit, mit uns über den Bauplan der Maschine zu diskutieren. Und trotzdem passiert es uns dann nach langer Zeit immer noch, daß hinter uns getuschelt wird, wenn wir durch irgendeinen Saal gehen: Das waren doch die, die damals . . . ihr wißt schon . . . den Tank!"[249]

Man braucht die Geschichte im einzelnen nicht zu deuten. Eines ist deutlich: den Künstlern wird mißtraut. Was sie tun, wird für gefährlich gehalten und beargwöhnt. Man hat es immer noch nicht gern, daß sie sich in den Bauplan einmischen, und ihr Bohren stört, auch wenn keiner den Treibstoff auslaufen lassen will. Die Vergangenheitsform war zu optimistisch. Es gibt nicht nur das unberechtigte nachträgliche Getuschel. Sondern der Vorwurf bleibt aktuell: die wollen angeblich immer noch und immer wieder den Tank anbohren. Müssen die denn immer im Gestänge herumturnen, können die sich nicht endlich mal ruhig hinsetzen! Aber die ruhigen Leute sollen sich ja selbst nicht mehr gefallen, das Land braucht die Unzufriedenen, Unangepaßten, Phantasievollen, denn die Voraussetzung des Ganzen stimmt ja nicht: Eine gemütliche Fahrt zum schönen fertigen Ziel Sozialismus findet nirgends statt. Es ist alles viel komplizierter als in der hübschen kleinen Geschichte. Aber eins steht fest: die Autoren dürfen sich nicht den „Platzanweisern" anheimgeben, sondern müssen sich selbst den besten Ort suchen und erkämpfen, von dem aus sie gut sehen und eingreifend handeln können und von dem aus sie für die Öffentlichkeit auch gut vernehmbar sind.

Wir haben die Entwicklung einer bedeutenden Autorin der DDR nachgezeichnet und dabei versucht, ihre Erzählungen und ihre publizistischen Äußerungen der Kritik und der Selbstinterpretation sich wechselseitig erhellen zu lassen. Die an Widersprüchen reiche kulturpolitische Umwelt wurde dabei so weit in den Blick genommen, wie es nötig erschien. Christa Wolfs Vielseitigkeit, der es keinen Abbruch tut, daß sie es verschmäht, sich auch in Lyrik und Dramatik zu versuchen, erlaubte es, auf breiter Materialbasis einen so persönlichen wie charakteristischen Bewußtwerdungsprozeß zu dokumentieren und zu kommentieren.

In diesem Prozeß scheinen die Momente der Kontinuität auffälliger als die Brüche, die zwar gravierende Akzentverlagerungen anzeigen, aber nicht einen Neuanfang signalisieren, der etwa Gewesenes zu löschen versuchte. Es sollte gezeigt werden, daß Christa Wolfs letzte Erzählung weder einen „Sündenfall" noch eine „plötzliche Erleuchtung" bedeutet. Die thematische und formale Grundstruktur von „Nachdenken über Christa T." wurde durch die früheren Arbeiten vorbereitet. Von den zahlreichen Parallelstellen konnten nur die wichtigsten angeführt werden. Auf die alten Fragen gibt Christa Wolf heute Antworten ohne falsche Rücksichten, wenn auch die Bindung an den geographischen und politischen Ort, Vorteil und Nachteil zugleich, das Ausmaß des Sagbaren bestimmt. Der Zuwachs an Mut zur Subjektivität ist der ästhetischen Qualität ihrer letzten veröffentlichten Bücher sehr zugute gekommen.

Einige ihrer Essays sind, wenn ein umgangssprachliches Werturteil erlaubt ist, „einsame Spitzenklasse". Die Gattung „Essay" existiert nämlich in der DDR so gut wie überhaupt nicht. Die Reihe „Essay" des Mitteldeutschen Verlags in Halle bringt entweder Abhandlungen oder Plaudereien, wenn nicht Sammlungen von Reden und Kritiken. Es kann hier nicht untersucht werden, warum diese Darstellungsform in der DDR so wenig gedieh. Vermutlich hat es mit dem Anspruch auf objektive Wahrheit zu tun, daß ein so subjektives Ausdrucksmittel sich kaum entwickeln kann. Der Essayist muß die Schwierigkeit, „ich" zu sagen, überwunden haben, ehe er zu schreiben beginnt — selbst wenn gerade dies sein Thema sein sollte. Die Hilflosigkeit der Kritik vor Christa Wolfs Sammlung „Lesen und Schreiben" war echt.

Als das Bändchen besprochen wurde, herrschte schon das wärmere kulturelle Klima. Obwohl es gleichsam die Theorie zur Praxis (deren Erscheinungsbild in „Nachdenken über Christa T." von Rezensenten und Kulturfunktionären so rabiat angefeindet worden war) lieferte, blieb es von schmählichen Angriffen in der niveaulosen Art eines Max Walter Schulz verschont. Freilich äußerten sich dazu auch nicht die Gegner, so daß ein bestimmter Typus von Kritiken ausfiel, auf den Annemarie Auer in ihrer Besprechung[250] anspielte: „Wie also wäre es möglich, einen Band wie diesen zu besprechen? Es sei denn, man hielte für angängig, über einen Menschen rezensierend zu Gericht zu sitzen." Annemarie Auer schreibt also freundlich über Christa Wolf — aber wie bezeichnend sind dennoch ihre Einwände. Wider Willen gibt sie auch eine Antwort darauf, weshalb der Essay in der DDR so schwer einen fruchtbaren Boden findet. Sie rügt nämlich, daß man sich so schwer merken kann, was in Christa Wolfs Sammlung drinsteht. Sie verkennt die Eigenart eines Essays, wenn sie sich am „assoziativen Stil" stößt. Wie kann man nur den öden Lehrbuchton der Merksätze vermissen, wenn man zum Nachvollzug einer Denkbewegung eingeladen ist! Es fehlten Dichte und Deutlichkeit, „die nur eine straffe Zügelung vom Hauptbezugspunkt her erzeugen kann". „Zuviel Unnotwendiges" (!) sei stehengeblieben — aus „Wohlgefallen an allerlei Einfall".

Kurzum, die Kritikerin erhielt einen hervorragenden Essay und wünscht sich statt seiner eine wohlgegliederte Abhandlung. Die Gliederung lesen und damit wissen, was drin steht — ist das Lesen im wissenschaftlichen Zeitalter? Die Seminararbeit wird zum kritischen Maßstab für Prosa, die sich auch dann noch ästhetischen Kriterien verpflichtet weiß, wenn sie sich Themen zuwendet, die die Wissenschaftler sich gern vorbehielten. Gedächtnistraining als Qualitätstest: „Schreibe so, daß ich mir's schnell und leicht merken kann!" Auswendigkönnen ist besser als Nachdenkenmüssen — der Triumph der Didaktik als Ruin der Kritik.

So erweist sich, daß die Subjektivität von Erfahrung und Urteil, selbst wenn sie wie bei Christa Wolf in einer verständlichen, ganz und gar nicht hermetischen Form auftritt, für einen großen Teil der DDR-Kritik, auch da wo kein bewußtes Ressentiment herrscht, noch recht ungewöhnlich ist. Aber Avantgardismus mißt sich nicht nur an originellen oder grellen Effekten. Manchmal erkennt man ihn auch nur an den Irritationen, die er desto nachhaltiger bewirkt, je unbeugsamer einer auf seinen Intentionen beharrt. Der Genetiker Hans Stubbe hat das in einem Nachwort zur DDR-Ausgabe von „Lesen und Schreiben", das in die westdeutsche Lizenzedition nicht aufgenommen wurde, für Christa Wolf bestätigt: „Ein Künstler hat jederzeit die Verpflichtung, in allem Geschehenen, Erlebten und Erdachten die Wahrheit zu suchen und zu finden. Christa Wolf weiß, daß sie keine andere Wahl hat, als kompromißlos und auch auf die Gefahr des Mißverstandenwerdens oder gar des Mißlingens hin zu schreiben [...]."[251]

Dem durchschnittlichen Rezeptionsvermögen einholbar voraus zu sein, ist in einer nicht-elitären Literaturgesellschaft eine produktive Herausforderung. Christa Wolf hat sich von Anfang an auf schwierige Grundfragen eingelassen und ist davon nicht abgegangen, als sich herausstellte, daß haltbare Antworten weit weniger leicht zu haben waren, als sie zunächst vermutet hatte. So hängt die Wirkung ihrer seit dem Ende der sechziger Jahre erschienenen Bücher nicht von der Resonanz in einer bestimmten literarischen Saison, nicht von der Auflagenkontingentierung und nicht von den Urteilen kleinmütiger Kritiker ab. Obwohl sie Bücher der Zeit sind, können sie sich Zeit lassen. Denn für die Autorin und ihre Leser gilt gleichermaßen: Der Weg zur Wahrheit dauert lange und will nicht enden.

Eine offensive Verteidigung der Poesie – Reiner Kunze

Wie ich [...] *schon bemerkte, sind dieselben* aber durch meine spätere Entwicklung für mich . . . ich weiß ja allerdings nicht, ob auch für andre . . . längst überholt.*

Arno Holz, „Sozialaristokraten", I. Akt

Der 1933 in Oelsnitz geborene Reiner Kunze ist längst kein erzgebirgischer Lokalfall mehr. Spätestens nach seinen Übersetzungen aus dem Tschechischen, für die er 1968 einen Preis des Tschechoslowakischen Schriftstellerverbands erhielt, gewann er internationale Anerkennung. Auch für seine eigenen Arbeiten bedeutete die Freundschaft mit Autoren aus Böhmen und Mähren sehr viel. Ohne Milan Kundera oder Jan Skácel hätte er es sicher noch schwerer gehabt, einen Weg aus seinen politischen und persönlichen Krisen zu finden. Der Sohn eines Bergmannes und einer Kettlerin, die sich mit Heimarbeit durchschlug, brachte die sozialen und psychologischen Voraussetzungen mit, ein Lieblingskind der offiziellen Kulturpolitik zu werden. Die Deutsche Demokratische Republik ermöglichte ihm den Besuch der Oberschule, und der achtzehnjährige Abiturient war bereit, diesem Staat naiv und enthusiastisch in ewiger Dankbarkeit zu dienen. Er schwankte, ob er an der Dresdner Kunstakademie oder am Leipziger Institut für Publizistik studieren sollte, sein Interesse am Journalismus setzte sich durch. Nach dem Staatsexamen war Kunze dann auch zeitweilig Assistent an der inzwischen zu einer Fakultät für Journalistik aufgeblasenen Ausbildungsstätte der Leipziger Karl-Marx-Universität. Von dem, was er in den fünfziger Jahren geschrieben und gesagt hat, läßt Kunze heute kaum noch etwas gelten. Seinerzeit wurde Kunze verhätschelt und für dumme Reimereien hochgepriesen. Ein Kinderlied hielt er 1962 noch für geeignet, ein Bändchen mit heiteren Texten zu zieren. Der vollständige Text geht so:

Der Soldat braucht einen Helm.
Wozu braucht ihn der Soldat?
Der Helm schützt seinen Kopf,
und der Kopf ersinnt die Tat,
die den Kindern der Welt
alle Blumen erhält
und das Glück, und das Glück
unsrer Republik.

---

* gemeint sind frühe Gedichte

102

Der Soldat ist unser Freund.
Warum ist es der Soldat?
Weil er klug und tapfer kämpft
und mit Mut vollbringt die Tat,
die den Kindern der Welt
alle Blumen erhält
und das Glück, und das Glück
unsrer Republik.[1]

Diese Zeilen werden hier nicht zitiert, um dem Autor Vergangenes um die Ohren zu schlagen. Peinlich kann die Erinnerung auch ans Peinliche nur dem sein, der sein Leben nachträglich in die Einlinigkeit pressen will und die eigene Biographie zu einer Form „mit Konsequenz" stilisiert. Ein großer Teil der Verantwortung für derlei gelehrige Fleißarbeiten fällt auf die Lehrer und Vorbeter zurück, die familiär-anhängliche Wendungen („sprach die Partei wie eine Mutter"[2]) als emotional bewältigte Parteilichkeit rühmten.

Ein Enthusiast wie Kunze hatte schließlich nur die Wahl zwischen opportunistischer Anpassung ans jeweils Verlangte und der Preisgabe errungener sozialer Positionen. Nach heftigen politischen Angriffen brach er die akademische Laufbahn ab, verzichtete auf die Promotion, zu der man ihn wahrscheinlich nicht mehr zugelassen hätte, hielt sich aus der journalistischen Tagespraxis heraus. Kunze arbeitete als Hilfsschlosser in einem Leipziger Betrieb, der Verlade- und Transportanlagen herstellt. Nach mehreren Aufenthalten in der Tschechoslowakei siedelte er ins thüringische Städtchen Greiz über, in seine „grüne Zuflucht", wie er es in dem Gedicht „Dreiblick" bezeichnet. Dort nämlich konnte seine Frau, eine tschechische Zahnärztin, Arbeit finden.

Ohne das Beispiel Kunze überstrapazieren zu wollen, scheint es mir zu beweisen, daß die überfällige Brechung des alten Bildungsprivilegs in den kommunistischen Ländern Veränderungen bringt, die über den kurzfristigen Zweck, dankbare machtkonforme Kader heranzuzüchten und das bestehende Gesellschaftsgefüge zu stabilisieren, weit hinaus führen.

Die Verteidigung der Poesie durchdringt die Arbeiten Kunzes bis in die letzte Zeile. Pragmatische Technokraten und auf Politik im beschränktesten Sinne fixierte Sektierer sehen in der Dichtung kein schutzbedürftiges Gut. Der Dichter, der nicht hauptsächlich mit Hilfe der Poesie für Zwecke aller Art, sondern für sie selber kämpft, muß sich nicht erst Gegner suchen. Ob man ihn des bürgerlichen Luxus im Geiste bezichtigt oder ihn des volksfremden Formalismus zu überführen sucht, ob man ihn nach dem quantitativen Nutzen (bitte möglichst in Tonnen angeben!) für die rasche Entwicklung der Volkswirtschaft oder nach der Anzahl der Kämpfer befragt, die durch seine agitatorische Kraft für die auf der jeweiligen historischen Tagesordnung stehende Sache gewonnen wurden — immer wird der Dichter in die Situation eines Außenseiters gedrängt, der sich bitte schön um plausible Rechtfertigungsgründe für seine Existenz bemühen möge. „Entschuldigung" heißt ein Gedicht Kunzes[3]:

Ding ist ding
sich selbst genug

Überflüssig
das zeichen

Überflüssig
das wort

(Überflüssig
ich)

Das Stichwort „Verteidigung der Poesie" stammt von Johannes R. Becher, der in mehreren Bänden tagebuchartiger Betrachtungen über literarische und kulturpolitische Probleme neben mancherlei Füllstoff viele „anstößige" Reflexionen mit Langzeitwirkung in die öffentliche Diskussion eingebracht hat. Die Bedeutung dieser Bücher, von denen das im Jahre 1952 erstmals erschienene „Verteidigung der Poesie" heißt, wird im Westen unterschätzt, wo man ein Becher-Bild gemalt hat, in dem beinahe ausschließlich die literarischen Schwächen und persönlichen Eitelkeiten des Dichters und Kulturministers anekdotisch aufgeputzt wurden. In der DDR ermöglichten aber gerade diese Schriften subjektive Fragestellungen unter Berufung auf Bechers „klassische" Autorität auch in schwierigen Perioden durchzuhalten oder wiederaufzugreifen.

Das gilt auch für Reiner Kunze, der bei Becher erste Ermutigungen für die Emanzipation von der standardisierten, veräußerlichten Auftragsliteratur im Sinne nirgends faßbarer Volksmassen fand. In einem Vortrag[4] aus dem Jahre 1959 zitiert Kunze mehrfach aus Bechers „Verteidigung der Poesie". Wichtig ist vor allem die Stelle: „ ,Für wen schreibst du?' Nicht die Frage ist es, die an den Dichter gerichtet wird, wie einige in der Dichtung unerfahrene Leute nach wie vor annehmen [. . .] . ,Wer bist du, der du schreibst?' Diese Fragestellung geht tiefer und ist die eigentliche Lebensfrage jedes Dichters. Man schreibt für diejenigen, deren Wesen so tief in das eigene eingegangen ist, daß man gar nicht anders kann, als für sie schreiben."[5] Wie auch immer Becher am Schluß durch den Hinweis auf die Verinnerlichung der „Träume des Volks" in dessen Repräsentanten, den Dichtern, mit der einen Hand wieder zurücknimmt, was er mit der anderen gerade gegeben hat — die Bemerkungen ermutigen zum Nachdenken über sich selbst, sie werten die Persönlichkeit des Dichters auf. Bechers Hauptmotiv war es, darauf hinzuwirken, daß der Autor sich wieder „frei im Stoff" bewegen kann, ohne durch ein inneres Kontrollämpchen gelähmt zu werden, das bei jedem Wort in Form eines Fragezeichens aufleuchtet: „Ist das, was ich schreibe, auch verständlich genug?" Denn dies steckt ja genaugenommen hinter der fordernden Frage, für wen einer eigentlich schreibe.[6]

Ein tschechischer Übersetzer, Luboš Přihoda, hat, ohne Becher zu erwähnen, geschrieben, Kunze sei aufgrund musikalischer Vorbilder, vor allem durch Beethoven, statt zu der Frage „Für wen schreibst du?" zu der „Wer bist du?" geführt worden. Mir scheint aber gerade in diesem Punkt die direkte Ableitung aus kulturpolitischen Diskussionen im Zusammenhang mit der Becher-Rezeption möglich. Wie das auch sein mag — Přihoda hat mit seinen Schlußfolgerungen ohne Zweifel recht: „In den Intentionen dieser Konzeption wird das Schreiben zum eigenen Klärungsprozeß, [. . .] zu einem ständigen Vollenden des ästhetischen Prinzips bei der Selbstvollendung in einen ganzen Menschen, zu seiner Selbstverwirklichung . . . ." Kunze hat in der Nachbemerkung zu seinem Bändchen „Zimmerlautstärke" unter Berufung auf Margarete und Alexander Mitscherlichs Wort, zum Widerstand gegen die Anweisungen des Kollektivs benötige man eine starke und stabile Ich-Organisation, dem Gedicht eine solche Funktion zugemutet: „Das gedicht als stabilisator, als orientierungspunkt eines ichs. Das gedicht als akt der gewinnung von freiheitsgraden nach innen und außen."[7]

Hieraus folgt aber nicht, daß, wie enthusiastische Tatmenschen vereint mit Gleichgesinnten so gern arrogant vermuten, damit der „selbstvergessenen Nabelschau" das Wort geredet wird. Der Leser war für Kunze niemals eine zu vernachlässigende Größe. Gerade dem Leser oder Hörer von Gedichten hat Kunze — wiederum im Anschluß an Becher — ein derart intensives Eindringen in die poetische Aussage zugemutet und zugetraut, wie sie der Konsument von Erzählungen, Romanen oder Dramen nicht zu leisten imstande sei. Der Grund liege darin, daß in diesen Formen Figuren dazwischen geschaltet seien, die die Identifizierungsenergien absorbieren. Der Leser von Lyrik versetze sich dagegen unmittelbar in die Gedanken- und Formenwelt des Autors, jedenfalls dann, wenn er einen Zugang findet und die Zustimmung nicht versagt. Die von Kunze herangezogene Stelle in Bechers „Verteidigung der Poesie" lautet: „Das Wesen des lyrischen Dichters besteht darin, durch seine Dichtung sich selbst Gestalt werden zu lassen, und diese Gestalt ist eine ebenso erfundene Gestalt wie die Hauptfiguren im Roman oder im Drama. Das ‚Ich' des lyrischen Dichters ist danach nicht eine unmittelbare private Aussage, sondern es gestaltet sich eine poetische Figur, indem ein Ich von sich aussagt. [. . .] Der Romancier und der Dramatiker leben in ihren Gestalten weiter, der Lyriker aber ist selbst Gestalt [. . .]."[8] Kunze leitet daraus ab, daß in dieser subjektivsten Form dem Leser keine sichtbare Gestalt entgegentritt, die die geäußerten Worte als eigene beanspruchen könnte. Er schrieb 1959: „Die Gedanken und Gefühle, die lyrisch ausgedrückt werden, empfindet der Leser — auch wenn er vorher nie so gedacht oder gefühlt hat — meist unmittelbar als seine eigenen Gedanken und seine eigenen Gefühle, sobald sie seinem Denk- und Gefühlsvermögen entsprechen. In der Lyrik werden die Erkenntnisse über den Menschen und das Leben nicht durch eine fremde poetische Gestalt vermittelt. Der Leser geht selbst in die poetische Gestalt der Lyrik ein." Der Vortrag schließt mit dem Satz: „Diese Macht des Lyrikers muß erkannt werden, zuerst von ihm selbst."[9] („Macht der Poesie" hatten Bechers 1955 erschienene Aufzeichnungen geheißen.)

Diese Erhöhung seines Mediums brauchte Kunze als Durchgangsstufe zu einem Selbstbewußtsein, das Sicherheit genug besaß, um zurücknehmen und relativieren zu können. Die Möglichkeiten des Gedichts werden heute von ihm noch für genau so wichtig, aber nicht mehr für so weitreichend gehalten. Das Kommunikationsangebot bleibt bestehen. Was der Dichter von sich preisgibt und schutzlos dem identifizierenden oder vernichtenden Zugriff ausliefert, womöglich auch nur der gleichgültigen Verweigerung, ist eine Vorgabe, die, wenn sie angenommen und vom Empfänger durch seinen Anteil am sozialen Verständigungsprozeß ergänzt und vervollständigt wird, viel und wenig zur Humanisierung der Welt beitragen kann. Kunze hat in einer zweiten, an Max Frisch anknüpfenden Nachbemerkung zu „Zimmerlautstärke" mit zwei knappen Sätzen zusammengefaßt, was ich eben zu erläutern versucht habe: „Das gedicht als äußerster punkt möglichen entgegengehens des dichters, als der punkt, in dem auf seiner seite die innere entfernung auf ein nichts zusammenschrumpft. Das gedicht als bemühung, die erde um die winzigkeit dieser annäherung bewohnbarer zu machen."[10]

Ehe Kunze wußte, was er selbst wirklich wollte — und dies erwies sich als ein langwieriger schmerzlicher Prozeß —, war er den irritierenden Bestätigungen und Verwerfungen eines desorientierten Publikums und einer desorientierenden Kritik ausgesetzt. Es scheint, als ob das Wichtignehmen der Dichtung vieler Länder und Zeiten, vor allem des deutschen klassischen Erbes und der tschechischen Volkspoesie, es ihm ermöglichten, den vorgestanzten Klischees der Besserwisser zu entkommen, die wußten, wie ein schönes sozialistisch-realistisches Gedicht auszusehen hatte. Er war nicht sicher genug, den Zumutungen polemisch zu begegnen, und er war zu sensibel, als daß er auf Meinungen nichts gab, selbst wenn er ahnte, daß sie ihn nicht weiterbringen konnten. So fragt er in einer Strophe des 1959 geschriebenen Prologs[11] zu dem Bändchen „Widmungen" von 1963, das er Opus eins nennt, wodurch früher Erschienenes wenn nicht annuliert, so doch gründlich „ausgesiebt" wird:

> Gedicht, es sammelt sich dein publikum.
> Kundgebung wimmelnder gestalten!
> Ein urteil bringt das andre um.
> An welches urteil wollen wir uns halten?

Sechs Jahre später, 1965, hat Reiner Kunze in fünf Anmerkungen selbstinterpretatorischen Klartexts eine Antwort gegeben, die über die im Prolog versuchten Ansätze hinaus geht. Vor allem legt er den Maßstab der Verständlichkeit beiseite, der als besonders klobige Waffe bei der Disziplinierung der Künstler benutzt wurde, unter Mißbrauch der alte Bildungsprivilegien angreifenden Losung, die Kunst gehöre dem Volke. Kunze fragt nach der Beschaffenheit des Verstandes und des Willens, der dem Verstand zur Seite steht. Das unterschiedliche Vermögen der einzelnen relativiert die Kategorie der Verständlichkeit. Gesucht werden muß ein Maßstab, der für die Poesie selbst nicht sekundär, sondern konstitutiv ist. Statt der Verständlichkeit empfiehlt Kunze die Genauigkeit. Seine These zwei heißt lapidar: „Poesie soll einfach sein. Sie kann aber nicht einfacher sein, als es die Genauigkeit erlaubt."[12] Meinungen über Poesie sind situationsbedingt, interessengebunden, bildungsabhängig usw. *Eine* Ansicht als die gültige Ansicht aller oder der Mehrheit auszugeben, widerspricht diesem unbestreitbaren Sachverhalt. Hält der Dichter sich nicht an diese Norm, wird ihm arrogante Verachtung des überwiegenden Teils der Gesamtbevölkerung, einige der Basis entfremdete Außenseiter abgerechnet, untergeschoben. Kunze hierzu: „Man kann [...] auf den Dichter eine Art öffentlicher Nötigung ausüben, indem man eine bestimmte Meinung als ,Massenmeinung' oder Meinung des Volkes deklariert (was natürlich eine Fiktion ist, denn das Verhältnis zur Poesie ist ein zutiefst *individuelles* Verhältnis). Der Dichter möchte nicht bezichtigt werden, die Meinung *unserer Menschen* oder *des* werktätigen Menschen zu mißachten."[13]

Widerwillig und wider die eigene Einsicht die gängigen „gesellschaftsfähigen" Urteile zu übernehmen, um als Person belohnt und belobigt zu werden, beschädigt oder zerstört die Poesie. In einem dem tschechischen Dichter Jan Skácel, von dem in deut-

scher Sprache eine Gedichtsammlung[14] in Kunzes Übersetzung vorliegt, gewidmeten Satz wird ein Endpunkt dieser Reflexionen bezeichnet: „Das bedürfnis des dichters, nach außen hin etwas zu gelten, bricht in dem augenblick zusammen, in dem er
begreift, was poesie ist."[15] Der Verzicht auf die Vorteile der Anpassung erhöht die
Verteidigungskraft im Streit mit den Verächtern und Bekämpfern der Poesie. Um
bei militärischer Metaphorik, die Kunze sehr fernliegt, zu bleiben: der Poet muß einen Mehrfrontenkrieg mit unregelmäßig verlaufenden Gefechtslinien bestehen.

Da muß man reagieren auf die besserwisserische und unhistorische Abkanzelung
„dummer" Gedichte aus der Vergangenheit, die angeblich den neuen Menschen
nichts mehr oder doch nur Falsches zu sagen hätten, weil diese inzwischen so unend-
lich viel weiter gekommen seien. Diese überhebliche Zurückweisung, zu der die *kritische* Aneignung des Kulturerbes gelegentlich pervertierte, hatte nätürlich auch Folgen
für die Beurteilung zeitgenössischer Werke, die nach Irrtümern und Fehlhaltungen
abgesucht wurden. Wie Kunze in seiner schwierigen „Übergangsphase", als er schon
„Treuhänder des Poetischen" und noch „Erzieher" im Sinne der gewünschten Normen war, in dieser Frage freies Feld zu gewinnen suchte, läßt sich dokumentieren.
In dem schon mehrfach erwähnten, an Becher anknüpfenden Aufsatz aus dem Jahre
1959 hatte Kunze das „Abendlied" des Matthias Claudius erwähnt. Genauer gesagt,
handelt es sich um ein Referat, das Kunze im April 1959 auf einem „Lehrgang für
junge Lyriker" gehalten hat (es lohnt nicht, im einzelnen darauf einzugehen, da es
vorwiegend aus Banalitäten besteht, die dem Anlaß kongruent sind). Ein Lehrgangs-
teilnehmer machte Einwände geltend gegen Kunze, der die erste Strophe („Der Mond
ist aufgegangen [. . .]") zitiert und ihres Natur- und Heimatgefühls wegen gerühmt
hatte: „Claudius, meine ich, war bestimmt ein begabter Mann, aber er war ungenial.
Und ich möchte sagen, seine Lyrik hat etwas ‚Allgemein-Menschliches' [. . .]."[16]
Dem jungen Lyriker kam das Ganze „dumm-religiös" vor, und es sei „irgendwie typisch" für Claudius, „daß er sich in seinen Gedichten oft so hinterwäldlerisch ins
allzu eigene Ich zurückzieht". Kunze reagierte heftig, „da mir die folgenschwere An-
maßung, mit der heute manchmal noch über die Geistesgüter unserer Nation gesprochen wird, für die Haltung einiger, die in der Literatur noch nichts vollbracht haben,
symptomatisch erscheint; das zeigte sich auf dem Lehrgang auch darin, daß sich eine
Reihe von Autoren wohl in der Lage fühlten, ein Gedicht wie das ‚Abendlied' von
Claudius mit kühner Geste zu verurteilen, nicht aber, es sich in einer historisch-kon-
kreten Betrachtung kritisch anzueignen".[17]

Bedroht wurde die Poesie zweitens von denen, die mit der herablassenden Gebärde
des pragmatischen Aufbau-Organisators die beliebte Frage nach dem Nutzen stellten.
Kunze hat darauf mit dem Gedicht „Vom Unwert der Lerche"[18] reagiert, das freilich
nur einen schwachen Aufguß von Brechts Kinderlied „Die Vögel warten im Winter
vor dem Fenster" darstellt, in dem der Anspruch der Amsel, die „nur" gesungen hat,
auf Lohn und Korn bekräftigt wird. Das (bescheidene) Ziel dieser seiner Einreden
faßte Kunze 1965 in den Satz: „Manchem, der glaubt, über Poesie den Stab brechen
zu dürfen, sollte zumindest die Hand ein wenig zittern."[19]

Kunze ordnet die menschheitsgefährdende Bedrohung durch Barbarei und Krieg
ebenfalls dem großen Thema der Verteidigung des Poetischen zu. In seinem, wie man
hört, in der Sowjetunion stark beachteten Gedicht „Puschkins Michailowskoje", das

von einer Bemerkung des Museumsführers ausgeht, die Frontlinie des 2. Weltkrieges sei hier mitten durch den Garten hindurch verlaufen, schreibt Kunze:

> Wer immer
> die angreifer wären hier jetzt zum gegner hätten sie
> mich
>
> wer immer einfallen wird
> in die offenen gärten der dichter[20]

Die Gärten der Dichter sind offen — Metaphorik der Schutzlosen. Standhaftigkeit genüber dem Eingriff, der Einschüchterung, dem Verbot kann die Waffen der „verfügenden" Gegner auf Dauer doch stumpf werden lassen. Das Seneca-Motto der „Zimmerlautstärke" bekräftigt das: „ . . . bleibe auf deinem Posten und hilf durch deinen Zuruf; und wenn man dir die Kehle zudrückt, bleibe auf deinem Posten und hilf durch dein Schweigen."[21] Wer nicht resignieren will, muß dieser Überzeugung sein. Als Kunze 1960 begann, in einem Zyklus von Fabeln, „Die Kunst der Tiere", gegen engstirnige Funktionäre Sturm zu laufen, war ihm der Blick noch durch einen allzu heiteren Optimismus der Art, daß die fröhlich schmetternde Kunst schon nicht totzukriegen sei, getrübt: Die Nachtigall triumphiert, auch wenn die Uhus den Gesang mißbilligen. Sein Gedichtband von 1962 trug diese Überschrift: „Aber die Nachtigall jubelt." Aus dem Zyklus läßt Kunze wohl nur mehr die beiden radikalsten Texte, „Das Ende der Fabeln" und „Das Ende der Kunst" gelten; diese beiden übernahm er jedenfalls in den Band „Sensible Wege" von 1969. In neueren Arbeiten zum gleichen Thema verzichtet Kunze auf die Absicherung durch die der Tierfabel angemessene satirische Übertreibung. Knappe Pointen haben die weitschweifigen, penetrant schelmischen Geschichten von einst ersetzt. Als Beispiel sei genannt:

Auf einen Vertreter der Macht oder Gespräch über das Gedichteschreiben

> Sie vergessen, sagte er, wir haben
> den längeren arm
>
> Dabei ging es
> um den kopf[22]

Oder das Titelgedicht der Sammlung „Zimmerlautstärke":

> Dann die
> zwölf jahre
> durfte ich nicht publizieren sagt
> der mann im radio
>
> Ich denke an X
> und beginne zu zählen[23]

„Zimmerlautstärke", ein Wort, das ein Bündel vielgestaltiger Assoziationen weckt. In der guten alten Zeit, als man noch wußte, was Lärm war, erinnerte die freundliche Stimme des Radioansagers die lieben Hörer noch öfters daran, daß man aus Rücksicht auf mithörunwillige Nachbarn sein Gerät auf einen angemessenen Pegel einstellen möge. Als es im Krieg Feindsender gab, deren Abhören bei Todesstrafe verboten war, mußte der informationshungrige Hörer die Zimmerlautstärke auf „Ohrenlautstärke" bei enger Berührung mit der Membran drosseln. Die Zimmerlautstärke kam in der DDR zu neuen Ehren, als dort das Abhören der Westsender mindestens politisch und moralisch angeprangert wurde, von terroristischen Übergriffen und den exemplarischen Bestrafungen im Falle des „Gemeinschaftsempfangs" nicht zu reden. All diese Beschränkungen der „Kommunikation" mitsamt dem Mißtrauen gegenüber der Kritikfähigkeit des Bürgers gehen in Kunzes Metapher ein. Aber es schwingt wohl noch etwas anderes mit: Die Auffassung nämlich, daß Dichtung nicht laut sein muß, wenn sie sich Gehör schaffen will. Daß sie inmitten des Lärms paradoxerweise intensiver wirkt, klarer vernommen wird, wenn sie auf Auftrumpfen, auf Geschrei verzichtet. Die Apologie der Stille hat hier ihren Platz. Als Beispiele seien nur die Gedichte „Die Bringer Beethovens"[24] und „Einladung zu einer Tasse Jasmintee"[25] genannt.

Weniges leise zu sagen, gehört zur dichterischen Eigenart Kunzes, der sich dadurch nach Temperament und Wirkungsmethodik erheblich von seinen Generationsgenossen Braun oder Biermann unterscheidet. Für eine kurze Begrüßungsrede auf einem internationalen Schriftstellertreffen, das im April 1973 in Budapest stattfand, hat Kunze „die Poesie" personifiziert, um ihr — und nicht nur ihrem Schöpfer — eine Haltung zum Gerede über sie zuordnen zu können. Es heißt da: „Die Poesie ist schüchtern. Ich glaube, daß die Gefühle der Poesie gegenüber einer Konferenz, die sich mit ihr beschäftigt, ambivalent sind. Sie freut sich und sie ängstigt sich zugleich. Sie freut sich, weil manchmal das passende Wort gefunden wird. Und sie ängstigt sich vor dem überflüssigen Wort. Um niemanden zu kränken, verläßt sie den Saal, bevor einer von uns zu sprechen beginnt. Hinter der Tür lauscht sie. Dann entscheidet es sich: Entweder sie geht in eines der angenehmen Budapester Espressos und lächelt vor sich hin. Vielleicht auch setzt sie sich auf eine Donauboje, schaukelt und wartet. Das ist die eine Möglichkeit. Die andere Möglichkeit ist, daß sie unbemerkt in den Saal zurückgeht — etwas verlegen, weil sie den Dichtern zu wenig vertraut hat — und in einer Ecke bis zu Ende zuhört [. . .]."[26] Diese Unterscheidung zwischen „Worten" und dem „Gedicht" hatte schon den „Prolog" von 1959 zu den „Widmungen" bestimmt.

Bei alledem wird von der Person des Dichters nicht abgesehen, der sich nicht unsichtbar machen, der sich kein „dickes Fell" zulegen, der sich nicht verstecken kann. „An R. K., Dichter" heißt ein Gedicht, das sich der Autor wie eine Tarnkappe aufstülpt:

Ich bin K.
und wohne
hier

Der dichter
ist verzogen

Anschrift
unbekannt[27]

Treten in Kunzes Märchen Dichter auf, sind sie den Mächtigen lästig, die seine Spuren und Hinterlassenschaften gern löschten: „Nichts sollte mehr an den Dichter erinnern. Er hatte von den Menschen erzählt, und ihre Träume und Gedanken waren für die Mächtigen nicht schmeichelhaft gewesen."[28] An den Dichter kann man sich halten; er ist „verantwortlich im Sinne des Urheberrechts". Wie ein Schutzschild legt er sich vor die Poesie. Der „Prolog" (1959) schließt mit den Strophen:

> Flieg, mein gedicht! Und fliehe dessen zeichen,
> der dich verkennt! Und legt er an auf dich,
> er wird dich nicht erreichen,
> er trifft nur mich.
>
> Ich doch ertrag, vom fieber schlagerhitzt
> das herz, aus dem du dringst,
> wenn du nur in den zweigen sitzt
> und singst.[29]

Man muß wiederum daran erinnern, daß dies 1959 geschrieben worden ist. Die Mischung aus Pathos und Sentimentalität mit einem gewissen Hang zur Larmoyanz ist längst einer genaueren Sprache gewichen. Kunze hat Sicherheiten gewonnen, nach innen wie nach außen. Die „Zuflucht noch hinter der Zuflucht", wie ein Peter Huchel gewidmetes Gedicht heißt, ist gewiß. In solchem Kontext zitiert Kunze Jean Amérys Bemerkung, man müsse Heimat haben, um sie nicht nötig zu haben.[30] Die unverrückbare Basis, von der aus auch abenteuerliche und riskante Entdeckungsfahrten ohne Zittern und Zagen unternommen werden können, hat Kunze in dem Gedicht „Blickpunkt" thematisiert:

> Frau nicht
> die möbel verrücken
>
> Wer
> im kopf umräumt dessen
> schreibtisch muß
>
> feststehn[31]

Trotz solcher „Verankerung" der Widerstandsfähigkeit des einzelnen finden sich Stellen, die einen Rückzug auf die Position „Die Gedanken sind frei" signalisieren. Zwei Beispiele dafür:

> Retuschierbar ist
> alles
> Nur
> das negativ nicht in uns
>
> (in: „Von der Notwendigkeit der Zensur"[32])
>
> „Nur die erinnerung in ihm
> ist belichtet"
>
> (in: „Macht und Geist"[33])

Das Gedicht „Kottenheide" ist von einer „Wirf-deine-Sorgen-in-die-Natur"-Stimmung erfüllt, die — durch die wortspielerische Abwehr allgegenwärtiger lästiger politischer Losungen verstärkt — unvermittelte Privatheit suggerieren könnte, wäre da nicht ein genauer geographischer, situationsbedingter Bezugspunkt, der dem Gedicht die Schwere (und auch die Fatalität) eines weltanschaulichen Bekenntnisses nimmt (Das Gleiche gilt für das Gedicht „Rückkehr aus der Versammlungsstadt"). Kottenheide ist eine abgelegene Gegend im Vogtländischen; das Gedicht lautet:

> Die zeit
> fällt aus den fichten als
> reine zeit
>
> Die losung des wildes ist
> die einzige [34]

Das zweiteilige Gedicht „Die Antenne", dessen zweiter Teil aus einem einzigen Wort besteht, liefert die Kritik an der Illusion mit, es gebe Unantastbares, und stärkt durch solch nüchternes Eingeständnis auf dialektische Weise die Widerstandskraft. „Die Antenne" [35] geht von einer Kampagne gegen den Empfang des Westfernsehens aus („sie abzusägen, drohte/die straße"). Der erste Teil endet mit der Apotheose des unzerstörbaren Gedankens: „Die antenne flüchtete/in den kopf, er/bot sicherheit". Die Scheinhaftigkeit dieser angenommenen Garantie wird durch das isoliert stehende „vorerst" des zweiten Teils einbekannt.

Das Insistieren auf der Subjektivität und Integrität des Einzelnen hat bei Kunze nichts von der Verachtung des Hochmütigen, der sich pharisäisch der Einsamkeit ergibt. In der Solidarität mit den Gefährten und im unstillbaren Bedürfnis nach Kommunikation widersteht Kunzes Dichtung jeder Esoterik. Das „Lied vom Biermann" ist ein Echo auf Wolf Biermanns Gedicht „Frühzeit", das Titelgedicht der Sammlung „Sensible Wege" nimmt die Metaphorik vom Roden der Wurzeln aus Peter Huchels „Garten des Theophrast" auf. Das Gedicht „Deutschland, Deutschland" ist Alexander Solschenizyn gewidmet, dessen Buch vom Lagerleben des Iwan Denissowitsch während der Chruschtschow-Ära in der Sowjetunion Aufsehen erregte, auf Weisung der SED aber nicht in der DDR erscheinen durfte:

> Der standhaftigkeit, als einzige
> verschwiegen zu haben
> das buch eines standhaften
>
> hörte ich sie sich
> rühmen [36]

Hier wie auch in manchen anderen Gedichten zeigt sich der Einfluß des späten Brecht. Die ironische Andeutung, der Gestus des Beobachtens, die epigrammatische Zuspitzung sind Beispiele einer Differenzierung von Kunzes Ausdrucksmitteln, die sich allmählich von der Vorherrschaft des Emotionalen befreiten. Kunzes Herkunft von der Tradition der Volkspoesie mit ihrer Vogel- und Blumenmetaphorik hat ihn nicht immer vor weitschweifigen Lyrismen bewahrt. Manchmal entstehen Leerstellen. Der Vergleich der Anfänge zweier Wintergedichte auf Greiz kann das verdeutlichen. In „Dezember" heißt es: „Stadt, fisch, reglos/stehst du in der tiefe." [37] Die kunstloskunstvolle Reihung macht den Vergleich selbstverständlich. Das Gedicht „Fischritt am Neujahrsmorgen" beginnt dagegen:

> Stadt, schlüpfrige, halt
> still.
> Ah, jetzt erkenn ich's, du
> bist ein fisch.[38]

Das eingeschobene „schauende Subjekt" verdirbt mit dem „ah, jetzt erkenn ich's" das Gedicht, dessen neckischer Märchenton auch im folgenden gezwungen wirkt.

Die Rezeption der Volkspoesie und vor allem der tschechischen Lyrik, in der volkstümliche Traditionen selbstverständlicher fortleben als in der deutschen, war für die „Subjektwerdung" des Dichters Kunze von entscheidender Bedeutung. Nur die sture, zeitweise recht einseitige Behauptung der Bildhaftigkeit der Dichtung, die das wichtigste Unterscheidungsmerkmal gegenüber anderen Formen der Wirklichkeitsaneignung sei, ermöglichte es Kunze, die Zumutungen abzuweisen, sogenannte „wichtige" Inhalte (über deren Wichtigkeit andere entschieden hatten) direkt zu transportieren. Im Hintergrund stand anfangs eine schematische Entgegensetzung von Rationalem und Emotionalem; nur dieses hielt Kunze für poesiefähig. Die Schlußstrophe des Gedichts „Das Quartett" aus dem Zyklus der Fabeln macht dies augenfällig:

> Die Nachtigall sagt schlicht:
> „Die Kunst – sie flieht Befehle.
> Verstand allein regiert sie nicht.
> Sie will des Künstlers Seele."[39]

Zwar werden hier schon die von außen herangetragenen Anweisungen verworfen, aber der Zusammenhang von „Befehl" und „Verstand" erscheint nicht plausibel. Auch die Auftraggeber wünschen sich doch die volle Identifizierung des Künstlers, sie wollen Herz, Kopf und Hand, also auch seine „Seele". Sonst müßte bei ihnen der Verdacht des „inneren Vorbehalts" aufkommen. Den Zeilen fehlt Genauigkeit.

Kunzes Leistung besteht nicht zuletzt darin, aus der Sackgasse der falschen Alternativen herausgefunden zu haben, etwa auch der von Rose und Ordnung („In der Thaya").[40] Seine epigrammatische Dichtung erliegt der Gefahr einer dürren Didaktik deswegen nicht, weil sie auf einem Fundament aus Anschaulichkeiten aufgebaut wird. Der Autor vertraut auf den konkreten Wortwitz der Sprache und bettet ihn in eine einfache Bildlichkeit ein, die nun nicht mehr in „Gefühligkeiten" ausufert. Erst in der Synthese hat Kunze seinen eigenen Ton gefunden, gleich weit entfernt von gefühlsgeladener Symbolik wie von unpersönlicher Direktheit. Politisches existiert nur als Poetisches. Die Naturmetaphorik wird „vergesellschaftet" (Beispiel: „Der Hochwald erzieht seine Bäume"[41]). Die Qualität der Gedichte läßt sich nicht anhand des benutzten Vokabulars bestimmen, als sei dieses bei „privaten" oder allgemeinmenschlichen Sujets ursprünglich, bei politischen aber abgeleitet und folglich ausgebleicht.[42] Wenn ein politisches Thema dem Dichter Kunze nicht poetisierbar im Sinne einer imaginativen Inspiration erschiene, verzichtete er – trotz der Notwendigkeit der Kritik — auf dessen Behandlung eher, als daß er an einer passenden Imitation herumbastelte, die zu verbergen hätte, daß eine gefügte Struktur sich nicht wie von selbst herstellt.

Die Sehnsucht nach Kommunikation durchdringt die unter der Überschrift „Hunger nach der Welt" zusammengestellten Gedichte des Bands „Sensible Wege" und die 21 Variationen über das Thema „Die Post". Aber je mehr er sich unzumutbaren Ansprüchen verweigerte, desto schwerer wurde es für ihn, in der DDR noch eine Tribüne zu finden. Für einige Jahre wurde es ihm nach 1968 ganz und gar verwehrt, in der DDR noch etwas zu publizieren.[43] Dennoch gilt auch für Reiner Kunze, daß er zum Nutzen der sozialistischen Gesellschaft schreibt, daß von seiner Seite die Solidarität mit den in der DDR lebenden Menschen nie aufgekündigt worden ist, auch wenn er Kompromisse, die an die Substanz gingen, nicht zu schließen gewillt war. In dem Gedicht „Dreiblick" heißt es:

Ausgesperrt aus büchern
ausgesperrt aus zeitungen
ausgesperrt aus sälen
eingesperrt in dieses land
das ich wieder und wieder wählen würde[44]

Man darf dieses prinzipielle Bekenntnis zur DDR nicht übersehen, wie es in jenen Kreisen im Westen allzu gern geschieht, die Kunze als „Partisan der Wahrheit" ans Herz drücken möchten. „Gedichte sind mißbrauchbar wie die macht"[45], heißt die dritte kommentierende Anmerkung zu dem Bändchen „Zimmerlautstärke". Auch ein Gedicht wie „Düsseldorfer Impromptu" mit den drei Schlußzeilen

Der mensch
ist dem menschen
ein ellenbogen[46]

sollte man in der Bundesrepublik nicht überlesen. Reiner Kunze, der sich die Gegenstände seiner Kritik und den Grad ihrer Schärfe von niemandem diktieren läßt, hat in einem Interview, das er im Herbst 1972 einem westlichen Journalisten gab, seine Primärleserschaft weiterhin in der DDR gesehen: „Ich schreibe nicht für eine bestimmte Gruppe von Menschen. Wenn ich durch mein Schreiben Menschen helfe, bestimmten Dingen gegenüber eine Haltung zu gewinnen, so ist es für mich ein glücklicher Umstand. Reaktionen, die ich aus der BRD und aus dem Ausland erhalte, deuten darauf hin, daß es auch dort Menschen gibt, für die meine Bücher nicht völlig ohne Belang sind. Die Dinge, hinter die ich schreibend kommen möchte, sind den Menschen in der DDR aber näher. Deshalb bedaure ich sehr, daß ich meine Bücher vorerst nur noch in der BRD und im Ausland publizieren kann."[47] Im Frühjahr 1973 erschien in der Hauszeitschrift des Reclam-Verlags in Leipzig ein Interview mit Reiner Kunze, in dem der Befragte sich ganz ähnlich ausdrückt: „Ich gehöre hierher, in dieses Land, in diese Gesellschaft. Im Gedicht ist der Dichter den anderen Menschen am nächsten. Ich möchte vor allem hier den anderen Menschen am nächsten sein."[48]

Das ist keine Abgrenzung, keine Abqualifizierung von Lesern außerhalb der DDR.

Sie werden nicht zu Zaungästen gestempelt, die nur „mitlesen" dürfen. Sein Wille zur Kommunikation und zur Solidarität, Kunze spricht in dem letztgenannten Interview von seinem „Internationalismus", stünde in einem unaufhebbaren Widerspruch zu einer Selbstbeschränkung auf die engere Umgebung des eigenen Lebenskreises. Auch zu dieser Position gehört der Gedanke, die Heimat sei nötig, um sie überschreiten zu können. Es ist daher nur folgerichtig, daß Kunze Literaturpreise aus der Bundesrepublik, z. B. den Jugendbuchpreis des Jahres 1971 oder auch den Preis der Bayerischen Akademie der Schönen Künste angenommen hat, daß er jedoch ein Stipendium, durch das ihn die Jury für die Verleihung des Kunstpreises Berlin im Frühjahr 1973 auszuzeichnen gedachte, aus eigenem Entschluß und ohne äußeren Druck „mit aufrichtigem Dank und Respekt" ablehnte, nicht etwa, weil die Ehrung aus Westberlin kam, sondern weil er künftigen Fehlinterpretationen, auch böswilligen Unterstellungen vorbeugen wollte: „Ein Preis ist eine Auszeichnung eines bereits existierenden Werkes, ein Stipendium eine Vorleistung. Einen finanziellen Betrag angenommen zu haben, der mit dem ausdrücklichen Vermerk vergeben wird, er diene der Förderung neuer Arbeiten, könnte zu Mißverständnissen in bezug auf das Bewußtsein führen, in dem diese Arbeiten entstehen."[49]

Reiner Kunze hat in dem Interview mit einem Lektor des Leipziger Reclam-Verlags auch einige aufschlußreiche Bemerkungen über das weltpolitische Engagement des Dichters gemacht. Darin bekräftigt er die Auffassung, daß Gedichte — auch wenn sie sich nicht direkter appellativer Formen bedienen — gegen Aggression und Barbarei antreten, schon weil sie der „Abstumpfung durch Gewöhnung entgegenwirken". Dem Prinzip, dem Gedicht die Last aufzuladen, den jeweils aktuell notwendigen Protest *ästhetisch stimmig und wirksam* zu strukturieren, kann Kunze jedoch nicht zustimmen. „Hier muß der Dichter aus der Dichtung heraustreten, wie die fortschrittlichen Künstler immer auch außerhalb ihrer Kunst gegen die Barbarei aufgetreten sind, ich denke zum Beispiel an die Proteste, die der Überfall auf die Sowjetunion 1941 unter Dichtern, Malern und Komponisten von Weltrang hervorgerufen hatte."[50] Auch größte Erschütterungen müßten nicht oder nicht in dem Augenblick, in dem es aus außerkünstlerischen Gründen wünschenswert wäre, zu einem poetischen Bild inspirieren. Kunze hat über das Problem in dem Gedicht „Fanfare für Vietnam" bereits in ähnlichem Sinne reflektiert:

> Meine worte will ich schicken gegen
> bomber
>   bomber
>   bomber
>
> Mit meinen worten will ich auffangen
> bomben
>   bomben
>   bomben
>
> Meine worte aber haben
>   handschellen[51]

Übrigens gilt sicher auch für die Verteidigung der Poesie, daß sie nicht nur durch sich

114

selber betrieben werden kann. Der Dichtung Freiräume zu schaffen, kann nicht durch Dichtung allein bewirkt werden. Um Kunst durchzusetzen, bedarf es kräftiger „außerkünstlerischer Mittel". Auch hier läßt sich der Bogen zurück zu Bechers Buch von 1952 schlagen, in dem es heißt: „Eine Verteidigung der Poesie kann nicht aus einer ‚verinnerlichten' Position heraus erfolgen. In solch einer ‚Igelstellung' wird das Poetische wehrlos überrannt. Eine Verteidigung der Poesie kann nur außerhalb des Poetischen selbst erfolgreich durchgeführt werden: man muß aus seiner Haut fahren, um sich seiner Haut zu erwehren."[52] Daß sie *nur* außerhalb des Poetischen erfolgreich verteidigt werden kann, mag übertrieben sein, aber das Einbekennen der „Machtlosigkeit" des schutzbedürftigen Guts kann vor idealistischen Höhenflügen und Omnipotenzräuschen bewahren.

„Das aktuelle Interview" mit Kunze entstand anläßlich der Herausgabe einer Gedichtauswahl, die 1973 als Band 553 von Reclams Universalbibliothek in Leipzig unter dem Titel „brief mit blauem siegel" erscheint. In „Fast ein Frühlingsgedicht"[53] wurde der Text dieses Briefes dechiffriert. Er lautet:

Nichts
währt
ewig

Auch der Boykott währt nicht ewig. Kunze hofft, daß in der Auswahl etwas von dem sichtbar wird, was „zwischen den großen Farben Schwarz und Weiß liegt".[54] Er spielt damit auf sein Gedicht „Horizonte" aus der Sammlung „Widmungen" an, das mit der Zeile „Ich bin des regenbogens angeklagt"[55] beginnt. Die Poesie zu verteidigen, heißt für Kunze, auf ihrem vollen Spektrum zu bestehen.

Vom Wollen und Wünschen, vom Schreien und Tun

Die vorläufigen Provokationen des Lyrikers Volker Braun

*Es ist ein stolzes Wort, aber ich weiß, was ich aus-
spreche: Wir und die Zukunft!*
Arno Holz, „Sozialaristokraten", IV. Akt

Volker Braun hat sich mehrfach in Gedichten programmatisch über Gedichte geäußert und dabei verschiedene Zugänge zu seinem Selbstverständnis als Lyriker geöffnet. Als Beispiele sollen hier zunächst drei Texte verglichen werden, die Braun an
prononcierter Stelle in seinen drei wichtigsten Gedichtbänden publiziert hat. „Vorwort" leitet die erste Abteilung, „Vorläufiges", und damit überhaupt seine Sammlung „Provokation für mich" von 1965 ein. Mit „Um sinnloses Wutvergießen zu
vermeiden" schließt der Band „Wir und nicht sie" von 1970, und die neueste Auswahl von 1972 nimmt im letzten Gedicht, „Der Lebenswandel Volker Brauns" Motive aus dem — wenn man so will — „Nachwort" des vorherigen Bändchens wieder
auf.

„Vorwort"[1], geschrieben 1962, ist noch ganz in jenem auftrumpfenden Ausrufer-
stil gehalten, mit dem Braun damals in voller Lautstärke das Recht auf ungewohnt
krasses Reden beanspruchte. Eine quantitativ etwas unausgewogene Antithetik bestimmt das Gedicht: Zwei von neun Zeilen dienen der wegwerfenden Abfertigung
der literarischen (und wohl auch politischen) Gegner; die übrigen sieben Zeilen beginnen dann jeweils mit „Unsere Gedichte" und formulieren plakativ, was diese Poeme
entweder schon sind oder was sie (so in den vier Schlußversen) „sollen". In dieser
frühen Version seines Grundthemas sozialistischer Parteilichkeit („Wir und nicht sie")
werden die anonymen Vertreter einer abgelebten Literatur auf tolerant-aggressive
Weise mit Nichtachtung gestraft:

> Laßt sie ihre Verse brechen und bündeln für die Feuer des Nachruhms!
> Laßt sie blumige Reime montieren als Wegzeichen in ihre Wortsteppen!

Dürre Hölzer und dürre Steppen — aber immerhin läßt sich Feuer daraus schlagen.
Auch Braun montiert Stabreime in seine laute, aber ungenaue metaphorische Landschaft. Bei der Kennzeichnung „unserer Gedichte" ergänzt er seine konventionelle
Wortwahl von Wiese, Himmel und Sonne oder von den Bäumen mit tausend Wurzeln und Verzweigungen in tausend Aussichten durch das modische Vokabular der
von Menschenhand geschaffenen Schönheit:

> Unsere Gedichte sind Hochdruckventile im Rohrnetz der Sehnsüchte.
> Unsere Gedichte sind Telegrafendrähte, endlos schwingend, voll Elektrizität.

Soweit der Leser oder Hörer (Braun trat damals auf sogenannten Lyrikmeetings auf) sich nicht durch die Phonstärke einschüchtern ließ, fühlt er sich zur Frage an den Autor herausgefordert, ob er es nicht eine Nummer kleiner habe. Andererseits ist unverkennbar, daß die Maßlosigkeit des Anspruchs, gemessen an der Enge und Kleinheit der wirklichen Verhältnisse, den utopischen Horizont offenhält, den epigonal-unauffällige Gedichte in selbstzufriedener Betulichkeit mit offizieller Billigung oder gar Veranlassung zugebaut haben. Insofern könnten mit den Versebündlern und Reimemonteuren aus den Eingangszeilen durchaus auch manche Kollegen aus dem eigenen kulturpolitischen Umfeld gemeint sein. Die kräftige Zuversicht der Zeile „Unsere Gedichte sollen die Schauer der Angst von der Haut jagen" räumt immerhin ein, daß Ängstlichkeit gesellschaftlich nicht überwunden ist. Sie hält also Distanz zu jenem flachen Optimismus, dessen Skala nur Nuancen zwischen farblos und rosarot kennt.

Das Gedicht „Um sinnloses Wutvergießen zu vermeiden"[2] hat den (gewollten und als Rolle gespielten) naiven Überschwang des „Vorworts" auf höherer Reflexionsstufe aufgehoben. Wieder führt er ein „Wir"-Subjekt ein, aber jetzt wird die Zuversicht realistischer als früher begründet, nämlich als schließliches Ergebnis eines langfristigen und langwierigen Kampfes. Die Gegenkräfte, die den Prozeß hemmen, werden zwar nicht mit Namen und Adresse benannt, aber doch als existent beschrieben. Wenn Gedichte Angst beseitigen helfen wollen, brauchen die Gedichteschreiber selber zuallererst Mut, sich gegen Widerstände zu behaupten. Mit diesem Satz ließe sich eine Brücke zwischen dem älteren und dem jüngeren Text bauen, aber sie wäre doch nicht tragfähig für eine stimmige Interpretation. Denn Braun behauptet für sich und seinesgleichen keine besondere Widerstandskraft, keine erhöhte Selbstbehauptungsfähigkeit — er moralisiert nicht:

> Unser beschimpftes Auftreten
> Rührt nicht von besonderer Härte unsrer Schädel:
> Die lassen sich knacken wie andre.
> Einige unsrer Köpfe können abreißen:
> Aber nicht die Gedanken.

Daß ein Materialist nicht von der Vorstellung ausgehen kann, die Gedanken trieben außerhalb der Köpfe ihr spekulatives Wesen, ist selbstverständlich. Braun erklärt im Schlußteil, wie er es meint. Im zweiten Teil aber schiebt er das Motiv der Massenbasis, der Volksverbundenheit auf vertrackte Weise in die Argumentation hinein. Er setzt wortspielerisch geistige Wünsche und körperliche Kräfte des einzelnen in Beziehung und erklärt beides für zu wenig ins Gewicht fallend, um die beanspruchte Entschiedenheit zu untermauern. Sie wird aber auch nicht unmittelbar aus der kollektiven Gewalt einer demokratischen Vernunft begründet — die Demonstrationen der Massen sind ein Forum, aber nicht die Basis. Das Fundament ist vielmehr eine auf die Gesellschaft übertragene Naturgesetzlichkeit, die auf anderer Ebene schließlich doch nur die „Überredungskunst" des „Vorworts" wiederholt. Es ist so, weil es so sein soll, sein muß, ja eben weil es so ist. Postulate und Tautologien rücken in einer so abgegriffenen wie gigantischen Naturmetaphorik zusammen:

Unsre Entschiedenheit
Nicht erklärlich aus den schwachen Sehnen
Und dem schwachen Sehnen
Des einzelnen, aber erklärt
Auf Demonstrationen der Massen
Ist vergleichbar Naturgewalten
Unaufhaltsam
Wie sich Regen befreit aus Wolken.

Im Schlußteil wird daraus gefolgert, daß die kleinliche Bedenklichkeit, wieviel man wagen könne, wieviel man sich leisten dürfe, lächerlich erscheint angesichts der Dynamik der elementaren Naturgewalt, die sich auf jeden Fall durchsetzt, wenn nicht in dieser Generation, dann in der nächsten oder übernächsten. Die Gedanken werden in anderen Köpfen gedacht werden, die Kette reißt nicht ab. Das Gedicht endet in der Art einer Brechtschen Sentenz, Dauer im Wechsel festhaltend, das scheinbare Vorbei als Moment im Kontinuum definierend:

Also wir redend
Können nicht fragen, was es uns kostet:
Sei es der Kragen. Aber wenn
Wir nicht mehr reden können, wird doch geredet werden
Wenn der Regen aufhört, wird es doch Regen geben.

So zieht sich die Ungeduld — ein Schlüsselwort für eine ganze Generation von DDR-Lyrikern — Trost herbei, denkt in größeren Zeiträumen, läßt sich auf lange Prozesse ein. Man wird erinnert an die letzten Worte in Hermann Kants Roman „Die Aula", wo dem Helden Iswall durch widrige Umstände die große, freie, kritische Festrede versagt geblieben ist und er sich dennoch nicht irremachen läßt: „und hier wird schon noch geredet werden".[3] Diesen beschwichtigenden Zug hat die ähnlich klingende Formulierung Volker Brauns nicht. Bei ihm wird Entschiedenheit des subjektiven Auftretens gerade deswegen gefordert, weil man an die gleichsam naturgesetzliche Unbesiegbarkeit glauben kann. Bei Kant klingt der Schluß besänftigend, etwa in dem Sinne: Nun reg dich nicht auf, es kommt schon noch alles ins Lot! Brauns Formel ist dagegen anti-quietistisch, aber auch nicht gerade tollkühn. Den Kopf hinzuhalten, wird durchaus nicht als übermenschliche, heldische Tugend gewertet. Wie Brecht verwendet Braun den Begriff des Helden ohnehin eher pejorativ. „Zufriedene Helden schanzen sich in den Ebenen ein" beginnt sein „Lagebericht".[4]

Mut wird nicht zu einer Funktion der mehr oder weniger zufälligen Charakterstärke deklariert, Entschiedenheit wird vielmehr zu etwas Normalem gestempelt. Wie überhaupt das Reden vom gefährlichen Leben des Entschiedenen *cum grano salis* zu lesen ist. An der schon zitierten Stelle ist nur vom Kragen, nicht von Kopf und Kragen die Rede, was an Biermanns unterscheidende Fragestellung erinnert, ob es das Leben koste oder das Wohlleben ja nur. Beschimpftwerden ist die aktualisierte Form der potentiellen Bedrohungen, denen im Steigerungsfall die Intellektuellen freilich als Individuen nicht mehr widerstehen können als andere. Aber der Ernstfall ist jetzt nicht der Fall; es geht nicht um Blutvergießen, wie der wortspielerische Titel ausdrückt. Die nicht-antagonistischen Widersprüche werden im Entwicklungsprozeß aktiv, aber friedlich gelöst. So stehts in jedem Lehrbuch. Wurde das Gedicht geschrieben und soll es beherzigt werden, „um sinnloses Wutvergießen zu vermeiden"?

Braun läßt – wie so oft – das Subjekt seiner Passiv- oder Infinitivkonstruktionen unbenannt und gewinnt dadurch auch diesmal an ironischer Mehrdeutigkeit. Wessen Wut ist sinnloser, die der ungeduldigen literarisch-politischen Avantgardisten, die sich nicht mit Versprechungen auf die Zukunft nach der zu dauernder Prolongation anstehenden Übergangsperiode begnügen wollen, oder die der konservativen, dogmatischen „Inaktivisten", wie Braun sie nennt, die freilich sehr rege und rigoros werden können? „Überall regt sich was, ich kann es nicht kontrollieren! / Schmeckt mir nicht jeder Halm, mäh ich die Wiese ab"[5], heißt es in einem seiner kritischen Epigramme gegen die Gouvernanten, die an die Dichterkinder Milde und Strafe gnädig verteilen. Brauns kritische Intention, extrapoliert man sie aus dem Gesamtzusammenhang seines Werks, stützt die Interpretation, auch das wütende Schimpfen der ideologischen Wächter für sinnlose, weil auf lange Sicht vergebliche Müh zu halten. Inwieweit Braun damit halsstarrig an einem grundlosen, ja bodenlosen Optimismus festhält, soll hier nicht beurteilt werden.

Am Schluß des letzten Gedichts aus der neuesten, 1972 erschienenen Auswahlsammlung wird ein Motiv aus „Um sinnloses Wutvergießen zu vermeiden" variiert. Es handelt sich um eins der wenigen unmittelbar autobiographischen Gedichte. „Der Lebenswandel Volker Brauns"[6] schließt mit einer Momentaufnahme des gespaltenen Ichs:

> Für einen Augenblick in Dämmer seh ich meine Schienbeine glänzen
> Wie Totengebein, und ich liege abwesend von mir
> Und ich frage mich, ob ich zuviel nicht rede
>
> Zuviel nicht rede für unsern Kopf und Kragen.

Zuvielreden heißt nicht nur Angriffsflächen bieten, Verfolgung auf sich ziehen. Gemeint ist auch die Furcht vor der Wortinflation, an der er sich mit seinen Texten beteiligt. In dem Gedicht „Nach dem Treffen der Dichter gegen den Krieg" hatte sich Braun schon mit diesem Problem befaßt:

> Was bleibt, frage ich mich, von euern Worten
> Keiner sonst hält sie, und das Gedächtnis
> Ist sterblich, und das Papier bricht[7]

Vieles wird beredet und beschrieben, aber das tut nichts: Verschwendung erscheint als naturnotwendiges Prinzip der Lebenserhaltung. „Da ist so viel zuviel, doch weniger wäre zuwenig"[8], heißt der widersprüchliche Trost, der gesellschaftliche Vermittlungen wiederum durch Naturmetaphorik erläutern will, diesmal unter parodistischer Verwendung von Goethes Mailiedern. Das Dichtertreffen hatte in Weimar stattgefunden.

Heute scheint Braun nicht mehr ganz so überzeugt von der damaligen Rechtfertigung der Papierflut. Es gibt überall in seinem Werk Korrekturen, Rückverweisungen, Behauptungen des Gegenteils, in jeweils unterschiedlichem Kontext. („Kommt uns

mit Fertigem, sag ich / Der schon anders sprach [...]"[9] heißt es in „Der Bauplatz",
ohne daß damit doch die Forderung „Kommt uns nicht mit Fertigem! Wir brauchen
Halbfabrikate"[10] aus einem früheren Gedicht ausgestrichen wäre). Heute wie damals
geht Brauns „Anspruch" aufs Ganze, und zwar zum Selbermachen. Nur scheinbar ist
es ein weiter Weg von der unbekümmerten, einschränkungslosen Tonlage mancher
frühen Gedichte, in denen ohne Wenn und Aber formuliert wurde, bis zu dem „Doppelten Befund"[11] autobiographischer Erfahrungen in späteren Arbeiten. Wenn in
manchen Analysen der DDR-Literaturwissenschaft etwas von oben herab gesagt
wird, auf die Dauer sei Brauns frischer, provokatorischer Sturm-und-Drang-Ton
(„nicht selten übers Ziel hinausgeschossen"[12]) nicht durchzuhalten gewesen, wird
zwischen den frühen und den späteren Gedichten eine Trennlinie gezogen, die von
den Texten nicht gedeckt wird. Auch die laute Naivität mancher Texte aus den frühen sechziger Jahren war bewußt gefügt, nur scheinbar einfach herausgeschrien worden, wofür auch die in unmittelbarer Nachbarschaft stehenden, gleichzeitig entstandenen reflektierenden, dialektischen Gedichte sprechen. Braun hat den ihm als „Ma-
sche" unterstellten, nunmehr angeblich überwundenen Ton schon nicht durchhalten
wollen, als er seine Stimme erstmals erhob. Es mag sein, daß Braun seine Zweifel am
dichterischen Metier mittlerweile deutlicher anklingen läßt. „Und was sage ich schon.
(Was hab ich zu sagen?)"[13] heißt es in dem schon zitierten „Lebenswandel"-Gedicht.
Aber der Ironie übers Literatendasein hat der Autor nie den Einlaß versperrt. „Sie
schrieben für das Honorar und die Befreiung der Menschheit"[14], hieß es schon 1962
in „Vorläufiges" über die Dichter, denen man später nachsagen werde, sie seien ehrlich gewesen.

Der Überschrift des Titelgedichts seiner ersten Sammlung, „Provokation für mich",
hatte Braun eine merkwürdige Zeitbestimmung über das Ende der Poesie hinzugefügt:
„Als im dritten Viertel des 20. Jahrhunderts die Gedichte entbehrlich wurden."[15]
Das Gedicht versuchte, einen originellen Beitrag zum alten Thema Geist und Tat, Kon-
templation und Aktion zu geben, indem es die Lebenspraxis der Nichtpoeten mit der
kulturpolitischen Forderung nach dem „Positiven" in Beziehung brachte, um an dem
Schnittpunkt von alltäglicher Realität und erwünschter Bewußtseinsbildung den gesellschaftlichen Standort des Intellektuellen zu fixieren. Positiv erscheint das Tun
der Leute, die Adressaten von Dichtung sind — sie handeln, verändern, sind der Gesellschaft nützlich, und dies alles auch dann, wenn Dichtung sie nicht erreicht. Der
Text endet so:

> Wir aber rühmen nur, bessern nichts, sind entbehrlich.
> Wir nehmen uns selbst nicht für voll.
> Uns nenn ich noch: negative Dichter.[16]

Solange der Dichter Worte für weniger wirklichkeitsverändernd halten muß als ein-
greifendes Handeln (und wenn auch nur als Rädchen mit Mitspracherecht), leidet er
an einem Minderwertigkeitskomplex — seine Gedichte (Ruhmeskantaten mit und
ohne Gesang) erfüllen keine operative Funktion, sind bloße Bestätigungsliteratur;
sie garnieren oder verdecken die Realität mit feierlich angerichtetem Wortsalat. Die
Verfasser einer solch unnützen Art von Gedichten werden entbehrlich genannt. Die

Verallgemeinerung in der Überschrift, Gedichte seien überhaupt überflüssig geworden, darf wohl als übertreibender Bestandteil der Provokation aufgefaßt werden.

Soweit Kunst nämlich unruhig und unzufrieden zu machen imstande ist, hat sie für Braun den Charakter einer gesellschaftlichen Notwendigkeit. Er zeigt dies in der auf das Titelgedicht der Sammlung „Provokation für mich" unmittelbar folgenden Widmung für den Komponisten Paul Dessau, in der er den Versuch einer Verfremdung unternimmt: er beschreibt dessen Musik als Architektur.

> Aber er hat niemals für ein Gefallen gearbeitet:
> Sondern daß sich die ruhigen Leute
> Selbst nicht mehr gefallen.[17]

Kein Zweifel, daß Braun hier an Dessau lobt, was er selbst als Kern seiner Wirkungsästhetik empfindet. Die „Verführung zur Ruhe", wie man die Müdigkeit verklären könnte, erscheint Braun als Gefahr, der auch er erliegen könnte, der er also heftig widerstreben muß. Das Motiv findet sich an vielen Stellen: „Manchmal scheint mir ein Weg bekannt. Diesen umgeh ich" (in „Landgang").[18] Oder in dem schönen Gedicht „Das gelbe Zimmer", wo die vertrauten Möbel an die Gedanken erinnern, „die ich nicht mehr aufgeb". Auch hier bleibt Widerstand gegen die liebgewordene Einrichtung im Kopf nötig; eher könnte man dem Wunsch nachgeben, die gewohnten Dinge beim Umzug mitzunehmen:

> Und ich fürchte, ich werde den Stuhl
> Und den Leuchter oder das Buch
> Um mich dulden. Aber aus den Gedanken will ich
> Aussteigen, jeden Tag, im Stuhl
> Will ich an andres denken, aus dem Buch
> Will ich andres lesen [. . .][19]

In dem Gedicht „Die Grenze", das sich dem heiklen Thema der Notwendigkeit und Fragwürdigkeit der Berliner Mauer stellt, wird als Gefahr das bequeme Sich-Einrichten hinter geschlossener Tür genannt:

> Aber das mich so hält, das halbe
> Land, das sich geändert hat mit mir, jetzt
> Ist es sicherer, aber
> Ändre ichs noch? Von dem Panzer
> Gedeckt, freut sichs
> Seiner Ruhe, fast ruhig? [20]

(Ich habe hier nach der in der DDR veröffentlichten Zweitfassung des Texts zitiert. Zuerst erschien das Gedicht unter dem Titel „Die Mauer" 1966 in Enzensbergers „Kursbuch" Nr. 4. Darin war an der angeführten Stelle von dem halben „Ländchen" die Rede. Auch im übrigen wurde der Text stark verändert und vor allem in den kritischen Passagen abgeschwächt. In diesem Zusammenhang gehört, daß ein Teil der Kritik an der sogenannten Grenzverschönerung an der Mauer entfiel, nämlich die Frage „[. . .] was sollen / Uns, daß wir ausruhn drin, Lorbeerhaine / Macht nicht wohnlich das Land dort / Wo kein Mensch wohnen kann [. . .]."[21])

Die Furcht, das Gedicht sei der notwendigen Anstrengung nicht gewachsen, sei vertane Energie, verabredetes Metier („und liefere meine Sätze"[22]), hat den gewaltigen zupackenden Sprachgestus Brauns an die Realität angebunden, seinen Höhenflug vom aufgebrochenen Blickfeld in der Ebene her beobachtbar gehalten. Der Sarkasmus in einem polemischen Gedicht gegen Enzensberger war ein zielos geworfener Stein aus dem Glashaus: „Ein neuer/Luxus bricht aus vor dem letzten Krieg: das Gedicht!"[23] Frühzeitig erkannte Braun die mögliche Unverbindlichkeit auch des grimmig-kritischen Gedichts, der satirischen Attacke. Nicht erst das späte Epigramm übers Abreagieren des aufgestauten Unmuts zeigt selbstironische Züge:

> Zwei solche Zeilen wie zwei Zahnreihn hart aufeinander
> Da! den Grimm bin ich los, er beißt noch ins Papier[24]

Während Biermann, wie er ironisch sagt, zu weit geht, weil andere kurz treten, versucht Braun unter dem Motto „wo alles widersprüchlich ist, darf auch ich es sein" Kritik und Apologie auf eine Weise miteinander zu vereinbaren, die manchmal an Opportunismus grenzt. Wir wollen die Schritte nicht zählen, die er zurückgeht, wenn er sich zu weit vorgepirscht wähnt. In seinem ersten Prosaband[25] zeigt sich diese Unsicherheit besonders kraß. Es fehlt der Halt einer strengen poetischen Form, und schon wirkt das Pathos der „Ungezwungenheit" neben alltäglichen Banalitäten unfreiwillig komisch. (Das Nachschwätzen der offiziellen Lesarten über den „Prager Frühling" zeigt, wie weit Braun politisch von Biermann oder Kunze entfernt ist.) Die Kritik daran, sich folgenlos den Unmut von der privaten Seele zu reden, bedeutet also gleichzeitig, Zurückhaltung und Selbstzensur zu rechtfertigen. Aber nicht jedes „Wutvergießen" muß sinnlos sein.

Jedenfalls hat Braun sich „rücksichtslose Schimpfereien" im Sinne Wolf Biermanns nie geleistet, obwohl andererseits gerade Brauns Zukunftslieder wie „So muß es sein" oder das „Lied vom Kommunismus" in Tendenz und Wortwahl enge Verwandtschaft mit Texten Biermanns zeigen. In einem allgemeinen Sinn ist beiden Autoren gemeinsam, daß sie Zukunft *auch* als utopisches Gegenbild zur Gegenwart entwerfen. Was kommen wird, ist ihnen nicht einfach die quantitative Erweiterung und Verlängerung des Gegenwärtigen, das nur „noch schöner und noch besser" wird. Selbst in den DDR-Veröffentlichungen, in denen Braun weitgehend positiv gewürdigt wird, erklingt die Warnung vor der Gefahr, man könnte aus seiner Haltung herauslesen, „daß die Gegenwart angesichts der erst zukünftigen Überwindung vieler Probleme als generell unbefriedigende Wirklichkeit für die Menschen heute erscheint".[26] Als Gegenmittel wird empfohlen, alle Gedichte im Zusammenhang zu sehen. Freilich dürfte auch das intensivste synoptische Lesen nicht davor bewahren, aus der Beschreibung der erwünschten Zukunft („Weil wir es wolln, und tun, und schrein / Muß es so sein"[27]) in einfachem Umkehrschluß zu ermitteln, daß die Gegenwart eben noch nicht hält, was die Zukunft verspricht, nämlich zum Beispiel:

> Man hält nicht Phrasen feil statt Kunst
> Verspricht dem Volk nie blauen Dunst
> [...]

Kein Bürokrat hockt windelweich
Die volle Wahrheit sagt man gleich
[. . .]

Herr Springer endet sein Gekeif
Die Mauer wird museumsreif
[. . .]

Wer dennoch unzufrieden bleibt
Und lächelnd schon die Zeit abschreibt
Den nennt man nicht mehr Feind und Schwein
So muß es sein.[28]

Braun hat sich allerdings oft bemüht, den Stellenwert der Mißstände zu bestimmen, ehe er sich bereitfand, deren Ausrufer auf dem Markt zu sein. Den „bedrückten Freunden" hat er in einer frühen „Mitteilung" kundgetan, daß der ihm, dem „Wahrheitsbesoffenen", kredenzte Sorgenschnaps verdächtig sei:

Ach, dann kleben die Sorgen zuckersüß
Am Gaumen, wo das Lied haust[29]

Vor dem Reden mit „künstlichem Rebellengebiß" zeigte Braun das Mißtrauen eines Autors, der Zorn, Wut und Empörung, Enttäuschung nicht passiv konsumierbar machen wollte („Wir sitzen nicht stumm mit glotzenden Augen"[30]). Die Reaktion der Leser, der Braun habe es „denen" (und nicht auch ihnen) „mal wieder gegeben", hätte ihn irritiert. Gelegentliche Umwandlungen von „Ihr/eure" in „Wir/unsre" mögen hierin ihren Grund haben. Braun sucht, so unverwechselbar im Ton er sich auch gibt, stellvertretend zu sprechen; wie in Brechts „Taoteking"-Gedicht der Philosoph den Zöllner braucht, der ihm die Wahrheit abverlangt, sucht Braun seinen Partner, der ihn nötig hat. In „Meine Damen und Herren" schlüpft er in die Rolle des Conferenciers und fordert das Publikum auf, seine geheimen Wünsche zu äußern.

Sonst müßt ich mich festlegen auf mich
Sonst müßt ich auf meiner Stelle treten[31]

Die Hoffnung auf Entbürokratisierung und Vervollkommnung des Sozialismus gründet Braun auf das durch Trägheit, Müdigkeit, Resignation, fortdauernde Entfremdung gehemmte Streben der Arbeiter nach Mündigkeit, nach wirklicher Ausübung der Herrschaft. Eine Unzahl von Gedichten enthält beschreibend, beschwörend, appellierend Variationen dieses Gedankengangs. Ich nenne nur „Regierungserlaß", „Wir und ihr", „Schauspiel" (eine Art Fortsetzung des früheren Gedichts „Jazz"), „Bleibendes", „Die Genossen", „Prometheus", „Fragen eines lesenden Arbeiters während der Revolution" (eine Art Fortsetzung von Brechts „Fragen eines lesenden Arbeiters") und „Öffentliche Meinung".[32] Dabei fallen ironische Wendungen gegenüber der von der Presse benutzten propagandistischen und agitatorischen Darstellungsart besonders auf, etwa „Lob trieft aus den Blättern"[33], „Souffleure funken ratlos dazwischen"[34], „Die Zeitungen melden unsere Macht"[35] usw. Man muß Jens Gerlach schon beipflichten, der seinem Kollegen bald nach dessen ersten Auftreten bescheinigte, er sei „kein selbstzufriedener Schönredner, der sich in seinem Staat wie in einem fertig vorgefundenen Nest wohlig einzurichten gedenkt".[36] In den Startlöchern zu kauern und zu jubeln, als sei man hinter dem Ziel, das ist eine der fatalen (aber überwindbaren) Situationsschilderungen, die Braun von der Arbeitsweise des bürokratischen Apparats gibt.

Dagegen setzt der Autor die „ständige Aktion der Massen, die ihre Macht ausbaun"[37], ohne daß er plausibel machen könnte, wo und wie das geschieht.

> Was glaub ich denn
> Wenn nicht ans uns? worauf
> Hoffe ich sonst: ist unsre Hand
> Faul, unser Feuer? . . .[38]

So heißt es in „Prometheus". Der Ich/Wir-Dialektik hat Silvia Schlenstedt eine längere Studie[39] gewidmet, in der sie auf bemerkenswerte Unterschiede in den beiden Druckfassungen des Gedichts „Arbeiter, Bauern" hinweist. Die Änderungen betreffen das Subjekt, an dem sich Veränderungen vollziehen. Charakteristisch ist zum Beispiel die Umformung von

> Jeder, wenn er sich
> Sah, sah sich geändert[40]

in

> Oft, wenn ich mich
> Sah, sah ich mich geändert[41].

Silvia Schlenstedt deutet die Variation so: „[. . .] er arbeitet offensichtlich daran, das Unterstellen einer erreichten Identität der Erfahrungen und Empfindungen (das die Wir-Form suggeriert), zu korrigieren." Er nimmt zurück, daß für jeden gilt, was er nunmehr nur dem Ich-Subjekt zuschreibt. Die alte Fassung habe einen Bewußtseinszustand unterstellt, den das Gedicht erst herstellen wollte, „der zwar die allgemeine Tendenz, noch nicht aber die allgemeine Regel ist".[42]

Das Gedicht „Arbeiter, Bauern" wendet sich polemisch an die „verdufteten Herrn", die von denen, die jetzt ihre eigene Sache betrieben, nie zurückgewünscht wurden, auch nicht in Zeiten der Schwäche, wenn „die Fahnen ruhn wie verraten". Für den sozialistischen Autor Volker Braun steht außer Frage, daß die spätkapitalistische Ordnung („euer alter Winkel") ohne Perspektive dahinexistiere. Viele antithetisch aufgebaute Gedichte lassen daran keinen Zweifel. Ob freilich das Reich der Freiheit im künftigen Kommunismus mit der Gewißheit elementarer Naturgesetzlichkeit heraufgeführt werden kann, bleibt Bedingungen unterworfen, die erst von den Massen hergestellt werden müssen, ehe sie für die Erreichung der ferneren Ziele ausgenutzt werden können. Die starke Betonung des subjektiven Faktors in der Geschichte läßt gerade nicht vergessen, daß Braun hier zu Exaltationen neigt und den Mangel an Evidenz durch die übersteigerte Überredungshaltung zu verbergen sucht. Als deklamatorisches Wortgeklingel ist Brauns Lyrik oft kritisiert worden.[43] Volker Braun hat in einer kurzen Antwort für sowjetische Leser über die Entwicklung der lyrischen Gattung in der DDR einen Satz hingeschrieben, der wohl seine eigenen Bemühungen selbstkritisch in die Beurteilung einschließt: „Die Lyrik ist noch immer das zwiespältigste Genre, größe Laschheit steht größter Angespanntheit gegenüber."[44]

Beispiele für deklamatorische Übersteigerungen gibt es genug. So heißt es in „Wir und ihr":

Was ist nicht möglich hier
Auf der freien Strecke, hier ist kein Halt
Wenn wir die Finger lassen von den Bremsen
Das ist erreicht, es liegt
In unserer Hand, unserm Feld
Und wird aufgehn, ein blühender Donner
In der Geschichte: wenn wir nur wolln
Und wünschen und tun, aber wie
Was an uns liegt.[45]

Die subjektiven Bedingungen (Bremsen freigeben, sowie allgemeiner: wolln und wünschen und tun) werden durch den Zusatz „was an uns liegt" eingeschränkt. Jedenfalls ist diese Deutung möglich. Es kann zwar auch gemeint sein, daß dies alles (nur) an uns liegt, aber das unscheinbare „aber wie", das vom Schluß, einer exponierten Stelle, wo es skeptisch wirken müßte, weggerückt worden ist, deutet eine gewisse Ratlosigkeit über den Weg der Verwirklichung an. Auf verdeckte Weise räumt Braun gelegentlich ein, daß es auch hinderliche objektive Faktoren gibt, die auch der aktivste und bewußteste Wille der Massen, so er sich überhaupt organisiert, nicht übersehen oder gar überwinden könnte. Braun selbst hat die westdeutschen Linken einmal getadelt, weil sie nicht beachteten, daß in der DDR „Ideen zur Praxis wurden und sich Verhältnisse aus Sand, Stahl, Beton und Fleisch nicht schnell bewegen lassen wie Ideen. Gegen eine taktische, vorsichtige Politik läßt sich vom Standpunkt Ziel immer viel *sagen*. Die ins Handeln verwickelt sind werden alsbald auf einige harte Notwendigkeiten stoßen mit ihren schnellen Köpfen."[46]

Volker Braun, der sich solidarisch zeigte mit Kollegen, die Schwierigkeiten mit den Behörden hatten — er exponierte sich dabei allerdings nicht schwarz auf weiß —, ist selbst lange angegriffen worden. Die unregelmäßige rhythmische Form, die von Majakowski und Whitman herkam, war dem Schema schneller Eingängigkeit so wenig untertan wie der verschachtelte Odenstil Hölderlins oder Klopstocks, die für die späteren Gedichte vorbildhaft wurden. Bei Brecht ließen sich Dialektik und Weisheit (oder wenigstens deren Gestus) und die didaktische Kunst der Weitergabe lernen. Die Traditionslinien konnte man in der DDR also nicht als Irrwege anprangern. So hielt man sich an die verderbliche Verführung der Jungen durch einen Jungen.

„Provokationen für mich" vereinte schon im Titel ein öffentliches Ärgernis mit extremem Subjektivismus. Die Diktion wurde als Kraftmeierei angeprangert, den politischen Fehler rubrizierte man als Anarchismus. Hans Koch erregte sich über das Gedicht „Jazz", weil es die individualistische Haltung „Ich bin ich" zum moralischen Programm „Sei du" verallgemeinere. Braun hatte im Exempel der freien Jazzimprovisation eine geeignete Metaphorik für die Erweiterung des Freiheitsraums gefunden. Auf Beispiele wie „Das Klavier seziert den Kadaver Gehorsam" oder „Das Saxophon zersprengt die Fessel Partitur" folgte die Konklusion: „bewegliche Einheit — Jeder spielt sein Bestes aus zum gemeinsamen Thema". Für Koch war dies ein anarchistisches Programm; vor allem empörte ihn das Fehlen eines Dirigenten und das disziplinlose Drauflosspielen. Er faßte im Sommer 1966 seine Kritik so zusammen: „„Dialektisches Gehabe' um jeden Preis, das unbekümmert um Realitäten auszieht, in jedwedem Ding den ,Widerspruch' denken zu lernen, verläßt den Boden materialistischer und historischer Dialektik. Es wird am Ende zu steriler Intellektualität, die sich am fortschreitenden Leben nicht mehr bewähren kann."[47] Die Entgegensetzung von sterilem Intellekt und offenbar gesundem Leben weist schon im Vokabular auf eine in der deutschen Tradition wohl unausrottbare Wertskala, in der Herz vor Verstand rangiert. Das „Organische" wird gegen das „Ausgeklügelte" ausgespielt — wir erinnern an das Niveau, auf dem in der DDR lange Zeit die Diskussion um Brecht geführt worden ist.[48]

Immerhin hatte der Beschuldigte knapp zwei Monate später Gelegenheit, in einem Interview mit dem (ihm unfreundlich gegenübertretenden) Kulturredakteur Klaus Höpcke vom „Neuen Deutschland" Stellung zu nehmen: „Ich will nichts sagen gegen den Wunsch, Gedichte mögen die sozialistische Wirklichkeit lediglich feiern — außer: was heißt feiern? Und was heißt diese Wirklichkeit? Ist sie nicht die Revolution, also etwas sich Umwälzendes, nie mit sich Zufriedenes, sondern Selbstbewußtes? Ist denn die Wirklichkeit noch im Gedicht, wenn sie plötzlich ein — wenngleich schöner — Status ist, mit dem sich das Gedicht abfindet? Wenn sie kein Prozeß mehr ist, der nach vorn offen ist: und auch offen als Auslug und Schießscharte des Gedichts? Heißt es diese revolutionäre Wirklichkeit feiern, wenn man sie behandelt wie eine Misere: als hätte sie nicht Möglichkeiten, als wäre nichts zu machen mit ihr, als wäre sie *unter aller Kritik?*"[49]

Die plakative Feier-Lyrik hat Braun immer abgelehnt. In „Wir und nicht sie" heißt es: „[. . .] ich faste auf Festen, die mit Worten / Den Frieden mästen [. . .]"[50], und im „Lagebericht" ist von „Schaumschlägertrupps" die Rede, die die „permanente Feier" verkünden.[51] Die Jugend-Gedichte trugen ihm den Vorwurf ein, den dem Sozialismus angeblich ganz wesensfremden Generationskonflikt künstlich in die Gesellschaft hineintragen zu wollen.[52] Besonders das Gedicht „Mitteilung an die reifere Jugend" mit der Anfangszeile „Nein, die Bäume unserer Lust könnt ihr nicht konstruieren" wurde dem Autor übelgenommen, der seinen Kritikern eine Zueignung unter dem Stichwort „Generationsproblematiker" widmete: „[. . .] der Braun z. B. ist grau wie Methusalem und / Noch nicht geboren, wenns sein muß. Keinen Verfolgungswahn bitte."[53]

Mitte der sechziger Jahre machte sich das Establishment daran, durch das Abwürgen einer großen Lyrikdebatte die Freisetzung sprengkräftiger poetischer Energien zu verhindern. Denn bei der Überlegung, was daraus noch werden könnte, rechneten die Ängstlichen an den Schalthebeln der Macht wieder einmal mit dem Schlimmsten, der „ideologischen Aufweichung". In diesen Jahren hatten sich Gedichte an und über ältere Genossen gehäuft, nicht nur bei dem *enfant terrible* in Sauriergröße, Wolf Biermann, sondern auch bei Rainer Kirsch, Kurt Bartsch und anderen. Generationskonflikt durfte nicht sein — denn was tat der Staat nicht alles für seine Jugend! Zur Stützung der politischen Argumente wurde bei den (beinahe verlorenen Söhnen) das Dankbarkeitsgefühl eingeklagt: Ging es euch denn jemals so gut wie heute? hieß die für junge Leute wenig plausible Frage.

Erst neuerdings wird das Thema vorsichtig wieder angerührt — wenigstens Generations*unterschiede* darf es jetzt geben. Günther Deicke (Jahrgang 1922) schreibt in einem Porträtartikel über Volker Braun (Jahrgang 1939), daß sie beide wirklich und wahrhaftig zwei verschiedenen Generationen angehören. Brauns Generation nämlich sei die erste, die bereits völlig geprägt worden sei von der Deutschen Demokratischen Republik. Er und seine Altersgenossen „[...] entdeckten, wo wir Fortschritt sahen, schon Unvollkommenheiten". Sie hätten „die Schärfe und Härte und Lösbarkeit der nichtantagonistischen Konflikte" in der Praxis demonstriert. Deicke, nun schon nahe daran, das verpönte Wort in den Mund zu nehmen, wagt es − um es schnell wieder auszuspucken: „Es gibt in unserer Gesellschaft keinen Generationskonflikt, das wird mir bei jedem Gespräch gerade mit Volker Braun immer wieder bewußt, aber jede Generation hat ihre eigenen Probleme, die man nicht einfach vom Tisch wischen darf."[54]

Während vor noch nicht allzu langer Zeit Braun sich − wegen mangelnden Kontakts zur Arbeiterklasse − den Vorwurf des Monologisierens zuzog, obwohl er die Bauplätze der Schwarzen Pumpe nicht nur vom Hörensagen und auch nicht vom flüchtigen Autorenbesuch studienhalber, sondern als Arbeiter kannte, hat die vorsichtige Loslösung aus den Erstarrungen der ausgehenden Ulbricht-Ära zu einer Rehabilitierung Volker Brauns geführt. Sie war um so leichter, als er immer nur angefeindet, aber nie verfemt worden war. So erhielt er 1971 den Heinrich-Heine-Preis. In der Begründung hieß es, sein lyrisches Schaffen trage dazu bei, die Welt, in der wir leben, Menschen und ihre vielfältigen Bezüge zur Wirklichkeit unverkennbar sozialistisch zu begreifen.[55] Diese − zweifellos verspätete − Auszeichnung gehört zu den vorsichtigen kulturpolitischen Signalen, die das Ende der Stagnation anzeigen könnten. Das Mißtrauen gegen Braun und seine Kollegen, die weiter gehen als er und ihre Kritik konkreter formulieren, ohne den damit Gemeinten Gelegenheit zu geben, sich nicht betroffen zu fühlen, ist aber nicht verschwunden. Deicke deutet das an, wenn er Braun als einen charakterisiert, der die Wirklichkeit mitunter gegen den Strich bürstet: „Dann sagen manche − und das war gerade bei seinem letzten Gedichtband der Fall, noch bevor er erschienen war −: ,Das ist nicht unsere Wirklichkeit' − Doch, das ist sie, aber manchmal mit gesträubten Haaren."[56]

Auf der Umschlagseite der 1972 im Leipziger Reclam-Verlag erschienenen Auswahl seiner chronologisch geordneten Gedichte aus den Jahren 1959 bis 1971 steht ein langer Satz Volker Brauns über die Absichten, die seine Dichtung verfolgt. Er formuliert einen Anspruch, aber was er damit exakt bezwecken will, bleibt verschwommen. Indirekt weist dies auf eine Hauptschwäche auch der Braunschen Gedichte: sie wollen zuviel auf einmal sagen. Das einzelne Gedicht sucht zu oft eine geschichtsphilosophische Totalität zu erfassen und verläßt sich nicht auf die poetische Kraft eines beschränkten Ausschnitts. So ergänzen sich die Gedichte zu wenig, sie variieren vielmehr Grundideen. Die Möglichkeiten eines poetischen Zyklus werden aber nicht ausgeschöpft, wenn Beglaubigung vor allem durch Wiederholung erreicht werden soll. Dennoch gehört Braun zu den bedeutendsten Lyrikern der DDR. Die sprachliche Leistung, politische Gedichte nicht dem Gewäsch des täglichen Zeitungsvokabulars auszuliefern, muß hoch veranschlagt werden, ebenso die Emanzipation vom Kriterium der schnellen Verständlichkeit („einmal gelesen, kaum was verstanden − Mist!") und vom Kriterium der naiven Widerspiegelung[57] des dem Genossen Jedermann längst Bekannten und Vertrauten.

Der lange Satz Volker Brauns lautet: „Die insgesamt vom Zustand der Gesellschaft erzählende Dichtung, die keine ‚Nachahmung' der Wirklichkeit gibt (die Wirklichkeit nicht als Selbstverständliches gibt), sondern bewußt eine aktive Haltung zur Wirklichkeit einnimmt, die bewußt bestimmte Emotionen, Haltungen zu erzeugen sucht, ohne ihre eigene Unfehlbarkeit zu suggerieren (die also die Vorgänge und sich selbst der Kritik anbietet), kommt der Politik ins Gehege: als Partnerin."[58] Das ist ein konfliktträchtiges Angebot. Laut „Deutschem Wörterbuch" heißt „einem ins Gehege kommen" soviel wie „in das Gebiet eingreifen, das er als ihm zukommend betrachtet".[59] Wird die Partnerin Poesie in diesem Sinne ihren Part spielen können?

Der Zorn des Zufrühgekommenen

Wolf Biermanns Reflexionen über Wort und Tat

Hätten Sie uns in unserm gerechten Kampf der Jungen
gegen die fossil gewordnen Alten vor drei Monaten durch
Ihre unqualifizierbaren äußeren Formen nicht beide so
kompromittiert, wir säßen heute noch in der Partei! –
Ach wat! Acht Zoll Schnauze! Dets die Hauptsache.
Arno Holz, „Sozialaristokraten", I. Akt

In der Märchenkomödie „Der Drache" des sowjetischen Dramatikers Jewgeni Schwarz
(1896–1958) aus dem Jahre 1943 tritt in einer winzigen Nebenrolle ein kleines graues
Männchen mit einem Saiteninstrument auf, „der Meister der Instrumentenbauerzunft".
Als die Chance besteht, daß Lancelot das Land vom Drachen befreit, versichert der
machtlose Künstler dem Helden, daß er (und sein sensibles, wie ein Mensch reagieren-
des Instrument) die Erlösung von Zwang, Gewalt und Druck erwarten und erhoffen.
Zum Schweigen verurteilt, in Passivität und Lethargie versunken, warten sie auch
jetzt, um im Falle des Erfolgs die Freiheit wie ein Geschenk entgegenzunehmen: „Der
Drache hat uns still werden lassen, und still – still haben wir gewartet. Und nun ist es
soweit. Töten Sie ihn, und schenken Sie uns die Freiheit."[1]
   Wolf Biermann hat in seiner Version des Stücks aus dem Instrumentenbauer einen
Dichter werden lassen, den er sowohl dem Umfang der Rolle wie auch seinem politi-
schen Gewicht nach aufgewertet hat. Wie das Original bei Schwarz ist die Figur alt
und resigniert – sie lebt am Rand der Gesellschaft in einer Art privater Emigration.
Hans Folk, der Drachentöter, trifft ihn, wie er gerade die Blumen vor seinem Fenster
begießt. Auf seiner Suche nach Helfern und Kampfgefährten sucht Hans Folk den
Dichter zum Mitmachen zu ermutigen, denn „es geht nicht ohne Solidarität". Aber
der Dichter erklärt nur allgemein seine Zustimmung und hält sich heraus. Einen
Kampfaufruf zu verfassen, erklärt er sich aus ästhetischen, „formalistischen" Gründen
für außerstande. Er singt das „Lied des verzagten Dichters", in dem es immer wieder
heißt:

Ich find nur Grau und Gräuliches
Kein bißchen Echt-Erfreuliches
Und seit ich keinen Sinn mehr fand
Falln mir die Worte aus der Hand
Die Bilder fallen von den Wänden
Und vom Regal aus tausend Bänden
Glotzt mich gelebtes Leben an.[2]

Die Unzufriedenheit mit seiner unwichtigen Funktion und mit dem Zustand seiner Sprachkunst ist aber doch ein latentes kritisches Potential, das ihn wenigstens unfähig macht, den liebedienerischen Ideologen des jeweils Mächtigen zu spielen. Er hält seine Kunst für ein Tun ohne Sinn und ohne Spaß, weil mit ihren Mitteln nicht der kleinste Beitrag zu politischen und sozialen Veränderungen geleistet werden konnte:

> Hätt ich auch nur mit jedem Wort
> aus meinem Bleistift *einen* Mord
> verhindert!
> Wärn alle meine Lieder Brot
> Hätt ich die Hungersnot auch nur
> gelindert!
> Befreite jeder feste Reim
> auch nur *ein* Vögelchen vom Leim
> der Ideologen!
> Und hätt ich vorm Palast mit langen
> Balladen nur die Eisenstangen
> verbogen!
> – das wäre gut und immerhin
> ein Sinn
> – das wäre schön und auch noch das:
> ein Spaß![3]

Diese Einsicht in seine Lage führt den Dichter schließlich dazu, einen zweiten Schritt zu tun und sich Hans Folk zuzugesellen, dem in seinem Kampf nur die Tiere beistehen wollen. Der Dichter ist der einzige aus der Bürgerschaft, der sich solidarisiert. Biermann gibt ihm, dem Intellektuellen, Gelegenheit in einem „polit-poetologischen Exkurs" die Grenzen und Schiefheiten eines metaphorischen Stücks von der Art des „Dra-Dra" zu bezeichnen, das sich letztlich der traditionellen Mittel der Sklavensprache bedient und damit der politischen Konkretheit ermangelt.[4] Biermann hat durch seine Dichter-Figur die Einwände gegen das Stück, die nach den wenigen westdeutschen Aufführungen laut wurden, selbstkritisch vorweggenommen. Ja, wollte man, was der Dichter an Zukunftsperspektiven nur andeutet, die das glückliche Ende des Märchens aufsprengen müßten, ausführen, wäre das Drachengedicht vollends in die Brüche gegangen:

> Was wird, wenn der Drache tot ist?
> Heißt das, daß dann nie mehr Not ist?
> Die Tiere – was wird danach aus den Tieren?
> Kriechen sie weiter auf allen Vieren?
> Bleiben die Bürger dann Bürger?
> Die Menschen Menschen und fressen
> noch Schweinefleisch? Und vergessen
> die Hunde sich dann zu flöhn?
> Wird es den Wanzen menschlich gehn?
> Das ist die Problematik des Paradieses:
> *Was frißt der Löwe?*
> Und noch dieses:
> Was soll ein Drachentöter machen
> liegt er endlich am Boden, der Drachen?

> O – peinliche Fragen! O peinliche Logik!
> Hier schwankt die poetische Pädagogik.
> Also: Jedes Gleichnis hat seine Tücke.
> Ein Gleichnis bricht wie eine Brücke
> wird sie zu schwer belastet. Wißt,
> daß dieses ein Gleichnis von einem Gleichnis ist![5]

Die Dichterfigur aus dem „Dra-Dra" formuliert also zwei für Biermanns Selbstverständnis konstitutive Grundprobleme: das Verhältnis von Wort und Tat und den Widerstand, den die Sprache einer zweckgerichteten und wirkungsvollen Literatur entgegensetzt, gerade wenn deren Kunstcharakter nicht zugunsten der sogenannten wirklich wichtigen Dinge aufgegeben werden soll. Auf diese beiden, eng miteinander zusammenhängenden Themen will ich mich hier beschränken.

Die frohgemute Gleichsetzung von gesungenem Wort und kämpferischer Tat, die Biermann sich metaphorisch nach dem Motto „meine Gitarre ist mein Maschinengewehr" erschlich, konnte nicht weit tragen. In dem ironisch-parodistischen Zusammenhang seines Poems „Deutschland. Ein Wintermärchen" mochte es hingehen, den eigenen Aktivismus von der kontemplativ-kritischen Position Heines abzusetzen. Daß Heine nur Vorbote der Revolution, aber kein Revolutionär war, während der Nachgeborene in einer Art „Personalunion" Künder und Täter zugleich sein will, kann ganz ernst nicht gemeint sein. Das Schockieren mit dem Maschinengewehr im Gitarrenkasten gehört zum Flirt mit einer hübschen und naiven Reisebekanntschaft, die auf seine Supermann-Tiraden skeptisch reagiert: „Sie wolln ein' wohl verkohlen?!"[6] Seine Lieder selber zu singen und nicht *nur* Texte an einen Verleger zu schicken – das kann den Unterschied nicht machen. Auf die Gitarre kommt es nicht an. Auch wer nicht mit eigener Stimmkraft für die Verbreitung seiner Gedichte sorgen konnte, durfte sich, wenn er wollte, des Slogans, Kunst sei Waffe, bedienen. Sind die Strophen also nichts weiter als ein neuerlicher Ausdruck der grenzenlosen Selbstüberschätzung, die Biermanns Gegner nicht müde werden, ihm vorzuwerfen?[7]

> Dem Dichter Heine folgte stets
> Ein Mann mit einem Beile
> Er war die Tat von Heines Geist
> Und teilte aus die Keile
>
> Ich teil die Keile selber aus
> Mit dem Maschingewehr
> (Die Arbeitsteilung: Kopf und Hand
> Genügt uns heut nicht mehr)[8]

Biermann bezieht sich auf seine „Vorlage" und distanziert sich zugleich von ihr. In Kaput VI und VII von Heines Gedicht erscheint die personifizierte Tat von Heines Idee. Freilich kann jener vermummte Mann mit dem Richtbeil nicht mehr darstellen als die Ausgeburt eines poetischen Gedankens. Er ist eine Exekutive mit ausschließlich dichterischer Lizenz:

> „Ich bin von praktischer Natur,
> Und immer schweigsam und ruhig.

Doch wisse: was du ersonnen im Geist,
Das führ ich aus, das tu ich.

Und gehn auch Jahre drüber hin,
Ich raste nicht, bis ich verwandle
In Wirklichkeit, was du gedacht;
Du denkst, und ich, ich handle."[9]

Was den Heutigen nicht mehr genügt, muß ihnen paradoxerweise doch genügen. Denn auch Biermanns „Waffenschein" ist auf dem geduldigen Papier der Literaten ausgeschrieben. Das Reglement der „Instrumentenspielerzunft" wird nicht dadurch durchbrochen, daß einer auf sein musisches Arbeitsgerät ein militantes Etikett klebt.

Dennoch scheinen Auftritts- und Publikationsverbot zu beweisen, daß Biermann sich tatsächlich einer gefährlichen Waffe bedient. Unentwegt bescheinigt zu bekommen, daß dem gedruckten und gesungenem Wort ins politische Gewicht fallende Folgen zugetraut werden, stärkt auch das literarische Selbstbewußtsein, läßt den Zweifel an der Effektivität des eigenen Tuns schneller verstummen als unter liberal-anarchischen Bedingungen, unter deren Herrschaft die Geistesprodukte sich gegenseitig in der Vielfalt ertränken. „Die einst vor Maschinengewehren mutig bestanden / fürchten sich vor meiner Guitarre" — so beginnt die „Antrittsrede des Sängers".[10] Maschinengewehr und Gitarre werden in diesem Zusammenhang also gerade nicht miteinander identifiziert, sondern gegeneinandergesetzt. Kommunistische Revolutionäre, die von Biermann in so vielen Variationen besungenen und beschworenen „alten Genossen"[11], verhalten sich als Verteidiger der neuen Staatsmacht furchtsam. Sie haben Angst vor einer harmlosen Gitarre.

Denn sie bleibt harmlos — auch wenn die Gegner das nicht glauben mögen, weil sie der idealistischen Festrede von der „Macht des Geistes" zuviel Vertrauen schenken. Biermann weiß das und läßt sich durch den Kleinmut der anderen nicht von der grüblerischen Reflexion über den Sinn und den Nutzen kritischer und aggressiver sozialistischer politischer Lyrik entbinden. Nur: Weil man mit den Zähnen, die man hat, keine Ketten zerbeißen kann, muß man sie sich nicht gleich selbst ziehen. Deswegen die scharfe Kritik an den gemütlichen Verschönerern, den dichtenden Zuckersäcken. Den Glückseintopf will und kann er nicht liefern („Tischrede des Dichters"[12]). Die Distanzierung von einem bestimmten Dichtertyp („Ich bin kein deutsches Lyrikschaf"[13]) zieht sich durch die meisten alten und neuen Texte. Die ironische „Selbstkritik" am Ende der Villon-Ballade hat Biermann in „Das macht mich populär" noch einmal wiederholt, als er in die Rolle eines „Nationalpreisträgers Erster Klasse" schlüpfte. Die beiden Parallelstellen lauten:

Ich bin ein frommer Kirchensohn
Ein Lämmerschwänzchen bin ich
Ein stiller Bürger. Blumen nur
in Liedern sanft besing ich.[14]

und:

Die Milch von eurer Denkungsart

132

Melk ich in Aufbau-Bände
Ich pflück euch Blumen, sing dabei
Ein Lied auf Mutterns Hände
Dann zieht in mich die Weisheit ein
Die Stirn wird licht und lichter
Ich sing im Chor und werde ein
Kaiser-Geburtstags-Dichter.[15]

Häufig hat Biermann polemisch die opportunistischen Dichterkollegen beim Namen genannt, die unter das „Lämmerschwänzchen"-Verdikt fielen, ja er hat eigene Lieder aus den frühen sechziger Jahren in selbstkritischer Rückschau ebenfalls der schlechten Harmonisierung bezichtigt. Die Loblieder auf die guten Sozialisten, „gut für eine neue Zeit", hat er gar nicht mehr veröffentlicht. Selbst als Kinderlied getarnt (oder formal legitimiert) scheint ihm heute wohl sein „Erster Mai" („Im Kuhstall wird die Milch gemacht, / die Butter und der Frieden")[16] als zu neckisch. Den Tadel „Früher, wie lebendig waren deine Lieder!" dreht er zum Selbstvorwurf um. Damals habe er

wahrhaftige Lügen geplappert, vertuscht
die große Enttäuschung vor den Enttäuschten
die großen Fragen der kleinen Leute
kaschiert mit ihren kleinen Freuden
Altweibertränen und Kinderängste, ja
da noch schien mir der Schein in edler Einfalt
da noch brannte die Fahne im roten Licht der Metapher.[17]

Zu wissen, was man nicht will oder nicht mehr will, löst aber nicht das Problem der poetischen und der politischen Wirksamkeit. Bei kritischer Literatur, die sich verantworten läßt, die das Risiko nicht scheut und Anstoß erregt, stellt sich vielmehr mit besonderer Schärfe der Zweifel an tiefgehender Veränderung durch ein Medium ein, dessen gesamtgesellschaftlicher Stellenwert nicht bestimmt werden kann, weil weder positive noch negative Reaktionen den tatsächlichen Einfluß anzeigen, der allenfalls in langfristigen und mit objektiven historischen Abläufen verbundenen Prozessen wirkt. „Ironie reicht nicht aus" heißt ein Gedicht aus dem Bändchen „Für meine Genossen", das eine Reihe von Reflexionen über die Sprache enthält, zur Überraschung vieler, die Biermann nur als volkstümlichen Liedermacher kennen. Wenn Literatur nicht „ausreicht", wie gemäßigte Männer der Tat verkünden, während ihre radikalen Brüder sie gleich für unnütz oder schädlich, für Ablenkung oder Luxus halten, dann stimmt Biermann in dem Sinne zu, daß überhaupt nichts ausreicht, weder Emotionen dieser oder jener Art noch auch Gewalt, weder Schweigen noch Schreien, wenn das Ziel die Erlösung der Menschheit sein soll. Das Gedicht endet mit der gleichen Frage wie jener „polit-poetologische Exkurs" des Dichters aus dem „Dra-Dra":

Sich selbst verdrehen die Worte in den
Worten verdrehen die Münder sich
an den Haaren der Erkenntnis herbeigezogen
so zerren wir am eigenen Schopf uns
aus immer neu eroberten Sümpfen

Die Welt, Gott, ist leicht zu retten!
Mensch, aber wer rettet die Retter?![18]

(„Wer belehrt den Lehrer?"[19] hatte Brecht gefragt).

Jene weisen Pädagogen, die scheinbar fürsorglich und in Wahrheit besitzanzeigend von „unseren Menschen" sprechen, geben sich als Realisten, die sich darauf einstellen, daß der Sozialismus nur *mit* den Leuten gemacht werden kann, die da sind; er kann aber auch nur *von* den Leuten gemacht werden, die da sind. Für Biermann wird sogar die Geschichte der blutigen Machtkämpfe unter Genossen mitsamt dem eiligen Schlußstrich-Ziehen unter dieses Kapitel zum (moralischen) Problem der Sprache. In „Die Lebenden und die Toten" kommentiert er ein Gespräch mit den Mördern, die „nichts mehr davon wissen und nichts mehr davon hören wollen" am Ende so:

Was vorbei ist, ist nicht vorbei
Was wir hinter uns haben, steht uns bevor
Und ein Wort gibt nicht das andre, denn
Die Sprache der Mörder ist nicht die Sprache.[20]

Sprache soll vor usurpatorischem Zugriff bewahrt werden, aber hilft das? Was ist hier zu verteidigen, auf den Spuren von Karl Kraus? Moralische Integrität als sprachliche Integrität? Die Sprache der Mörder ist *doch* die Sprache, der sogenannte Unmensch *doch* ein Mensch. Biermann versucht schwierige Themen im Gedicht abzuhandeln, möglichst unter Beibehaltung „einfacher Redeweisen". Er überfordert damit gelegentlich die ihm zur Verfügung stehenden Formen, denn er will ein hohes der Sache gemäßes, aber emotional aufgeladenes („singen" und „stöhnen") Niveau halten, ohne dem deutschen Laster des die Praxis überfliegenden Theoretisierens zu verfallen. In dem frühen Gedicht „Über das Elend der Philosophie" von 1961 hatte er noch aus der deutschen Tradition der „geistigen Revolutionen" eine ironische Betrachtung über den Auseinanderfall von Theorie und Praxis werden lassen mitsamt den aus überstürzten Korrekturversuchen herrührenden schlimmen Folgen, die die Philosophen aus schlechtem Gewissen auf sich nahmen und die die Trennung des Denkens vom wirklichen Leben nur beschleunigten. Die ersten vier Zeilen wirkten wie eine Versifizierung der Engelsschen Bemerkung, „die Ungeschicklichkeit der deutschen Sprache für den Handgebrauch bei enormer Leichtigkeit in Behandlung der schwierigsten Themata ist mit Ursache – oder Symptom? – der Tatsache, daß die Deutschen in den meisten Fächern die größten Männer haben, daneben aber die Massenproduktion ungewöhnlich schlechter Schund ist".[21] Bei Biermann hieß es ein wenig herablassend:

Die deutsche Sprache ist geistiger.
Die Probleme der Deutschen sind geistiger.
Die Philosophie war der flinke Hinkefuß unseres Volkes
Die Philosophie wird uns das Fliegen beibringen.[22]

Am Ende stand die Philosophie, unfähig zur rettenden Tat, mit abgeschlagenen Händen auf dem Sockel der Nation.

Zehn Jahre später grübelt Biermann über eine Metasprache nach. Jetzt können ihm Taten so eitel wie Worte sein. Die schematische Antithese ist aufgelöst. Erneut relativiert er in dem Gedicht „Sprache der Sprache" die metaphorische Ausdrucksweise, die sich Naivität ausborgt, weil die Mittel, den komplizierten Sachverhalt exakt zu bezeichnen, fehlen, die Sklavensprache sich also so sehr verabsolutiert hat, daß ihre Ersetzung utopisch erscheint:

> Was da über uns kam, wie Kinder nennen wir es
> Drache: wir reden wieder in alten Bildern
> die neuen Worte zerschellen an den neueren Apparaten
> und die haltbaren Worte sind längst verbraucht.[23]

Die Machtlosigkeit des Worts wird einbekannt. Der spielerische Umgang mit den Wörtern, den die ernsteste Absicht nicht aus dem artistischen Sprachlabor verbannen kann, muß harmlos bleiben vor tödlicher Bedrohung. Aber auch die revolutionäre Sprache der Gewalt ist kein Mittel der Verständigung. Daher steht nicht Reden oder Kämpfen zur Wahl; Aufklärung ist nicht schon Befreiung. „Wer seine Lage erkannt hat ...[24] / ist verlorener als andere, ach / dem Druck hinzugefügt wird / das drückende Bewußtsein des Drucks."[25] Am Schluß liefert Biermann Wortspiele und erinnert durch die Assoziation Gaskammer daran, daß, um Brecht zu paraphrasieren, der Wortspieler die furchtbare Nachricht nur noch nicht empfangen hat. Die wortlose Sprache des blutigen Ernsts hingegen wird von Lebenden und Überlebenden überhört — was nützt es, daß die Toten sie verstanden haben, sie verstehen mußten?

> Worte bezeichnen nur Worte und
> von Sinnen ist der Sinn. Das Namenlose
> längst ist es beim Namen genannt, aber
> Mund hat keine Mündung
> Kanonen haben keine Ohren, und
> Bleistift verschießt kein Blei:
> Wortspiele. Die Worte spielen
> wie Kinder noch in der Gaskammer
>
> Die deutliche Sprache der Gewehre
> verstehen immer nur die Erschossenen [26]

Biermann schreibt mehr und mehr aus einer Position des Trotzdem. Der auftrumpfende Ton wird zurückgenommen, der Zuversicht Bitterkeit beigemischt. Mit Resignation sollte diese nachdenkliche Haltung dennoch nicht verwechselt werden. Auch in dem Understatement „Wir mischen uns da bißchen ein"[27] steckt noch der ungebrochene agitatorische Impuls von einst. Aber die „Ermutigungen", die er früher vor allem solidarisch an andere adressierte, hat er jetzt auch selber nötig. Ein Vergleich zwischen der Peter Huchel gewidmeten „Ermutigung"[28] und dem „Selbstporträt für Reiner Kunze"[29], also zwischen zwei thematisch und formal sehr verwandten Gedichten, könnte das zeigen. Das Durchhaltenkönnen, der lange Atem erfordern größere Energien als der einmalige Akt, die Angstriemen von der Brust abzuschnallen. Die Irritation durch falschen Beifall und mißliebige Vereinnahmung verlangt eine klare Antwort. Gedichte sind nicht „auslegungssicher" zu machen; auch dem Publikum gegenüber ist nur die Position des Trotzdem möglich. Das Gedicht „Die Liberalen" wirkt wie die Schlußfolgerung aus Reiner Kunzes knapper Bemerkung: „Gedichte sind mißbrauchbar. Wie die macht".[30] Wenn die Liberalen seinen Schrei schmatzen, seine Trauer trällern, seine Hoffnung knödeln, was soll er tun?

> Soll ich nun darum gleich
> Steine backen? Gleich
> Essig keltern? Gleich
> schweigen? [31]

Auch die Illusion späterer Nachwirkungen ist verflogen. Keck hatte Biermann das 3. Kapitel seines „Wintermärchens" mit einer Vision jener fernen Tage beschlossen, in denen auf der ganzen Welt keine Armeen mehr nötig sein würden und aus den Lumpen der Uniformen etwas Besseres produziert werde, nämlich „holzfreies weißes Druckpapier / für meine Lieder".[32] Im „Kleinen Lied von den bleibenden Werten" wird sein Lied in den Verfallsprozeß einbezogen: ewig wird von ihm bleiben, daß es vergessen wurde.[33] In vielen Variationen vergewissert er sich jener bei Brecht so häufig besungenen Hoffnung des Volks auf den Wandel der Zeiten, in denen das Große nicht groß und das Kleine nicht klein bleibt. Zu dieser Dialektik gehört aber auch, daß *nichts* auf Dauer gestellt werden kann. In dem Hetzlied „Das macht mich populär" wehrt sich Biermann gegen einige seiner Widersacher, die ihn isolieren und mundtotmachen wollten, indem er sie zu Insekten werden läßt, die er im Bernstein seiner Balladen „verewigt", so daß jene „dicken deutschen Maden" noch den Schmuck der Frauen im Kommunismus zieren werden.[34] Wem der Mund verboten werden soll, wehrt sich, indem er ihn zu voll nimmt. Hetzlieder zur Selbstverteidigung dürfen den philosophischen Gedichten widersprechen; sie sind noch mehr als diese „situationsabhängig". Dem Rat bedrängter Freunde, die Tageskunst aufzuheben „für die nach uns kommen", kann nicht gefolgt werden.[35] Also müssen Brüche nicht gekittet, scharfe Kanten nicht geglättet werden. Wer Biermann „auf Widersprüchen ertappen" will, verwechselt seine Lieder und Gedichte, seine Stücke und Balladen mit einem „weltanschaulichen Gedankengebäude", das zum Einsturz gebracht werden könnte, indem man ein paar Steine herauszieht, die scheinbar zum Ganzen nicht passen.

Wenn Biermann den gegnerischen Terminus des „Hetzers" wie einen Ehrentitel akzeptiert, bezieht er sich wiederum auf Brecht, dessen Vierzeiler von 1941 aus dem Opernfragment „Die Reisen des Glücksgotts" er an den Anfang des Bandes „Für meine Genossen" stellte. Wie einen Schutzschild baut er das Gedicht vor sich auf und versieht ihn mit einer fiktiven Widmung des Meisters, der zum Denkmal degradiert sei und in dessen Schatten Sicherheit gefunden werden könne.[36] Erfahrungen mit Brecht, dessen Domestizierung zum modernen Klassiker zu gelingen scheint – sie gingen in das Gedicht „Brecht, deine Nachgeborenen"[37] ein – bestärken Biermann in der Meinung, den „Ewigkeitszug" abfahren zu lassen, ohne zuzusteigen. Auch von den Vorbildern läßt sich nur der Mut zum Trotzdem lernen.

Biermanns „Warte nicht auf bessre Zeiten"[38] verträgt noch nicht die Umdeutung, jene besseren Zeiten kämen doch nicht, man müsse sich also im Gegenwärtigen so gut es geht einrichten. Noch immer liegt in Biermanns Selbstverständnis der Akzent auf der Nutzlosigkeit des bloßen Wartens. Aber Geist und Tat, Schreiben und Tun werden von Biermann auf höherer Reflexionsstufe problematisiert, freilich zumeist in

Texten „ohne Noten". Auf sie, die ihn nicht populär machen, sollte in diesem Zusammenhang besonders hingewiesen werden.

Das letzte Wort Biermanns kündet — nach allen Rückschlägen — unbeirrt von aktiver Zuversicht; der Band „Für meine Genossen" schließt mit „So soll es sein — so wird es sein".[39] Die tätige Hoffnung ist durch Erfahrung belehrt worden. Ungeduld bleibt nötig als Gegenkraft zum spießigen Sich-Abfinden mit dem angeblich Unvermeidlichen. Aber diese Ungeduld muß geduldig werden und darf den zeitlichen und räumlichen Abstand zum Ziel nicht in falscher Optik verkleinern.[40] Das schöne Gedicht „Frühzeit" aus dem Jahre 1963 (mit den Schlußzeilen „Die Zufrühgekommenen sind nicht gern gesehn. / Aber ihre Milch trinkt man dann")[41] ist gültig wie vor einem Jahrzehnt. Noch immer herrscht Frühzeit. Wer kurze Fristen setzt, bereitet die Resignation vor. Biermann hält an der Überzeugung fest: Die Milch (der neuen Denkungsart) wird schon noch getrunken werden.

Mit Geduld und Kompaßnadel –
Wolfgang Harich als Essayist

Zuerst hab'k jejloobt, 't jippt ne birrjerliche Wissn-
schaft un't jippt ne sozialdemokratische Wissnschaft. (. . .)
Jetz jloob ick ib er haupt nich mehr an de Wissnschaft.
Jetz jeh 'k uf dn Kaptalistn los!
Arno Holz, Sozialaristokraten, IV. Akt

Die angeführten Sätze aus Arno Holz' Literatursatire hätte Wolfgang Harich in seinem Pamphlet[1] gegen den in Westeuropa am Ende der sechziger Jahre zu kurzer
Scheinblüte wiederaufgelebten Neoanarchismus zitieren können, um einen seiner
Hauptvorwürfe volkstümlich zu illustrieren. Soweit Wissenschaft die Erfolgsabhän-
gigkeit kollektiven solidarischen Handelns vom objektiven Reifezustand einer Gesellschaft nachweist, wie es der Marxismus tut, der ja nicht Weltinterpretation durch
Weltveränderung zu ersetzen, sondern Weltveränderung durch wissenschaftliche Welterkenntnis abzustützen sucht, gilt sie alten und neuen Anarchisten als Bremsfaktor.
Sie wird beiseitegeschoben, wenn aus ihr gelernt werden soll, unter welchen historischen Bedingungen Aktionen nützlich oder notwendig sein können. Ist diese ver-
meintliche Fessel gelöst, kann der von theoretischen Erwägungen befreite „blinde
Aktionismus" zum Sturm blasen, dessen einzig sicheres Ergebnis die bald nachfolgende Windstille sein wird. Der Propagandist der Tat geht einfach „uf dn Kaptalistn"
los oder auf dessen schwächere Handlanger und Systemvertreter.

 Die Thesen von Harichs Streitschrift können hier nicht diskutiert werden, weder
was die Berechtigung der historischen Analogien noch was die Phänomenologie anar-
chistischer Erscheinungsformen von heute anlangt. Das Buch wird ebenso wie andere
Arbeiten Harichs vor allem herangezogen, um daraus Zugang zum (marxistischen)
Selbstverständnis des Autors zu gewinnen. Die Vermutung scheint nämlich nicht abwegig, daß Harich mit seiner „Kritik der revolutionären Ungeduld", die rasche Umwälzungen ohne Rücksicht auf die Beharrungskraft der bestehenden Verhältnisse will,
auf verdeckte Weise auch Abschied nahm vom enthusiastischen Überschwang seiner
jungen Jahre. In den unter dem Titel „Als ich noch Prinz war in Arkadien" erschienenen Erinnerungen des Schauspielers Viktor de Kowa kommt häufig ein junger, blasser
Mann namens Wolfgang vor, der „fahnenflüchtig" geworden und in einer antifaschisti-
schen Widerstandsgruppe tätig – in dem Berliner Haus des Künstlers Unterschlupf gefunden hatte. De Kowa beschreibt den Einzug der Roten Armee in der Reichshaupt-
stadt so: „Eine ungeheure Aufregung bemächtigte sich unser. Vor allem Wolfgang war
ganz aus dem Häuschen. Er war nicht zu halten. Er setzte sich seine Schirmmütze auf
und stürmte davon. Wir wußten, daß irgendwo Straßenminen eingebuddelt waren. Er

wollte die Panzer warnen. Er kannte die Straße, die minenfrei war. Er rannte den Panzern entgegen und fuchtelte aufgeregt mit beiden Armen in der Luft herum."[2] Natürlich konnten die einrückenden Sowjetsoldaten mit dem spontanen Enthusiasmus des damals vierundzwanzigjährigen Wolfgang Harich nichts anfangen, der als Inspirator und Verbreiter von Flugblättern gegen das NS-Regime Mut und Risikofreudigkeit bewiesen hatte.

Aus der Rückschau betrachtet wirkt das kleine biographische Detail wie die Vorwegnahme von Harichs Haltung im Spätsommer 1956, als er ein antistalinistisches Programm für die DDR vorlegte, dessen „historisch unvermeidbare" Vorschläge sogleich realisiert werden sollten.[3] Überschätzung der eigenen Möglichkeiten und Verkennung der tatsächlichen Kräfteverhältnisse — auch an Harichs politischem Schicksal ließe sich revolutionäre Ungeduld anschaulich beschreiben. Im Westen höhnte man gelegentlich über den schwärmerischen Kämpfer mit den Methoden Garibaldis. „Er sägt an Ästen, auf denen noch gar nicht gesessen werden kann, und glaubt dabei, die höchsten Wipfel zu erklimmen."[4] Das nun ist ein Zitat aus dem genannten Pamphlet Harichs, ein Vorwurf gegen diejenigen „Anti-Autoritären", die die historische Entwicklung der Willkür des Wünschens auslieferten. Man müsse, so heißt es da sinngemäß, das Heranreifen objektiver Bedingungen beobachten und beeinflussen, von denen eine Begünstigung des eigenen Wollens erst später und nicht schon im nächsten Augenblick zu erwarten sei. Revolutionäre Ungeduld gaukle sich gigantische Effektivität des eigenen Tuns vor.

Im selbstkritischen Verfahren Harich *contra* Harich hat der gereifte Essayist für den Stürmer und Dränger von einst auch ein leises Wort der Verteidigung übrig. Denn im Marxismus fänden sich durchaus voreilige, übertrieben optimistische, von revolutionärer Ungeduld diktierte Prognosen; auch Marxisten könnten Gefangene ihrer abstrakten Forderungen werden. Als frühes Beispiel nennt Harich die Prognose des „Kommunistischen Manifests", die bevorstehende deutsche bürgerliche Revolution könne nur das unmittelbare Vorspiel einer proletarischen Revolution sein. Er schreibt dazu: „Man weiß, was daraus wurde. Tatsächlich bewirkten in Deutschland 1848/49 die Regungen des Proletariats nicht mehr, als daß die erschreckte Bourgeoisie unter die Fittiche des Feudalabsolutismus flüchtete und ihre eigenen demokratischen Losungen preisgab. In der Folgezeit ließ die deutsche proletarische Revolution noch siebzig Jahre auf sich warten, um selbst dann noch, 1918/19 mit einer Niederlage zu enden. Offenbar erzeugt also der Wunsch keineswegs nur Gott und Unsterblichkeit; offenbar kann er, wo der Glaube daran überwunden ist — so gründlich überwunden wie im Denken von Marx —, unter Umständen auch ein diesseitig gelobtes Land als Fata Morgana über den Durststrecken der Weltgeschichte aufscheinen lassen, dann nämlich, wenn er, wie hier, mit Zeitraffereffekt ganze Epochen der gesellschaftlichen Entwicklung in verkürzter Perspektive darbietet."[5]

Harich begeht also nicht den Fehler, Anarchismus und Marxismus in jeder Hinsicht so weit auseinanderzurücken, daß beide überhaupt keine Berührungspunkte mehr haben. Außer für das vorfristige Fixieren erwünschter und erwarteter Umwälzungen gilt das nach Harich auch für das gemeinsame Endziel der Herrschaftslosigkeit, also das Absterben oder auch Abschaffen des Staats, und für die Überzeugung, daß nach Erreichung dieses Ziels „das Wohl des Kollektivs bewirkt werden wird durch den Individualismus seiner eigenen Glieder".[6] Vom Aufgehen des Individuums in der Gesellschaft oder einem begrenzteren sozialen Kollektiv stehe im „Kommunistischen Manifest" nichts; zum Beleg zitiert Harich: „An die Stelle der alten bürgerlichen Gesellschaft mit ihren Klassen und Klassengegensätzen tritt eine Assoziation, worin die freie Entwicklung eines jeden die Bedingung für die freie Entwicklung aller ist."[7] Die Differenz liegt in dem Weg, der dahin führen soll. Während die Anarchisten im jeweiligen Jetzt und Hier sofort und ganz und gar verwirklicht sehen wollen, was fernes Endziel sein muß, betrachten die Marxisten die Diktatur des Proletariats als unabdingbare Voraussetzung künftiger Befreiung. Soweit im Marxismus partiell ähnliche Irrtümer wie bei den Anarchisten auftauchen, sind sie leicht korrigierbare Fehler, bei den Anarchisten werden sie als zum Wesen gehörige folgerichtige Konsequenzen aufgefaßt.

Ein erster wichtiger Grundsatz für das Selbstverständnis Harichs ergibt sich aus seinen Angaben darüber, wie der Marxismus der Verführung zum Wunschdenken begegnet. Das Marx-Engelssche Wissenschaftsethos sage nämlich den Tabus der Apologetik einen unversöhnlichen Kampf an. Strenge Wissenschaftlichkeit habe bei den Begründern des Marxismus einen derart hohen Rang eingenommen, als sei ihre Devise *„la science pour la science"* gewesen. Harich führt Stellen an, in denen Marx und Engels von dem Sinn für rein wissenschaftliche Forschung sprechen, der sich um praktische Verwertbarkeit nicht kümmert und im Gegenteil verlangt, nicht durch äußere Interessenstandpunkte belästigt zu werden. Fazit: „Es sind Gegengifte da, die das ‚Opium für Sozialisten' neutralisieren."[8] In dieser Gegenüberstellung von Wunschdenken (als übergreifender, nicht unbedingt klassenspezifischer menschlicher Antriebsstruktur) und Wissenschaftsethos ist freilich auch die Forderung nach Parteilichkeit tangiert, mindestens in ihrer vulgarisierten Form, die Wissenschaft zur nachträglichen ideologischen Begründung bereits voluntaristisch gefällter Entscheidungen anhält.

In seinem Essay „Der entlaufene Dingo, das vergessene Floß" findet sich eine Parallelstelle, in der historischer Sinn, der Verzicht auf die Aburteilung der Vergangenheit aufgrund „moderner" Maßstäbe, mit der Notwendigkeit von Wertungen zusammengedacht wird. Als Beispiel nennt er Marxens Protest gegen Wagners moralisierende Darstellung der Geschwisterliebe, die bei den alten Germanen sittlich gewesen sei und also nicht Wotans Zorn habe hervorrufen können. Dennoch dürfe man den Objektivismus, alles in seiner Art gut und schön zu finden, nicht in den Marxismus, der auch Anleitung zum weltverändernden Handeln sei, hineinschleppen, weil ihn dies an Haupt und Gliedern lähmen könnte. „Daher führt er ein heilsames Gegengift gegen jene ethnologische Hypertoleranz bei sich, das ‚Parteilichkeit' heißt und von dem er ab und an einen kräftigen Schluck zu sich nimmt."[9]

Da haben wir erneut den Begriff des Gegengifts, mit dessen Hilfe Harich sich einer Alternative, zugunsten des Sowohl-als-auch, entzieht. Wissenschaftsethos und Toleranz gegenüber den Fakten auf der einen Seite und Veränderungswille und Parteilichkeit auf der anderen Seite sind füreinander Gegengifte, oder weniger negativ ausgedrückt, Heilmittel. Jedes von ihnen kann den Organismus lähmen oder in hektische Unruhe versetzen, wenn es nicht unter ärztlicher Kontrolle angewendet wird. Aber wie hoch muß die Dosierung angesetzt werden? Wann wird Parteilichkeit zu öder Bevormundung? Wie wächst sich Toleranz zu Hypertoleranz aus? Wer trifft die

Diagnose und wer entscheidet über die Therapie? Ab und an ein kräftiger Schluck! – das erinnert weniger an den vorsichtigen Umgang mit den gefährlichen und oft bitter schmeckenden Arzneien eines Giftschränkchens als an die genußvolle Verfügung über ein reichhaltiges Sortiment an Alkoholika.

Tatsächlich ist ein privilegierter Arzt in dieser hübschen metaphorischen Geschichte auch gar nicht vonnöten. Der eigentlich ganz gesunde, geistig mobile selbstverantwortliche „Patient" sorgt allein für seine Selbstheilung, denn er weiß, was ihm gut tut. Die Pulle „Parteilichkeit", die dem Marxismus zum Beispiel so nottut, steht jedem Marxisten zur freien Verfügung, wenn es auch sein mag, daß andere ebenso nötige Tränklein nur auf Rezept ausgegeben werden. Denn Harich bedient sich ohne weiteres; der Text geht so weiter: „Der erste Schluck bewirkt jetzt bei mir ein wohltätiges Aufstoßen, das sich in der Frage artikuliert: [...]"[10] – ein Gedankengang wird fortgesetzt, auf den es hier nicht ankommt. Später genehmigt er sich einen weiteren Schluck aus der Flasche mit dem Etikett „Parteilichkeit". Er genehmigt ihn sich – er beantragt nicht erst bei irgend einer zuständigen Hauptverwaltung die Genehmigung dafür. Ähnliches darf man wohl auch für den Umgang mit anders etikettierten Flaschen ebenso notwendigen Inhalts vermuten.

Die Eigenverantwortlichkeit scheint der wichtigste Grundsatz für das wissenschaftliche und publizistische Selbstverständnis Harichs zu sein. Er gibt „die eigene Meinung zur Sache" bekannt. Polemisiert er gegen Freunde und Genossen im eigenen weltanschaulichen Lager, fehlt wie im Falle der Invektiven gegen den „Bearbeiter" Heiner Müller (nur dieser Funktion gelten die Angriffe) nicht der Hinweis, „einzig aus eigener Initiative" zu handeln, also in niemandes Auftrag, nicht als Beiträger in einer Kampagne, bei der das Wild, die Jäger und die Treiber ihre Rolle in einem zentral festgelegten Spiel übernommen haben. Auf geistiger Unabhängigkeit beruht die auf die Sache gehende und nicht durch politische Rücksichten gebremste Auswahl der Partner im Meinungsstreit. Harich griff an und rühmte ohne Weisung und ohne Ansehen der Person. Er gab sich nie dazu her, seinen Lehrer Georg Lukács zu schmähen, sondern gratulierte ihm in tiefem Respekt zum 85. Geburtstag im Jahre 1970[11] ebenso öffentlich wie fünfzehn Jahre früher, als die DDR ihn noch offiziell ehrte. Im „Spiegel" nannte Harich 1971 Lukács unbeirrt den bedeutendsten zeitgenössischen Vertreter des dialektischen Materialismus[12]. Bloch und Havemann wurden von Harich kritisiert, freilich nur solange sie in der DDR ebenfalls Tribünen für Erwiderungen hatten.

Hier sagt einer „ich", auch wenn es um objektive Sachverhalte geht. Der philosophische und kulturpolitische Essay „auf eigene Faust" ist die der kritischen Subjektivität auch des Marxisten gemäße Form. (Inwieweit das Mißtrauen gegenüber der „Abweichung" diese Form, wo man sie nicht gleich abschaffte, fast ganz absterben ließ, steht auf einem anderen Blatt.) Diese Form – und die Widerstände ihr gegenüber – bringen es mit sich, daß wichtige Stücke – manchmal die wichtigsten – als Abschweifungen und Nebenbemerkungen vorkommen. Man weiß, was es bedeutet, wenn ein Literat einen Essay mit dem Satz beginnt: „Dies wird eine Arbeit voller Abschweifungen, wie ich sie nicht mag."[13] Das heißt: „Lieber Leser, achte bitte genau auf meine Abschweifungen!"

Harich hat in seiner Gratulation zum 70. Geburtstag von Georg Lukács auf die

Einschiebsel in dessen Werk hingewiesen, indem er dem Jubilar schrieb, „wie gehalt-voll und richtunggebend wichtig oft die kleinen, über das jeweilige Thema hinauswei-senden Bemerkungen sind, die Sie in Parenthese zu machen pflegen".[14] Allerdings hielt Lukács sich mit knappen Exkursen zurück, was Harich selbst mit der in dessen Werken öfters wiederkehrenden Wendung belegt: „Nicht hier ist der Ort darüber zu sprechen."[15] Harich gönnt sich diese Vertagung auf später nicht. Vor allem in den letzten Jahren, in denen er — nach mehrjährigem Schweigen — nur selten eine Tri-büne fand, hinterlassen die Arbeiten gelegentlich den Eindruck, als müsse der Autor, die seltene Gelegenheit nutzen, alles zu sagen, solange er das Wort habe; wer weiß, wann er wieder drankommt. Dann sagt er seine Meinung; weil er aber keinen Platz hat, sie zu explizieren, wird das zugrundeliegende Problem abgetan oder mit Hilfe eines Scherzes — mit Beispielen kann man bekanntlich alles und nichts beweisen — erledigt.

Die Schrift gegen die Ungeduld ist reich an solchen Stellen. So wird das Kleinkind nun wirklich mit dem Bade ausgeschüttet, wenn er das Thema der autoritären oder nicht-autoritären Erziehung einfach zum Scheinproblem stempelt, nur weil ein Teil der Neuen Linken den gesellschaftssprengenden Charakter dieses Bereichs zeitweise enthusiastisch überschätzte. Kindergärten haben für Harich den indifferenten Zweck, berufstätige Mütter zu entlasten, und wie's da drinnen zugeht, geht keinen Zeitbe-trachter was an, der sich um die Grundfragen der Epoche bekümmern will. Das be-häbige Lachen, auf das der Satz spekuliert, alle Revolutionäre der neueren Geschichte, von den rebellierenden Bauernscharen Thomas Münzers angefangen, hätten erst ein-mal antiautoritäre Kindergärten absolvieren müssen, ehe sie ihrer aufrührerischen Ta-ten fähig gewesen seien, unterscheidet sich nicht von der Heiterkeit, in der reaktionä-re Kreise mit dem Schlachtruf „das hat's bei uns alles nicht gegeben, und wir sind auch groß geworden" pädagogische Diskussionen abwürgen. Auch dem Problem, die (nur intendierte, aber wegen fehlender Fristen und fehlender weltgerichtlicher Insti-tutionen nicht einklagbare) zukünftige Freiheit könnte schon dadurch Schaden neh-men, daß man sie mit unfreiheitlichen Mitteln verwirklichen müsse, kann man nicht mit Analogie-Scherzen zuleibe rücken, die beweisen sollen, daß Zweck und Mittel eben immer zweierlei sind: „Man begibt sich senkrecht und auf seinen Füßen zu dem Bett, in dem man waagerecht liegen und die Füße ausruhen will [. . .]."[16]

Ein paar Sekunden, nachdem man sich zum Bett begeben hat, liegt man in waage-rechter Ruhestellung drin — der Zweck ist erreicht, das Mittel war angemessen. Ob die Mittel, den herrschaftslosen Zustand des Kommunismus zu erreichen, die richti-gen waren, muß sich mit gleicher Evidenz erst noch erweisen. Aber Harichs Bezugs-punkt in dieser Frage ist die historische und geographische Nähe der bekämpften Aus-beuterordnungen. Sein durch schmerzliche Erfahrungen gestärkter realpolitischer Sinn schraubt seine Erwartungen an die jetzt bestehenden sozialistischen Staaten nach unten. Wie die Dinge liegen, können sie kaum anders sein, als sie sind. Sie müssen sich eines unentbehrlichen machtpolitischen Instrumentarismus bedienen, das der Freiheit enge Grenzen setzt. Der revolutionäre Staat der Übergangsperiode zum Kommunismus sei noch immer von den Nachwirkungen der Klassengesellschaft geprägt, er bleibe als Staat „ein Relikt moralisch degradierender und korrumpierender Verhältnisse".[17] Speziell für den Despotismus der Sowjetunion in den dreißiger und vierziger Jahren nennt Harich dreifachen Druck als Ursache: die außenpolitische Isolierung, die historisch überkommene Rückständigkeit und ein bei Strafe des Untergangs überforciertes Industrialisierungs- und Kollektivierungsprogramm. Emphatisch stellt Harich („illusionslos, frei von Wunschdenken, ohne sich irgend etwas vorzumachen, d. h. als Marxist") am Ende seines Essays „Der entlaufene Dingo, das vergessene Floß" fest, bei den bedrückenden Erscheinungen in den sozialistischen Staaten handle es sich „entweder um unbewältigte Erbübel der alten (kapitalistischen oder auch feudalen) Gesellschaft [. . .], aus der die neue hervorgegangen ist, oder um Auswirkungen ihrer Koexistenz mit dem Kapitalismus (der friedlichen wie der zeitweise weniger friedlichen) oder, meistenteils, um beides zugleich [. . .]. Für systemeigene Übel des Sozialismus als solchen läßt sich kein einziges Beispiel nennen."[18]

Unterstellen wir einmal, dies träfe zu. Dann folgt daraus, daß mindestens solange der Sozialismus als Vorstufe des Kommunismus nicht auf der ganzen Welt gesiegt hat, es unmöglich ist, „systemeigene Übel des Sozialismus" zu isolieren, da es immer möglich bleibt, negative Erscheinungen in einer Vermittlungskette auf die anhaltende Bedrohung oder auch nur die vom kapitalistischen Weltsystem ausgehende Konkurrenz zurückzuführen. Selbst wenn die ganze Welt aus sozialistischen Staaten bestünde, könnte für Jahrhunderte noch die Fortdauer überkommener fest eingefahrener menschlicher Gewohnheiten wie auch von dazugehörigen Institutionen angenommen werden. Beispiele für systemeigene Übel des Sozialismus ließen sich dann immer noch nicht nennen, selbst wenn es sie gäbe. Auch dann könnte man sie weiter auf die Vergangenheit projizieren. Denn es genügt ja der Nachweis, daß die Übel „nichts Neues unter der Sonne" darstellen.

Wenn es in der Geschichte der Klassengesellschaften gleiche oder ähnliche Zustände und Verhaltensweisen gegeben hat wie in den „Verzerrungen" des Sozialismus sichtbar werden, dann ist die neue Gesellschaftsordnung in ihrem Wesen entlastet. Die Rede vom „Überbleibsel" verkleinert die Verantwortung der Sozialisten in sozialistischen Staaten für die Mißstände, auch wenn ihnen „unversöhnlich" zuleibe gerückt werden soll. Denn ein Verursacherprinzip wird von den handelnden Subjekten nicht in Anspruch genommen — sie erliegen nur den der Ordnung fremden Einflüssen. Der Erkenntnisdrang richtet sich dann gar nicht auf das Problem, ob im Sozialismus womöglich „Negatives" nicht nur überlebt, sondern auch ständig reproduziert wird, es also auch Mist gibt, der „auf eigenem Mist wächst". Das aber hat negative Folgen für das selbstkritische Potential in der neuen Gesellschaft, die für Harich freilich partiell auch immer noch die alte ist. Der Begriff der Übergangsperiode deckt gleichsam ein beliebiges Mischungsverhältnis zwischen Altem und Neuem, ist nur erst die große Veränderung an der Basis, die Abschaffung des Privateigentums an Produktionsmitteln erfolgt.

Damit geht Harich weit hinter die Position von Kritikern zurück, die immerhin eine Arbeitshypothese gelten lassen, nach der es neben dem Dreck der Vergangenheit auch einigen „neuen Staub" gibt, welch vage Metaphorik natürlich auch wieder Kritik herausfordert. Harich bekennt sich zu einer Hypothese, die er als faktische Wahrheit ausgibt, nur weil unter den von ihm angenommenen Voraussetzungen ihre Verifizier- oder Falsifizierbarkeit gegenwärtig und für lange Zeit nicht möglich ist. Sein weltgeschichtlicher Optimismus rückt die kommunistische Zukunftsgesellschaft so weit aus der Sichtweite eines antizipierenden Blicks der Heutigen, daß die Phase des Übergangs viel mehr durch Gewesenes als durch Kommendes geprägt erscheint. Das hat zwar gute Gründe und ist in der marxistischen Tradition nichts Neues; das Ausmalen künftiger Gesellschaften wäre ein Rückfall in schlechten Utopismus. Das Auslagern der Ziele allein in eine für gewiß gehaltene, aber dem Zeitpunkt und der Qualität nach unentschiedene Ferne liefert jedoch pauschale Rechtfertigungsgründe dafür, daß Mißstände im Sozialismus, auch durchaus überflüssige Reglementierungen darunter, normal und natürlich, historisch erklärbar und damit unvermeidlich seien.

Es ist nicht ausgemacht, ob es dem Sozialismus immanente arteigene Mängel gravierender Art, den antagonistischen Widersprüchen ähnlich, gibt. Die Wahrscheinlichkeit spricht aber nach aller Erfahrung sehr dafür. Man muß nicht so weit gehen wie jener von Ernst Bloch zitierte Sympathisant, der einem Kommunisten zu sagen für notwendig hielt: „Im citoyen steckte der bourgeois; gnade uns Gott, was im Genossen steckt." Bei Bloch antwortet der herausgeforderte Kommunist unter anderem: „Was dann käme? – wenigstens springt kein Ausbeuter heraus, ja sollte selbst noch etwas Schlimmeres geschehen, so ist doch reiner Tisch und man hat bar, was mit den freien Menschen los ist oder noch nicht an ihnen los ist. Auch ohne Armut wird man sich noch genug unähnlich oder falsch bedingt sein, es gibt noch Zufall, Sorgen, Geschick genug und kein Kraut gegen den Tod. Aber was im Genossen steckt, das steckt dann wirklich in ihm und nicht in Verhältnissen, die die Menschen noch schiefer machen als sie sind."[19] Hier zeigt sich ein schärferer Blick für Widersprüche als bei denen, die nur überkommene Erbübel bemerken wollen.

Auch die Dialektik von Nah- und Fernzielen wird von Harich auf hoher geschichtsphilosophischer Warte ungenügend konkretisiert. „Zu helfen [. . .] ist der Menschheit nur dadurch, daß ihre arbeitenden Klassen mit Generationen überdauernder Kontinuität über die weltgeschichtlichen Perspektiven ihres Emanzipationskampfes aufgeklärt und für die zielstrebige Verwirklichung des kommunistischen Zukunftsentwurfs gewonnen und organisiert werden."[20] Gerichtet gegen Anarchisten und Reformisten, die zu ihren Lebzeiten große Erfolge sehen wollen, mag der Hinweis auf lange Fristen seine Berechtigung haben. Nur ist die Bereitschaft, inmitten einer langen Geschlechterkette den Nachgeborenen ungeheure Opfer zu bringen, nicht mehr stark entwickelt. Das Übertreiben der erreichten Erfolge in sozialistischen Ländern hat sicher mit einer realistischen Beachtung der Bevölkerungsmentalität zu tun. „Wie wir heute arbeiten, werden wir morgen leben", heißt die Losung, deren Subjekt „Wir" in beiden Satzhälften identisch ist: nicht erst die Späteren sollen das gute Leben haben. Bloch zitiert aus einem russischen Roman von Artzybaschew den Titelhelden Ssanin, der sich nach der niedergeworfenen Revolution von 1905 ins Private zurückzieht und auf Fragen seiner früheren Genossen antwortet: „Wozu soll ich mich aufhängen lassen, damit die Arbeiter des 32. Jahrhunderts keinen Mangel an Nahrung und Geschlechtsgenüssen haben?" „Es können also, gerade materialistisch", so schließt Bloch an, „keine Generationen verheizt, aufgeopfert werden, um eine künftige Harmonie zu düngen, ein unvermitteltes Eschaton bloßer Ferne. Und auch sachlich muß sich das Fernziel in jedem Nahziel kenntlich machen, eben sowohl damit das Fernziel nicht leer, abstrakt, unvermittelt sei, wie, damit das Nahziel nicht blind, opportunistisch, in den Tag hineinlebend sei."[21] Bei Harich kommt der Zusammenhang von Nahziel und Fernziel zwar in der klassischen Form des taktischen Anknüpfens an den Bedürfnissen der Proletarier vor, aber im Ganzen wird doch vor der Beschäftigung mit sogenannten peripheren sozialen und kulturellen Problemen des Überbaus der kapitalistischen Welt gewarnt, so, als sei es ganz unnötig, die den Herrschenden relativ gleichgültigen Aspekte des gesellschaftlichen Lebens einer theoretischen Kritik zu unterwerfen. Auf die Destruktion der Strukturen und Institutionen des Überbaus, die mit dem Kapitalismus stehen und fallen, sich mit der proletarischen Revolution also von selbst erledigen — trotz der Verzögerung, mit der im Überbau auf die Zerschlagung der Basis reagiert wird — könnte verzichtet werden. Harich räumt aber ein, daß es in der Wohlstandsgesellschaft der industriellen Metropolen der Kapitalmacht gelungen sei, die sozialen Konflikte erheblich zu entschärfen. Die Folge ist — so muß man wohl hinzufügen —, daß, was früher als Nahziel galt, nämlich die proletarische Revolution, selber schon ein Fernziel geworden ist, das der Erfolge des Reformismus wegen in den entwickelten Industriestaaten nicht mehr auf der Tagesordnung steht.

Scheinbar unwichtige Detailkritik hat daher an Bedeutung gewonnen. Ihre Berechtigung, wie Harich es tut, jeweils daran zu messen, ob sie den großen Umsturz sichtlich befördert oder nicht, ist eine linksradikale Donquichoterie vom Typ „Alles oder nichts". Konservativen in allen Lagern zur Freude macht Harich sich lustig über Experimente im Kunstunterricht, über „modernistische Lyrik", über das Problem antiautoritärer Theaterstrukturen. Er ist schnell mit den bekannten diffamierenden Anführungszeichen und mit dem Wort „sinnlos" bei der Hand und ruft mit lauter Stimme dazu: „Ablenkung, Ablenkung!" Mag sein, daß der Protest gegen die Diskriminierung der Prostituierten eine Lappalie im Vergleich zur endlichen Befreiung der gesamten Menschheit ist; nur: fällt gemessen an solchem Großformat überhaupt noch etwas unter die Kategorie des mit gutem Grund Bedeutsamen? (Wie wichtig ist dann eine „Macbeth"-Bearbeitung?)

Harich schreibt elegant und mit viel Witz. Die Leser zu verführen, etwas ernstzunehmen, was der Autor selbst nicht ernst gemeint hat, paßt zu solch geistreicher Schreibweise. So „verunsichert" Harich, der vom Verunsichern der Institutionen wenigstens der bürgerlichen Gesellschaft wenig hält, immerhin in klassischer Literatenmanier seine Kritiker in Ost und West. Der trockenen „Allgemeingültigkeit" verfeindet, überläßt dieser Autor sich der Aktualität der Stunde. Für den Tag schreibend, gelingt ihm durch seine Brillanz mühelos, die durch den Anlaß und die in Aussicht genommene hauptsächliche Leserschaft gegebenen Beschränkungen zu überschreiten. Um so mehr muß man es bedauern, daß seine Arbeiten überhaupt nicht gesammelt vorliegen. Das gilt nicht nur für seine philosophie- und literarhistorischen Essays, sondern schon für seine Theaterkritiken aus den ersten Nachkriegsjahren. Blättert man in alten Nummern der „Täglichen Rundschau", die längst nicht mehr erscheint, oder der wiederbegründeten „Weltbühne", liest man sich fest an den Kritiken, die Harich mit 26, 27 Jahren über Premieren in allen vier Sektoren geschrieben hat. Sein spitzer Witz traf die Sache. Während manche seiner Kollegen in bildungsbeflissener Ehrfurcht die hereinströmende Dramenliteratur, die dem Publikum zwölf Jahre vorenthalten worden war, an ihr Herz nahmen, fand Harich nichts dabei, z. B. Sartres „Fliegen" als „Grand Guignol auf dem Zentralviehhof der Leidenschaften" zu bezeichnen.

Kein Wunder, daß Heine wohl Harichs Lieblingsautor ist. Daß die philosophischen Außenseiter den Schulmeistern und Systematikern vorgezogen werden. Als Harich

1967 im Leipziger Reclam-Verlag eine Anthologie Jean Paulscher Texte („Kritik des philosophischen Egoismus") herausgab, schrieb er in der Einleitung: „Möglicherweise wird es nun Leser geben, die in Anbetracht der vielen Witze und Witzeleien, die dieser Band enthält, beanstanden werden, daß er überhaupt für würdig befunden worden ist, in eine Reihe philosophischer Quellentexte aufgenommen zu werden. Die Betreffenden werden wahrscheinlich sagen, es sei dies zwar ein kurioses und recht amüsantes Buch, aber seriöse Philosophie könne man darin wohl kaum entdecken. Eben diesen Einwand hat die zünftige, die Katederphilosophie seit mehr als hundert Jahren schon häufig erhoben, um mit gutem Gewissen den Denker Jean Paul mit einem Achselzucken übergehen zu können. Sehr zu Unrecht, denn wieso eine philosophische Aussage wissenschaftlich allein schon dadurch disqualifiziert sein soll, daß sie in bizarrer Form und mit Scherz und Ironie durchsetzt vorgetragen wird, ist nicht einzusehen."[22] Auch dies ist natürlich eine verdeckte Selbstinterpretation. In der Studie über „Heinrich Heine und das Schulgeheimnis der deutschen Philosophie" steht zu lesen, vielleicht sei es das Genialste an Heine gewesen, daß er vor der Schwelle der vollen (marxistischen) Wahrheit eine Form wählte, welche die bloße Ahnung nicht als gültige Erkenntnis deklariert, „sondern sie als Ahnung in leichter, heiterer Schwebe hält, so daß alles, was sich daran als falsch herausgestellt hat, längst selbstironisch aufgelöst zu sein scheint".[23]

Harich benutzte seinen Heine-Essay zu polemischen Spitzen gegen die arbeitsteiligen akademischen Fachdisziplinen, die die Bedeutung Heines für die literarisch-philosophische Kultur nicht verstünden, weil die Philosophen sich über den scheinbar leichtfertigen Plauderer erhaben fühlten und die Literaturwissenschaftler andererseits den philosophischen Hintergrund nicht ernst genug nähmen. Die zum 100. Todestag Heines 1956 verfaßte Arbeit wandte sich zugleich gegen Versuche, Marx und Heine zu eng zusammenzurücken: „Je näher ein Denker der Vergangenheit der Position von Marx steht, desto stärker ist die Versuchung, diese Nähe zu überschätzen und so einer Verzerrung und Verwischung der Grundsätze des dialektischen und historischen Materialismus Vorschub zu leisten, die der Wahrheit nur abträglich sein kann."[24] Harich warnte also im Namen der Orthodoxie vor der Vereinnahmung Heines. Das führt aber zwangsläufig dazu, das „Genie" Heine dafür abzukanzeln, daß es nicht die Höhe des theoretischen Bewußtseins von Marx und Engels erreichte: Heine ist stehengeblieben, hat dies und jenes nicht zu überwinden vermocht, hat schließlich doch nur geistreich politisiert und oberflächlich analogisiert.

Will Harich mit solchen Vorwürfen auf Gefahren seiner eigenen Schreibweise aufmerksam machen? Wohl kaum, denn er als Marxist beansprucht ja, anders als Heine die Schwelle zur Wahrheit überschritten zu haben. Jedenfalls ist Harich, der doch ausgezogen war, den bürgerlichen Heine-Forschern auf die Finger zu klopfen, sehr rasch wieder mit jenen in einem Boot, die sich nur dazu verstehen können, Heine „gehobenen Feuilletonismus" zuzubilligen. Verglichen jene ihn mit Goethe, so tut's Harich mit Marx, wobei er freilich nur politisch-philosophische Positionen aufeinanderlegen kann. So mischen sich ganz ähnlich wie bei seinem Lehrer Georg Lukács in Harichs Arbeiten dogmatische Verhärtungen mit undogmatischen Intentionen.

Dogmatisch sind in dem „Anarchismus"-Pamphlet beispielsweise die Versuche, Unterscheidungen einzuebnen, um objektiv schädliche Konsequenzen plausibel zu machen, die entgegengesetzt scheinende Gruppierungen wider deren Willen vereinen.

Das ist ein altes Verfahren: alle Gegner werden, weil sie Gegner sind, ideologisch in einen einzigen Sack gesteckt. Anarchismus sei im Kern reformistisch oder weise wenigstens Analogien zum Reformismus auf (was ja auch wieder ein gewichtiger Unterschied wäre), heißt es da. Unterschiede zwischen den anarchistischen Flügeln oder auch die Andersartigkeit des Neoanarchismus von heute werden mit Hilfe einer angenommenen „Proteus-Natur" des zu untersuchenden Phänomens vernachlässigt. Der Vorwurf mangelnder Unterscheidungsvermögens, den Harich gegen die Neoanarchisten erhebt (ihr Begriffsfeld sei die „Nacht, in der alle Kühe schwarz sind") fällt in gewissem Maße auf ihn zurück, vor allem dann, wenn er von den möglichen Konsequenzen Rückschlüsse auf die Phänomene selber zieht. (Die übersehene Konsequenz, daß die antiautoritäre Bewegung und vor allem ihre anarchistischen Grüppchen zum Zeitpunkt des Erscheinens der operativ gemeinten Broschüre bereits zerfallen und an den Rand gedrängt worden waren, fand im Nachwort späte Beachtung.) Eine dogmatischere Definition des „Konterrevolutionären" als die Harichs ist schwer denkbar, denn er versteht darunter nicht nur Umtriebe zur Wiedererlangung verlorener Privilegien. Konterrevolutionäre Aktivität könne genau so gut aus ungestilltem Verlangen nach immer noch ausstehender Freiheit herrühren.[25]

Hier scheint ein Kernpunkt getroffen. Was können junge Sozialisten in den sozialistischen Ländern mit weisen realpolitischen Warnungen anfangen, sich mit den Beschränkungen der sogenannten „Übergangsperiode" recht brav aus Einsicht in die Notwendigkeit abzufinden? Die sogenannte Übergangsphase hat in der Praxis ein Eigengewicht erhalten, das alle transitorischen Züge wegdrückt. Ihre staatliche Organisation hat sich verselbständigt, ein zeitliches Limit gibt es selbst in den Zukunftsspekulationen der phantasievollsten Köpfe nicht. Folgt nichts daraus, daß „der autoritär verwirklichte Sozialismus [. . .] das Endziel Herrschaftslosigkeit, gezwungenermaßen, unabsehbar vertagt"?[26] Wie man weiß, ist gerade die Ungeduld, die Unzufriedenheit mit den bestehenden Zuständen für Sozialisten, auch für Schriftsteller und Intellektuelle, der jüngeren Generationen eine wichtige Antriebskraft ihres Handelns.

In Harichs Streitschrift wird Geduld als Tugend verabsolutiert. Es überrascht schon, daß Harich seinen Kontrahenten „revolutionäre Ungeduld" zubilligt, wo die Schubladendenker sicher nur das Beiwort „pseudorevolutionär" oder „scheinrevolutionär" benutzt hätten. Es ist doch ohne weiteres klar, daß „Ungeduld" auch im politisch-gesellschaftlichen Bereich nur sinnvoll im Zusammenhang mit den Objekten, an denen sie sich entflammt, verurteilt oder befürwortet werden kann. Sie müßte daher nicht in einer Typologie von Mentalitäten, sondern nur historisch-konkret abgehandelt werden, woran Georg Klaus kürzlich in einem Interview erinnerte: „Revolutionäre Ungeduld hat es in der Arbeiterbewegung immer gegeben, und es läßt sich nicht mechanisch sagen, sie war gut oder sie war schlecht. Sie konnte ebenso zum vorzeitigen Aufstand gegen den Klassenfeind und zur Niederlage als auch zur siegreichen Massenaktion führen. Es kommt auch hier darauf an, in der Erscheinung beide Elemente zu sehen."[27] Was aus der revolutionären Ungeduld wird, nachdem eine sozialistische Staatsmacht etabliert ist, behandelt Klaus nicht. Die marxistisch-leninistische Agitation hat, wie phrasenhaft auch immer, der Ungeduld gegenüber verantwortungslosem Schlendrian und bequemer Gleichgültigkeit in innenpolitischen Zusammenhängen oft das Wort geredet. Es fällt schwer, zu glauben, daß Harich dieses dynamische kritische Potential quietistisch verkümmern lassen will.

Sein letzter Aufsatz von 1973 gibt darauf nur eine verschlüsselte Antwort. Erinnern wir uns noch einen Moment an jenen Beitrag Harichs zur Lukács-Festschrift aus dem Jahre 1955. Hier hatte der Gratulant sich dagegen gewandt, vorschnell ein „Panorama des Ganzen" aufzubauen, das „nach Lage der Dinge doch nur einen imponierenden Oberflächenaspekt bieten könnte".[28] Man muß, ehe man ein prächtiges Gebäude bezieht, erst einmal den Zustand aller Räumlichkeiten überprüfen, also zentrale Einzelprobleme gründlich untersuchen, da die eigentliche Schwierigkeit darin bestehe, die historische Relativierung, nämlich den Nachweis der Überbaufunktion ideologischer Erscheinungen, mit dem Geltendmachen absoluter Wahrheitskriterien zu verbinden. Erst aus den Einzelforschungen könne sich dann womöglich ein Ganzes herstellen lassen. Vereinfacht ausgedrückt, sollte der Marxismus-Leninismus als geschlossenes System (stalinistischer Totalität) bis zur neuerlichen Verifizierung oder Falsifizierung im Detail suspendiert werden.

Inzwischen geht Harich den umgekehrten Weg. Er führt sich als Konservativer auf, der Sorgen artikuliert, wohin die vielen Neuerungen wohl noch führen mögen. Das überkommene Alte gilt, solange es nicht im einzelnen widerlegt ist. Dabei nimmt er gelegentlich die „Woran-soll-man-sich-noch-halten?"-Pose ein. Die Sicherheiten eines Weltbildes werden nach dem Motto „Wenn ich mich nicht irre, ist für einen Marxisten doch wohl immer noch gültig, daß . . . " verteidigt. Der Marxismus erscheint als der legitime Erbe der „wertvollen Züge innengeleiteter Mentalität", während der modischen Trends ausgelieferte außengeleitete Typ für die spätbürgerlichen Gesellschaften charakteristisch sei. Der „Innenleitung" des Marxisten zählt Harich folgende Eigenschaften zu: „Prinzipienfestigkeit, die unbeirrbare Treue zu langfristigen Aufgaben, den Widerstand gegen Abweichungen vom strategischen Kurs, die Fähigkeit, Augenblicksinteressen hintanzustellen."[29] Der Marxist besitzt — nach Harich — einen „immer in dieselbe Richtung weisenden inneren Kompaß".[30]

Ob das Festhalten an einmal erworbenen Überzeugungen, d. h. die statisch bleibende Verinnerlichung von Forderungen, die jeder beachten muß, der „dazu" gehören will, den selbständigen Charakter ausmacht, steht dahin. Jedenfalls fehlt die Bereitschaft, die „um jeden Preis" zu bewahrenden Auffassungen an neuen Entwicklungen kritisch zu überprüfen oder durch den Zugewinn neuer fundamentaler Erkenntnisse korrigieren zu lassen. Die Leistung des Sozialismus sei es gewesen, der Gesellschaft im ganzen ein erstrebenswertes Ziel zu setzen, das Kommunismus heißt, „und die Eigeninteressen der Individuen, sich betätigend in Politik, Wirtschaft, Kultur, in eine vernunftgesteuerte Gesamtentwicklung einmünden ließ, die dieses Ziel Tag um Tag näherbringt".[31] Zu harmonisch ist dieses Weltbild, als daß man es einem Denker von den intellektuellen Qualitäten Harichs abnehmen könnte. Man müßte ihn nur an seine Definition der Ideologiekritik erinnern, die die „Entlarvung aufrichtig geglaubter Illusionen, hinter denen sich Bedürfnisse, Interessen und entsprechende Wünsche verbergen"[32], betreibe.

Wen hält Harich zum Narren? Er sagt von sich, er sei der Marxschen Lehre „verschworen"[33]; er stellt fest, daß die „Welt der Neuerscheinungen, der Premieren, des Literatentreibens, des Theatertratschs" (wobei wohl vornehmlich die DDR gemeint ist) „den ihm einverseelten Maßstäben entglitten"[34] seien. *Verschworen und einverseelt* — ein merkwürdig irrationalistisches Vokabular, fremdartig im brillanten Duktus seiner Sprache. Schreibt Harich neuerdings Rollenprosa für einen Dogmatiker, dem er so wunderbare Kernsätze zuordnet wie „Warum sollten Maßstäbe, die so lange gegolten haben, jetzt plötzlich nicht mehr gelten?"[35]

Mit rhetorischer Koketterie behauptet Harich von sich, daß die Maßstäbe, um deren Bewahrung oder Verwerfung es gehe, ihm noch selbstverständlich zur Hand seien, weil er „lange nicht dabei war".[36] Diese Anspielung auf seine Haftzeit und die nachfolgende „philologische Emigration" darf man nicht überschätzen, Harich ist ja nicht der „Genosse Anton aus einem anderen Sternensystem", der nun plötzlich die Welt nicht mehr versteht. Der Aufsatz bringt auch einige wichtige Sätze politischen Klartexts, in denen Harich seinen Beitrag in den „Meinungsstreit" des Jahres 1973 einordnet. Er befürwortet, daß nunmehr auch Problematisches, Bedenkliches, Verkehrtes öffentlich zur Diskussion gestellt werde und „daß eine Kombination von administrativer Toleranz mit schonungsloser Polemik des marxistischen Gedankens gegen das Problematische, Bedenkliche, Verkehrte die Atmosphäre schaffen werde, in der sozialistische Literatur am besten gedeiht".[37]

Harich sieht nämlich eine große Gefahr darin, daß Dogmatiker schweigen, bis die Zeiten kommen, in denen sie wieder allein reden können. Deshalb könne man keinen ärgeren Fehler begehen, als Dogmatiker, die sich vor anderen durch Fairness auszeichnen, nämlich Bücher und Verwandtes erst dann angreifen, wenn sie in genügend großer Zahl Verbreitung finden, in ihr Schweigen zurückzuscheuchen, wenn sie sich zu Wort melden. „Denn *vernünftigen Entwicklungen tut nichts so sehr Abbruch wie ein antidogmatisches Meinungsmonopol, das ein dogmatisches ablöst,* indem etwa die an sich berechtigte, längst fällige Besinnung auf die hohen literarischen Qualitäten eines, sagen wir, Kafka sich dazu auswächst, jede noch so ausgewogene Kritik an dessen verkorkster Ideologie totalitär niederzuwalzen. Exempla docent."[38] Natürlich herrscht in der DDR alles andere als ein antidogmatisches Meinungsmonopol, was Harich so gut wie jedermann sonst weiß.

Aber die Warnung ist nur zu berechtigt. Denn Gefahr für eine lebendigere freiere kulturelle Entwicklung droht ja nicht von den *diskussionswilligen* Dogmatikern, sondern einzig von denen, denen die ganze Richtung der geistigen Auseinandersetzung nicht paßt und die lieber den bequemen, scheinbar so risikolosen Weg der administrativen Beschränkung gehen möchten. Sie lauern schweigend im Verborgenen, zählen die tausend bunten Unkrautblumen, bis sie alles Gute und Schöne und Gediegene für überwuchert erklären und sich als Bekämpfer von Schädlingspflanzen durch Niederwalzen des Geländes bestens empfehlen. Redaktionen, die Beiträge zurückweisen, weil man im Moment nicht so dogmatisch sein wolle, leisten einer künftigen Situation Vorschub, in der „gröbere Burschen, verbündet mit akademischer Sterilität, sich jenes Dogmas annehmen und die Glacéhandschuhe ausziehen".[39] Übrigens meint Harich mit jenem Dogma vordergründig nur das der Verteidigung des kulturellen Erbes vor modernistischer Verschandelung; weitergehende Analogien sind aber wohl erlaubt.

So ermutigt Harich mit seinen schwachen Kräften Dogmatiker und Antidogmatiker und die Leute dazwischen zum geistigen Meinungsstreit. Auch Antidogmatiker werden eingeladen, denen es womöglich leichter fallen wird, gegen Harich zu polemisieren, den auf eigene Rechnung und Gefahr agierenden Intellektuellen, als gegen Amtsträger und Oberverwalter nationaler Gedenkstätten. Harich hat Mitte der fünf-

ziger Jahre als einer der Herausgeber der „Deutschen Zeitschrift für Philosophie"
schon einmal ähnliches versucht. Im Jahre 1954 veröffentlichte das Periodikum eine grobschlächtige Polemik von Rugard Otto Gropp gegen die in Ostberlin erschienenen Hegelbücher von Bloch („Subjekt — Objekt") und Lukács („Der junge Hegel") in der Absicht, eine große öffentliche Diskussion zu eröffnen.[40] Die Redaktion
wollte das Verhältnis zwischen der marxistischen dialektischen Methode und der
idealistischen Dialektik Hegels klären und die fortschrittlichen und reaktionären
Seiten in Hegels Philosophie ermitteln und bewerten. Gestützt auf Lenins Wort, daß
der kluge Idealismus dem klugen Materialismus näher stehe als der dumme Materialismus, hatten kluge Marxisten eine Neubewertung Hegels vorgeschlagen, um endlich
von den vulgarisierenden Thesen Stalins und Shdanows wegzukommen, von dem das
klassisch dumme Wort stammt, das Problem Hegel sei schon seit langem gelöst.

Harichs eigener Beitrag zu dieser Diskussion sollte in zwei Fortsetzungen erscheinen, aber nur der erste Teil konnte noch im Heft 5 des 4. Jahrgangs im November
1956 herauskommen. Kurioserweise wollte man nach Harichs Verhaftung dieses Heft
auslöschen, man gab Monate später ein Doppelheft 5/6 heraus mit einem neuen Jah-
resinhaltsverzeichnis, als sei jenes Heft mit Harichs Aufsatz überhaupt nie erschienen.
Interessant ist, wie Harich seine Bemühungen auch damals mit der Wiederentdeckung
des „wahren" Erbes verband: „Wenn wir uns bemühen, das Hegelbild von Marx und
Lenin wiederherzustellen und von den sektiererischen Fehlurteilen der Stalinschen
Ära zu reinigen, so hat das die Bedeutung einer Rückkehr zu strengerer marxistischer
Orthodoxie."[41] Harich gab außerdem einen politischen Grund für seine Absichten
an: Viele philosophisch interessierte Intellektuelle in Deutschland wüßten seit Jahren
nichts davon, daß die Parteinahme für die Französische Revolution bis in die abstrak-
testen Problemstellungen von Fichte und Hegel hinein bestimmend und wirksam sei.
Die Akzentuierung sollte also auch bürgerliche Intellektuelle für den Marxismus gewinnen helfen. Dem gleichen Ziel galt die Streitschrift gegen die revolutionäre Ungeduld der westdeutschen „Neuen Linken".

Vor Ungeduld warnt er aber auch die an freierer innersozialistischer Diskussion
wenigstens auf kulturellem Gebiet brennend interessierten Literaten der DDR. Schon
1966 wählte er in einem Interview mit dem italienischen Journalisten Gaetano
Scardocchia von der Mailänder Zeitung „Il Giorno" eine Metaphorik der Vorsicht:
Das harmlose Vergnügen einer Schneeballschlacht sei im Hochgebirge bei Lawinenge-
fahr mit Recht nicht gestattet.[42] Inzwischen scheinen einige überflüssige Verbots-
schilder weggeräumt worden zu sein. Die Mühen der Ebenen sind leichter zu ertragen,
wenn man sich vergnügt im literarischen Gelände tummelt und dabei aufpaßt, wohin
und wieweit man seine kleinen Bällchen (sprich: Essays) wirft.

»Nicht traurig, aber ungünstig«

Brecht und sein Theater im schwierigen Milieu der DDR[1]

*Is mir zu jrau, hab'k jesaacht. Ick will uf die Biehne
Jold un Purpur sehn.*
Arno Holz, „Sozialaristokraten", IV. Akt

Wenige Tage nach Brechts Tod veröffentlichte Karl Kleinschmidt in einer Ostberliner Tageszeitung seine Erinnerungen an Begegnungen mit Brecht im Jahre 1956. Bei ihrer letzten Unterhaltung war Brecht auf die Nachrufe zu sprechen gekommen, die man ihm widmen werde. Er habe es bedauert, die schönen Texte nicht mehr lesen zu können, „in denen seine Nachwelt ihr erleichtertes Aufatmen aushauchen würde, womit er die Nachrufe aus der Welt, die er erbauen helfen wollte, nicht minder meinte als solche aus der Welt, zu deren Zerstörung er wesentlich beigetragen hat, in einem Wort: die Nachrufe der Pathetiker beider Welten". Kleinschmidt, der sonderbarerweise gleichzeitig als evangelischer Domprediger und als kommunistischer Publizist auftrat, hatte eine Zeitlang regelmäßig die Kolumne „Offen gesagt" in der offiziösen „Berliner Zeitung" verfaßt. Brecht empfahl ihm, den Nachruf in diese Rubrik zu schieben: „Das wird sich unter meinen Nachrufen sehr originell machen. Schreiben Sie, daß ich unbequem war und es auch zu bleiben gedenke. Es gibt auch dann noch gewisse Möglichkeiten."[2]

Heute scheint es so, als habe Brecht sich zu Unrecht auf diese Möglichkeiten, Anstoß zu erregen, verlassen, als habe er die Absorptionsfähigkeit des Kulturbetriebs in beiden deutschen Staaten unterschätzt. Das gern zitierte Wort Max Frischs von der durchschlagenden Wirkungslosigkeit des Klassikers Brecht mag bürgerliche Resignation oder antibürgerliche Provokation ausdrücken, Tatsache ist jedenfalls, daß man sich auch in der DDR zu einer Antwort gedrängt sieht. Sie besteht im allgemeinen aus zwei Teilen und läßt sich so zusammenfassen: 1. Klassiker ist für uns ein Ehrentitel und 2. Über den Klassenkampf wird nicht allein im Theater entschieden. Damit wird freilich eine spezifische Antwort auf das, was sich nach dem Tode Brechts im Umgang mit dem Werk vollzogen hat, nicht gegeben. Wie aufopferungsvoll und unermüdlich sich die Freunde und Weggefährten auch um Bewahrung und Weiterführung bemüht haben mögen, sie konnten das theoretische und praktische Eingreifen, Verändern, Verwerfen, Ausprobieren, das zum Wesen von Brechts Theaterarbeit gehörte, allenfalls imitieren, aber nicht ersetzen.

Daß sich beim Berliner Ensemble Tendenzen einer musealen Verwaltung des Erbes zeigten, kann nicht verwundern. Kleinschmidt hat in dem genannten Aufsatz, also schon im August 1956, von der Gefahr gesprochen, daß es zu „Kaiser-Wilhelm-Gedächtnis-Aufführungen" seiner Stücke kommen könnte. Ironisch schrieb Erwin Strittmatter von einer Weihnachts- und Neujahrsgrüße enthaltenden Glückwunschkarte mit einem Ausspruch von Brecht in schöngedruckten Buchstaben, „auch mit Gold wurde nicht gespart". Die Miniatur schließt so: „[. . .] nun wird er, der seine Freunde einst mit selbergebastelten Sowjetsternen für den Weihnachtsbaum beschenkte, von Jahr zu Jahr höher in die himmlischen Sphären gerückt, in die Weihnachtspostkartensphären. Eiapopeia! Ich hör, wie er kräht."[3] Ausgewählte Sprüche im sozialistischen Schatzkästlein einzumotten, ist eine Form der „Sicherheitsverwahrung". Was Strittmatter anekdotisch verschlüsselte, konstatierte der mit Brecht lange befreundet gewesene Regisseur Bernhard Reich auf der letzten Seite seiner Memoiren. Mit einer bei den alten und jungen Kampfgefährten im Osten sonst selten gewordenen Direktheit bezweifelte der auch nach dem Kriegsende in der Sowjetunion verbliebene, inzwischen verstorbene Emigrant die aktuelle Existenz der provokativen Kraft Brechts: „[. . .] die Welt seiner Ideen, seiner Impulse, Anregungen, Versuche und Paradigmen hat nur noch zu einem geringen Teil Wirkung; sie ist ein auf der Karte zwar verzeichnetes, aber nicht in Umlauf gebrachtes Potential. Irgendwie zerstäubt die ursprüngliche Faszination vom Rebellen Brecht [. . .]."[4]

Freilich geschieht dies nicht nur wie von selbst — die Exegeten unterstützen diesen Prozeß. Sie erwecken gern den Eindruck, als habe mit der Übersiedlung in die DDR für Brecht ein gerader, selbstverständlicher Weg in den unumstrittenen Ruhm begonnen, als sei, was Brecht tat, insgesamt von den politischen Repräsentanten und der offiziellen Kritik nicht nur gebilligt, sondern mit allen Kräften gefördert worden. Trotz aller Ehrungen, trotz aller Preise gab es jedoch immer gewichtige Differenzen mit vielen Kulturpolitikern und einem Teil der Kritik. Die westliche Presse hat während des Kalten Krieges, der in Brechts letzten Lebensjahren besonders heftig tobte, sich gern aller Skandale und Skandälchen bemächtigt, um sowohl das ‚Regime' zu treffen, das so böse mit dem armen B. B. umsprang, wie auch den ebenfalls bösen Kommunisten Bertolt Brecht, der charakterlos und opportunistisch immer noch und immer wieder gemeinsame Sache ‚mit denen da' machte. Die gemeinsame Sache aber hat Brecht nie aufgekündigt — ging es doch gerade um deren Verbesserung und Veränderung.[5] Ähnlich begriffsstutzig zeigen sich heute viele Meinungsmacher, wenn sie die scharfe Kritik Biermanns oder Havemanns mit deren prinzipieller Zustimmung zur DDR verbunden sehen. Dann hilft nur noch der Vorwurf der geistigen Verwirrung oder der heillosen Naivität oder des prinzipienlosen Opportunismus, der freilich im Widerspruch stünde zu dem im übrigen so gepriesenen Mut zum offenen Wort.

Brecht hatte in Ost-Berlin sein eigenes Ensemble, er erkämpfte sich gute Arbeitsbedingungen. Im März 1954 konnte er sein eigenes Haus am Schiffbauerdamm eröffnen. Kein Platz in der Welt war zu seinen Lebzeiten vorstellbar, an dem er unter weniger Schwierigkeiten Ähnliches hätte leisten können. Nur: Schwierigkeiten hatte er eben auch am Ort seines selbstgewählten Domizils. Das begann schon vor der Übersiedlung am 22. Oktober 1948. Die Aufforderung seines alten Entdeckers und Förderers, des Kritikers Herbert Ihering, bald zu kommen, klang merkwürdig defensiv, als sei es nicht leicht gewesen, ihm eine günstige Ausgangsbasis anzubieten: „[. . .] daß selbst fortschrittliche Schriftsteller Brecht in dem Punkt zu treffen glauben, in dem sie Sartre kritisieren, nämlich im ‚Lehrhaften', in dem angeblichen Mangel an dramatischer Aktion, das zeigt erst die Verstocktheit unserer dramaturgischen Terminologie. [. . .] Es ist verständlich, daß Brecht sich zuerst zurückhielt, weil er abwarten wollte, wieweit Theater und Schauspielkunst vorbereitet seien, ihn richtig zu vermitteln. Aber es ist ebenso begreiflich, daß nur wenn Schauspieler und Regisseure sich mit seinem Werk auseinandersetzen, dieser Stil geschaffen werden kann. Inzwischen hat sich die kulturelle Situation soweit geklärt, daß der Ruf nach dem Dramatiker Brecht und seinen Stücken allgemein wurde und der Boden für ihn auch von einem großen Teil der Berliner Kritik gut vorbereitet ist."[6]

Schon nach der ersten Premiere, nach der Aufführung der „Mutter Courage" im Januar 1949, erwies sich aber, daß ein gewichtiger Teil der Ostberliner Kritik prinzipielle Einwände gelten machte, die — wenn auch unterschieden in Ton und Schärfe — der Sache nach bis in die Jahre nach Brechts Tod immer wiederholt wurden. „Die Einfachheit und das Lapidare der Aufführung als eine neue ästhetische Größe und Schönheit, aber auch als polemisches Mittel wurden von einigen Kritikern total mißverstanden als Ausdruck der Verarmung des Ästhetischen schlechthin, die ihre Wurzel in Brechts Theorie vom Epischen Theater hätte"[7], so heißt es in der 1972 erschienenen repräsentativen Theatergeschichte der DDR. Die Rede vom Mißverständnis wie auch die Schuldzuweisung an „einige Kritiker", die sozusagen nur ihre persönliche Meinung verlautbart hätten, verharmlosen die gesellschaftlichen und politischen Ursachen der Schwierigkeiten mit Brecht. Dessen Gegner fühlten sich nämlich nicht nur als Exponenten des von der SED beschlossenen Kurses, sie waren es auch tatsächlich.

Der intelligenteste Wortführer dabei war Fritz Erpenbeck, der nachmalige langjährige Chefredakteur der einzigen einschlägigen Fachzeitschrift der DDR, „Theater der Zeit". Er äußerte sich 1949 überaus polemisch gegen Brechts „Mutter Courage" und die hinter dem Stück stehende Theorie, und er hat diese Vorbehalte auch in späteren Jahren nie aufgegeben. Bereits in seiner Premierenkritik[8] behauptete er, daß episches Theater zwangsläufig zum Aussterben des Theaters führen müsse, wie die unter diesem Firmenschild auftretenden saft- und kraftlosen amerikanischen Schmarren es bewiesen. Wirksam seien überhaupt nur die sogenannten echten dramatischen Stellen, und auf die Songs werde jedermann gerne verzichten. In der „Weltbühne" verschärfte Erpenbeck seine Darlegungen, indem er sie in eine sogenannte Grundfrage einmünden ließ: „Wo verliert sich, trotz fortschrittlichen Wollens und höchsten, formalen Könnens, der Weg zur Volkstümlichkeit, zur dringend notwendigen Gesundung unserer Dramatik?"[9] Eingepackt war dies alles in mancherlei Lob für das große Kulturereignis. Der Verfasser sparte auch nicht mit dem Beiwort *genial,* nur daß eben das Genie sich auf einem gefährlichen Irrweg befand, bei allem Wollen und Können. Wolfgang Harich, der kurz zuvor in der „Täglichen Rundschau" Stück und Aufführung enthusiastisch gefeiert hatte[10], schritt zu einer zornigen Entgegnung. Den Vorwurf der „volksfremden Dekadenz" hielt Harich für ungeheuerlich, vor allem wegen der bedenkenlosen Verwendung eines mindestens halbfaschistischen Vokabulars. Ehe er Erpenbecks scheinbar in eine vorsichtige Frage gekleideten Vorwurf zurückwies, übersetzte er ihn so: „Führt Brechts Weg zur Entfremdung von den werktätigen Massen, zur esoterisch-geschmäcklerischen Exklusivität, zum snobistisch-antidemokratischen Kunstbetrieb?"[11] Harich verneinte dies entschieden. Brecht habe der geistigen Auflösung und dem Irrationalen nüchternste Vernunft und lapidare Klarheit entgegengesetzt und angesichts des bürgerlichen Verfalls unmißverständlich für die Arbeiterklasse Partei ergriffen. Mit Dekadenz habe er nichts zu tun. Dagegen müsse man Erpenbeck einen konservativen Formalisten nennen, da er Brecht ohne Rücksicht auf Inhalte dekadent nenne, nur weil er mit bestimmten traditionellen Formen gebrochen habe.

Man darf eine solche Diskussion nicht mit mehr oder weniger geistvollen Auseinandersetzungen zwischen Einzelpersonen verwechseln, die in kritischer Originalitätssucht auf sich aufmerksam machen wollten. Die „Tägliche Rundschau", das Organ der sowjetischen Besatzungsmacht, schrieb dem Streit größte prinzipielle Bedeutung für die gesamte demokratische deutsche Literatur der Gegenwart zu. In einer autoritativen Klarstellung bewertete die Stimme der SMA die deutschen Kontrahenten: Weil Erpenbeck seine Angriffe oberflächlich und ohne Überzeugungskraft vorgetragen habe (was auch eine Kränkung Bertolt Brechts gewesen sei), habe Harich den Anschein eines vollständigen Sieges in dem Streit erwecken können. In der Sache schlägt sich der sowjetische Kulturoffizier also auf die Seite Erpenbecks. Skrupel wegen des faschistischen Vokabulars durfte man hier ohnehin nicht vermuten, gehörte doch gerade während der Kulturpolitik Shdanows um 1948 herum die *volksfremde Dekadenz* zum selbstverständlichen stalinistischen Wortschatz. Auch die enge Nachbarschaft von postulierter theoretischer Gesetzmäßigkeit und von deren Auffindung in der Realität ist typischer Stil Stalins, so wenn es heißt, daß sich in Brechts Schaffen „dekadente Züge offenbaren mußten und auch tatsächlich offenbarten".[12] Harichs Definitionen der Dekadenz werden als unvollständig verworfen, die Streitpunkte ‚episches oder dramatisches Theater?' als nebensächlich vom Tisch gewischt. Stattdessen werden heftige Vorwürfe gegen den angeblichen Inhalt der „Mutter Courage" vorgebracht. In dem Stück fehle die spontane Empörung der Massen, ja überhaupt die Idee der revolutionären kritischen Umgestaltung der Welt. Das Volk unterwerfe sich kampflos dem vermeintlichen historischen Schicksal. Daraus folgert der Autor, in dem er Erpenbecks „trotz fortschrittlichen Wollens" radikalisiert, daß sich die Dekadenz nicht nur bei subjektiven Verteidigern des Kapitalismus zeige. Dann folgt die gesperrt gedruckte Kernthese: „Die Dekadenz beginnt dort, wo in dem Schaffen eines Künstlers die empörte menschliche Vernunft schweigt und die Ohnmacht des Menschen vor dem geschichtlichen Schicksal bestätigt wird."[13] Seltsamerweise wirft der Autor Brecht vor, sein episches Theater beharre auf dem objektivistisch-beschaulichen Realismus der Klassik und des 19. Jahrhunderts, anstatt revolutionäre Massenaktionen vorzuführen. Um das zu belegen, werden Zitate des Kritikers Paul Rilla mißbräuchlich benutzt, der für Brecht den Boden bereiten wollte, in dem er einige Traditionslinien zu Goethe und Schiller zog. In späteren Jahren lautete der Vorwurf gegen Brecht umgekehrt, er mißachte Wert und Bedeutung des deutschen nationalen Kulturerbes. Der Artikel der „Täglichen Rundschau" schließt mit der Aufforderung, in der neuen deutschen Literatur so schnell wie möglich „die Muttermale des Kapitalismus auszumerzen".[14]

Die Atmosphäre der damaligen Jahre war also der vorurteilsfreien Aufnahme des Brechtschen Werkes nicht durchweg günstig. Immer wieder mußte Brecht sich mit dem Vorwurf auseinandersetzen, er wolle Emotionen und Leidenschaften von der

Bühne verbannen. In dem oft zitierten Gespräch mit Friedrich Wolf[15], einem Vertreter des konventionellen Entwicklungsdramas, hat Brecht es abgelehnt, die Courage sehend zu machen, sie aus dem Krieg etwas über den Krieg lernen zu lassen. Die Lehren sollen nicht auf der Bühne für den Zuschauer gezogen werden, er sollte sie vielmehr aus kritischer Betrachtung des Vorgezeigten selbständig ermitteln. Christa Wolf zählte sich in der Rückschau später zu jenen Studenten, die sich seinerzeit „im Besitz unseres allzu runden Wissens" eine ungeduldige Überlegenheit gegenüber dem Verhalten der Courage herausnahmen, und sie fügt hinzu, es könne eine interessante Studie werden, wenn jemand das „Verhältnis" ihrer Generation zu Brecht untersuchte.[16] Obwohl das Stück einen großen Erfolg hatte, blieb Brecht immer skeptisch bei der Beurteilung der Lernwilligkeit und Lernfähigkeit des Publikums. In einer 1955 geschriebenen Rückschau sagte Brecht über die Zuschauer von damals: „Sie waren alle überzeugt, sie hätten gelernt aus dem Krieg; sie verstanden nicht, daß die Courage aus ihrem Krieg nichts gelernt haben sollte, nach der Meinung des Stückeschreibers. Sie sahen nicht, was der Stückeschreiber meinte: daß die Menschen aus dem Krieg nichts lernen. Das Unglück allein ist ein schlechter Lehrer. Seine Schüler lernen Hunger und Durst, aber nicht eben häufig Wahrheitshunger und Wissensdurst."[17] Am Schluß vermerkt Brecht, daß er gerne wissen möchte, wieviele Zuschauer heute (1955) die Warnung des Stückes verstünden. Soziologische Forschungen, exakte Publikumsbefragungen gab es nicht, das ‚Theater des wissenschaftlichen Zeitalters' mußte sich in dieser Hinsicht mit Mußmaßungen begnügen.

Sowohl Brecht wie seine kulturpolitischen Kontrahenten brachten aber immer das Volk, die Werktätigen, das Proletariat, mit in den Sandkasten der Auseinandersetzungen. Brecht idealisierte gelegentlich, wohl aus taktischen Gründen, ‚das Volk', weil er es gegen die Funktionäre ausspielen wollte, die sich mit der Behauptung dazwischendrängten, dies oder jenes verstehe das Volk nicht. Das Volk aber, so meinte Brecht, schiebe diese Leute ungeduldig beiseite und verständige sich direkt mit den Künstlern. Hierher gehört auch Brechts wortspielerischer Versuch, zwischen volkstümlich und funktionärstümlich zu unterscheiden. Aber auch im Begriff des Volkstümlichen spürte er den Hochmut auf: „Man soll etwas fürs Volk machen, weg mit dem Kaviar! Etwas, was das Volk versteht, das ja etwas begriffsstutzig ist."[18] Brecht wandte sich dagegen, neuartige Ausdrucksweisen zu vermeiden und vertraute Positionen einzunehmen, also den vorhandenen Lese- und Sehgewohnheiten die Herrschaft einzuräumen. Listig formulierte er: „Nicht alles, was den Massen der russischen Arbeiter und Bauern an den Äußerungen der Bolschewiki nicht gleich verständlich war, war Unsinn."[19] Brecht ärgerte sich über „gewisse Formalismusbekämpfer", die nie von der Wirkung eines Kunstwerks auf sich selbst, sondern immer von der auf das Volk redeten: „Sie selbst scheinen zum Volk nicht zu gehören. Dafür wissen sie genau, was das Volk will, und erkennen das Volk daran, daß es will, was sie wollen."[20]

Hans Mayer hat demgegenüber, wie mir scheint, allzu einseitig, geltend gemacht, daß Brechts Werk auch in der neuen sozialistischen Gesellschaft überhaupt nur bei den „informierten und instruierten Abkömmlingen der Bürgerwelt" Resonanz gefunden habe. „Die neuen Zuschauer hingegen waren gleichzeitig ungeeignet zur Einfühlung wie zur Verfremdung."[21] Brecht wußte, die Zuschaukunst (die für ihn nicht nur in dem Sinn neu war, daß sie eine alte abzulösen hatte) war in einem langfristigen

Prozeß zu entwickeln. Am 4. März 1953 notierte er: „das publikum ist das klein-bürgerpublikum der volksbühne, arbeiter machen da kaum 7 prozent aus. die be-mühungen sind nur dann nicht ganz sinnlos, wenn die spielweise späterhin aufge-nommen werden kann, dh wenn ihr lehrwert einmal realisiert wird. (das gilt, ob-wohl wir alles tun, für jetzt, für die theaterabende, für das publikum von jetzt unser bestes zu liefern.)"[22] Soweit seine Bühne kleinbürgerliches oder nicht-intellektuelles Publikum, auch proletarisches, fand, sah Brecht sich meist mit Zuschauern konfron-tiert, die entweder die standardisierten Erwartungen des alten (kapitalistischen) Theaters in dessen nach Brechts Ansicht besonders verrottetem Zustand zwischen 1933 und 1945 mitbrachten oder den Meinungsmachern der damaligen Kulturpoli-tik im Vollgefühl der errungenen Macht nachredeten, was an Losungen und Phrasen in Umlauf gesetzt worden war.

Daneben gab es aber auch den Zuschauertyp, der unbelastet, naiv, neugierig, stau-nend ins Theater kam und sich, wie unsicher auch immer, aufs Sehen und Hören ein-ließ, bei allem Mißverstehen Geduld zeigte und produktiver reagierte als viele, die — so oder so — schon vor der Aufführung Bescheid gewußt hatten. Die Schreihälse konnten Brecht nicht ausreden, daß es diesen neuen Zuschauer auch schon gab, der fragen konnte, was er nicht begriffen hatte, anstatt den zur Ordnung zu rufen, der das Volk durch intellektuelle Überforderung angeblich verachtete. Nicht nur in den Köpfen der Zuschauer entwickelte sich der zu der veränderten Basis gehörende Über-bau schwerfällig und mit Verzögerung, sondern vor allem stagnierten die Institutio-nen dieses Überbaus. Es hatte ja, wie Brecht immer wieder betonte, keine deutsche Revolution gegeben.[23] Was es gab, war eine Realpolitik für schwere Aufbaujahre, die kaum Versuche unternahm, gegen das Massenbedürfnis auf Entspannung — vergeb-lich — anzurennen. Die Freizeitgestaltung ist keine Frage der Generationen — deswe-gen war von den jungen Arbeitern nur ihres Lebensalters wegen keine „neue" Einstel-lung zu erwarten. Konsolidierungswünsche der Politiker und an sich schon zählebige Traditionen gingen ein dauerhaftes Bündnis ein. Operettentheater existieren, damit sie besucht werden — und nicht nur von Rentnern; die Schlagermusik des DDR-Rund-funks reproduziert ständig aufs neue das alte Gleiche — vor linksradikaler Bilderstür-merei wird gewarnt, man kann nicht mit dem Kopf durch die Wand, wir sind keine Intellektuellenrepublik! Brecht sah diese Verhältnisse als ungünstig, aber unvermeid-lich an. Wogegen er sich wandte, war das Reden von langen Fristen als Ausflucht, nichts oder wenig zur Veränderung, aber sehr viel zur Verfestigung der alten Bedürf-nisse zu tun. Auf der Suche nach kräftigen, heilsamen Mitteln gegen die Resignation verfiel er gelegentlich auch der Idealisierung „der Arbeiter".

Als die Kritikerin Johanna Rudolph im „Neuen Deutschland" aus Anlaß der Pre-miere von Brechts Gorki-Bearbeitung „Die Mutter" den lapidaren Satz schrieb: „Iro-nie ist für das Volk unfruchtbar"[24], notierte Brecht: „Mit einem Federzug versinken für ewig in der Versenkung die Werke der Aristophanes, Cervantes, Shakespeare, Dan-te, Gogol. [. . .] Käme der Kritiker mit diesem Satz vor die Berliner Arbeiter, würde er schnell erleben, was für ein Talent sie für Ironie haben."[25] Wer in den frühen fünf-ziger Jahren in der DDR davon sprach, daß die Kunst Kenntnisse braucht, um kritisch beurteilt werden zu können, dem wurde zunächst die arrogante Behauptung unter-stellt, das Volk sei noch nicht reif für eine höhere Kunst. In einem zweiten Schritt wurde dieser Satz dann mit dem alten Schlachtruf der Reaktion gleichgesetzt, daß das Volk nicht reif sei, seine Angelegenheiten in seine eigenen Hände zu nehmen.[26] Die Absetzung der aus „Mißtönen und intellektualistischen Klügeleien" bestehenden Oper „Verhör des Lukullus" von Brecht und Dessau wurde mit den „wachsenden Ansprüchen" der Bevölkerung begründet, auf die die Staatsoper keine Rücksicht nehme, wenn sie sich „auf eine kleine Minderheit stagnierender Intellektueller" orientiere. Daß der Feldherr Lukullus erst im Totenreich abgeurteilt wurde, galt als Bekenntnis zur politischen Ohnmacht, denn „das Weltfriedenslager mit seinen mehr als 800 Millionen unter der Führung von Sowjetunion ist nicht nur kein ‚Schattengericht', sondern es hat die reale Macht, alle Kriegsverbrecher einer sehr irdischen Gerichtsbarkeit zu unterwerfen."[27] Die Kampagne gegen den Formalismus in Kunst und Literatur war angelaufen, und im Hauptreferat der 5. Tagung des Zentralkomitees der SED wurde Paul Dessaus „Lukullus"-Musik so charakterisiert: „Sie ist meist unharmonisch, mit vielen Schlagzeugen ausgestattet und erzeugt [...] Verwirrung des Geschmackes."[28]

Brecht, der allezeit Diskussionswillige[29], war bereit, mit führenden Vertretern der Regierung unter dem Vorsitz des Staatspräsidenten zu diskutieren und verstand sich zu einigen rational vertretbaren Änderungen, aber nicht zu irgendeiner Art von Selbstkritik. Brechts Bericht von den Umständen wirkt sehr ironisch[30], und sein in einer viel erzählten Anekdote gegebener Hinweis, keine andere Regierung sei denkbar, die ein so reges Interesse an seinem Werk nehme, enthält echten Stolz darauf, bei allem Mißverstehen als Künstler doch ernst genommen zu werden.[31] Freilich beobachtet Brecht kühl, wie die Verantwortlichen reagieren, z. B. bei einer Sonderaufführung des 1951 ebenfalls abgesetzten „Herrnburger Berichts", zu dem Paul Dessau Musik geschrieben hatte: „interessant, wie man sich ein kunstwerk anhört, das irgendwie verurteilt worden ist. für gewöhnlich wirkt es nicht einmal ohne ruhm. alles originelle erscheint als eigenwillig, frisches als frech, leichtes als oberflächlich, ernstes als vorlaut; überhaupt wirkt nichts mehr auf den, der die wirkung abschätzt."[32]

Die im Frühjahr 1951 heftig angefachte Anprangerung des angeblichen Formalismus in der Kunst und Literatur der DDR verschonte auch Brecht nicht. Diese Kampagne, die in einem unmittelbaren Zusammenhang mit der spätstalinistischen Kulturpolitik Stalins und Shdanows stand, was sich aus dem Studium der sowjetamtlichen Ostberliner Zeitung „Tägliche Rundschau" jener Zeit zweifelsfrei ergibt, wird noch heute in den partei- und zeitgeschichtlichen Veröffentlichungen der DDR als notwendiger Bestandteil der Kulturrevolution gutgeheißen. Man räumt nur ein, daß es zu gewissen Überspitzungen gekommen sei. Die Kampagne bestand aber nur aus Überspitzungen. Selbst die Trennung zwischen einem vermeintlich richtigen Prinzip und einer zu schroffen Ausführung wird keine politische Vernunft zutage fördern. Brechts Urteil über den Kunstverstand der Formalistenfresser läßt sich jedenfalls in solche milden Verklärungen der Vergangenheit nicht integrieren: „bekämpfer des formalismus wettern oft gegen neue und reizvolle formen wie gewisse reizlose hausfrauen, die schönheit ohne weiteres als hurenhaftigkeit (und kennzeichen der syphilis) denunzieren."[33]

Wer ausgerechnet Brechts Bearbeitung von Gorkis „Mutter" aufs Korn nahm, initiierte kaum eine proletarische Kulturrevolution, sondern inszenierte wohl eher eine kleinbürgerliche Kulturrevolte. Spitzenfunktionäre wie Fred Oelßner und Hans Rodenberg attackierten das Stück auf der 5. ZK-Tagung. Während Oelßner die unsinnige Meinung kundgab, das sei überhaupt kein Theater, sondern eine Kreuzung von Meyerhold und Proletkult, behauptete Rodenberg, eine zum Selbstzweck gewordene Didaktik sei an sich schon Formalismus. Rodenberg forderte zwar, Brecht „so klug zu kritisieren, wie er selbst klug ist", konnte aber seinem eigenen Anspruch selbst nicht genügen.[34] Im Grunde hielt mindestens ein Teil der damaligen SED-Führung die Wiederaufnahme älterer Stücke Brechts, auch der im Exil geschriebenen, für eine Marotte Brechts, die man tolerieren könne. „Natürlich ist es so, daß man Brecht länger Zeit geben muß, als man, sagen wir, mir geben könnte. Brecht verbraucht augenblicklich sein altes Gepäck. Er verbraucht es ein Stück nach dem anderen, weil er Zeit braucht, sich wieder zurechtzufinden. Er braucht wirklich Zeit." Gönnerhaft wurde Brecht eine größere Frist gegeben, sich den Verhältnissen anzupassen, weil er nicht Mitglied der SED war und somit nicht über die Parteidisziplin auf die jeweilige Linie verpflichtet werden konnte. Sein Freund Hanns Eisler nannte ihn einen „klassischen Bolschewik ohne Parteibuch" und erläuterte seine Meinung, warum Brecht weder in die KPD noch in die SED eingetreten sei, so: „Wir haben darüber nie debattiert. Ich hielt es auch für gar nicht gut, daß Brecht in der Partei wäre. Der Brecht war nicht ein Mann dieser Art Disziplin. Das ist ein ernsthafter Schritt. Das kann man nicht nur machen, sondern da muß man dann auch wirklich sich in einer bestimmten Weise verhalten."[36] Daß Brecht, wie Jürgen Rühle formulierte, „den letzten, entscheidenden Akt, die Priesterweihe, immer und immer hinausschob"[37], hat gewiß den Grad seiner Unabhängigkeit erhöht; es berechtigt aber nicht dazu, Brecht zum freischwebenden, zwischen den Stühlen hängenden Intellektuellen zu verfälschen. Die Beschreibung, was für eine Art Marxist oder Leninist Brecht war, muß von den Texten ausgehen und darf nicht vom Besitz dieses oder jenes Mitgliedsbuchs abgeleitet werden. (Die Anekdote ist bekannt, der zufolge Brecht in die Fragebogenrubrik, welcher Massenorganisation er angehöre, das Wort „Nationalpreisträger" schrieb.[38] Die ihm 1949 zugedachte Kränkung, einen Nationalpreis II. Klasse verliehen zu bekommen, während Becher gleichzeitig mit der I. Klasse geehrt werden sollte, konnte er noch abwehren: „so richtet helli dort aus, man möge doch von mir absehen, da ich eine solche klassifizierung als schädigend betrachten würde und den preis wohl zurückweisen müßte. derlei dinge muß man ganz unpersönlich betrachten und scharf auf nutzen und schaden achten [. . .]."[39])

Der Gegensatz zwischen Brecht und den offiziellen kulturpolitischen Zielsetzungen läßt sich besonders gut an der sogenannten Stanislawski-Diskussion zeigen. Brecht fand sich dabei deswegen in einer schwierigen Situation, weil der Auseinandersetzung *mit* Brecht nur eine *über* Stanislawski entsprechen konnte. Brecht mußte sein „Kleines Organon" und die ihm entsprechende und es weiterentwickelnde Theaterpraxis verteidigen, während seine Gegner, die sich als die befugten Ausleger, Interpreten und Erben Stanislawskis gaben, unter Berufung auf die Gültigkeit dieser sowjetischen Lehren *das* Theater des sozialistischen Realismus durchsetzen wollten. Das erklärt, warum Brecht so großen Wert darauf legte, daß es zu einem wissenschaftlichen, philologisch akribischen Studium der Hauptwerke Stanislawskis und seiner Mitarbeiter kommen sollte mit dem Ziel, in kritischer Sichtung herauszubekommen, was verwertbar, was entbehrlich, was zeitbedingt, was umzufunktionieren war. Nur so konnten seiner Meinung nach die Gemeinsamkeiten und die Unterschiede zwischen beider Theaterarbeit ermittelt werden. Brecht studierte das wenige Material, das in deutscher Sprache verfügbar war, mit der für ihn charakteristischen selbstbewußten Offenheit, die er jeder Denkleistung entgegenbrachte, die ihm das Vergnügen des Staunens und Lernens ermöglichte. Er drängt auf die rasche Übersetzung von Stanislawskis gesammelten Werken, damit der Streit nicht in der Art eines Schattenboxens geführt werden mußte.

Seine Kontrahenten forderten zwar auch, daß diese editionstechnischen Verzögerungen schnell beseitigt werden müßten, sie wollten aber nicht, daß der Kampf für ihr „volksnahes" Einfühlungstheater solange ausgesetzt würde. Ihr kulturpolitisches Ziel stand fest: es galt, die herrschende sowjetische Theaterpraxis unter Einbeziehung deutscher nationaler Traditionen zu übernehmen. Der Übergang von der antifaschistisch-demokratischen Ordnung zum Aufbau des Sozialismus sollte die Kompromisse der ersten Nachkriegsjahre auch auf kulturellem Gebiet beseitigen. Zunächst hatten die wenigen Stanislawski-Anhänger sich nur am Rand der Szene, fern von den Zentren, mit Unterstützung der sowjetischen Militärbehörden etablieren können, freilich auf dem wichtigen Felde der Ausbildung des Nachwuchses, so daß man auf einen Langzeiteffekt hoffen konnte. Schon im Herbst 1945 gründeten Maxim Vallentin, Ottofritz Gaillard und Otto Lang eine Schauspielabteilung an der Musikhochschule in Weimar. Zwei Jahre später entstand daraus das „Deutsche Theater-Institut", das den Status einer Hochschule erhielt. 1949 kam eine Theaterwissenschaftliche Abteilung unter Leitung von Armin-Gerd Kuckhoff hinzu. 1953 zog das Institut nach Leipzig und vereinigte sich mit einer dort zwei Jahre vorher ins Leben gerufenen Schauspielschule zur Theaterhochschule Leipzig. Die Leiter dieser Ausbildungsstätten waren von tiefem Mißtrauen gegenüber dem Brecht-Theater erfüllt. Sie monopolisierten nicht nur die Ausbildung im Sinne ihrer konservativ-klassizistischen Methodik, sie verhielten sich auch abwehrend gegenüber inhaltlichen und formalen Neuerungen und Wagnissen. In einem Rückblick auf 20 Jahre Arbeit formulierte Kuckhoff die Position der Schule so: „Als revisionistische Tendenzen auch ins Theaterleben der Republik eindrangen, zog sich die Hochschule nicht selten von bestimmten Gruppierungen im Bereich des Theaters den Vorwurf des Dogmatismus zu, weil sie sich stets politisch-ideologisch verantwortlich gegenüber der Partei der Arbeiterklasse fühlte."[40]

Brecht hatte demgegenüber nur die Möglichkeit, durch das Ausprobieren beim Erarbeiten seiner Stücke Schauspielern und jungen Regisseuren Kenntnisse und Erfahrungen einer neuen Theaterkunst zu vermitteln. „Jetzt sind einige Schauspieler zusammen, die wissen, was sie wollen, und die auch imstande sind, zu spielen, wie wir es brauchen", sagte Brecht zu seinem Freund Bernhard Reich 1955 bei einem Besuch in Moskau, wobei er sich beklagte über die überflüssige Energie, die es koste, das Unbrauchbare zu beseitigen, das die Schauspieler woanders gelernt haben: „Wozu ewig mit dem Ausradieren Zeit verlieren — zweckmäßiger wäre es, in der eigenen Schauspielschule unseren Nachwuchs zu schulen. Wir müssen ihnen Theorie und Praxis geben."[41] Zur Gründung einer dem Berliner Ensemble angeschlossenen Schauspielschule, als deren Leiter er Reich ausersehen hatte, ist es nicht mehr gekommen. Regisseure, die heute in der DDR im Sinne Brechts sein Erbe sowohl bewahren wie produktiv weiterführen, verdanken diese Möglichkeit nicht den institutionalisierten Ausbildungsstätten, die über ihre biederen provinziellen Anfänge nur wenig hinausgelangt sind.

Dennoch geht die weiterwirkende Tradition des Brecht-Theaters auf die letzten Endes – angesichts der vielen Vorbehalte Brecht gegenüber – großzügige Entscheidung der Behörden zurück, dem zurückgekehrten Emigranten ein staatlich finanziertes Theater zu überlassen. Die Hoffnung, daß dem Staat dadurch im kulturellen Wettkampf der Systeme Pluspunkte zuwachsen könnten, sollte man dabei nicht überschätzen, obwohl eine solche Hoffnung sicher kein ehrenrühriges Motiv darstellte. Die Anfeindungen, denen Brecht lange Zeit vor allem in der westdeutschen Presse ausgesetzt war, und die Bemühungen reaktionärer Kreise, noch Jahre nach seinem Tod an den Bühnen der Bundesrepublik einen Boykott seiner Stücke durchzusetzen[42], beweisen jedoch, daß in der Zeit des Kalten Krieges der Status eines kommunistischen deutschen Teilstaates nicht überall nachhaltig aufgebessert werden konnte, wenn man auf die Künstler verwies, die sich zur Arbeit auf seinem Territorium entschlossen hatten.

Im übrigen war es für Brecht keineswegs leicht, zu einem eigenen Theater zu kommen. Ohne das taktische Geschick und das organisatorische Talent von Helene Weigel hätte das Projekt durchaus scheitern können. Wie stark der Widerstand ihm gegenüber war, vermerkte Brecht am 6. Januar 1949 in seinem „Arbeitsjournal" nach einer Vorladung zum Berliner Oberbürgermeister Friedrich Ebert: „der herr oberbürgermeister sagte mir weder guten tag noch adieu, sprach mich nicht einmal an und äußerte nur einen skeptischen satz über ungewisse projekte, durch welche vorhandenes zerstört würde. die vertreter der SED [. . .] schlugen die kammerspiele für das projekt vor, sowie gastspiele im deutschen theater oder bei wisten. auch von sparmaßnahmen wurde geredet und von der notwendigkeit, der volksbühne eine bleibe zu schaffen, bis das alte haus renoviert sei. (man hat dieses sozialdemokratische kleinbürgerunternehmen ‚jedem kleinen mann eine ständige theaterloge' neu aufgezogen und liefert schmierenaufführungen.) zum ersten mal fühle ich den stinkenden atem der provinz hier."[43]
Der Verfasser der Anmerkungen zum „Arbeitsjournal", Werner Hecht, sah seine Aufgabe darin, den subjektiven Wertungen Brechts die „korrekten" offiziellen Einschätzungen entgegenzustellen. Er lobt die Volksbühne und den damaligen Intendanten des Schiffbauerdamm-Theaters, Fritz Wisten, der 1954 in das neue Gebäude der „Volksbühne" übersiedelte und damit – fünf Jahre nach jener für Brecht so unbefriedigenden Unterredung – den Platz für das eigene Haus des Berliner Ensembles freigab. Hecht setzt auch die „brechtfreundliche", aber mit dessen eigener Darstellung eigentümlich kontrastierende Version des damaligen sowjetischen Kulturoffiziers Alexander Dymschitz über jenes Gespräch vom Januar 1949 in die Anmerkungen: „Auf der Sitzung, auf der die Frage der Theaterpläne Brechts behandelt wurde, hörte ich, wie er auf das ‚Theater am Schiffbauerdamm' entschlossen verzichtete, bis für Wisten ein neues Gebäude errichtet würde."[44] Was blieb ihm auch anderes übrig, als „entschlossen zu verzichten"! Er hatte ja weder die Absicht noch die Macht, Wisten und sein Ensemble exmittieren zu lassen und ihrer Arbeitsmöglichkeiten zu berauben.[45]
Brecht wußte, als er sich zur Rückkehr nach Berlin entschloß, daß es Schwierig-

keiten geben würde. Schon in den Vereinigten Staaten hatte er „Das deutsche Stanis-lawki-Buch" von Ottofritz Gaillard, Berlin 1946, gelesen. Er war darüber informiert, wie und was man zu lehren begann, und er formulierte im „Arbeitsjournal" ein schar-fes kritisches Urteil darüber, z. B. in einer Eintragung vom 4. Januar 1948 während seines Aufenthaltes in der Schweiz: „was mich besonders anekelt an dem Deutschen Stanislawski-Buch ist der hausbacken moralische ton, der sich nicht einmal als hand-werksmoralisch auslegen läßt, weil die kurpfuscher eben keine echte handwerksmo-ral haben können. dabei ist der schauspieler nur an eine moralische satzung gebun-den: daß er, die menschliche natur ausstellend, nicht lügt, etwa einer moral wegen."[46] Hinzu kamen die politischen Implikationen. Stanislawski, der große alte Mann des bürgerlichen „Moskauer Künstlertheaters" wurde in der Sowjetunion Mitte der drei-ßiger Jahre auch deswegen geehrt, weil seine Autorität dazu dienen sollte, die admi-nistrative Vernichtung aller experimentellen Theaterformen zu besiegeln, um auch auf diesem Gebiet den Kulturkonservatismus Stalins und Shdanows „siegen" zu las-sen. Analog zu der von Stalin bevorzugten Form des „Kurzen Lehrgangs" wurde aus den widerspruchsvollen, praxisbezogenen, ein halbes Jahrhundert umschließenden Notizen und Werken Stanislawskis eine vulgarisierte Anleitung zum Handeln auf der Bühne gebastelt. „Aus den Erfahrungen des Sowjet-Theaters" hieß die kleine Bro-schüre, die 1945 in Weimar erschien und Aufsätze des Jahres 1938 enthielt. Im Vor-wort von Maxim Vallentin heißt es: „In diesem Jahre wurden auf Grund der Ableh-nung des Formalismus in der Kunst durch die Massen des Sowjetvolkes auch be-stimmte, nach langjährigen Experimenten und gründlichen Diskussionen als schäd-lich erkannte Theaterauffassungen theoretisch und praktisch liquidiert. Die von ge-wissen Hemmungen und Irritierungen befreiten Sowjet-Theaterkräfte scharten sich nun einig um die große Gestalt Konstantin Sergejewitsch Stanislawskis [. . .], wäh-rend die formalistischen Strömungen versiegten."[47] „Versiegen" ist ein recht zyni-sches Synonym für liquidieren. Die „befreiten" Künstler mußten sich um einen To-ten scharen – Stanislawski starb am 7. August 1938 und konnte sich nicht mehr ge-gen das wehren, was in seinem Namen geschah.

In einem weiteren Buch hat Vallentin 1949 („Vom Stegreif zum Stück") noch deutlicher die stalinistische Kulturpolitik der damaligen Sowjetunion verfochten. „Kleinbürgerliche Pseudorevolutionäre proklamieren neben der Großen Sozialisti-schen Oktober-Revolution eine Theaterrevolution, den sogenannten ‚Theater-Okto-ber'. [. . .] Konsequentem Humanismus fremde Regisseurautokraten gebärdeten sich als leibliche Brüder der Revolution und waren doch nichts anderes als Mitläufer, de-ren ideologische Grundlagen antihumanistisch waren. Sie inszenierten Massenszenen und glaubten nicht an die schöpferischen Kräfte der aus Individuen bestehenden Mas-sen. Sie waren Zyniker."[48] Hier wurde also die ideologische Rechtfertigung für die physische Beseitigung der angeblichen Klassenfeinde auf dem Gebiet des Theaters geliefert. Das hinderte Armin-Gerd Kuckhoff nicht daran, sich in seinem Rückblick mit dem Titel „Nach dem Gesetz, wonach du angetreten . . ." noch im Jahre 1967 damit zu identifizieren („Mit der Publikation dieser Aufsätze in einer kleinen Schrift ‚Aus den Erfahrungen des Sowjet-Theaters' gab Vallentin der Ausbildung in Weimar ein theoretisches Fundament") und von dem zweiten Buch Vallentins zu erklären, es stelle ein „Bekenntnis zu einer parteilichen und kämpferisch-humanistischen Schau-spielpädagogik"[49] dar.

Mit den Regisseuren und Autoren des in diesen Publikationen beschimpften „Theater-Oktober" fühlte sich Brecht besonders verbunden, mit ihren Experimenten eines neuen proletarischen Theaters sympathisierte er. „Sie bestehen stur auf ihrem ‚Erlebnis' "[50] tadelte er die bürgerlichen deutschen Theaterkritiker 1930, die anläßlich eines Gastspiels der Meyerhold-Bühne in Berlin deren Versuche, zu einem „großen rationaleren Theater" zu gelangen, nicht begriffen. Brecht änderte seine Ansicht nicht, sondern mußte den gleichen Vorwurf später auch den Vertretern der angeblich einzig legitimen, natürlichen, volksnahen, ergreifenden Theaterkunst einer sozialistischen Gesellschaft machen. Das Stück, das Meyerhold damals inszeniert hatte – „Brülle, China!" – stammte von Sergej Tretjakow, den Brecht als seinen Freund und Lehrer betrachtete. Ihm zu Ehren schrieb er 1939 das Gedicht „Ist das Volk unfehlbar?", dessen erste Strophe lautet:

Mein Lehrer
Der große, freundliche
Ist erschossen worden, verurteilt durch ein Volksgericht.
Als ein Spion. Sein Name ist verdammt.
Seine Bücher sind vernichtet. Das Gespräch über ihn
Ist verdächtig und verstummt.
Gesetzt, er ist unschuldig? [51]

Der Gegensatz zwischen den „antihumanistischen Zynikern" des Theateroktober und dem großen Altmeister Stanislawski, dessen Werk vor jenen zu schützen sei, ist eine stalinistische Fälschung. Meyerhold wie Wachtangow waren Schüler Stanislawskis und haben noch in der Abkehr von seinen stilistischen Prinzipien tiefe Hochachtung für ihren Lehrer bewahrt, den steril zu kopieren sie freilich nicht als ihre Aufgabe ansahen. Denn Stanislawski war ja kein Marxist; durch die Revolution wurde er überrascht, aber er war dankbar, daß der neue Staat ihn weiterarbeiten ließ, nachdem ihn Volkskommissar Lunatscharski in den schwierigen Jahren unmittelbar nach der Revolution auf Gastspielreisen ins Ausland geschickt hatte. Aber im Gegensatz zu denen, die seinen Namen mißbrauchten, war Stanislawski ein „wahrer Humanist", der trotz des tiefen ästhetischen Gegensatzes Meyerhold nie den Respekt versagte. Nach Auskunft von Bernhard Reich verhielt er sich „in Meyerholds schwerer Zeit nach der Schließung seines Theaters geradezu freundschaftlich".[52]

Ohne diese politischen Zusammenhänge können Zielsetzung und Verlauf der Stanislawski-Tagung, die vom 17. bis 19. April 1953 in Ostberlin stattfand, nicht richtig verstanden werden. Die Konferenz, die den Startschuß für die Durchsetzung der sogenannten Stanislawski-Methode an allen Bühnen der DDR abgeben sollte, war im Januar des gleichen Jahres auf einer Theaterkonferenz beschlossen worden, also mitten im Spätstalinismus. Aber als an die 200 Theaterleute sich schließlich im Plenarsaal der Akademie der Künste zusammenfanden, war Stalin gestorben, und als die Ergebnisse in die Tat umgesetzt werden sollten, hatten die Ereignisse des 17. Juni 1953 auch die kulturpolitische Landschaft verändert. Im Mai- und im Juni-Heft der damals noch von der (im Sommer 1953 von Brecht heftig angegriffenen) Staatlichen Kommission für Kunstangelegenheiten herausgegebenen Zeitschrift „Theater der Zeit" erschienen Ausschnitte aus einigen Referaten und Diskussionsbeiträgen sowie Leitartikel und

Kommentare des alten Brecht-Gegners Fritz Erpenbeck, der auch die Tagung geleitet hatte. Der Beschluß, das Protokoll der Tagung herauszugeben, wurde nicht mehr verwirklicht. Heute ist es überhaupt nicht mehr auffindbar. Brecht reichte seinen Diskussionsbeitrag schriftlich ein, vermutlich nach Schluß der Rednerliste. Er verband dies mit einer Kritik an der ungenügenden Organisation, denn das Hauptreferat sei nicht vor Tagungsbeginn schriftlich verfügbar gewesen, so daß einer wie er, dem das Improvisieren nicht liege, sich nicht habe vorbereiten können. Dieser Text wurde ebenso wie seine anderen Notizen und Gesprächsprotokolle zum Thema damals nicht publiziert, sondern einer größeren Öffentlichkeit erst in der Ausgabe der „Schriften zum Theater" als „Stanislawski-Studien" zugänglich. Schon daran kann man sehen, daß es nicht um einen Methodenstreit ging, in dem jede Seite gleichberechtigt war.

Letztlich wurde hier die Formalismus-Kampagne des Jahres 1951 fortgeführt, und das Ziel sollte sein, Brecht zu isolieren und zur Zurücknahme einiger seiner „theoretischen Marotten" zu bewegen. Brecht setzte, wie sich zeigen sollte, mit gutem Erfolg, auf Zeitgewinn. Er nutzte es aus, daß die Organisatoren unsicher geworden waren, denn politische Prominenz trat gar nicht auf. Erpenbeck sah eine Schwäche der Tagung darin, „daß die Bedeutung des Lernens von der Sowjetunion zuwenig ausgesprochen wurde. Es ist doch kein Zufall, daß die Stanislawski-Methode gerade in der Sowjetunion entstanden ist. Sie konnte deshalb dort entstehen, weil mit der Großen Sozialistischen Oktoberrevolution die Arbeiterklasse die Führung im Staat übernahm."[53] Entstanden war sie aber zweifellos im zaristischen Rußland; erst die vulgarisierte Version, deren Richtiges oder Falsches gar nicht mehr kritisch untersucht werden sollte, weil die Sowjetunion dafür bürgte, daß es heute nur diese eine Möglichkeit gebe, die Wahrheit auf der Bühne darzustellen, wie Erpenbeck andeutete, stammte aus den dreißiger Jahren unseres Jahrhunderts.[54]

Brecht ließ sich davon ebensowenig einschüchtern wie von der Drohung, der Kampf für das Stanislawski-System müsse hart, kompromißlos, stark, offen, ehrlich und unversöhnlich geführt werden, wie es der zweifellos bedeutende Theatermann Langhoff, durch „bürgerliche Überreste" in sich unsicher, daher zu übertriebener Selbstkritik in schwierigen Lagen und zu korrekter Ausführung der Linie neigend, unter dem inneren und äußeren Druck der Parteidisziplin formulierte. Brecht, weit mehr als ein Sympathisant, aber in gewisser Hinsicht weit weniger als ein SED-Mitglied, war gewiß freier, Art und Zeitpunkt seines Eingreifens in die Debatte zu bestimmen. Er ließ das Gelände zunächst durch Helene Weigel sondieren. Die Intendantin des Berliner Ensembles stellte in ihrer kurzen Diskussionsrede[55] dreierlei fest: 1. In ihrem Theater studiere man eifrig Stanislawski. 2. Die Arbeitsweise des Brecht-Theaters sei in mancher Hinsicht der Stanislawskis ähnlich. 3. Es sei klar, daß ein Unterschied zwischen beider Arbeitsweise bestehe, wenn auch noch nicht klar sei, worin er bestehe oder wie groß er sei, denn man kenne Stanislawskis Arbeitsweise viel zu wenig.

Brecht griff in seiner „Nachschrift" das Hauptreferat Langhoffs an, vor allem dessen als Beispiel für Stanislawski-Methodik herangezogene Konzeption einer Inszenierung von Goethes „Egmont", die Brecht idealistisch und undialektisch nannte. Langhoff seinerseits bestand im Schlußwort darauf, daß der Zuschauer im Brecht-Theater den Ideengehalt eines Werks nicht wirklich aufnehmen könne, weil er „nicht die Wirklichkeit in einem lebendigen künstlerischen Abbild, in einer organischen, Gefühle, Sinn und Verstand und alle übrigen Kräfte des Menschen mobilisierenden Weise erleben kann".[56] Der Schriftsteller Harald Hauser vulgarisierte diesen Angriff, indem er Brecht Überintellektualisierung und Kälte („wo mir irgendwo das Leben fehlte"[57]) vorwarf. Wieder sollte der Gegensatz „zwischen vollblütigem und blutlosem Theater"[58] auf der Tagesordnung bleiben.

Brecht hielt sich an den genialen Theatermann Stanislawski und hielt Distanz zu dessen vermeintlichen Erben („Das würde mich enttäuschen, wenn Stanislawski das meinte"[59]). Vor der Konferenz hatte Brecht einige Schauspieler in sein Haus gebeten, um sie zu fragen, was sie von Stanislawski wußten. Brecht verblüffte dabei die Runde dadurch, daß er erklärte, er sei nicht gegen Einfühlung. Die Schauspielerin Mathilde Danegger hätte es offenbar gern gesehen, daß Brecht in diesem Punkt der offiziellen Kulturpolitik der SED nachgeben würde. Sie fragte daher sogleich zurück: „Darf ich das aufschreiben und eventuell sagen, wenn die Rede darauf kommt. Sie wissen, man wirft Ihnen vor, daß Sie die Einfühlung ganz verwerfen und überhaupt keine vollen Menschen auf der Bühne dulden wollen."[60] Aber Frau Danegger hatte überhört, daß Brecht die Einfühlung nur in einer bestimmten Probenphase brauchte und mußte aus seiner Antwort entnehmen, daß es nichts aufzuschreiben gab, das den Freunden der „vollen Menschen" als Erfolgsmeldung hätte mitgeteilt werden können.

Die Kontroverse blieb anhängig, die Konferenz erreichte ihr politisches Ziel nicht. Das lag sowohl an Brechts intransigenter Haltung, kraft derer er wohl bereit war, ohne Unterlaß zu diskutieren, aber nicht dazu, einzuschwenken und klein beizugeben, wie auch an der nach 1953 durch die Umstände erzwungenen anti-dogmatischen Phase in der DDR. Die auf der Konferenz erfolgte Zuspitzung auf entgegengesetzte Thesen zu Einfühlung und Verfremdung offenbarte zwar ein scholastisches Verfahren der Zitatklauberei[61], da weder in dem Satz „Ein Urteil: ,Er spielte den Lear nicht, er war Lear', wäre für ihn (den Schauspieler) vernichtend" der ganze Brecht noch in dem Satz „Wenn ich Ihnen den Hamlet gebe, so sind Sie Hamlet" der ganze Stanislawski stecken konnte; trotzdem aber hatte solche Konfrontation ihr Gutes, da sie die Gleichsetzung des Unvereinbaren erschwerte und dadurch auch in der Folgezeit der „Einsargung" des Theaterlebens in der DDR entgegenwirkte.

Die Synthese war nicht möglich. Jahre später versuchte Käthe Rülicke-Weiler einen Vergleich zwischen Brecht und Stanislawski[62] auf einer inzwischen breiter gewordenen Materialbasis. Sie unterschied vorsichtig Nuancen: die hauptsächliche Seite sei bei Brecht das Darstellen und bei Stanislawski das Erleben. Brecht selbst hatte die Differenz darin gesehen, daß die Ausgangspunkte beim Inszenieren unterschiedlich seien: Während Stanislawski als Schauspieler an die Aufgabe herangehe, tue er dies als Stückeschreiber. Inzwischen war bemerkt worden, daß Stanislawski vor der Revolution eine Art idealistischer Psychotechnik betrieben hatte. (Brecht war dies immer aufgefallen. Er erklärte es sich damit, daß man nur noch durch Yogi-Übungen oder Exerzitien, wie sie Ignatius von Loyola empfahl, also auf dem Wege autosuggestiver Schöpfungsakte „figuren aus der privaten bürgerlichen sphäre her großfüttern"[63] konnte. Er warf Gaillard und Vallentin vor, daß sie dies System aus der Zarenzeit konservieren wollten).

Käthe Rülicke beschränkte sich daher bei dem Vergleich auf die letzte Arbeitsphase Stanislawskis nach 1930. Aber ihr gelang dennoch nicht, was Brecht mit Recht für unmöglich erklärt hatte, nämlich beider Auffassungen in Deckung zu bringen, um zu sehen, worin sie abweichen. Sie rückt Stanislawskis „Überaufgabe", die sogenannte Grundidee oder das „Hauptanliegen des Dichters" (wie Erpenbeck vulgarisierend erläuterte), viel zu eng mit dem zusammen, was Brecht die Fabel nennt. Selbst die wichtige Unterscheidung, die sie vornimmt, zwischen dem jeweiligen Blickpunkt (bei Brecht: die Gesellschaft; also objektivierend; bei Stanislawski: die Stückfigur; also psychologisierend) reicht da nicht aus. Die Fabel enthält nämlich in sich das Konkrete, Besondere des Stücks, sie kann ihm nicht aufgepfropft und daher auch nicht abstrakt beschrieben werden. Die Überaufgabe oder Idee hingegen wird, zumal wenn Regisseur und Stückeschreiber nicht ein und dieselbe Person sind, oft nur vorgeblich dem Stück entnommen. Sie wird als etwas Allgemeines formuliert, das man mit Hilfe des Stücks, eines Stücks, dieses Stücks oder auch eines anderen, zeigen will. Die Entscheidung, was die Grundidee sei, kann voluntaristische Züge tragen, vor allem wenn sie für eine vor der ersten Probe fixierte Regiekonzeption erfolgt und sich nicht aus der Arbeit und Diskussion im Kollektiv allmählich ergibt.

Diese Gefahr sah Brecht sehr deutlich. Die sogenannte „Festlegung des Ideengehalts" vor der Inszenierung, von Erpenbeck und Langhoff als „künstlerisch-schöpferischer Akt" bezeichnet, hielt er für den Ausdruck eines bürokratischen Schematismus. Das Verfahren widersprach Brechts wahrhaft schöpferischer Neugier auf das Erstaunliche und Unerwartete, für das man sich während der Arbeit offenhalten mußte. In diesem Punkt glaubte sich Brecht in voller Übereinstimmung mit Stanislawski, den er und mehr gegen seine dogmatischen Anhänger in Schutz nahm. Gegen die Überschätzung einer zentralen Grundidee richten sich sowohl seine Stückbearbeitungen wie auch die ihnen zugrundeliegenden theoretischen Anmerkungen. Am „Faust" gefiel ihm, daß es nicht möglich sei, die Grundidee zu formulieren.[64] An Langhoffs „Egmont"-Inszenierung kritisierte er, daß die Bühne zum bloßen Mittel verkomme, die Ideen des Dichters zu „verkörpern". Oder Ideen, die man für solche des Dichters ausgab. In diesem Fall war Egmont zur symbolhaften Vorbildfigur umgebogen worden, die dem Zuschauer keine Kritik an der historischen Figur ermöglichte, welche ohne Rest in der „positiven" Konzeption aufgegangen war.

Brecht ist dann 1954 in einem Gespräch mit Studenten aus Greifswald noch einmal auf die Gefahr solcher deduktiven Methoden zu sprechen gekommen: „‚Egmont' wird aufgeführt, um ein Fanal nationaler Befreiung zu zeigen, primitiv gesagt. Es wird nicht nachgeschaut, ob dieses Werk dafür genügend enthält. Man hat einen Leisten, und darüber schlägt man alles. Etwas derartig Primitives hätte Goethe nicht konzipieren können, ein Fanal der nationalen Befreiung aus dem Egmont-Stoff. In Wirklichkeit ist es ein widerspruchsvolles Ganzes, es handelt sich um die nationale Befreiung, aber nicht so, daß man die Idee der nationalen Befreiung verkörpert vorfindet. Wenn man das sucht, bekommt man eine Gipsplastik, die nirgends stimmt."[65] Als ein Student erwähnt, daß es an den DDR-Bühnen Pflicht sei, eine schriftliche Regiekonzeption vorzulegen, gibt Brecht, gewohnt an Widersprüche, geneigt, Vor- und Nachteile abzuwägen, zu bedenken, daß dadurch vielleicht die ganz groben Fehler vermieden würden: „Auch wird der Regisseur, wenn er etwas aufschreiben soll, gezwungen, überhaupt nachzudenken."[66] Was seine Gegner als das A und O jeder realistischen Schauspielkunst propagierten, wird bei Brecht zu einer Notlösung in Zeiten des Umbruchs, ja zu einer bloßen Stütze für Talentlose.

Wirklich Bedeutsames könne bei diesem Verfahren aber nur entstehen, wenn ein großer Theatermann es (freiwillig und seiner Eigenart gemäß) anwende. Man ist überrascht, daß Brecht als Beispiel Max Reinhardt nennt, der vor der Aufführung dikke Bücher geschrieben habe und das mit Erfolg („ganz wunderbar"), weil er seine Schauspieler genau kannte und vorher wußte, wie er sie einsetzen konnte. Dann fällt in dem Gespräch der Satz: „Dem Genie werden natürlich überhaupt keine Vorschriften gemacht."[67] Hinter dem Indikativ steckte eine Forderung. Brecht brauchte nicht die Bestätigung der anderen, wieviel er wert war. Man darf sich nicht von den zurückhaltenden Worten, er jedenfalls müsse erst sehen und probieren und habe nicht fix und fertig im Kopf, worauf eine Arbeit im Ergebnis hinauslaufen solle, täuschen lassen. Die Einfachheit des Tons wirkt vielleicht auf den flüchtigen Hörer wie Bescheidenheit.

Hans Mayer hat gezeigt, welch selbstsicherer Anspruch an Mitwelt und Nachwelt in dem Gedicht „Ich benötige keinen Grabstein" erhoben wird. In diesem Zusammenhang gab er in wenigen Sätzen eine Interpretation von Brechts „Selbstwert", die mancher Kritiker hätte beherzigen sollen, der in jüngster Zeit die erste Edition des „Arbeitsjournals" enttäuscht aus der Hand legte, weil die offenbar erwartete Selbstenthüllung, die Antwort auf die Frage, wie Brecht sich „als Mensch" selbst eingeschätzt habe, wiederum ausgeblieben war. Mayer schrieb: „Daß er ein ‚Genie' sei, hat er gewußt. Oft machte er sich im Gespräch über den Ausdruck lustig, stellte aber das Exzeptionelle der eigenen Existenz nicht in Abrede. Allein er verstand diese seine Besonderheit nicht als Anlaß zur Reflexion. Die genialische Substanz beschäftigte ihn bloß in ihren instrumentalen Möglichkeiten: als Funktionalität."[68]

Wo diese Möglichkeiten freilich behindert werden sollten, wehrte er sich. Es fällt auf, daß Brecht unter dem Eindruck der kulturpolitischen Repressionen und der sie begleitenden Rechtfertigungsideologie, in der mangelnde Stringenz der Argumente durch arrogante Rechthaberei ausgeglichen wurde, die schöpferische Eigenart des Künstlers immer stärker betonte. Das bedeutete nicht die Rückkehr zu dem von Brecht seit langem bekämpften Originalitätsbegriff, der ein Ausdruck bürgerlicher Eigentumskategorien ist. Das Richtige sollte übernommen werden, wo immer es verwertbar war. Er haßte es, wenn jeder auf eigene Fast „etwas Einzigartiges" zaubern wollte. Eklektizismus war ihm kein Schimpfwort. Brecht lernte von anderen und wollte mit seinen Modellbüchern helfen, daß andere von seinen Ergebnissen und denen seines Kollektivs lernten. Aber er sah eine große Gefahr darin, daß die Durchschnittlichen einzig dafür kämpften, dem Durchschnittlichen (das sie verstanden) überall zum Sieg zu verhelfen. So hieß es im Punkt 3 seiner Vorschläge für die Stanislawski-Konferenz: „Keine Aufführung, die nur nach der Methode Stanislawskis aufgebaut wurde, hat die geringste Chance, einer Stanislawski-Aufführung zu gleichen, wenn sie nicht *eine individuelle künstlerische Handschrift* zeigt, ebenso unverkennbar wie die Stanislawskis.[69]

Brechts kompromißlose Verteidigung von Picassos Genie gehört in diesen Zusammenhang. Sie ergab sich aus den heftigen Angriffen auf den Theatervorhang des Berliner Ensembles. Harald Hauser ernannte sich auf der Stanislawski-Konferenz zum Sprecher aller, denen diese „ganz einfache Frage [. . .] auch schon auf der Zunge brannte": „Mich stört dieser Vorhang ganz furchtbar, ich kann mir nicht helfen. Als ich 1951 in Moskau die Gelegenheit hatte, als Mitglied einer Delegation viel im Theater zu sein, habe ich es herrlich gefunden, daß in allen Theatern wunderschöne, prächtige Vorhänge zu sehen sind, die eine festliche Stimmung beim Zuschauer erzeugen. Wenn ich hingegen ins Berliner Ensemble komme [. . .], finde ich es bedrükkend, den schmutzigen Sack da vorn zu sehen. So empfinde ich es. Ich finde es auch nicht schön, daß die herrliche Taube von Picasso, schwarz-weiß uns bedrückend, beinahe nicht mehr wie eine Taube erscheint. Dieses fliegende Symbol des militanten Friedens, des Kampfes, wirkt düster, finster, bedrückend, noch dazu auf diesem grauen Vorhang. Das mag einzelnen als Kleinigkeit erscheinen; ich glaube, es ist keine."[70]

Hier erscheinen die Vorwürfe gegen das Brecht-Theater in ihrer ganzen Dumpfheit konzentriert zusammengefaßt: 1. Es ist nicht pathetisch, lebensbejahend, von Herzen optimistisch, sondern grau, finster und bedrückend. 2. Es ist nicht so wie das sowjetische Theater, das das beste der Welt ist, weil es das sowjetische Theater ist. 3. Die Taube Picassos ist beinahe keine Taube mehr, d. h. das einzige Produkt Picassos, das damals voll akzeptiert wurde, die realistisch-symbolische Taube, wird von Brecht in einen formalistischen Kontext gebracht. Brecht und Picasso bestätigen sich dadurch gleichsam gegenseitig ihre Schwächen, die sie zu überwinden hätten. Sie sind letztlich Formalisten. Das ist der politische Impuls, der Hauser zu seiner im einzelnen primitiven Attacke antreibt, die man aber deswegen nicht als abwegiges Geschmacksurteil eines Verständnislosen abtun darf:

Wie sehr kleinbürgerliche Vorstellungen der Vergangenheit mit gleichgerichteten, diese nur in Worten bekämpfenden offiziellen Kunstnormen verschmolzen, zeigte sich, als die Greifswalder Germanistikstudenten *unisono* im Sinne Hausers das Picasso-Plakat des Theaters, die Taube und Masken aller Rassen zeigend, als primitiv, ausdruckslos, mit Klecksen drumherum anprangerten. Brecht reagierte darauf zunächst ironisch und brachte die Zuhörer damit zu einem eher verwirrten, denn befreiten Lachen. Die „Kleckse" kommentierte er nämlich so: „Die machen es bunt. Wenn ein Mann jodelt, ist das auch ein merkwürdiger Vorgang. Was will er eigentlich?"[71] Brecht merkte wohl selbst, daß es nicht genügte, seine jungen Zuhörer, die man gelehrt hatte, das bloß Spielerische als nutzlosen formalistischen Selbstzweck zu kritisieren, durch anscheinend komische Gegenfragen zu irritieren. Diese Studenten konfrontierten ihn ja abermals mit den Ergebnissen der herrschenden ästhetischen und politischen Erziehung.

So entschloß er sich dazu, in Konkurrenz zu den „falschen Lehrern" zu treten und seine Autorität nicht nur zugunsten Picassos, sondern auch zugunsten anderer Kunstauffassungen mit höheren Qualitätsansprüchen ins Feld zu führen. Es ist dies die einzige Stelle in dem Gespräch, in der Brecht mit (verhaltener) Ungeduld spricht und in der er eine weitere Auseinandersetzung autoritär abschneidet: „Wir sind in der Kunstauffassung nicht auf einem hohen Niveau. Gewisse Vorstöße zu kühneren Formen müssen Befremden erregen. Nicht alles ist gut, was befremdet, aber Sie dürfen nicht vergessen, daß es Maßstäbe für gut und schlecht gibt. Also das ist zum Beispiel ein großer Künstler, dieser Picasso. Man kann nicht immer jedem nachweisen, warum etwas gut ist. Teilweise geschieht die Belehrung dadurch, daß Ihnen mitgeteilt wird: Das ist gut. Wenn man so etwas immer wieder hört, wird es langsam zu einem Begriff. Es ist Ihnen zu wünschen, daß Sie oft genug ein gutes Plakat wie dieses zu sehen bekommen. Picasso ist einer der größten lebenden Künstler. Das ist der Punkt, das wird Ihnen jetzt einfach gesagt. Ich werde niemanden von Ihnen fragen, ob er der gleichen Ansicht ist."[72]

Solche Erfahrungen hat Brecht in Diskussionen oft machen müssen. Hans Mayer berichtet, daß Anfang der fünfziger Jahre auch eine Gruppe seiner Leipziger Studenten zu Besuch bei Brecht gewesen war; sie „hatten jedoch anmaßend und besserwisserisch, als getreue Lehrlinge eines offiziellen ästhetischen Parteikurses, dort gerügt, wo sie nicht verstanden. Brecht war erregt gewesen. Sah die neue Zuschaukunst in der Praxis so aus? Er schrieb mir damals nach Leipzig und forderte gründlichere Darstellung seiner Dramaturgie und Dramatik an den Universitäten, wo nun die Kinder der Arbeiter und Bauern studieren durften: wie auch Brecht es seit längerem gefordert hatte."[73] Brecht selbst hat seine Eindrücke von solchen wenig verheißungsvollen Gesprächen an mehreren Stellen seines „Arbeitsjournals" notiert, z. B. am 1. Juli 1951 von einem Gespräch mit Studenten der Arbeiter- und Bauernfakultät: „schlechte verständigung. vornehmlicher wunsch, die tagesprobleme gestaltet zu bekommen, als welche jedoch recht schwächlich und völlig unproblematisch zur sprache kommen. dabei wittern die jungen leute da skepsis, wo sie auf ansprüche stoßen. der schnelle und von unzulänglichen lehrern veranstaltete lehrgang entwickelt zunächst wenig wissenschaftliche haltung, auch nicht in den neuen sozialwissenschaften. das denken bleibt verkümmert, wo denkprodukte auswendig gelernt werden. besonders hapert es bei der beschreibung der phänomene, ohne die ein eingreifen unmöglich bleibt. auch künstlerische werke werden nicht eigentlich studiert, besonders das künstlerische an ihnen wird links liegengelassen. und doch sind dies kinderkrankheiten, nichts schlimmeres."[74]

Man muß die Haltung, die sich in dem letzten Satz ausdrückt, sehr ernst nehmen. In der DDR besteht gewiß die Tendenz, die Metapher von den Kinderkrankheiten überzustrapazieren. Der genesene Patient erinnert sich überhaupt nicht daran, jemals ernsthaft gelitten zu haben. Schließlich meint er sogar, immer gesund gewesen zu sein, bestimmt aber ist er es in der jeweiligen aktuellen Gegenwart. Die Legende von der immerwährenden Kontinuität der Entwicklung läßt verfehlte politische Entscheidungen und vorher nicht einkalkulierte Folgen, gleichgültig, wie ernsthaft sie sich auswirkten, allenfalls als Überspitzungen und subjektive Entgleisungen ins öffentliche Bewußtsein, niemals aber als prinzipielle Fehler oder Irrtümer. Das führt dazu, daß, wie alt der Patient auch schon sein mag, er immer neuen Kinderkrankheiten ausgesetzt ist, von denen man freilich, wie bei einer gefährlichen Seuche, immer erst spricht, wenn die Gesundschreibung wieder einmal erfolgt ist. Anders als in der Medizin gibt es für die Gesellschaftswissenschaften gleichsam nur strotzende Gesundheit und ab und zu „ein bißchen Masern", auch auf dem Krankenblatt, das die Vergangenheit festhält.

Diese Haltung hat andererseits, soweit sie geeignet ist, das Engagement des einzelnen zu bestärken, eine Tendenz in sich, die der unproduktiven Resignation entgegenwirken kann. Das ist an einem simplen Beispiel aus der Unterhaltung mit den Studenten aus Greifswald zu verdeutlichen. Als einer von ihnen das Desinteresse am Brecht-Theater traurig nennt, wird er von Brecht korrigiert: „Das ist nicht traurig, aber ungünstig." Jenes wäre nämlich nur zu beklagen, dieses aber kann verändert werden. „Kein neuer Staat kann aufgebaut werden ohne Zuversicht; es ist der Überschuß an Kraft, der die neue Gesellschaft baut. Aber ein oberflächlicher Optimismus kann sie in Gefahr bringen"[75], schrieb Brecht 1953 in einem seiner öffentlichen Eingriffe.

Publikationen über Brecht, die in der Bundesrepublik erscheinen, übersehen oft, daß er die DDR nicht als eine lästige kunstfeindliche Umwelt verstand, über deren Zustände zu lamentieren sei, weil sie ihm die volle Entfaltung nicht erlaubten. Er wußte sich mitten in einem gesellschaftlichen Aufbruch, in den er seine Korrekturen einbringen wollte, was schwierig, aber nicht sinnlos, riskant, aber nicht unmöglich war. Diese widersprüchliche Einheit von Zustimmung und scharfer Kritik ist offenbar schwer zu beschreiben. Je nach der politischen Position des Chronisten wird jeweils eine Seite absolut gesetzt. Dabei scheint die Tatsache, daß die radikalsten kritischen Stellungnahmen Brechts zu seinen Lebzeiten nicht publiziert und ein großer Teil davon bis heute in der DDR nicht gedruckt wurden, den westlichen Autoren recht zu geben. Aber das Potential ist da, das Bertolt-Brecht-Archiv ist da — auch späte Wirkungen sind noch Wirkungen. Gerade Brecht hat sich lange überlegt, welchen Nutzen eine öffentliche Erklärung in der jeweiligen Situation bringen würde, und er hat noch in den unsinnigsten, arrogantesten und gröbsten Anwürfen das Moment von Wahrheit gesucht oder wenigstens sich um Verständnis für die gesellschaftlichen Ursachen bemüht, die den falschen Maßnahmen und den falschen Bewertungen zugrundeliegen könnten.

Heinz Brüggemann hat in seinem Brecht-Buch diese Einheit zwischen Theorie und Praxis zerschnitten, jedenfalls soweit es um Brechts Jahre in der DDR geht. Er weist zwar überzeugend „Brechts Kritik des Widerspiegelungspostulats in der Legitimationsästhetik des sozialistischen Realismus"[76] nach, aber die kulturpolitische Praxis erscheint ihm ausschließlich als einheitlicher Widerpart zu der Brechtschen Position. Es gelingt ihm nicht, zu differenzieren — was beispielsweise zu der falschen Behauptung führt, Brecht habe im August 1953 die Kulturpolitik der Akademie der Künste kritisiert, ihre vulgärmarxistische Sprache und ihre unmusischen administrativen Maßnahmen denunziert usw. In Wahrheit hat Brecht die Akademie der Künste gegen dogmatische Vorwürfe verteidigt, die gegen sie erhoben wurden, nachdem sie unter tatkräftiger Mithilfe Brechts der Befreiung von administrativen Fesseln das kämpferische Wort geredet hatte. Der Angriff in der von Brüggemann herangezogenen Erklärung Brechts[77] galt vielmehr der staatlichen Kulturverwaltung, insbesondere der Staatlichen Kommission für Kunstangelegenheiten, die durch ihre Diktate die Künstler, darunter auch die Mitglieder der Akademie der Künste, verbitterte. Diese Unterscheidung zwischen der Kulturpolitik der Akademie (soweit sie zu einer solchen in der Lage war) und derjenigen der Kommission (die eine Art ministerieller Weisungsbefugnis hatte) ist von Bedeutung, wenn man Brechts Position in der ersten Hälfte der fünfziger Jahre angemessen darstellen will.

Auch in der DDR-Germanistik gibt es — sozusagen vom anderen Ufer aus — Tendenzen, für abstrakt gehaltene Positionen Brechts auf abstrakte Art zu kritisieren. Das betrifft vor allem die Bewertung der frühen und der mittleren Schaffensphasen. Im einzelnen kann diese – von Ernst Schumacher[78] ausführlich aufgearbeitete – Fragestellung hier nicht expliziert werden. Nur soviel sei angedeutet: Die frühen Lehrstücke werden „äußerst abseitig und unreal" genannt, weil Brecht als Nicht-Mitglied der KPD deren taktische Linie nicht illustrierte. So schreibt Werner Mittenzwei: „Mit der lebendigen Praxis des politischen Kampfes der Arbeiterklasse, die das einzige zuverlässige Kriterium für die Richtigkeit bestimmter Vorstellungen und Ideen ist, war er damals nur in geringem Maße verbunden. Er prüfte die Gedanken eines Themas nicht an lebendigen Eindrücken aus der Praxis des revolutionären Klassenkampfes."[79] Brecht wird vorgeworfen, daß er nicht eine konkrete politische Situation mit einem festliegenden historischen Datum dargestellt hat. Erst dann könne man entscheiden, ob die Haltung der vier Agitatoren dem jungen Genossen gegenüber (in „Die Maßnahme") berechtigt sei. Das heißt, es wird die Möglichkeit vermißt, die Darstellung Brechts an einer schon vorliegenden parteioffiziellen Bewertung einer für die Revolution reifen oder noch nicht reifen Situation zu messen. Den Vorwurf, die marxistisch-leninistische Widerspiegelungstheorie nicht beachtet zu haben, aktualisierte der Germanist Hans Kaufmann, indem er an Brechts Parabelstücken tadelte, daß sie keine Geschichtsdramen seien.[80] („Wie soll eine Linde mit jemandem diskutieren, der ihr vorwirft, sie sei keine Eiche?"[81] hatte Brecht gefragt.)

Die Methode Brechts, auch Stücke des nationalen Kulturerbes auf dem Prüffeld seiner Bühne neu auszuprobieren, trug ihm abermals den Vorwurf der vulgärmarxistischen Verfälschung ein. Die Bearbeitung des „Hofmeister" von Lenz (1950) wurde angegriffen, die Inszenierung des „Urfaust" (1952) nach vernichtender Kritik abgesetzt. In der satirischen Fassung des Sturm-und-Drang-Stücks wurde das Positive vermißt. Brecht mußte wieder einmal erklären, daß das Positive auch im Zorn auf einen menschenunwürdigen Zustand bestehen könne und daß die gewünschten positiven Figuren in einer Satire nicht der Verzerrung entgehen würden. Die „Urfaust"-Einstudierung des Berliner Ensembles zu halten, sah sich selbst Brecht angesichts der grimmigen Entschlossenheit der Wächter vor diesem nationalen Heiligtum außerstande.[82] Als Hanns Eisler seinen „Johann Faustus" schrieb, warnte ihn Brecht vor den Folgen: „[. . .] bedenk, Hanns, man verzeiht es dir nicht."[83] Eisler glaubte dies nicht und geriet durch die Heftigkeit der Attacken in eine schwere Krise. Brecht, dem immer die von Peter Huchel geleitete Zeitschrift der Deutschen Akademie der Künste offenstand – sonst hätte er für seine Interventionen oft kein öffentliches Forum gehabt – , versuchte dort ein gutes Wort für Eisler einzulegen, aber er konnte dadurch weder sich noch den Freund von dem Verdacht befreien, ein Verächter der deutschen Nationalkultur zu sein.[84] In allen diesen pessimistischen und fatalistischen Zustandsschilderungen gebe es nur einen Helden, nämlich die ‚deutsche Misere'. Dieses Thema ist in der DDR noch immer tabuisiert – eine zusammenhängende Deutung des Stellenwerts dieses bei Brecht häufig vorkommenden Begriffs fehlt. Zu vermuten ist, daß Brecht die erregten Versuche, das Geschichtsbild so zu arrangieren, daß „man stolz auf die Vergangenheit seines Volkes" sein kann, noch als Nachwirkungen eben jener Misere auffaßte. Brechts Bemerkung über die Gründe, daß überall das ‚An-und-für-sich-Schöne' gesucht werde, deuten darauf: „Es ist ein großes Unglück unserer Geschichte, daß wir den Aufbau des Neuen leisten müssen, ohne die Niederreißung des Alten geleistet zu haben. Das haben, indem sie den Faschismus besiegten, die Sowjetrussen für uns getan."[85]

Die Brechtschen Bearbeitungen alter Stücke werden mit Vorbedacht als zeitbedingte „unliterarische" Kompromisse für das Theater zwischen 1950 und 1956 betrachtet. Sie seien ein bloßer Umweg, um einst die Originale wieder unbearbeitet spielen zu können.[86] Brechts Motiv der Veränderung auch der überlieferten Dramenliteratur wird relativiert, Werktreue ihm als Maßstab für die Zukunft untergeschoben. Zu offensichtlich ist die Diskrepanz zwischen Brechts Abwehr der „Klassizität" und der musealen Konzeption vom bloß zu bewahrenden klassischen Erbe — so daß entschuldigende Argumente überhandnehmen: Er habe nicht die Literaturgeschichte korrigieren wollen usw. Gegenüber solcher Einebnung sind die Feststellungen Helmut Holtzhauers beinahe sympathischer, weil er noch im Jahr 1973 als Gegner Brechts (mindestens in diesem Punkte) eine klare Meinung kundtut. Von seinem konservativen Standpunkt, der ihn zur Verwaltung der Nationalen Gedenkstätten in Weimar (Titel: Generaldirektor) prädestiniert, beklagt er Brechts „unglückliches Verhältnis zur Klassik" und stellt innerhalb einer Polemik mit dem bürgerlichen Germanisten Walter H. Sokel, der Brechts Klassik-Konzeption im ganzen zustimmt, schließlich lapidar fest: „Aus alledem geht hervor, daß Brecht als Lehrmeister für ein richtiges Klassik-Verständnis nicht geeignet ist."[87]

Es wäre wohl auch zuviel verlangt, daß ausgerechnet Holtzhauer, der zwischen 1951 und 1954 die von Brecht so scharf und in aller Öffentlichkeit bekämpfte Staatliche Kommission für Kunstangelegenheiten geleitet hat, sich als Anhänger Brechts gerierte. Er liefert noch einmal einen verspäteten Beweis für die Ansicht Werner Mittenzweis, daß Brechts Erfahrungen mit der deutschen Klassik, insbesondere seine kritische Beschäftigung mit dem „Faust", in der DDR „weitgehend unberücksichtigt" blieben. Obwohl Mittenzwei die Gründe dafür nicht untersucht und damit den politischen Implikationen ausweicht — er personalisiert zum Beispiel den „Egmont"-Konflikt einfach zum Streit zwischen Langhoff und Brecht —, stellt seine Studie einen ersten Versuch der marxistischen Germanistik in der DDR dar, das komplizierte Spannungsverhältnis Brechts zur deutschen Klassik, insbesondere zu Goethe und Schiller, ohne voreilige „Zensuren" und eher mit einem letztlich zustimmenden Gesamturteil zu beschreiben.[88]

Auch nachdem seit dem Sommer 1953 die Kulturpolitik, nicht ohne kräftiges Zutun Brechts, flexibler wurde, änderte sich die reservierte Haltung gegenüber dem Brecht-Theater nicht. Fritz Erpenbeck, Chefredakteur der einzigen, also führenden Theaterzeitschrift, wiederholte 1954 anläßlich des „Kaukasischen Kreidekreises", was er schon bei Gelegenheit der „Mutter Courage" verkündet hatte: Das Epische Theater ist ein Irrweg, und es ist undeutsch („hatte in Deutschland nie ein triebstarke Wurzel").[89] Anleihen beim ostasiatischen, speziell chinesischen Theater liefen auf „raffinierten Primitivismus" hinaus. Wenn die Chinesen hingegen ihr Theater mit Formen aus der europäischen Tradition anreicherten, sei dies zu begrüßen, weil das chinesische Theater zur Dramatik, zur Menschengestaltung, zum sozialistischen Realismus vorstoßen wolle. So meinte Erpenbeck in schöner abendländischer Überheblichkeit, ungewollt als ein Lieferant von Material für die Abgrenzungspolitik Mao-Tsetungs gegenüber dem sozialistischen Europa wirkend. Wir hätten keinen Grund, „zu einer uns wesensfremden asiatischen Frühform der Kunst"[90] zurückzugehen. Seine Kritik schloß mit dem Satz: „Aus grundsätzlichem Mißverstehen des chinesi-

171

schen Vorbildes lassen sich meines Erachtens alle unverstandenen und unverständlichen Elemente der neuesten Brecht-Inszenierung erklären, die jetzt die Gemüter mit Recht erhitzen."[91] Das „Vorspiel", das von Anfang an (1944) Bestandteil des Stükkes war und sozialistische Eigentumsverhältnisse mit dem zugehörigen neuartigen Verhalten der Menschen vorführt, wurde in der DDR-Presse kaum erwähnt, geschweige denn diskutiert (das SED-Zentralorgan „Neues Deutschland" beachtete die ganze Aufführung nicht). Brecht machte daraufhin diesen Teil des Stückes auffälliger, in dem er ihm anstelle von „Vorspiel" den Titel „Der Streit um das Tal" gab.[92]

Wurde Brecht, was selten genug geschah, fern der Hauptstadt gespielt, zeigte sich die Tageskritik hilflos, wenn sie auch formulieren konnte, daß an Brecht wenig Zukunftsweisendes zu entdecken sei. Als Anfang 1956 „Der gute Mensch von Sezuan" in Rostock Premiere hatte, war zu lesen: „Es dürfte für Benno Besson nicht leicht gewesen sein, das ihm in Rostock zur Verfügung stehende Ensemble von den Notwendigkeiten der gemeinsam zu lösenden Aufgabe zu überzeugen. Die Schwierigkeiten liegen vor allem in der erforderlichen ‚Umwertung' der üblichen Gesetze der Schauspielkunst. Ganz allgemein ist das Klima an den Bühnen unseres Landes dem Brecht-Stil nicht sonderlich günstig. [. . .] Dieser Weg führt, so interessant und verlockend er auch immer sein mag, in eine Sackgasse. Das Theater muß und wird, wenn es weiter leben will, andere Wege gehen."[93]

Wenige Tage nach dieser Rostocker Premiere sprach Brecht vor der Sektion Dramatik des IV. Deutschen Schriftstellerkongresses. Er riet seinen jungen Stückeschreiber-Kollegen, sich möglichst in einem Theater fest einzunisten. Ironisch fuhr er fort: „Ich denke dabei an mich selber, der ich dadurch, daß ich ein Theater leite, meine Stücke aufgeführt bekomme. Das ist auch durchaus nötig, denn die Theater der Deutschen Demokratischen Republik gehören — betrüblicherweise, von meinem Standpunkt aus — zu den wenigen Theatern in Europa, die meine Stücke nicht aufführen. Ich bin also durchaus gezwungen, sie selber aufzuführen und rate Ihnen, sich schleunigst in eine ähnliche Situation zu begeben."[94]

Man muß bedenken, daß in einem Zeitraum von mehr als vier Jahren, also zwischen dem 7. November 1951 („Mutter Courage" in Gera) und dem 6. Januar 1956 („Sezuan" in Rostock) kein einziges nichtaristotelisches Stück von Brecht in der DDR Premiere hatte. Daß diese Inszenierung Bessons in Rostock die Presse ein letztes Mal veranlaßte, die Möglichkeiten des epischen Theaters prinzipiell anzuzweifeln — wie das oben gegebene Zitat belegt — bedeutete keineswegs dessen Sieg. Da Brecht nicht mehr widersprechen konnte, hielten die Gegner nunmehr die unter dem Stichwort „Synthese" betriebene Taktik der Umarmung für ein besseres Mittel als den Frontalangriff.

Nach Brechts Tod haben die DDR-Bühnen seine Stücke eifriger gespielt als zuvor, sei es, weil sich von Jahr zu Jahr die „Einschüchterung durch Klassizität" verstärkte, sei es, weil die Regisseure und Dramaturgen mutiger wurden, weil sie sich nicht mehr vor dem strengen Blick des Meisters rechtfertigen mußten. Deswegen wäre es ganz verfehlt, in der Zunahme der Inszenierungen schon einen Sieg des Epischen Theaters sehen zu wollen. Im Grunde glaubten die Regisseure nach Brechts Tod freie Hand zu haben für den Nachweis, daß seine Stücke durchaus auf traditionelle Art auf die Bühne gebracht werden könnten. Allenfalls ließ man sich auf jene Eigenheiten ein, die aus dem Stücktext nicht zu eliminieren waren. Was als große Synthese ausgegeben wurde, war in Wahrheit der Versuch, die epische Spielweise im herkömmlichen Modell des deutschen Stadttheaters oder auch in der Tradition des repräsentativen Staatstheaters verschwinden zu lassen, dessen prunkvolle feierliche Gebärde Brecht so haßte.

Das gilt für die Erfurter Inszenierung des „Kaukasischen Kreidekreises" (1956) ebenso wie für die Dresdner der „Heiligen Johanna der Schlachthöfe" (1961) und erst recht für die Karl-Marx-Städter Aufführungen des „Kreidekreises" (1964) und der „Carrar" (1966), die der in Moskau ausgebildete Verfechter des Stanislawski-Systems, Erwin Arlt, besorgte. Dabei blieben von den Ansätzen, die Brecht selbst an seinem Theater an epischer Spielweise durchgesetzt sah, nur Bruchteile übrig. („Entscheidend ist der Inhalt"[95] sagte der Erfurter Regisseur Eugen Schaub über seine Konzeption.) Daß dies „eine besondere taktische Variante bei der Aneignung Brechts in der Republik" gewesen sein sollte, dementieren die Verfasser der zweibändigen Geschichte des „Theaters in der Zeitenwende" wenige Zeilen danach selbst mit der Feststellung, daß durch solche Kompromisse das „Herzstück" der Brechtschen Ästhetik nicht erreicht wurde.

Ein weiteres Indiz dafür ist, daß der Zahl der Inszenierungen nach noch immer das von seinem Autor in ästhetischer Hinsicht wenig geschätzte Stück „Die Gewehre der Frau Carrar" die Spitze hält, das allen kommunistischen Gegnern Brechts als Exempel dafür gilt, was für ein großer Künstler Brecht hätte werden können, wenn er nur immer so aristotelisch und so dramatisch geblieben wäre. Noch im August 1966, also zum 10. Todestag, schrieb das Fachorgan „Theater der Zeit", daß die meisten Bühnen sich nicht an Brecht herantrauten, zum geringeren Teil aus Ignoranz, meist aus Unentschiedenheit oder Furcht, daß die unvollkommene Beherrschung einer neuen Spielweise das Publikum abschrecken könnte. Das Blatt, das nun längst nicht mehr in der Hand Erpenbecks war, faßte zusammen: „Zweifellos haben diese Befürchtungen ihre Berechtigung. Aber dagegen gibt es nur ein Rezept: eine kontinuierliche Arbeit an Brecht. Vor allem sollte man da bei der Stückwahl nicht so zaghaft vorgehen. Es ist auffallend, wie viele Theater ,Carrar' spielen. Natürlich ist das Thema des Kampfes für das Leben gegen die bedrohende Umwelt, das Aufzeigen der Unmöglichkeit einer neutralen Haltung für uns hochaktuell. Aber wird das Stück nicht zuletzt oft deshalb gewählt, weil es als ein Stück der aristotelischen Dramaturgie zunächst die konventionelle Spielweise geradezu herauszufordern scheint? Die Arbeit wird die Widersprüche aufbrechen lassen. Und hoffentlich wird man feststellen, daß es gerade *wegen* seiner Dramaturgie schwieriger für die Interpreten ist, die erkenntnisvermittelnden Elemente herauszuarbeiten, beim Zuschauer das Vergnügen am Mitdenken und Erkennen zu provozieren. Man umgeht Stücke wie ,Puntila', ,Arturo Ui' und ,Sezuan' beispielsweise, weil man hier mit der konventionellen Spielweise Schiffbruch zu erleiden vermeint (und man hat Recht damit!), aber man übersieht, daß man durch diese Werke der nicht-aristotelischen Dramaturgie viel schneller an die Auffindung der neuen Spielweise gelangen würde [. . .]."[96] Dies also die Bilanz für die „DDR-Provinz", immerhin ein Jahrzehnt nach Brechts Tod.

Gefördert wurden die von Brecht geforderten kühnen Experimente in der Kunst aber auch dadurch nicht, daß man mit akademischer Akribie das Problem untersuchte, ob man „Verfremdung" und dergleichen in einer entwickelten sozialistischen Gesellschaft überhaupt noch nötig habe. Schon 1951 hatte „Neues Deutschland" aus Anlaß der Berliner Aufführung der „Mutter" ein möglichst baldiges Absterben der zu komplizierten Kunstmittel ersehnt: „Wenn sich mit einem neuen Publikum auch die Theorie der Brechtschen ‚Verfremdung' aufhebt, wird eine solche Aufführung [. . .] noch stärker den Beweis erbringen, daß große Kunst vom Intellekt weg zur Volkstümlichkeit führt."[97] Gerhard Zwerenz, damals noch DDR-Bürger, publizierte 1956 „ein äußerst schlechtes Buch gegen Brecht" (Peter Hacks), in dem er einige saloppe Fragen stellte: „Wie aber, wenn von der Bühne herab gar keine falschen Ideale verkündet werden? Wie, wenn es sich um eine revolutionäre Bühne handelt? Muß der Zuschauer auch eine kritische Haltung exemplifizieren, wenn er sich im Theater am Schiffbauerdamm den ‚Kaukasischen Kreidekreis' ansieht?"[98]

Inzwischen wurde das Problem schon gründlicher systematisiert: Beruht Brechts Theorie und Praxis vorwiegend auf Erfahrungen der antagonistischen Klassengesellschaft, dann wird sie vor allem im Kapitalismus wirksam werden. Ohnehin konnte Brecht für viele Probleme der sozialistischen Kunstentwicklung noch keine Lösungen finden. Was liegt also näher, als eine kritische Haltung für notwendig zu halten, solange sie einen bürgerlichen, also schlechten Staat trifft? Nach der Revolution bedürfe der sozialistische Staat eher der Zustimmung denn der Kritik. Sieht man, wo und wie Brechts Dramentechnik zuerst entstand, wird man sie für die Abbildung der neuen sozialistischen Wirklichkeit nicht so sehr für geeignet halten. Werner Mittenzwei will sich zwar nicht direkt auf diese Ansicht festlegen, er steht ihr aber offenbar mit Sympathie gegenüber, da er schreibt: „Eine solche Meinung muß respektiert werden, weil beinahe jede neue Aufgabe neue Methoden erfordert."[99] Anknüpfend an eine Bemerkung Brechts, daß aristotelische Wirkungen anwendbar seien, wenn der vom Autor aufgegriffene Mißstand schon allgemein erkannt worden sei, behauptet Mittenzwei[100], daß diese von Brecht akzeptierte Einfühlungstechnik für die sozialistische Literatur unter nichtantagonistischen Bedingungen besonders geeignet sei, weil das Publikum die gesellschaftlichen Zusammenhänge und Widersprüche bereits kenne.

Auf diese Weise würde jedoch, so muß man einwenden, dem Brecht-Theater seine produktive Originalität genommen — mit Hilfe von Brecht-Zitaten soll Brechts Methode abgeschafft werden. Die von Mittenzwei herangezogene Stelle bezieht sich auf Friedrich Wolfs Stück „Cyankali", das in einer konkreten Klassenkampfsituation Protestaktionen gegen den Abtreibungsparagraphen organisieren half. Brecht meinte, daß, wenn die Situation für Massenaktionen ohnehin reif ist, ein nach dem aristotelischen Prinzip gebautes Stück der Funke sein könne, der das Pulverfaß entzünde.[101] Es erstaunt, daß Mittenzwei diese Metaphorik auf die DDR-Dramatik anwenden will. Brecht hat sich hier überhaupt nicht auf ein Theater unter sozialistischen Bedingungen bezogen. In Wahrheit mag es unter solchen Umständen besonders schwierig sein, die Überzeugung des Publikums, es wisse schon Bescheid, kritisch aufzulösen. Sozialistisches Bestätigungstheater voller Einfühlung zu propagieren, konnte Brecht nicht einfallen. Er empfiehlt nirgends das Schreiben von Stücken, die einen bereits allgemein als Mißstand bewerteten Sachverhalt nochmals von der Bühne her verdeutlichen. Entweder wollte man oder konnte man die Stücke oder die Theorie oder beides nicht verstehen oder nicht akzeptieren. Anders kann man das dauernde Bemühen, Brecht sich auf Biegen oder Brechen anzuverwandeln, also auf Gewohntes zu reduzieren, gar nicht begreifen. Der Jenenser Germanist Hans Kaufmann wollte z. B. glauben machen, die „Verfremdung" sei dadurch aufgehoben worden, daß Brecht sich gelegentlich über die Existenz eines positiven Helden geäußert habe. Außerdem sei in der Figur der Grusche im „Kreidekreis" die (falsche) Antithese von Einfühlung und Verfremdung überwunden worden.

Brecht wußte, daß er mit seinem „Kleinen Organon" in einen politischen Gegensatz kommen mußte zu allen, die mit Hilfe des Theaters auf leichtere, auf gewohnte Weise bloß beeinflussen wollten. Er notierte sich das schon 1949 mit aller wünschenswerten Klarheit: „das Kleine Organon kommt in eine zeit, wo die theater der fortschrittlichen länder für die erzeugung staatsgewünschter eigenschaften mobilisiert werden. der einfühlungsakt wird in helden der arbeit usw. gelegt. er empfiehlt sich durch seine primitivität. aber in der tat macht er das ganze unternehmen primitiv."[102] Wenn Brecht-Stücke gelobt wurden, dann oft als solche, die angeblich wider die Theorie des Autors zur Überraschung des Betrachters den „ganzen Menschen ansprachen". So sinngemäß Walther Pollatschek[103] in einer Rezension der „Mutter"-Aufführung von 1951, natürlich im Januar, also vor der verschärften Formalismus-Kampagne, wo selbst diese Einschätzung nicht mehr zulässig gewesen wäre. Gut, hier ist die Theorie nicht begriffen worden, auch nicht ihr Ziel, lebendiges, vielfältiges, interessantes artistisches Theater zum Vergnügen des Zuschauers zu ermöglichen.

Aber Brecht hat (vielleicht anders als später manche „Brechtianer") solchen Stimmen auch ein bißchen Recht gegeben. Er betrachtete nämlich, was er auf der Bühne anbot, als einen Kompromiß mit den Schauspielern und mit dem Publikum und nicht als die volle Verwirklichung seiner Intentionen. So schrieb er nach der „Puntila"-Premiere 1949 auf: „die spielweise wird in den zeitungen durchaus akzeptiert (‚wenn das episches theater ist, schön'). aber es ist natürlich nur so viel episches theater, als heute akzeptiert (und geboten) werden kann. [. . .] vermutlich wird man die vorschläge des Kleinen Organon eine zeitlang als korrekturen akzeptieren. [. . .] aber wann wird es das echte, radikale epische theater geben?"[104] Ähnlich äußerte er sich auch den Greifswalder Studenten gegenüber: „Diese Prinzipien kann man mit den Schauspielern von heute und vor allem mit dem Publikum nicht mehr als zu dreißig Prozent durchführen. Es wäre für den Schauspieler, selbst wenn er dazu imstande wäre, eine ungeheure Anstrengung. Schon angesichts des Publikums kann man es nicht durchführen."[105] Aber Brecht hat nie die „Verfremdung" zurückgenommen, weil sie etwa nicht in den sozialistischen Staat paßte, der ja ein Staat des vergnüglichen Denkens werden sollte.

Besonders deutlich hat dies der Brecht-Schüler Manfred Wekwerth betont, als er schrieb, daß die kritische Haltung bei Brecht nicht nur dazu gedacht gewesen sei, einen bürgerlichen Staat zu bekämpfen, sondern vor allem, einen proletarischen aufzubauen. Verfremdung werde erst im Sozialismus voll wirksam, denn das zu vernichtende bürgerliche System war ja nicht von der Bühne her abzuschaffen, wohl aber kann die sozialistische Gesellschaft auch mit Hilfe der Bühne verändert werden. Wekwerth hat an anderer Stelle noch kräftiger gegen den Versuch polemisiert, dem Brecht zuerst die Zähne zu ziehen und ihn sich dann einzuverleiben. Er schrieb: „Lobend Brechts Bemühungen gegen Expropriation und für Veränderung der Welt, expropriiert man von ihm, was die eigene Meinung vor Veränderung schützt. Man halbiert Brecht, um ihn ganz zu besitzen. Brechts vergnügliches Verstehen der Welt durch ihre praktische und unaufhörliche Veränderung wollen sie uns verständlich machen in ewig feststehenden Begriffen. [. . .] Sie erzählen uns die alte Geschichte vom verlorenen Sohn, der sich in der Kälte der Fremde die Verfremdung schuf und der, zurückgekehrt an den heimatlichen Herd, alle Verfremdung fahrenließ, da es ja ein guter Herd ist. [. . .] Man sagt uns: Er haßte den Glauben, weil er schlecht war; und die Suggestion bekämpfte er, weil Schlechtes suggeriert wurde. Nicht etwa, weil er das Glaubenmachen haßte und das Suggerieren bekämpfte."[106]

Die gleiche Diskussion wie um die Verfremdung gab es über das Ziel, das Publikum zu spalten, im Saal unterschiedliche Reaktionen hervorzurufen. Da Brecht im kapitalistischen Theater die Spaltung des Publikums nach seiner Klassenlage bewirken wollte, schien diese Differenzierung im Zuschauerraum des neuen sozialistischen Theaters angesichts der „moralisch-politischen Einheit des Volkes" entbehrlich oder gar schädlich. Käthe Rülicke-Weiler hat diese Ansicht überzeugend zurückgewiesen. Brecht habe schon 1932 gewußt, daß die Abgründe nicht nur zwischen den Klassen, sondern auch in den Klassen bestehen. „Die Spaltung des Publikums bedeutet zugleich eine Spaltung des Bewußtseins der Individuen. So wenig die Widersprüche jemals aus der Realität verschwinden, so wenig verschwinden sie auch aus dem Bewußtsein der Menschen."[107]

Die Versuche der Dogmatisierung haben auch Folgen für die Art, wie Brechts Weg auf die Bühnen der sozialistischen Länder beschrieben oder nicht beschrieben wird. Auf dem Ostberliner Theatertreffen aus Anlaß des 70. Geburtstags von Brecht hat einzig der sowjetische Regisseur Juri Ljubimow von den Schwierigkeiten gesprochen, Brecht durchzusetzen: „Bei uns fand Brecht erst nach dem XX. Parteitag sehr große Verbreitung. Das besagt sehr viel und ist sehr interessant [. . .]. Man wandte sich ihm zu, um mit ihm viel auszudrücken. [. . .] Wir zeigten Szenen aus dem „Guten Menschen von Sezuan" [. . .]. Die gegen die Aufführung waren, dachten sich folgendes aus: Man müsse die Aufführung Arbeitern zeigen. Die werden das nicht verstehen. Und das sei dann der Beweis dafür, daß so etwas nicht notwendig ist, daß es Formalismus ist, und damit habe die Sache ein Ende. — Man füllte also den Saal zu Dreiviertel mit Brigaden der kommunistischen Arbeit — in der Hoffnung, daß sie es nicht verstehen — eine merkwürdige Logik haben manche! Aber siehe da — sie verstanden alles."[108] Kein Tagungsteilnehmer aus der DDR griff dies auf, als sei Vergleichbares bei ihnen nie vorgekommen. Aber was Ljubimow berichtete, das hatte Brecht schon 1949 erlebt. Er schrieb damals ins Arbeitsjournal: „aus schriftlichen äußerungen wolfs und erpenbecks, die der ‚linie' folgen wollen, ergeht, daß die wendung gegen die einfühlung gerade durch ihren erfolg beim arbeiterpublikum einige panik verursacht hat."[109]

Wichtig ist dabei die Bemerkung, daß die beiden Kontrahenten „der linie" folgen wollten. Es gab nämlich nur eine Linie damals, die gegen Brecht gerichtete. Erpenbeck und Wolf hatten sie nicht entworfen, sie wollten ihr nur folgen, sicher auch aus eigener Überzeugung. Aber die politische Verantwortung lag nicht bei ihnen und auch nicht bei Georg Lukács, der niemals an Schalthebeln der Macht saß, die Kulturpolitik in der DDR vom fernen Budapest aus begleitete und beobachtete, aber nie bestimmte. Man benutzte die Differenzen, die er mit Brecht hatte, so wie man auch den toten Stanislawski benutzte. Kaum je ist Lukács für administrative Beschränkungen eingetreten. So verdienstvoll es daher auch ist, daß Ernst Schumacher in seinen neuesten Veröffentlichungen[110] über Brecht die Widersprüche erwähnt, die dessen Arbeit in der DDR befruchteten und behinderten, so problematisch sind seine Beschwichtigungen. Seine Rede von den zwei Richtungen, einer für Brecht, einer zweiten gegen Brecht, suggeriert ein sich spontan entwickelndes kulturelles Leben mit einer dies widerspiegelnden Kritik. Das ist aber unzutreffend. Die von Schumacher zuerst genannte Pro-Brecht-Richtung bestand aus Einzelpersonen, die der Linie nicht folgen wollten, bei deren Durchsetzung die Leute auf den Kommandohöhen aus Rücksicht auf Brechts internationale Geltung maßvoll vorgingen, wodurch ein Spielraum blieb. Außerdem übertreibt er die negative Rolle von Lukács, der zum Sündenbock gestempelt wird, um andere zu schonen.[111] Letztlich verharmlost er ebenso wie das große Standardwerk „Theater in der Zeitenwende" die Härte der Auseinandersetzung, sowohl die Schärfe der Urteile Brechts wie der seiner Widersacher, wenn er vor allem Überspitzungen und Vereinseitigungen sieht.

Dennoch stellen diese Arbeiten einen erheblichen Fortschritt bei der sachlichen Aufarbeitung der jüngsten Theater- und Literaturgeschichte der DDR dar. Der Umgang mit dem Stoff ist ja nicht einfach: Zuerst wurde er versteckt, gehütet, ungern vorgezeigt, dann glattgebügelt. Jetzt befinden wir uns in einer Phase, in der man die Falten immerhin schon begutachten kann, und vielleicht wird der heikle Stoff mit allen politischen Implikationen eines Tages auch noch vollständig ausgebreitet.

Die unerschütterlichen Gegner Brechts haben in den letzten Jahren in der DDR an Boden verloren. Nur noch selten trifft man auf so plumpe und primitive Attacken wie sie Rolf Rohmer aus dem Kreis der unentwegten Theaterdogmatiker um Kuckhoff in seinem Aufsatz „Die Sprache im sozialistischen Drama der Gegenwart" versuchte. Hier mäkelt ein weiser Oberlehrer so frech wie geistlos an einem genialen Stückeschreiber herum: „Er vernachlässigte die dramaturgisch-strukturbildenden und damit über die Rollendarstellung hinausgehenden Möglichkeiten der Sprachgestaltung im Drama." Das ist aber kein „persönliches Versagen Brechts", nein: er konnte es in seiner historischen Lage gar nicht besser können. „Unsere heutige sozialistische Literatur beruht auf anderen Bedingungen der Gesellschaftsdarstellung." Irrtümer und Fehler treten also auf, wenn die „historisch gebundenen Mittel und Methoden des epischen Theaters auf unsere heutige gesellschaftliche Situation [. . .]" usw. usw. Am Schluß wird Volker Braun beschimpft, weil er bei Brecht gelernt hat: wo mag bei Braun bloß die Grenze liegen „zwischen gestalterischem Irrtum und ideologischer Verwirrung"? Im letzten Absatz erfahren wir dann noch eine spezielle Weisheit, die Brecht sicher besonders viel Freude bereitet hätte: „Die Sprache ist das höchste Gut des Dichters, des dramatischen vor allen anderen."[112]

Häufiger als zu solch bewußter Abwertung kommt es zu Harmonisierungsversuchen. Da wird unterstellt, Brecht habe es nicht so gemeint, die Polemik habe ihn so weit gebracht, dies und das zu sagen — als ob Zuspitzung nicht besonders erkenntnisfördernd sei. Der Widerspruch, daß Brecht in der DDR bis zu seinem Tode bloß als „kritischer Realist" galt, „seither jedoch zur Klassizität eines sozialistischen Realisten promoviert wurde" (Mayer)[113], wird von der Literaturwissenschaft der DDR kaum erörtert. Das liegt zu einem Teil sicher an dem schillernden Terminus „sozialistischer Realismus", der statisch oder dynamisch, als variable Arbeitshypothese oder als immer gültiges Legitimationsprinzip eingesetzt wird, je nachdem, wie die Umstände es erfordern oder zulassen.[114]

Auch politische Differenzen werden verwischt, wenn sie sich der Integration in ein abgerundetes Brecht-Bild widersetzen. Als in der Sowjetunion 1966 in recht hoher Auflage eine populäre Brecht-Biographie erschien, mußte ausgerechnet eine Literaturwissenschaftlerin aus der DDR den Autor Lew Kopelew des ‚Objektivismus' bezichtigen: „Im letzten Abschnitt über Brechts Wirken in der DDR gibt es anschauliche Episoden über widerspruchsvolle Hemmnisse, mit denen Brecht konfrontiert wurde (z. B. die Stanislawski-Konferenz, die Kritik an der Lukullus-Aufführung, der 17. Juni). Sehr einprägsam reflektiert Kopelew auch über die Entscheidung Brechts für die DDR." Brechts gesellschaftliche Aktivität und sein zunehmender Einfluß seien weniger überzeugend dargestellt. „Es scheint, Kopelew geht, was die Darstellung der negativen Episoden betrifft, ein wenig auf Effekt aus." Außerdem erhalte, wie die Autorin so schön sagt, „die Kult-Problematik, die in Brechts Schaffen kaum eine Rolle gespielt hat, ein relativ starkes Übergewicht."[115] Was verschämt als „Kultproblematik" bezeichnet wird, nämlich Brechts ständige Auseinandersetzung mit dem Stalinismus, soll wegdiskutiert werden. Deswegen gibt es in der DDR bisher keine vollständige Ausgabe der Prosa, weil dann auch „Me-ti Buch der Wendungen" publiziert werden müßte.

Zwar kommt Brecht in der DDR durchaus in hohen Auflagen heraus, 1968 meldete der Aufbau-Verlag eine Gesamtauflage von 1,3 Millionen Exemplaren.[116] Dabei werden aber einzelne Texte enorm begünstigt, z. B. der „Dreigroschenroman" (90 000 Exemplare) oder eine erstmals 1951 erschienene Sammlung „Hundert Gedichte", die die späten Gedichte, insbesondere die Buckower Elegien aus dem Jahre 1953 nicht enthält (200 000 Exemplare). Eine preisgünstige Gesamtausgabe in der Art der aus 20 Taschenbuchbänden bestehenden des Suhrkamp-Verlags gab es in der DDR bisher nicht; ebenso wenig eine Gesamtausgabe in exklusiverer Ausstattung. Es bestehen auch keine aktuellen Pläne, in nächster Zeit Brechts Werk wenigstens einmal vollständig zu präsentieren. Ob die Bedenken, das „Arbeitsjournal" zu publizieren, überwunden werden können, ist nicht sicher. Die Art, wie Werner Hecht den Anmerkungsapparat gestaltete, soll sicherlich die Edition erleichtern; freilich geht es ja nicht um den Druck der Anmerkungen ohne den zugehörigen Text, den zu entschärfen sie sich bemühen.

Der Aufbau-Verlag räumt ein, daß ein „Mißverhältnis zwischen der weltliterarischen Bedeutung des Werkes von Brecht und der lückenhaften Präsentation dieses Werkes"[117] in der DDR besteht. Aber die Informationslücke wird zunächst wiederum nur durch eine fünfbändige Auswahl verkleinert, die zwar beinahe 3000 Seiten umfaßt, aber sich um „Me-ti" und andere Prosaschriften wieder herumdrückt. Ernst Schumachers Feststellung aus dem Jahre 1968 gilt daher noch immer: „Auch die Marxisten haben Brecht erst in *Gänze* zu ‚entdecken', wozu die allgemein zugängliche Veröffentlichung *aller* einschlägigen Schriften die Voraussetzung wäre."[118]

Die Bemühungen, Brecht zu integrieren, gelingen noch immer nur unvollständig. Solange man zweifelt, ob eine Veröffentlichung bestimmter Brecht-Texte nützlich ist oder nicht, ist er noch immer unbequem, wie er es wollte. Er kämpfte sieben Jahre lang gegen die Selbsttäuschungen in einer Gesellschaft, die ihre Widersprüche nur ungern wahrhaben wollte. Seit 1972 gibt es neue Versuche, Brechts konfliktreiche Jahre in der DDR, während derer er geehrt und gepriesen, aber auch mißverstanden und angefeindet wurde, zu beschreiben und neues Material dazu vorzulegen. Damit wird bezeugt, daß Brecht zwischen 1948 und 1956 „in einer ihm nicht sonderlich geneigten, in ihren ästhetischen Maximen vielfach widerstrebenden Umwelt"[119] arbeitete.

Vielleicht wächst die Einsicht, daß es einer Gesellschaft im Umbruch nicht schadet, wenn ihr Weg wahrheitsgemäß und ohne kleinliche Rücksichten auf von vermeintlich Unfehlbaren vorgezeichnete einzig „richtige Linien" beschrieben wird. Als Losung dafür empfiehlt sich jener Satz Brechts, der im Februar 1973 beim Abdruck des Gesprächs zwischen Brecht und den Greifswalder Studenten aus dem Jahre 1954 als Überschrift gewählt wurde: „Da sind überall Schwierigkeiten."

Der Sympathisant im Getriebe

Literaten der DDR und Peter Weiss – eine wechselseitige Herausforderung

Lehr du mich, wat Politik is!
Arno Holz, „Sozialaristokraten", I. Akt

Für das Literaturverständnis in der DDR ist die Auseinandersetzung mit bürgerlichen westlichen Autoren stets wichtiger gewesen, als die Verlagspolitik erkennen läßt. Literaturwissenschaftler haben sich in Abhandlungen und Fachzeitschriften immer auch intensiv mit solchen Schriftstellern befaßt, von denen wenig oder nichts in der DDR publiziert worden ist. Die Reaktionen sind widersprüchlich: meist mischen sich Kritik an der inkonsequenten, halbherzigen Haltung und Lob für das Darstellen der inneren Widersprüche des kapitalistischen Gesellschaftssystem. Einesteils kritisiert man den „Nonkonformismus" als Ideologie, unter anderem deshalb, weil auch Schriftsteller der DDR geneigt sein könnten, von ihren linken westdeutschen Kollegen Erfahrungen zu übernehmen und der eigenen Ordnung anzupassen, d. h. Parteilichkeit für den konkret zu verwirklichenden Sozialismus zu verbinden mit gewissenhafter selbständiger, auch subjektiver Kritik. Andererseits fühlt man sich solidarisch mit dem, was das „humanistische Anliegen" der bürgerlichen Autoren genannt wird, denn die Suche nach Bundesgenossenschaft bleibt ja auch in den Zeiten eines Abgrenzungskurses politisch sinnvoll.

Besonders gründlich und intensiv hat man sich in der DDR mit Peter Weiss beschäftigt, in der Hauptsache, weil man *ihm* Gelegenheit geben wollte, zu lernen. Seine kritischen Vorbehalte vor allem gegenüber der Kulturpolitik beeinflußten unter der Oberfläche die Debatten zwischen Künstlern und Kulturverwaltern. (Der größte Teil seines Werks kam auch in der DDR heraus; kaum bekanntgemacht wurden jedoch die in den beiden Bänden der „Rapporte" in der Bundesrepublik gesammelten Essays.)

Weiss zeigte sich sehr aufgeschlossen und nahm die Chancen, sein Werk in sozialistischen Ländern, vor allem in der DDR, wirken zu lassen ebenso dankbar an wie die Gelegenheit, sein Sozialismus-Verständnis zu diskutieren. Er hat die Aufteilung Deutschlands in zwei unterschiedlich strukturierte Staaten als wichtige Grundlage für einen deutschsprachigen Autor bezeichnet, weil dessen Aussagen sogleich unterschiedlichen Bewertungssystemen unterworfen würden. Die Bewertung in der DDR und das Gespräch mit kulturpolitischen Repräsentanten drüben waren ihm sehr wichtig; er hat einige Erklärungen fast gleichzeitig in der Stockholmer Zeitung „Dagens Nyheter" und im „Neuen Deutschland" publiziert, und er hat das „ND" gelegentlich vergeblich um den Abdruck eines Briefes gebeten. Veröffentlichte Interviews und Gespräche aus Zeitschriften der DDR werden im folgenden herangezogen, dagegen wird nicht gemutmaßt über interne Diskussionen in kleinen Kreisen. Die Stücke bleiben, mit Ausnahme einiger Anmerkungen über die Aufnahme von „Marat/Sade", „Trotzki" und „Hölderlin" in der DDR unberücksichtigt, da der Raum fehlt, die Reden erfundener bzw. interpretierter historischer Figuren an der Meinung des Autors zu messen oder aus dokumentarischem Material den parteilichen Standpunkt des szenischen Arrangeurs herauszufiltern.

Die Entdeckung des Politischen durch Peter Weiss ist oft als Konversion eines ehedem an öffentlichen Angelegenheiten nicht interessierten Autors beschrieben worden. Zwar drückte sich in solchem quasi-religiösen Vokabular entweder die offene politische Gegnerschaft oder aber die höhnische Arroganz distanzierter Besserwisser aus; aber Weiss selbst hat solche Wertungen durch mißverständliche Äußerungen über seine Wandlung vom Individualisten zum Sozialisten erleichtert. Er hat die grundsätzliche Differenz seiner Entscheidung für den Sozialismus von früheren Positionen in seiner persönlichen und schriftstellerischen Biographie dermaßen überbetont, daß auch viele Kritiker sich überreden ließen, nur den Bruch, nicht aber die Kontinuität zur Kenntnis zu nehmen.

Erleuchtung, gewonnen durch Erfahrung und Erkenntnis, nicht durch Offenbarung und Eingebung, aber eben doch Erleuchtung, wird von Weiss verkündet mit der über sich selbst erstaunten Gebärde eines früher Verblendeten, dem es nun erst — spät, aber nicht zu spät — wie Schuppen von den Augen fällt. Aber auch wer das große Anderswerden für sich in Anspruch nimmt, kann seine Lebensuhr nicht willkürlich auf eine Stunde Null einstellen, von der an für ihn selbst eine neue Zeitrechnung beginnt. Wie unterschiedlich die Antworten in verschiedenen Lebensabschnitten auch ausfallen mögen, eine als identisch durchgehaltene weltanschauliche und gesellschaftliche Problematik verknüpft diese Antworten zu einem Strang: Das Thema des Peter Weiss war und ist der Abschied vom Bürgertum: Man braucht den (zutreffenden) Gemeinplatz gar nicht zu bemühen, daß der klassische wie der moderne deutsche Entwicklungsroman politisch ist, auch da, wo er „nur" die Enge der bürgerlichen Familie und den schmerzhaften Versuch der Loslösung von ihr darstellt. Die beiden autobiographischen Romane von Weiss thematisieren darüber hinaus die politischen Umwälzungen und Verfolgungen in diesem Jahrhundert — ein von der Vernichtung durch die Faschisten bedroht gewesener Jude wird von diesem Thema immer wieder heimgesucht werden. Die Ansprüche der Politik hat Weiss also lange vor der sogenannten Umkehr zur Kenntnis genommen, z. B. in den Gesprächen mit dem älteren Freund Max Hodann, der in „Fluchtpunkt" Hoderer genannt wird. Die Moral des ‚Überstehen ist alles' wurde in den Romanen freilich nicht auftrumpfend, sondern eher verlegen vorgetragen. Seine damalige Flucht vor dem Engagement hat der Autor mit starken Schuldgefühlen erkauft, was mit je einem Zitat aus den beiden Romanen belegt werden soll. In „Abschied von den Eltern" (1959) steht: „Daß der Kampf, der draußen geführt wurde, auch meine eigene Existenz anging, berührte mich nicht. Ich hatte nie Stellung genommen zu den umwälzenden Konflikten der Welt."[1] In „Fluchtpunkt" (1960) heißt es: „Nur für meine Flucht, meine Feigheit wollte ich eintreten, keinem Volk, keinem Ideal, keiner Stadt, keiner Sprache angehören und nur in meiner Losgelöstheit eine Stärke sehen."[2] Das alles klingt nach Überwindung in der Beichte, man darf sich durch den scheinbar nüchternen Berichtsstil nicht täuschen lassen. Schuldgefühle sind auch heute noch eine stärkere Motivation für seine emotionale und intellektuelle Solidarisierung mit den Unterdrückten als es die „wissenschaftliche Welterkenntnis" für ihn sein könnte.

Die von Weiss am 25. April 1966 an der Princeton University in englischer Sprache unter dem Titel "I come out of my hiding place" gehaltene Rede weist gewollt oder ungewollt Merkmale einer säkularisierten Beichte auf, etwa wenn der überwundene Zustand so charakterisiert wird: „Manchmal sah ich, wie einer von den Stärkeren niedergeschlagen wurde; ich hörte ihn um Hilfe rufen, aber ich machte keine Anstalten, ihn zu retten. Ich sah Verwundete auf den Straßen und blieb immer noch ruhig. Meine Verantwortung bestand darin, keine Aufmerksamkeit auf mich zu lenken. So konnte ich meine Überlegenheit aufbauen, während die Welt draußen sich in Schmerzen wand."[3] Als der „Spiegel" sich der allgemeinen, von Weiss begünstigten Lesart anschloß und den Autor in einer Weise befragte, als sei dieser eines Morgens politisiert erwacht, nachdem er irgendwelcher nicht jedermann zugänglichen Erscheinungen teilhaftig geworden war, wies der Interviewte die an die Berufung des Paulus zum Apostel ironisch erinnernde Frage „Was war Ihr Damaskus?" nicht zurück. Er antwortete sachlich: „Einen ganz bestimmten Anlaß kann ich nicht nennen, es gab allmählich Erkenntnisse und Erweiterungen des eigenen Bewußtseins. Vor allem durch Studium der politischen und soziologischen Literatur. Ist man einmal aus der privaten Problematik herausgekommen − in meinem Fall der Verwirklichung des Ichs und der Frage nach der Identität −, hat man diese Sache zur Genüge durchgekaut, dann kann man sein Ich im Zusammenhang mit größeren Kreisen sehen; zumal wenn einem die Weltgeschichte dabei so große Hilfe leistet."[4] Man sieht, es geht noch immer ums eigene Bewußtsein, wenn es denn auch erweitert werden soll. Es geht noch immer um die Betrachtung des Ich, wenn auch im Zusammenhang mit größeren Kreisen. Das war im März 1968.

Damals war es fast drei Jahre her, seit die Öffentlichkeit sich mit einem politisch engagierten Peter Weiss konfrontiert sah. Als Sensation aufgebauscht wurde in der westdeutschen Presse des Kalten Krieges, daß Weiss − übrigens als Vertreter Schwedens − auf einem Internationalen Schriftstellertreffen in Weimar aufgetreten war. Autoren der DDR hatten im Mai 1965 über ein „Initiativkomitee" dazu eingeladen, den 20. Jahrestag der Befreiung vom Hitlerfaschismus „feierlich zu begehen". Was als die „Weimarer Rede" vom 19. Mai 1965 in die Weiss-Bibliographie Einzug hielt, waren in Wirklichkeit ein paar improvisierte Worte darüber, daß es ein Fehler gewesen sei, für diese Gelegenheit keine Rede auszuarbeiten. Die beiden Schlußsätze freilich führten zu erregten Kommentaren im Westen. Sie lauten: „Für uns, die wir in der westlichen Gesellschaft leben und arbeiten, ist die Verbreitung der Wahrheit, von der Brecht spricht, mit großen Schwierigkeiten verbunden. Zunächst müssen wir die erste Schwierigkeit überwinden, die Wahrheit überhaupt aufzufinden, und wenn wir sie gefunden haben, müssen wir als Partisanen arbeiten, um die Wahrheit zu verbreiten."[5] „Neues Deutschland" in Ostberlin veröffentlichte den Wortlaut am 21. Mai 1965 unter der Überschrift „Partisanen der Wahrheit". Ort und Inhalt der kurzen Rede veranlaßten westdeutsche Kommentatoren zu heftigen polemischen Entgegnungen. Unterstellt wurde auch, daß Weiss behauptet habe, in der östlichen

Welt hätten Schriftsteller überhaupt keine Schwierigkeiten, obwohl er sich dazu in Weimar gar nicht geäußert hatte. Später wurde gerade dieses Problem zum Hauptthema seiner kritischen Interventionen, bis hin zu der auch wieder auf Brecht Bezug nehmenden Anmerkung, wenn einer in einem sozialistischen Staat zu den Mitteln der ‚Sklavensprache' greifen müsse, sei dies ein Hohn auf die Grundlagen des Marxismus.[6]

Seinerzeit im Sommer 1965 konnte eine Kontroverse um einen in „Quick" veröffentlichten Offenen Brief Matthias Waldens an Weiss an Ort und Stelle nicht ausgetragen werden, da die Illustrierte dem Angegriffenen praktisch keinen Platz für eine Erwiderung einräumte und ihn auf die Leserbriefspalte verwies[7]. Weiss sah in diesem Verhalten einen Beweis für seine These von Weimar, die ja in Wahrheit eine auf zwei Schwierigkeiten verkürzte Analyse aus Brechts berühmtem Aufsatz von 1935 über „Fünf Schwierigkeiten beim Schreiben der Wahrheit" wiederholte. Die SED-Presse hielt sich zunächst zurück — sie registrierte nur die Resonanz in den bürgerlichen westdeutschen Zeitungen, die der Autor in ‚Weißglut' versetzt habe. Man wartete ab, welche praktischen ‚Ausführungsbestimmungen' Weiss seinen Leitsätzen werde folgen lassen. Die Diskussion mit Weiss wurde in der DDR öffentlich dann hauptsächlich über die „Arbeitspunkte" und über das „Marat/Sade"-Stück geführt. Erst Jahre später, 1970, hat man die These, dem Schriftsteller komme die Funktion eines Partisanen zu, in einer von Heinz Plavius — damals noch Redaktionsmitglied bei der Monatsschrift des Schriftstellerverbandes, „Neue deutsche Literatur" — vorgelegten Untersuchung des westdeutschen Literaturgefüges, wieder aufgegriffen und scharf zurückgewiesen. Plavius rückte Weiss in die Nähe des ‚Revisionisten' Ernst Fischer; offenbar verstand er unter einem Freischärler einzig jemanden, der auf eigene Faust außerhalb des organisierten Zusammenhangs der Streitkräfte seine Waffen einsetzt. Partisanentum und Ablehnung einer bestimmten Art von Bindungen seien zwei Seiten einer Medaille: „Sie spiegeln, das sei ohne Abwertung gesagt, die isolierte Stellung des Intellektuellen in der Gesellschaft der ‚Vereinzelung des Einzelnen' wider. [...] Das Engagement als spontan richtige Reaktion erleidet [...] in dem Augenblick Rückschläge und Einbußen, wo es nicht die Kräfte organisiert, die zur Durchsetzung seines Anliegens auch in der Lage sind, ‚das Übel bei der Wurzel' zu packen."[8] (Plavius hatte allerdings auch schon 1965 stärker als andere DDR-Autoren kritische Einwände gegen Weiss akzentuiert, was schon aus der Überschrift seines Aufsatzes — „ein Grenzfall des Nonkonformismus"[9] — hervorgeht.) Wenn Plavius recht hat, dann irren sowohl Weiss in seiner Selbsteinschätzung wie auch seine Gegner auf der politischen Rechten, die ihn als Kommunisten diffamieren. Ist Weiss noch immer ein „einsamer Intellektueller" oder schon Marxist, gar Marxist-Leninist? Ehe darauf eine Antwort versucht werden kann, soll der politische Klartext von Weiss, also seine Stellungnahmen und Aufsätze seit 1965, untersucht werden. Auch dabei steht die Resonanz im Vordergrund, die Weiss in der DDR fand.

Die „10 Arbeitspunkte eines Autors in der geteilten Welt" erschienen am 2. September 1965 in „ND". Die politische Kritik an der kapitalistischen Klassengesellschaft verbindet Weiss hier mit einer Kritik an der ihr zugehörigen Kunst, die sich „aus Mangel an Bindungen bis zum Anarchismus entfaltet"[10] und den Künstler nur schwer den Punkt finden läßt, von dem er dem Herrschenden gefährlich werden könnte. Weiss spricht freilich an dieser Stelle nicht von den Herrschenden, sondern von der Gesellschaft überhaupt, weil er „Arbeiterbewegungen oder -regierungen"[11] (offenbar eine kühne Zusammenfassung kommunistischer Parteien des Westens und skandinavischer sozialdemokratischer Kabinette!) eingeschlossen sieht „unter die Oberherrschaft der Großkapitalverwalter"[12], denn das „ehemals revolutionäre Arbeitertum"[13] entwickle die Neigung, die Normen der Bürgerlichkeit zu übernehmen. Ein Begriff wie ‚Arbeitertum' zeigt die unscharfe Terminologie des Autors, der sich in diesem Konnex nicht für Arbeiterklasse, Arbeiteraristokratie oder kleinbürgerlich gewordene Teile des Proletariats entscheiden kann oder will und auf eine eigene Wortschöpfung ausweicht.

An der Praxis der sozialistischen Welt kritisiert er, daß die Kunst niedergehalten und zur Farblosigkeit verurteilt wird, er tritt ein für kühne Formen in einer revolutionären Kunst, wobei die sowjetische Kunst unmittelbar nach der Oktoberrevolution als musterhaft genannt wird. Auch das ist nicht neu; im „Fluchtpunkt" wurden unter der gleichen Fragestellung Eisenstein, Archipenko, Meyerhold, Tatlin und andere genannt.[14] Und schon vor den Arbeitspunkten hatte er sich am 4. Juni 1965 in einem Interview mit „Stockholms Tidningen" mit solcher Deutlichkeit geäußert, daß die Ostberliner Wochenzeitung „Sonntag" in ihrem Nachdruck dieses Gesprächs am 15. August 1965 die folgende Stelle streicht: „Die sozialistischen Länder sind heute antimarxistisch, wenn sie die Kritik an sich selbst und die öffentliche Debatte unterdrücken. Denken Sie, der künstlerischen Entwicklung, die nach der Revolution in der Sowjetunion begonnen hatte, wäre es erlaubt gewesen, sich zu entwickeln – dann wären die Schriftsteller heute in viel größerem Maße mit dem Sozialismus solidarisch."[15]

Letztlich prüft er, Peter Weiss, die beiden Welten von einem dritten Standpunkt aus, nämlich dem des kritischen Intellektuellen. Er gibt sich über diesen Sachverhalt aber keinerlei Rechenschaft, weil in seinem Denkmodell unter dem dritten Standpunkt nur das verlassene ‚Niemandsland bloßer Imagination' verstanden wird. Ihm stehen, wie er glaubt, zwei Wege für seine Entscheidung offen, aber von wo aus urteilt er, wenn er die Entscheidung trifft? Drängte ihn eine so und so beschaffene objektive Realität in eine bestimmte Erkenntnisposition, wäre das Abwägen zweier Angebote ein unnötiger formaler Luxus oder ein unbewußt existentialistischer Akt. Aber Weiss besteht auf seiner Subjektivität, seiner moralischen Freiheit, dies oder jenes zu tun oder nicht zu tun: „Zwischen den beiden Wahlmöglichkeiten, die mir heute bleiben, sehe ich nur in der sozialistischen Gesellschaftsordnung die Möglichkeit zur Beseitigung der bestehenden Mißverhältnisse in der Welt."[16] Das klingt vorsichtig, überhaupt nicht enthusiastisch. Es scheint fast so, als habe er von zwei Übeln das kleinere gewählt. Die Möglichkeit, nicht die Garantie, einer Verbesserung besteht, und heute ist es so, nicht für jetzt und allezeit.

Wichtig ist freilich auch hier, was er, Peter Weiss, sieht, was ihm bleibt, wie seine Arbeit fruchtbar wird. „Die Richtlinien des Sozialismus enthalten für mich die gültige Wahrheit"[17], heißt es ebenfalls in dem zehnten Artikel, dem Schlußpunkt der Erklärung. Unter Richtlinien versteht er die allgemeinsten Zielsetzungen des Sozialismus, nicht etwa, wie die kommunistische Parteidisziplin es verlangt, die Annahme der bürokratischen Festlegungen von Handlungsanweisungen durch den Apparat. Für ihn ist gültig, was er sich anzuerkennen entschließt. Das zur Ohnmacht verdammte Ich richtet sich wieder auf, indem es sich die Korsettstange einer frei gewählten politischen Option einzieht. Hieraus erklären sich die „Illusionen des Sendungsglaubens" (Plavius), die Überschätzung des subjektiven Faktors in revolutionären Bewegungen und der Voluntarismus bei der Bewertung historischer Vorgänge.

Versuchen wir, wenigstens einen Zipfel des theoretischen Mantels zu erfassen, in den Weiss sich einhüllt. Eine Art Übermenschentum mit totaler Zuständigkeit wird angemeldet: „[. . .] und es gab keinen Vorgang, für den ich nicht, da ich damit gleichzeitig in der gleichen Welt lebte, mitverantwortlich war."[18] Brecht schrieb in den „Fünf Schwierigkeiten" nicht ein einziges Mal von seinem ‚Ich', Weiss dagegen hat nichts als seine persönliche Erfahrung als Maßstab: „die für mich gültige Wahrheit."[19] Er relativiert damit aber nicht nur die Verbindlichkeit seiner Aussage für andere, er löst auch den Marxismus in eine Meinung über die Gesellschaft auf, so wenn er von den Grundprinzipien der sozialistischen Auffassung spricht. Man kann die Verhältnisse sozialistisch auffassen oder auch nicht. Auffassungssache. Man kann Trotzki so bewerten, wie es die offizielle sowjetische Parteigeschichte tut, oder auch nicht. Der Moskauer „Literaturnaja Gaseta" gegenüber rechtfertigt Weiss sein Trotzki-Stück so: „Ich gehe dabei von einer andern Wirklichkeit aus als von derjenigen, die das für den Sozialismus gültige Bild bestimmte."[20] Und wenig später: „[. . .] stellte ich die Wahrheitsfindung höher, als zeitbedingte parteipolitische Rücksichtnahmen."[21] An anderer Stelle heißt es: „Meine eigene Entwicklung zum Marxismus hat viele Stadien durchlaufen, vom surrealistischen Experimentieren, von Situationen des Zweifelns, der Skepsis und der absurdistischen Auffassung aus, bis zur radikalen politischen Stellungnahme."[22]

Aber die Fähigkeit, kräftige Proteste und Meinungen zu formulieren, macht ja nicht den Marxisten aus. Um so seltsamer wirkt es dann, wenn jemand, dessen Kenntnis der marxistischen Theorie recht lückenhaft erscheint und der nicht beteiligt ist an der kollektiven Praxis einer revolutionären Bewegung, seinen Versuch, bloß Solidarität mit den Unterdrückten und Ausgebeuteten herzustellen, für unzureichend erklärt und stattdessen verkündet: „Ich mußte für sie eintreten, ihr Sprecher sein, mußte ihren unartikulierten Reaktionen und Hoffnungen Ausdruck geben."[23] Die in dem Anspruch auf Stellvertretung steckende Überschätzung der eigenen Möglichkeiten erinnert an alte Erfahrungen der Arbeiterbewegung: sie hatte gelegentlich auch gute Gründe, mißtrauisch zu sein gegen den Einfluß bürgerlicher Intellektueller und sie anzuhalten, bescheiden bei den Arbeitern zu lernen. Die übertriebene Betonung des subjektiven Faktors, also des revolutionären Potentials der Ausgebeuteten, das relativ unabhängig von der objektiven Reife der gesellschaftlichen Verhältnisse bestehen soll und das er aus der kapitalistischen Industriegesellschaft weg in die dritte Welt verlagert, hängt hiermit eng zusammen. Laut Weiss „haben diese Länder einen Gedanken weiter entwickelt, den die meisten von uns nicht zu Ende zu denken wagen: den Gedanken der Revolution." Diese Länder „haben beschlossen, die Klassenherrschaft zu stürzen und die Ausbeutung des Menschen abzuschaffen."[24] Die Revolution ist eine Idee, ihre Verwirklichung die Folge eines Beschlusses, sie durchzuführen. Auch in seinem Buch über das kulturelle Leben Vietnams vermag Weiss die wirkliche Bewegung der Klassen nicht zu beschreiben, die Revolution steckt sozusagen immer zuerst in den Köpfen. So heißt es von Ngo Dinh Diem, er habe begonnen, „die Interessen einer kleinen Herrschaftsschicht gegen das Gedankengut der Revolution zu stellen."[25] (Bernd Jürgen Warneken hat in seiner Kritik am „Viet Nam Diskurs"[26] nachgewiesen, daß in dem Stück ein Klima des ‚Gesagt – getan' herrsche. So wird zum Beispiel als Grund für den Sieg der Oktoberrevolution nur der Mut und die Leidenschaft der Revolutionäre angegeben.)

Auch Marat wird von Weiss zu „den Schöpfern des sozialistischen Gedankens, wie er dann einige Jahrzehnte später von Marx ausgearbeitet wurde"[27], gezählt. Weiss leitet den Marxismus aus den Köpfen großer Geister ab und nicht aus den Verhältnissen der materiellen Produktion. Die Wechselwirkung von Basis und Überbau bleibt ebenfalls im dunkeln, wenn Weiss deklariert: „Kritisiert und angegriffen werden muß nur immer wieder der Überbau. So wie wir in der westlichen Welt den Überbau von Verlogenheit angreifen, so wird auch in der sozialistischen Welt immer wieder das angegriffen werden müssen, was sich mit Dogma und Verknöcherung gegen die eigenen Grundprinzipien richtet."[28] Die moralisierende Gleichsetzung von Überbau und Verlogenheit erinnert an Warnekens Beobachtung, bei Weiss entstehe der Eindruck, die Unterdrücker seien die Ursachen der Unterdrückung. Als idealistische Entstellungen müssen auch Erklärungen gelten, in den Staaten des sozialistischen Lagers seien die „Klassenunterschiede und die privaten Spekulationen aufgehoben."[29] Das gleiche gilt für den Protest gegen den „Mangel an Freiheit in der klassenlosen Gesellschaft"[30], wenn damit die Tschechoslowakei des Jahres 1967 gemeint ist. Kein Theoretiker des Marxismus-Leninismus und kein Politiker der ihm zugehörigen Regierungspraxis hat je behauptet, hier und heute sei irgendwo die klassenlose Gesellschaft in Sicht oder gar verwirklicht. Die Herrschaft der Ausbeuterklassen ist beseitigt, aber die Arbeiterklasse und die Klasse der werktätigen Bauern, von der allerorten theoretische Komplikationen hervorrufenden Intelligenzschicht einmal abgesehen, sind Klassen, wenn auch verbündete Klassen.

Weiter ist die von Weiss geäußerte Ansicht, der Sozialismus biete die Voraussetzung für eine Kunst, „die sich von dem Dienst an einer herrschenden Klasse losgelöst hat"[31], in dieser Form dem Selbstverständnis des Marxismus-Leninismus fremd, da die Arbeiterklasse als herrschende Klasse nunmehr als Auftraggeber für die Künste auftritt, jedenfalls dem Postulat nach. Daß die Kontrolle der Künste der Partei obliegt und in ihr wiederum einem zentralistischen Apparat untersteht, ist ein Thema für sich. Hier kam es nur darauf an, nachzuweisen, wie Weiss den möglichen Vermittlungen zwischen heutiger Realität und utopischer Zukunft des Sozialismus nicht konkret nachspürt, sondern sich mit Hilfe vager Allgemeinheiten letztlich auf Distanz hält, etwa in dem Satz: „Ich stelle mich ganz hinter den Marxismus-Leninismus als Grundidee, weil er Kritik, Veränderung voraussetzt."[32] Sich ganz hinter den Marxismus-Leninismus zu stellen, weil man ein Schutzschild für das bedrohte und beschädigte bürgerliche Ich sucht, ist dann grotesk, wenn man mit der Einschränkung *Grundidee* sich die Details vom Leibe halten will, weil bei aller Unzufriedenheit mit dem eigenen privilegierten Status die Unabhängigkeit des auf sich allein gestellten Intellektuellen bewahrt werden soll. Man kann den Marxismus-Leninismus als ‚wissenschaftliche Weltanschauung' oder als ‚dogmatisierte Ideologie', aber nicht als Grundidee beschreiben.

Die theoretischen Schwächen in der Position des Peter Weiss, die hier zugegebenermaßen von mir in der Manier einer kleinlichen Schulmeisterei zusammengetragen worden sind, reduzieren den Anspruch des Autors: er ist kein Marxist, sondern nur ein Sympathisant. Nicht anders ist er in der DDR bewertet worden, als ein, wie der Ter-

minus lautet, ‚humanistischer bürgerlicher Schriftsteller'. Während Weiss der „Times"
gegenüber sein „Marat"-Stück marxistisch genannt hatte, stellte der DDR-Kritiker
Horst Gebhardt in einer im ganzen freundlichen Rezension kurzerhand fest: „Weiss
ist kein Marxist, und ohne auf dem Boden des dialektischen Materialismus zu stehen,
kann auch ein außerordentlich begabter Autor den gesellschaftlichen Entwicklungsprozeß nicht befriedigend darstellen."[33]

Kehren wir zurück zu der Resonanz, die die „10 Arbeitspunkte" fanden. „Neues
Deutschland" hatte sie ausdrücklich zur Diskussion gestellt und die einheimischen Autoren aufgefordert, ihre ‚Arbeitspunkte' kundzutun und ihren Platz in der geteilten
Welt zu bestimmen. Es ist nicht bekannt, welche eingegangenen Beiträge unveröffentlicht blieben. Zum Abdruck gelangten im Oktober und Anfang November 1965 nur
drei Stellungnahmen, dann brach die Diskussion abrupt ab. Das 11. Plenum des Zentralkomitees der SED vom Dezember 1965 mit seinen kulturpolitischen Restriktionen
warf seine Schatten voraus. In ihren Beiträgen behandeln Inge von Wangenheim, Harald Hauser und Günter Görlich den neuen Bundesgenossen freundlich. Hauser sieht
Weiss als einen von vielen, die noch kommen werden: „Uns ist ein neuer Weggefährte
geworden. Ein natürlicher Vorgang (den die älteren unter uns in den Weimarer Jahren
häufig erlebten). Freuen wir uns ehrlich und ohne Vorbehalt. Aber stimmen wir keine
Hymnen an. Dies könnte Nachdenkliche zu dem Schluß verleiten, wir seien uns möglicherweise der Gesetzmäßigkeit, mit der die sozialistische Gesellschaft ihre Vorgän-
gerin ablöst, nicht mehr so ganz gewiß gewesen."[34] Inge von Wangenheim wurde von
religiöser Metaphorik erfaßt, als sie die Entscheidung des Peter Weiss in welthistorische Zusammenhänge stellte. „Seit Jahrzehnten, eigentlich seit dem 1. August 1914
liegt die Menschheit in den Wehen, gebiert unter unsäglichen Schmerzen eine neue
Gesellschaftsordnung — eben die, die ihr Erlösung bringen wird. Hinter diesem epo-
chalen Vorgang öffnet sich dem Humanisten jeglicher Prägung und Eigenart das unendliche, noch unbestellte Feld unserer endlichen Menschwerdung." Aber von diesem
Ausflug abgesehen, nahm die Autorin die Vorbehalte des Peter Weiss gegenüber der
Praxis der sozialistischen Welt ernst und nannte den freien undogmatischen Meinungs-
austausch lebensnotwendig. Die Abgrenzung von Weiss beschränkte sich darauf, daß
der sozialistische Autor am anderen Ufer der geteilten Welt stehe. Daraus leitete sie
eine an Weiss gerichtete Warnung ab, „vor der Unterschätzung der tatsächlichen Schwierigkeiten, die jeden Künstler erwarten, der sich zum sozialistischen Künstler im Sozialismus entwickelt. Nur eine lange und gründliche Erfahrung, diese geteilte Welt vom
anderen Ufer aus zu sehen [. . .], ermöglicht Einsicht in das wahre Ausmaß der An-
strengungen [. . .]."[35] In einem Vortrag auf einer Beratung Walter Ulbrichts mit Kul-
turschaffenden im Staatsrat am 25. November 1965 wurde der Schriftsteller Max Walter Schulz noch etwas deutlicher, als er von dem „harten Weg von humanistischer Bürgerlichkeit zum realen sozialistischen Humanismus" sprach. „Erlösungsgefühle" müßten sogleich mit Aufträgen ausgestattet werden, „mit Selbstaufträgen oder mit Parteiaufträgen oder mit selbstgestellten Parteiaufträgen". Wie Peter Weiss seinen Sprung
aus dem Reich der Unverbindlichkeiten ins Reich der praktischen Nützlichkeit auch
als erfreuliche Lösung einer privaten Problematik feiern mochte, derlei individuelle
Lebenshilfe für einen Bürgersohn war der DDR als Staat nicht so wichtig. Schulz
deutete an, wie nur eine enge bewußte Bindung an die Partei, wie sie auch für soge-

nannte ,Kommunisten ohne Parteibuch' gelten konnte, den Weg eröffnete, aus der Bürgerlichkeit herauszufinden. Das prosozialistische Bekenntnis des Peter Weiss sei „gewissermaßen werkläufig-zwangsläufig entstanden, ohne daß Peter Weiss gleich mit fliegenden Fahnen ins sozialistische Lager übergegangen wäre."[36]

Auch Manfred Haiduk fühlte sich in der Anmerkung 31 seines großen zweiteiligen „Marat"-Aufsatzes[37] zu einer flüchtigen dogmatischen Replik auf die „Arbeitspunkte" genötigt, die zeigt, wie verlegen-allgemein auf Weiss' konkrete Kritik geantwortet wurde. Haiduk schrieb Anfang 1966: „Daß für Peter Weiss auch noch heute bestimmte Fragen der sozialistischen Kunstpolitik offen sind, zeigen die ,10 Arbeitspunkte'. Dabei muß freilich berücksichtigt werden, daß es in der Kunstpraxis des sozialistischen Lagers und kommunistischer Parteien kapitalistischer Länder auf Grund ihrer unterschiedlichen historischen und nationalen Lage selbst unterschiedliche, auch theoretisch voneinander abweichende Erscheinungen gibt, die es für einen Außenstehenden erschweren, bestimmte Maßnahmen zu begreifen und Forderungen zu verstehen, die an den Künstler gestellt werden. [. . .] Der Dichter rennt offene Türen ein mit seiner Forderung nach einer ,Durchsetzung der kühnsten Formen', nach einer ,revolutionären Kunst', nach ,Farbigkeit'. Er übersieht dabei, daß der sozialistische Staat im Prozeß des sozialistischen Aufbaus einen langwährenden Kampf mit rückfälligen Tendenzen zu kleinbürgerlicher, dem Sozialismus feindlicher, ihn schädigender Kunst gesetzmäßig führt und führen muß, die sich — bei ,freier' Entfaltung — ebenfalls gesetzmäßig bis zum Anarchismus und Revisionismus entwickeln kann [. . .]."

Haiduk redet über das Problem hinweg; übrig bleiben leere, wenn auch vielsagende Worthülsen. Er spricht von „bestimmten Fragen" und „bestimmten Maßnahmen" so unbestimmt, wie es nur irgend geht, als sei es peinlich, davon anzufangen: im Haus des Gehenkten spricht man nicht vom Strick. Nur der Fremdling von draußen, der die hiesigen Sitten nicht kennt, bringt das Gespräch auf solche Themen und den Gastgeber in Verlegenheit. Ein „Außenstehender" kann das alles nur schwer begreifen, zumal es überall unter Kommunisten „abweichende Erscheinungen" gibt. Aber Haiduk als „Innenstehender" begreift auch das Widersprüchliche sehr gut. Historische Lage hin, nationale Unterschiede her — der sozialistische Staat führt einen langen Kampf mit schädlicher Kunst, gesetzmäßig, d. h. er kann gar nicht anders, denn es sind natürlich nicht die staatlichen Gesetze, sondern die objektiven Entwicklungsgesetze der Gesellschaft gemeint. Und Peter Weiss begreift nicht, daß der Staat diesen Kampf „führt und führen muß", wie Haiduk im schönsten Stalin-Stil versichert. Warum dieser Kampf, wenn er denn schon sein muß, nicht frei geführt wird unter sozialistischen Künstlern und Kritikern in offener Auseinandersetzung, sondern von Staats wegen administrativ, war aber gerade die Frage von Peter Weiss. Der Außenstehende weiß eben nicht, was gesetzmäßig abläuft und was nicht. Deswegen rennt er mit seinen Forderungen auch offene Türen ein und übersieht dabei, beim Einrennen, daß der Staat sie gesetzmäßig — nur ein bißchen aufmachen konnte. Solange er das nicht versteht, bleiben bestimmte Fragen der sozialistischen Kunstpolitik für Peter Weiss eben „offen". (Nichts für ungut, reden wir doch besser von Ihrem Marat, lieber Peter Weiss!)

Dem „Marat"-Stück hatte sich die DDR-Kritik bereits 1964 kritisch zugewandt.

Schon der Germanist Werner Mittenzwei hatte damals, ohne Lukács zu nennen, aber dessen Theorie vom Sieg des Realismus über die subjektiven Ansichten des Autors variierend, die für einen Marxisten akzeptablen Teile des „Marat" dem objektiven Gewicht der Revolutionsthematik zugeschrieben: „Bei allen Vorbehalten, die man gegen die unentschiedene geistige Haltung des Stückes machen muß, erregt die Wendung des Autors zu großen Weltanschauungsfragen doch Aufmerksamkeit. [. . .] Interessant an diesem Stück ist auch, wie Weiss durch das Studium der historischen Fakten immer wieder genötigt wird, die Gestaltung der großen Weltanschauungs-Debatte Marat – de Sade aus der Bewegung der Klassen abzuleiten. Obwohl Weiss auch mit diesem Stück die ideologischen Schranken der bürgerlichen Klasse nicht überspringt, stellt er seine Figuren doch als Interessenvertreter bestimmter Klassen und Schichten dar."[38] Die Verfremdungstechnik habe Weiss aber im Gegensatz zu dem dialektischen Materialisten Brecht oft nur zur Relativierung und nicht zur Historisierung benutzt. Diese kritischen Einwände traten erst zurück, nachdem Weiss sich sehr verständnisvoll über die Ende März 1965 von Intendant Perten im Volkstheater Rostock verantwortete Inszenierung des Stückes geäußert hatte. Heinz Klunker hat in einem ausführlichen Kapitel „Rostocker Metamorphose" seines Buches „Zeitstücke-Zeitgenossen. Gegenwartstheater in der DDR" (Hannover 1972) die Rezeption der Weiss-Stücke in der DDR dargestellt, so daß ich mich hier auf einige Anmerkungen über die Haltung des Stückeschreibers dazu beschränken kann.

Weiss sanktionierte die Akzentverlagerung zu Lasten de Sades: „Ich habe immer wieder betont, daß ich das Prinzip Marats als das richtige und überlegene ansehe. Eine Inszenierung meines Stückes, in der am Ende nicht Marat als der moralische Sieger erscheint, wäre verfehlt."[39] Das klang eindeutig, als stimmte der Autor der triumphierenden Kritik im „ND" mit der Überschrift „Marat hat die Wanne verlassen"[40] voll zu. Dem war nicht so – Weiss ergänzte und relativierte das „Prinzip Marat", übrigens nicht nur bei Erklärungen im Westen, sondern genauso im Osten. Am bekanntesten wurde sein Brief an die in Frankfurt am Main erscheinende damalige SDS-Zeitschrift „Neue Kritik", so daß der falsche Eindruck entstand, er rede in West und Ost mit verschiedenen Zungen. Weiss ergänzte die Zustimmung zu der Aufwertung des Marat durch einen Tadel für die Abschwächung des Marquis. Die Schwarz-Weiß-Zeichnung Pertens akzeptierte Weiss schließlich nur als „Gegenwurf zu zahlreichen westlichen Vorstellungen, in denen Sade als der Überlegene geschildert wurde und Marat als der Irre und Irrende". Außerdem hatte Weiss rasch begriffen, daß man in der DDR kulturpolitisch taktieren mußte, wenn man etwas erreichen wollte: „In der Rostocker Aufführung war Marat von Anfang an als der positive Held gezeichnet. Es schien dies, da das Stück starke Schwierigkeiten hatte, in der DDR überhaupt zur Aufführung zu kommen, der einzige Weg zur bühnenmäßigen Verwirklichung."[41] Dasselbe konnte man in der Ostberliner Zeitschrift „Sinn und Form" lesen – in einem dort abgedruckten Gespräch mit den Ostberliner Wissenschaftlern Girnus und Mittenzwei machte Weiss den Regisseur Perten zum Komplicen einer unter taktischen Gesichtspunkten erfolgten Bearbeitung: „Ich bin überzeugt, daß er sich als ein so kluger Theatermann selbst völlig bewußt gewesen sein muß, daß er große Komplexe des Dramas einfach wegstreicht, rigoros, um nur ganz bestimmte Thesen auf der Bühne darzustellen. Ich glaube, er hat damit eine Entscheidung getroffen, die dem Stück verhalf, überhaupt aufgeführt zu werden. Ich weiß, daß es viele Diskussionen gegeben hat, über die scheinbare Unaufführbarkeit des Stückes, über das Vorhandensein zu vieler konterrevolutionärer Thesen in der Gestalt des Sade.” Girnus entfernte sich hastig von diesem heiklen Punkt („Ja, solche Diskussionen gibt es auch jetzt noch. Das ist natürlich[42]”), um zu einem anderen Thema überzugehen.

Am Ende des gleichen Jahres 1965 war die Idylle fürs erste zu Ende: wieder einmal hatten die kulturpolitischen Wettermacher Frost verordnet. Vor allem der Liedermacher Wolf Biermann geriet ins Kreuzfeuer einer bösartigen Kampagne. Peter Weiss solidarisierte sich als „humanistischer Schriftsteller” (er hatte gelernt, wie er eingeordnet wurde) mit dem Ostberliner Kollegen, schickte die kurze Äußerung an die Hamburger „Zeit”[43] und ans Ostberliner „Neue Deutschland”, wo man sie nicht druckte. Wilhelm Girnus kam die unangenehme Aufgabe zu, entschieden, aber geduldig zu erklären, daß er, Peter Weiss, nichts davon verstehe, was ein sozialistischer Staat zulassen könne und was nicht. Sein „Offener Brief” erschien am 23. Dezember 1965 im „ND” und informierte den Ost-Leser immerhin zwischen den Zeilen, auf wessen Seite sich Weiss geschlagen hatte. Biermann gebe einzig einem *Generationskampf* Ausdruck, hatte Weiss erklärt, der damit wohl eine der natürlichsten Sachen von der Welt ins Spiel gebracht wähnte, um die Kampagne zu entschärfen. Mit traumwandlerischer Sicherheit, man könnte auch sagen, mit jener durchschlagenden Naivität, die ihn häufig befähigt, ohne die Umwege der Theorie auf den Kern zu stoßen, hatte Weiss gerade das Reizwort genannt, in dem die Brisanz der Biermannschen Attacken steckte. Gegen die bloße Möglichkeit eines Generationskonflikts setzten sich nämlich ,die alten Genossen’ besonders heftig zur Wehr; auch Girnus konnte seine Erregung nicht zügeln: Biermann falle seinem von den Urhebern des Auschwitzer Grauens ermordeten Vater unter der Fahne des ,wahren Sozialismus’ noch postum in den Rücken. Der frivole Bursche müsse gehindert werden, mit Streichhölzern an einem Pulverfaß zu hantieren. Die SED werde von Biermann in einer unvorstellbar kotig-viehischen Weise beschmutzt usw. Gegen Ende seines Briefes schreibt Girnus seinem Kontrahenten gleichsam einen milden Tadel in die ,Kaderakte’: „Ich bedaure, daß Sie Ihre Meinung zu dem ganzen Komplex geäußert haben, ohne zuvor mit einem von uns zu sprechen.”[44]

Auch diesmal hatte Weiss den Anspruch des auf sich gestellten Intellektuellen nicht aufgegeben, vorliegende Texte zu lesen und zu prüfen und dann in eigener Verantwortung zu urteilen. Die Einladung, in kleinem Kreise, womöglich unter vier Augen, ein ansonsten in der Öffentlichkeit einseitig und exzessiv erörtertes Thema diplomatisch abzuklären, stand im Widerspruch zu der unnachgiebigen Forderung des Peter Weiss nach offenem Meinungsstreit. „Ich stehe stets zu Ihrer Verfügung”, schloß Girnus den Brief, was, wie sich zeigen sollte, in Wahrheit hieß, daß die Spalten des „ND” für eine Erwiderung nicht zur Verfügung stünden. Am 28. Dezember 1965 schrieb Weiss seinen Antwortbrief, aber erst 1971 wurde er durch die Aufnahme in den Sammelband „Rapporte 2” wenigstens dem westdeutschen Leser bekannt. Weiss hatte also bewußt auf eine Veröffentlichung in der aktuellen westlichen Tages- oder Wochenpresse verzichtet, weil er der mißbräuchlichen Verwendung einer innersozialistischen Diskussion, wie er sie verstand, entgegenwirken wollte. Neu war in der Antwort das Aufspüren irrationalistischer Elemente in der SED-Kulturpolitik:

„Wir, die wir aus der autoritären Erziehung der Bourgeoisie hervorgegangen sind, und danach den nazistischen Irrsinn des Übermenschentums hassen lernten, ziehen heute eine Großzügigkeit und Toleranz vor, und in unseren Schulen wünschen wir Lehrer ohne Zuchtruten und moralische Drohungen. Ich finde es beschämend, daß man Biermann gleichsam für den Tod seines Vaters verantwortlich macht, ich kann in einer solchen Beschuldigung nichts Dialektisches sehen, sondern nur den Auswuchs eines Christentums, das dem Menschen ständig das Bild des Gekreuzigten vor Augen halten will."[45] Die führenden Funktionäre hatten Biermann Anarchismus vorgeworfen, und Weiss hatte den Anarchismus in der Kunst als Gipfel spätbürgerlicher Esoterik verworfen. Jetzt aber präzisierte er: „Ein Biermann brauchte nicht schief aus dem Kollektiv herauszufallen, wenn man sich darauf besänne, daß ein lebendiges Kollektiv auch das Abweichende, das Heftige, das Wilde, das Anstößliche und auch das Erschreckende in sich tragen muß."[46] Dem Anarchischen, wenn auch vielleicht nicht dem Anarchistischen in der sozialistischen Literatur, will er also ein Heimatrecht eingeräumt sehen. Durch Erfahrungen mit einer Praxis, die sich sozialistisch nannte, sah sich Weiss zu Differenzierungen genötigt. Das zeigt sich auch daran, daß pauschale Verdikte keine Berechtigung mehr für ihn hatten, wenn er sich in Gesprächen mit Marxisten aus der DDR konkret über einzelne Autoren zu äußern hatte, etwa über Beckett.

Dann erweist sich, daß nicht objektive Analyse mit einem möglichst gültigen Ergebnis angestrebt ist, sondern daß die Bewertungen immer ichbezogen bleiben, den Kreis eigener Erfahrung nicht durchschlagen. Abwertende Urteile sind bei ihm letztlich nur abwehrende Urteile, so wenn er sagt, Beckett beängstige ihn, „indem er mich allzusehr an die Zeit erinnert, in der ich keinen Ausweg sah, in der ich im Kreise lief [. . .]."[47] Im Milieu der DDR, wo Beckett abgelehnt und nicht gedruckt wird, sieht sich Weiss dazu gedrängt, Beckett zu rechtfertigen und damit das Recht auf individuelle, wenn auch vielleicht nicht individualistische Schreibweise zu verteidigen: „Ich finde, jeder arbeitet anders. Ich glaube, für Beckett gibt es diese Besessenheit von einer ganz bestimmten Vision, die doch auf einem künstlerischen Niveau steht, das absolut überlegen ist dem meisten, was sonst in der westlichen Gegenwart über den Zustand der Gesellschaft ausgesagt wird. Eine plötzliche Umdrehung zu machen, zu sagen: Also, jetzt zeige ich euch, wie die Welt nach meinem Glauben sein müßte, wie sie verändert werden könnte, das will eben nicht jeder und kann eben nicht jeder. Das muß man auch jedem Künstler überlassen, wieweit er da gehen will."[48]

Seine Aufrichtigkeit, die ihn unfähig zu Zugeständnissen an kommunistische Repräsentanten gemäß deren jeweiliger Interessenlage macht, rückt Weiss in die Nähe eines Nonkonformismus, der sich den Gemeinplätzen der Ideologien in den jeweiligen Gesellschaftsordnungen verschließt. (Auch diese Haltung ist in früheren Essays vorgeformt, so in der Strindberg-Rede von 1962, in der Anarchismus und Umstürzlertum dieses Autors „gegen die Gesetze der Normalität" gestellt werden). „Für mich persönlich ist es von außerordentlichem Wert, daß meine Arbeiten [. . .] auch in den sozialistischen Staaten aufgenommen und behandelt werden"[49], hatte Weiss gesagt, als er vielleicht noch anders als heute glaubte, diese Wahlverwandtschaft könne seine persönliche Entwicklung voranbringen. Die DDR-Verantwortlichen versprachen sich damals wohl einen beschleunigten Abbau bürgerlicher Rückstände bei ihrem Gast:

„Wir sind uns bewußt, daß ein Autor, für den die Welt des Sozialismus auf Grund seiner Entwicklung in vielem fremd und unvertraut ist, über die Ernsthaftigkeit der wissenschaftlich-künstlerischen Bemühung um sein Schaffen an das Verständnis des geschichtlich Neuen in unserem Leben herangeführt werden kann."[50] Die partielle Zusammenarbeit, bei der die Kommunisten in der DDR sicher hofften, Weiss werde sich durch ihre Argumente rascher disziplinieren lassen, scheint aber im Gegenteil diesen gerade in der Fixierung seiner Vorbehalte bestärkt zu haben.

Gegen die Realpolitik der Sowjetunion und ihrer Verbündeten bei ihren im Interesse der friedlichen Koexistenz abgeschlossenen Arrangements mit den USA setzte Weiss seine zornige und empörte Beschimpfung des amerikanischen Faschismus. Sein Nachruf auf Che Guevara sucht den revolutionären Guerillakrieg auch gegen die aus der Sowjetunion kommende niedrige Nachrede des Romantizismus abzuschirmen. Das Buch mit Notizen über das kulturelle Leben Vietnams hält fest, was die Dolmetscher während der Reise erzählt haben und verfällt so einem naiven Exotismus mit gelegentlichen Einschüben, in denen wenig überzeugend ganz unterschiedliche Gesellschaftsverhältnisse verglichen werden, so wenn die ins Waffenarsenal aufgenommene vietnamesische Gebrauchsliteratur gegen die hochgezüchtete westliche Esoterik ausgespielt wird. Sowjetische und chinesische Protestnoten gegen die Bombardierung Nordvietnams werden als nutzlos abgetan, vage propagiert Weiss stattdessen die „Gewalt von Handlungen, die den imperialistischen Giganten treffen müssen".[51] Er träumt von einem „gesetzmäßigen offenen Endstadium"[52] in dem bei den amerikanischen Erben des Hitler-Faschismus ablaufenden Verfallsprozeß. Dabei bedient Weiss sich seltsamerweise des heruntergekommenen, im Osten inzwischen fast durchweg aufgegebenen Agitationsklischees der Stalinzeit, wenn er behauptet, den imperialistischen Planern bleibe schließlich nichts anderes übrig, „als zu brüllen, zu heulen und toll um sich zu schlagen".[53] Die „Literaturnaja Gaseta" empfand es als peinlich für den Autor, daß er im Vietnam-Stück den zu jener Zeit bereits ermordeten John F. Kennedy auf der Bühne herumspringen und sich überschlagen ließ. Warneken kritisiert an dieser emotionalen Hektik die „Unterschätzung der partikularen Rationalität und Organisationsfähigkeit noch des Spätkapitalismus".[54] Mit Recht läßt er auch eine Bemerkung Max Horkheimers aus dem Jahre 1934 gegen die in schrillem Ton ohne den Versuch historischer Deduktionen herausgestoßenen Empörungsschreie antreten: „Manche radikalen Schriftsteller schenken sich die Theorie. Sie glauben, wenn die grauenvolle Wirklichkeit dargestellt wäre, [. . .] hätten sie schon genug getan. Ihre Schilderungen scheinen als Unterschrift stets den Vermerk zu tragen: ‚Kommentar überflüssig'."[55]

Peter Weiss ließ sich auch nicht dazu herbei, die Okkupation der Tschechoslowakei zu rechtfertigen, wenn er auch sehr viel Mühe darauf verwandte, den Mißbrauch durch antikommunistische Hetze auszuschließen.[56] Seine etwas hilflosen Erklärungsversuche offenbaren freilich, daß die Analyse von Stalinismus und Nachstalinismus, die im Osten nicht (oder noch nicht) geleistet werden darf, nicht stellvertretend von außen, vom Westen aus, unternommen werden kann. Sein Trotzki-Stück sollte ein Beitrag dazu sein; nach der Meinung des Autors gehörte es auf die Bühnen von Moskau, Prag, Budapest, Rostock oder Ostberlin. Nunmehr konnten die östlichen Interpreten die Augen nicht mehr angesichts der subjektivistischen Eigenmächtigkeiten des zeitweiligen oder nur vermeintlichen Sympathisanten Peter Weiss zudrücken. Sein russischer Übersetzer Lew Ginsburg polemisierte heftig gegen den verleumderischen „Mischmasch aus Trotzkismus, Maoismus, Antisowjetismus und Marcusianismus".[57]

In der DDR lieferte das Stück einen Anlaß, deutlicher mit den „10 Arbeitspunkten" abzurechnen. Weiss orientiere nach Sympathien und Antipathien und nicht gemäß objektiven Gesetzmäßigkeiten. Schon der Begriff der geteilten Welt sei dubios gewesen, man hätte insistieren müssen auf dem Begriff einer in Klassen gespaltenen Welt. Zeitweise habe sich Weiss dem Sozialismus genähert, mit dem Trotzki-Stück aber sei er einen Schritt vorwärts und zwei zurückgegangen. Mit dieser Leninschen Metapher lasse sich zwar ausdrücken, daß Weiss noch auf dem Wege sei, aber stärker als diese Hoffnung sei in ihr eine Warnung vor dem „Sumpf aller möglichen Sekten und Ismen, die am Weg des wissenschaftlichen Sozialismus liegengeblieben sind"[58], enthalten. Bei aller scharfen Kritik wurde jedoch auch jetzt noch die Möglichkeit einer Wiederannäherung offengelassen. Man zeigte viel Geduld mit Peter Weiss, so daß sogar dieser schlimme Rückfall unter dem Stichwort „komplizierter Prozeß" hingenommen werden konnte. Das Standardwerk „Theater in der Zeitenwende" lobt zum Beispiel im Hauptteil das Werk des Peter Weiss fast durchgängig und versteckt die Ablehnung des „Trotzki-Stückes" in den Anmerkungen. Hier nun war freilich kein Kompromiß möglich: „Weiss versuchte mit diesem Stück, im gewissen Sinne die ideologische Plattform der ‚neuen' kleinbürgerlich-revolutionären ‚Linken' dramatisch zu formulieren. Das Stück wurde zu einer reinen Apologie des Trotzkismus mit eindeutig antisowjetischer Tendenz. Weiss ging in der Gestaltung Trotzkis und seiner Ideologie noch hinter den Trotzki-Biographen Isaac Deutscher zurück, der trotz seines Renegatentums immerhin im Bemühen um faktologische Stimmigkeit seiner Darstellung auch die Widersprüche im Denken und Handeln Trotzkis herausarbeitete. Weiss verfaßte eine jeder historischen Wahrheit widersprechende Laudatio auf Trotzki, den er zum eigentlichen Führer der russischen Revolution emporzustilisieren versuchte. Diese unwahrhaftige Trotzkidarstellung war eng verbunden mit einer ungeheuerlichen Verfälschung des Lenin-Bildes. Lenin wurde in Weiss' Darstellung gewissermaßen zum Vollstrecker der ‚grandiosen' Ideen Trotzkis. Diese Geschichtsklitterung war zugleich verbunden mit einem enormen Substanzverlust im Künstlerischen [. . .]."[59]

Aus der Analyse des politischen Klartexts aus der Feder von Peter Weiss und aus der Betrachtung ihrer kritischen Aufnahme in der DDR ergibt sich: Ungeachtet seiner Präferenz für Sozialismus (der bestimmte Artikel verbietet sich eigentlich wegen des Fehlens näherer Bestimmungen) ist Weiss kein Marxist. Er ordnet sich weder organisatorisch einer Parteidisziplin unter noch hat er sich die marxistisch-leninistische Theorie oder eine ihrer häretischen Spielarten zueigen gemacht. Seine Zuneigungen oder Abneigungen schieben sich oft vor den Ansatz einer Analyse. So wird das kapitalistische Schweden, für orthodoxe Kommunisten ein Hort des Reformismus, von seiner Kritik ausgespart. Natürlich gehört seine Bemerkung: „Hier in Schweden, in Stockholm, ist alles so schön neutral. Keine Mauer, die irgendeiner durch eine Stadt ziehen kann. Kein zweigeteiltes Land, in dem man unentwegt zu Stellungnahmen aufgefordert wird"[60] in die überwundene, anscheinend vorpolitische Phase. Aber prinzipiell anders äußert er sich auch später, 1968, nicht: „Nach Schweden hat mich die Emigration gebracht, ich habe dort meine Familie und mein Arbeitsmaterial. Außerdem ist Schweden, sagt meine emanzipierte Frau, ein einigermaßen angenehmes Land: Sie kann dort als Bühnenbildnerin und Bildhauerin selbstverständlich arbeiten. Schweden stört nicht."[61] Dagegen gibt ihm die Bundesrepublik, wie er in diesem Interview wenig später sagt, das „Gefühl eines Morasts". Diese Emotionen haben weder positiv noch negativ etwas gemeinsam mit Gesellschaftsanalyse.

Der Maßstab für seine Zustimmungs- und Protesterklärungen und für seine kritischen Vorbehalte besteht einzig aus seiner subjektiven, nach bestem Wissen und Gewissen geäußerten Überzeugung und der Meinung, andere könnten zu gleichen Auffassungen gelangt sein. Er spricht als linksbürgerlicher Einzelgänger. Seine Wendung zur Politik stellte allenfalls den Übertritt eines heimatlosen Individualisten in die heimatlose Linke dar. Erfahrungen, die bürgerliche Autoren wie Johannes R. Becher oder Anna Seghers auf ihrem Weg zum Kommunismus gemacht haben, finden in seinen „Rapporten" ebensowenig einen Niederschlag wie die Enttäuschungen der Abtrünnigen, die von ihrem Gott eines Tages mitteilten, er sei gar keiner gewesen. Weiss will seine Erfahrungen allein machen, freilich im Gespräch und im Meinungsstreit. Er nimmt sich die Freiheit einer unabhängigen Kritik gegenüber Ost und West. Damit hält er ungeachtet seiner prinzipiellen ‚Wahl' des oder eines Sozialismus an einem sogenannten dritten Standpunkt fest.

Der dritte Standpunkt definiert sich gegenüber der Entweder/Oder-Alternative a oder b als nicht a oder nicht b. Er kann, abhängig von der untersuchten Sache, c, d, e, f usw. genannt werden. Peter Weiss hat den früher innegehabten Standort, als er ihn verwarf, als unpolitische Fluchtposition inhaltlich bestimmen wollen. Dies ist jedoch nicht zwingend – dritte Standpunkte können eminent politisch sein. Durch politisches Desinteresse und Gleichgültigkeit fühlte sich der etablierte Sozialismus in den Staaten des dazugehörigen sogenannten Lagers keineswegs in gleichem Maße provoziert, wie durch die als Anhänger eines ‚dritten Wegs' charakterisierte innersozialistische Opposition, die einen demokratischen, offenen, undogmatischen, jedenfalls besseren Sozialismus erstrebt, als in gegenwärtigen Verhältnissen realisiert ist. Manchen Vertretern dieser Position gelten offenbar die Sympathien des Peter Weiss. Dafür spricht auch eine auf aktuelle Probleme bezogene Deutung seines „Hölderlin"-Stücks aus dem Munde des Autors: „Hölderlin ist für mich keine resignierte Figur, sondern ein Mensch, der in einer ganz bestimmten historischen Epoche seinen Weg nicht verwirklichen kann, aber deshalb seine Grundhaltung nicht aufgibt. Es gibt auch heute genügend Personen, die in derselben Lage sind. Denken Sie an Sartre, an Garaudy, an Goldstücker, an Rossana Rossanda, die trotz der gegenwärtigen politischen Schwierigkeiten weiterhin überzeugte Marxisten sind."[62]

Ein kritischer Betrachter sieht anders als der Autor, der Brüche in seiner inneren Biographie überbetont, die im Werk unverändert fortbestehende Problematik der Selbstverwirklichung des Ich, die dem Engagement für Menschen und deren Ziele übergeordnet erscheint. Auch das führt zu terminologischen Ungenauigkeiten, so in der Gegenüberstellung von „sozialistischem und individualistischem Lager"[63]. „Es gibt viele, die in ihrem Werk sowohl ihren persönlichen Individualismus ausdrücken und gleichzeitig die Notwendigkeit einer radikalen politischen Veränderung betonen"[64], sagte Weiss 1966 in Princeton. Zu diesen vielen Vereinzelten gehört Weiss noch immer — die Zwänge seines bisherigen Lebenswegs und das Mißtrauen gegenüber der organisierten ideologischen Vereinnahmung lassen ihm wohl auch keine andere Wahl. Die Kontroverse zwischen dem ‚Bekenner' Weiss und dem ‚Skeptiker' Enzensberger, die 1966 im „Kursbuch" ausgetragen wurde, war ein typischer Scheinkonflikt, in dem Nuancen und Temperamentsunterschiede zu prinzipiellen Gegensätzen erhoben worden waren.[65] Engagiert sein, hieß auch für Peter Weiss nie, mit einem fertigen Weltbild hausieren zu gehen. Abstrakt hat der Lessingpreisträger des Jahres 1965 in seiner Hamburger Dankrede formuliert, was für ihn noch immer gilt, wenn er es auch heute vermutlich nicht mehr so formalisiert, sondern erfüllt mit politischer Didaktik, ausdrücken würde: „Das Sprechen, Schreiben und Lesen bewegt sich in der Zeit. Satz stößt auf Gegensatz, Frage auf Antwort. Antwort auf neue Frage. Behauptetes wird widerrufen. Widerrufenes wird neuen Bewertungen unterzogen. Der Schreibende und Lesende befinden sich in Bewegung, sind ständig offen für Veränderungen."[66] Ganz ähnlich heißt es in einem „Spiegel"-Interview aus dem Jahre 1971: „Wir sehen immer neue Perspektiven vor uns. Gäbe es die nicht, könnten wir doch sofort einpacken."[67]

Peter Weiss läßt sich nicht festlegen. Es scheint, daß man das in der DDR auch nicht von ihm erwartet. Jede Überraschung, die er bereitet, beweist, daß die Loslösung eines bürgerlichen Schriftstellers aus dem Bürgertum widerspruchsvoll verlaufen muß. Freilich bereitet es der marxistisch-leninistischen Literaturwissenschaft Schwierigkeiten, diese Zwischenposition exakt zu formulieren. Denn es ist natürlich nicht sehr erfreulich, wenn er eine schöne Bilanz („noch nicht ganz, aber fast, mehr als, wenn auch" usw.[68]) mit Beelzebub Trotzki als Helden durcheinanderwirbelt. Aber handelt es sich nicht gerade um Trotzki, so kann man sehen, was sich mit den Figuren des Peter Weiss machen läßt. Zum Beispiel mit „Hölderlin" von 1971. Es scheint sich zu wiederholen, was in der DDR bei der Rezeption des „Marat"-Stücks geschah. Zunächst äußert sich die DDR-Kritik reserviert[69], denn gemessen an der feierlichen Klassik-Rezeption in Weimar und der weiteren Umgebung erscheint das Tableau auf den ersten Blick unannehmbar, auf dem Hegel, Goethe, Schiller und Fichte in reaktionärem Gewande den einzigen Revolutionär Hölderlin umgeben. Aber beim näheren Studium macht man sich Gedanken, ob aus einer ersten Fassung nicht auch diesmal eine zweite und dritte entstehen könnte. Jedenfalls überlegte man das in Rostock, wo man durch die umstritten gebliebene Verknüpfung von Werktreue und schöpferischer Interpretation schon mehrfach zu ansehnlichen Erfolgen gelangte. Hanns Anselm Perten ist nach seinem glücklosen Intermezzo als Intendant des Deutschen Theaters in Ostberlin wieder an seine alte Wirkungsstätte zurückkehrt. Er hat verständlicherweise großes Interesse daran, die auch für ihn und sein Rostocker „Volkstheater" produktiv gewesene Zusammenarbeit mit Peter Weiss wiederaufzunehmen.

Man knüpft also wieder an, wo man aufgehört hat. Die Arbeit am „Marat/Sade"-Stück stellt eine wichtige Vorleistung dar, die in die Hölderlin-Konzeption eingehen kann. Der Autor hat in einem Interview erklärt: „Im vielschichtigen Charakter des Hölderlin wird ein Teil der Problematik des „Marat"-Stücks aufgenommen. Die Pole Sade und Marat, der poetische Visionär und der tätige Politiker, sind hier in *einer* Person erkennbar."[70] Es gibt also für Marxisten wieder einiges zurechtzurücken; aber das Team des Germanistischen Instituts der Universität Rostock mit Hans-Joachim

Bernhard und Manfred Haiduk steht dem Theater wie bei der vieldiskutierten „Marat"-Inszenierung zur Seite. Was dazwischen lag, soll fürs erste vergessen sein.

Perten, der mit Weiss im Frühjahr 1973 über eine erneute Zusammenarbeit verhandelt hat, sagte dazu in einem Interview: „Nach den Ereignissen in der CSSR 1968 war unser Kontakt unterbrochen, er funktioniert aber seit geraumer Zeit wieder hervorragend. Peter Weiss hat sein Trotzki-Stück, das bei uns nicht aufgeführt wurde, zurückgezogen, ohne daß wir ihm irgendeine Bedingung gestellt haben."[71] Wir wissen nicht, ob Weiss dies aus mehr politischen oder mehr künstlerischen Gründen getan hat — daß das Stück eine Mißerfolg war, hatte er schon seit längerem eingeräumt.

Von der Rostocker Premiere des oder besser *eines* „Hölderlin" kann sich der Autor mit Recht interessante Kontroversen und Konfrontationen versprechen. Das Ensemble um Perten bereichert damit die in letzter Zeit munterer als früher geführte Diskussion um das klassische Erbe in der DDR. Ein „oft mißverstandenes Stück" (Perten) erfährt seine *richtige* Deutung — unter diesem Anspruch tut man's in Rostock nicht. Perten ist guten Mutes: „Die Aufführung wendet sich in der Literaturgesellschaft der DDR an ein wissenschaftlich gebildetes Publikum, das in der Lage ist, die Aussage des ‚Hölderlin' in ihrer ganzen Differenziertheit aufzunehmen."[72] Aber was sagen Goetheaner und Schillerianer in ihren nationalen Gedenkstätten dazu? Rostock liegt weit entfernt von Weimar, aber liegt es auch weit genug?

Das ganz neue Lachen

Die Funktion von Humor und Satire in der marxistischen Theorie
des Komischen und in der Praxis des politischen Kabaretts der DDR

*Nu, er muß doch abber wat jemacht ham? – Nein, er
hat nichts jemacht, er hat bloß gelacht.*

*Det muß n Redaktöhr doch wissen, watter schreibn
derf un watter nich schreibt. Wofor isser denn Redaktöhr?*
Arno Holz, „Sozialaristokraten", IV. Akt.

An Theorien über das Komische herrscht kein Mangel. Vor allem im 19. Jahrhundert haben die verschiedenen Fachdisziplinen wie Philosophie, Psychologie und Literaturwissenschaft miteinander gewetteifert, das Komische zu definieren und zu klassifizieren. Man suchte auf einer genügend hohen Abstraktionsebene *die* Definition des Komischen, unter der alle heiteren oder lächerlichen Einzelphänomene hätten subsumiert werden können. Das Gebäude brach nicht erst unter dieser Beweislast, sondern kaum daß man sich auf die Suche begeben hatte, mit Getöse zusammen. Die Architekten, auf Systematik versessen, bemerkten es dennoch nicht: sie stapelten die Bausteine auf (oder hoch) und richteten sich inmitten ihrer Materialvorräte wohnlich ein. An Beispielen, die die Definitionen abdecken sollten, fehlte es nicht – aber, leider, es gab immer auch Gegenbeispiele. Das Lachen ließ sich nicht auf Hauptgründe festlegen. Diese Sachlage stärkte freilich nur die enzyklopädische Tendenz einer vom Sammlerfleiß inspirierten Wissenschaft.

Unterm Systemzwang einer auf lückenlose Beschreibung des Bestands an komischen Konflikten, Charakteren, Situationen zielenden Forschungsintention wurde gleichsam von „römisch A bis arabisch Z" die Inventur des Komischen veranstaltet, das unter solcher Schematisierung sich wie von selbst verflüchtigte. Lauter Unterarten und Abarten des Komischen wurden benannt, ohne daß bemerkt wurde, wie lächerlich die Unarten der Wissenschaft selbst sein konnten. Diese Phänomenologien suchten abstrakte Prinzipien, die oft genug auf psychologische „Grundbefindlichkeiten des menschlichen Lachens" hinausliefen, mit Exempeln zu belegen, anstatt von der empirischen Untersuchung einzelner Werke auszugehen. Die Beispiele wurden beliebig aus der Kunst wie aus dem Leben gewählt: Selbsterlebte Kuriosa erschienen genaus so komisch wie – beispielsweise – das Auftreten von Sonderlingen in der klassischen Komödie. Daß über zwischen Buchdeckeln beschriebene oder auf der Bühne vorgeführte komische Vorgänge so sehr gelacht werden konnte wie über komische Typen und Situationen im Alltag, gab scheinbar die Ermächtigung zu solch fixer Identifizierung von Kunst und Leben.

Ob und wie sich objektive komische Welt und subjektive komische Betrachtungsweise auch immer überschnitten, auf Rangfolgen wurde nicht verzichtet, gleichgültig, welchen Aspekt man stärker in den Blick nahm. Fast durchweg galten „höhere Heiterkeit" und die ihr entsprechenden ästhetischen Formen mehr als die gern roh, plump und niedrig genannte Komik der Volksbelustigung. Wie neutral man sich auch ausgab, letztlich erwies man sich als parteilich, indem man ständische und klassenmäßige Sympathien und Vorurteile in die Meßskalen eingehen ließ. Worin sich die zwischen 1848 und 1945 (und zu einem großen Teil gilt dies auch für spätere Arbeiten) in Deutschland vorgetragenen Theorien des Komischen auch immer unterscheiden mochten, sie waren sich — mit wenigen Ausnahmen — in einem einig: in der mit philosophischer Dignität verkündeten Wertsetzung, die die Begriffe Humor und Satire polarisierte. Sie mündeten somit ins selbe trübe Gewässer, ins „Weltanschauliche".

Die Dinge mit Humor zu nehmen, gilt als menschliche Leistung; wer sich so verhält, erleichtert den geselligen Umgang, rennt nicht gegen das Unvermeidliche an, schickt sich ins Gegebene, womöglich im Gefühl gelassener Überlegenheit. Daß einer Humor habe, hört er gern und hört man gern von ihm. Daß einer „Satire habe", erlaubt der Sprachgebrauch nicht zu sagen. Man kann sich aber damit behelfen, den gemeinten Charakter als boshaft zu bezeichnen. Wer die Differenz von Humor und Satire mit der von Takt und Taktlosigkeit parallel setzt, liefert einen Spezialfall für die Abweisung einer kritischen Theorie von Literatur und Gesellschaft. In der Hochschätzung des Humors wird Anpassung gefeiert, in der Relativierung der Satire Kritik als neurotisches Außenseitertum diffamiert. Satire kann das Kunstwerk in die Nähe gesellschaftlicher Zwecksetzungen geraten lassen und es dadurch in den Augen mancher Ästhetiker „gefährden". Als Beispiel sei Wolfgang Kayser genannt, dessen Einführungsbuch „Das sprachliche Kunstwerk" mindestens während des ersten Nachkriegsjahrzehnts in Westdeutschland als „Germanistenbibel" galt: „[. . .] je mehr eine absichtliche feindliche Tendenz spürbar wird, die auf grundsätzliche Aufhebung gerichtet ist, desto mehr tritt die Komik in den Dienst der Satire. Und je mehr die Satire als Sinn-Aussprache gemeint ist — durch gleichsam negierende Darstellung eines Negativen —, desto weiter entfernt sie sich aus der Literatur und begibt sich auf jenes Feld, das als didaktische Literatur bezeichnet wird."[1]

Wir wollen die terminologische Unsicherheit auf sich beruhen und es überhaupt mit diesem einen Namen und diesem einen Zitat bewenden lassen. Mag sein, daß die bisherigen Ausführungen sich leicht dem Vorwurf aussetzen, sehr vieles sehr grob über einen Leisten geschlagen und überhaupt Beweise durch Behauptungen ersetzt zu haben. Aber unser Thema ist hier die marxistisch-leninistische Theorie des Komischen, die in der DDR entwickelt wurde, und es leuchtet wohl unmittelbar ein, daß die in dieses Gebiet gehörenden Untersuchungen von einer scharfen Kritik an den Ergebnissen der bürgerlichen Wissenschaft ausgehen. Meine einleitenden Bemerkungen sollten wenigstens in Umrissen andeuten, daß der Verfasser im Prinzip dieser kritischen Orientierung zustimmt. Trotz aller Simplifizierungen im einzelnen haben die Arbeiten von Georgina Baum[2] und später — wenn auch mehr am Rande — die von Werner Neubert[3] die grundsätzliche Position der bürgerlichen Philosophie und Wissenschaft zutreffend beschrieben.

Weil die Ansätze der DDR-Germanistik, der humoristischen und satirischen Literatur unter den neuen Bedingungen einer sozialistischen Gesellschaftsordnung veränderte Funktionen zuzuweisen, nur auf dem Hintergrund der Abgrenzung von den Antworten erfolgen kann, die im gegnerischen ideologischen Lager gegeben worden sind, sollen im folgenden in einer kurzen Skizze die Hauptpunkte der Kritik an den bürgerlichen Theorien zusammengefaßt werden:

1. Dem Humor werde in diesen Theorien deswegen ein hoher Rang eingeräumt, weil er es ermögliche, die in der Wirklichkeit fehlende „Harmonie" zu suggerieren. Sein letzter Zweck sei die (ästhetisch verkleidete) Apologie der bestehenden Zustände.
2. Humor resultiere entweder aus (spießiger) Zufriedenheit mit den Verhältnissen, die vor bedrohlicher Veränderung geschützt werden sollen, oder aus der Resignation, die das Andersmachen und Anderswerden überhaupt für unmöglich halten muß oder den Preis, nämlich neue Konflikte in Kauf zu nehmen, nicht zahlen möchte. Diese wichtige Unterscheidung zwischen einer aktiven ideologischen Rolle (aus falschem Bewußtsein oder in demagogischer Absicht übernommen) zur Stützung des *status quo* und einer Fluchtposition, von der aus Chancen zum Eingreifen nicht gesehen werden, ebnen die marxistischen Wissenschaftler in der DDR häufig ein. Denn beides sei „objektiv" dasselbe, oder — wie man es auch ausdrükken kann —, „bewußt oder unbewußt" tue das gleiche, wer den Verhältnissen, in denen Herrschaftsinteressen sich manifestieren, nicht zunahe treten wolle. Dieses über den Humor verhängte Verdikt wird nicht strikt eingehalten, für die sozialistische Gegenwart ist es inzwischen sogar aufgehoben worden; aber den bürgerlichen Ideologen und Ästhetikern wird doch der Vorwurf gemacht, die politische und gesellschaftliche Funktion des Humors entweder nicht zu bemerken oder zu vertuschen.
3. Der Humor werde in den bürgerlichen Theorien nicht gegenstandsbezogen begriffen, d. h. ihm würden nicht begrenzte, „unschädliche" Sachverhalte zugewiesen, sondern man stilisiere ihn zum allumfassenden „Lebensgefühl", zur Weltanschauung. Die weitreichende quietistische Wirkung liege darin begründet, „daß ein echtes Bedürfnis besteht, eine schönere, harmonische Sphäre zu finden, in der die grausame Wirklichkeit, die drückenden Sorgen ihre Bedeutung verlieren".[4]
4. Weil die Satire geeignet sei, die Zustände lachend zu entlarven, diene ihre Unterschätzung in der bürgerlichen Ästhetik der Rechtfertigung der jeweiligen Ordnung. Damit solle das revolutionierende, angreifende Element der Komik diskreditiert werden.
5. Das Hauptinteresse der bürgerlichen Theoretiker gelte der Rezeption des Komischen durch das Individuum. Der lachende einzelne werde hypostasiert, seine psychologische Entlastung im Lachen als Zwecksetzung des Komischen ausgegeben. Indem von *dem* Menschen und *dem* Lachen gesprochen werde, lasse man die konfliktreiche Frage „Wer lacht über wen?" nicht an sich herankommen. Das Subjekt gewinne im ästhetischen Genießen die erstrangige Rolle; der psychologische Prozeß werde dadurch wichtiger als der Gegenstand des Lachens. Da dem Lachenden ein zeitlich und räumlich undifferenziertes Seelenvermögen zugeschrieben werde und das komische Objekt zum Auslösungsfaktor schrumpfe, werde das Subjekt — wie stets in idealistischer Ästhetik — zum sich einfühlenden Betrachter.
6. Die bürgerlichen Theorien seien somit unhistorisch, sie beanspruchten aber Allge-

meingültigkeit. Mit einem Wort gesagt: die Apologie des reinen Humors sei „ein Ausdruck des bürgerlichen Klassenstandpunktes in der Ästhetik".[5]

Die dogmatisch formulierte Quintessenz entwertet die in vielen Einzelheiten zutreffende Bewertung. Daher fordert die marxistisch-leninistische Kritik auf diesem Felde ihrerseits eine Kritik heraus:

1. Obwohl Hegel der Sache nach in wesentlichen Punkten die späteren nach 1848 wirksam gewordenen Theorien vorweggenommen hat (z. B. die Ablehnung der Satire als außerkünstlerisch), bemüht man sich um eine Differenzierung zwischen progressiven und konservativen Zügen in Hegels Ästhetik.[6] Die Gründe liegen darin, daß Hegel das bürgerliche Denken in der Aufstiegsphase vor dem Scheitern der Revolution repräsentiert und die Hegelsche Dialektik zu einer der Quellen des Marxismus wurde.

Nuancierungen fehlen dann bei der Darstellung des späteren 19. Jahrhunderts und des 20. Jahrhunderts. Selbst wenn eine systematische und keine historische Übersicht gewollt wird, schwächt man die eigene Überzeugungskraft durch das Eingliedern auch der Theorien, die nicht „humorfreundlich" sind, ins allgemeine Schema: das gilt für Freud, Bergson und vor allem für Friedrich Georg Jünger. Georgina Baum, die natürlich nicht überlesen kann, daß F. G. Jünger den politischen Charakter des komischen Konflikts betont, hilft sich mit unbegründeten Beschimpfungen. Wer nicht so ist, wie er es nach seiner Klassenlage gefälligst zu sein hat, tarnt sich und heuchelt. So bewertet sie seine Überlegungen in dem Buch „Über das Komische" als „Demagogie" voll „zynischer Offenheit".[7]

2. Eine Würdigung der „Minderheitsmeinung" hätte um so näher gelegen, als die literarische Praxis der bürgerlichen Schriftsteller nicht einem prinzipiellen Verdikt verfällt. Während es von den Theoretikern pauschal heißt, sei seien daran interessiert, „daß der objektive Widerspruch, der für die verschiedenen Formen der Komik in der Komödie die Grundlage bildet, verhüllt, abgeschwächt oder aufgehoben wird"[8], wird den Autoren der Schönen Literatur ein solches ideologisches Interesse nicht unterstellt. Ihnen wird gleichsam der gute Wille zugebilligt, was freilich den auf dieser Grundlage erhobenen Einwänden leicht den peinlichen Beigeschmack der Besserwisserei gibt (‚Swift blieb es versagt . . .' oder ‚Heine vermochte es nicht . . .'). In dieser unterschiedlichen Betrachtungsweise wirkt sich aus, daß man sowohl die bürgerliche Ideologie bekämpfen wie das bürgerliche Erbe bewahren will.

Freilich stimmt es, daß Interpreten leichter dingfest zu machen sind als Künstler, deren Werke in ihrer sinnlich-konkreten Erscheinung Zugänge zur Wirklichkeit eröffnen mögen, von denen die Autoren sich höchstens etwas *träumen* ließen, von denen sie aber als „Menschen ihrer Zeit" nichts *wußten*. Die anknüpfend an Engels von Lukács entwickelte und vor allem an Balzac präzisierte These vom „Sieg des Realismus" über die jeweiligen bewußten Anschauungen des Autors wirkt sich hier noch aus, obwohl man dem ungarischen Ästhetiker inzwischen auch anhand dieses Themas vorwirft, er habe damit die „bewußte Parteilichkeit" diskreditieren wollen.

3. Es ist wenig überzeugend, daß einzig der Humor dem Prinzip der Subjektivität verbunden sei. Auch die Satire erwächst aus der Subjektivität des Satirikers. Naive Widerspiegelungstheorien helfen hier nicht weiter. Auch wenn man den Begriff des „Objektiv-Komischen" in die Erkenntnislehre einführt, kann man nicht widerlegen, daß die Dinge erst durch Wertsetzungen (die freilich nicht allein, am wenigsten in Fällen durchschlagender und lang anhaltender Wirkung, der beliebigen Subjektivität entstammen) „komisch werden"; sie sind es nicht an sich.[9] Die Wirklichkeit trage selbst die Kritik in sich (Neubert spricht vom „satirischen Klassenwesen"[10] der Bourgeoisie), wird der schöpferischen Willkür des Autors entgegengehalten. Aber daß die vorgeführten Teile der Wirklichkeit — vor aller literarischen Behandlung — komisch seien, gehört schon zur subjektiven Überzeugung des Autors.

Die Behauptung, er spreche nur aus, was sei, stärkt darüber hinaus die Überzeugungskraft dem Publikum gegenüber. Daß nicht er (aufgrund seines bösen, kalten, nüchternen, zynischen, verzeihenden, gütigen usw. Blicks) in die Wirklichkeit das Komische hineinlege, sondern daß diese (natürlich immer nur partiell, weil man sich an wahren Werten nicht „vergreifen" soll) auch unabhängig von einem, der den Sachverhalt zur Sprache bringt, komisch sei, ist meist stilistische Figur; manchmal auch bloß Indiz für äsopische Ausdrucksweise, für „Sklavensprache". Der Topos erlaubt, die Verantwortung für das Gesagte wenigstens formal beiseite zu schieben und der prekären Frage der Herrschenden, wer denn dem Herrn Satiriker überhaupt das Mandat gegeben habe, ein wenig an Dringlichkeit zu nehmen. Der Diagnostiker ist normalerweise nicht mit dem Krankheitserreger identisch.

Wer das „Objektiv-Komische"[11] in seine Theorie nimmt, setzt auch das „Objektiv-Nichtkomische". Auch dies ist Produkt einer Wertung, die abhängt von den jeweils etablierten moralischen und sonstigen gesellschaftlichen Normen. Wird die Wertung „allgemeingültig" vorweggenommen, entstehen unter Umständen reichhaltige Listen von tabuierten Stoffen. Wo Literatur im weitesten Sinn als didaktisch, als Erziehungsmittel verstanden wird, entwickelt sich diese Einheit von Gebot und Verbot. Eine passende Stelle bei Herder wird von Baum knapp zitiert, ohne daß sie anmerkt, wie Herder aus der Defensive argumentiert, gegen ein Überhandnehmen der Auffassung, alles könne in der Komödie lächerlich gemacht werden oder wenigstens vorkommen. Herder wird also unhistorisch als Kronzeuge in Anspruch genommen, ohne Rücksicht darauf, daß es ihm um die aussichtslose Verteidigung alter, in Auflösung befindlicher Normen ging. Die Stelle aus den „Unterredungen" über „das Lustspiel" lautet: „B.: Die Komödie soll uns aber nicht bloß lachen machen, sondern lachen lehren. A.: Wie das? B.: Daß nichts lächerlich vorgestellt werde, als was lächerlich ist, daß es in dem Maße lächerlich vorgestellt werde, als es des Lachens wert ist [. . .]."[12]

Wesentlich schwieriger ist es, die wenigen, meist in politischen Streitschriften aufgesuchten Marx-Zitate als Stützpfeiler in eine Theorie des Komischen einzubauen. Im einzelnen kann hier eine Analyse dieser Stellen nicht vorgenommen werden. Ihnen allen ist gemeinsam, daß nicht über das Komische oder die Komödie reflektiert wird. Vielmehr wird der Sprachgebrauch einschließlich gehobener literarischer Verwendungsweisen einfach akzeptiert, um mit dieser Voraussetzung die Geschichte und Zeitgeschichte zu verfremden, d. h. das falsche, von allerlei Selbsttäuschungen über die eigene historische Rolle geprägte Bewußtsein der Bourgeoisie und ihrer Exponenten lächerlich zu machen. Ohne es wahrhaben zu wollen, ja ohne es überhaupt zu bemerken, verhält sich die Bourgeoisie „wie in einer Komödie".

Der Witz wird also dadurch ermöglicht, daß der Leser weiß, was er sich unter einer Komödie vorzustellen hat, mit ihm also in diesem Zusammenhang darüber nicht disputiert werden muß. Die geistreichen Bemerkungen von Marx werden etwas angestrengt funktionalisiert, wenn man aus ihnen das „Historisch-Komische" als ästhetischen Begriff ableiten will.

Das läßt sich auch an den Interpretationen ablesen, die die berühmte Passage über den heiteren Abschied von der Vergangenheit erfahren hat. Sätze aus Meisterwerken der politischen Prosa werden behandelt, als entstammten sie wissenschaftlichen Abhandlungen: „Die letzte Phase einer weltgeschichtlichen Gestalt ist ihre Komödie. Die Götter Griechenlands, die schon einmal zu Tode verwundet waren, im gefesselten Prometheus des Äschylus, mußten noch einmal komisch sterben in den Gesprächen Lucians. Warum dieser Gang der Geschichte? Damit die Menschheit heiter von ihrer Vergangenheit scheide. Diese heitere geschichtliche Bestimmung vindizieren wir den politischen Mächten Deutschlands."[13] Nur wer – wie Werner Neubert – postuliert, damit sei eine ästhetische Gesetzmäßigkeit formuliert, bringt sich in Schwierigkeiten. Er muß mit dem „heiteren Abschiednehmen" die Schwere und Härte des Klassenkampfes überhaupt und (zum Beispiel) eine so grausame Periode wie den Faschismus zu vereinbaren suchen.

Schließlich verfällt Neubert noch darauf, Hermann Kants Roman „Die Aula" mit seiner „Emotion des heiteren Abschiednehmens" als zeitgenössische Erfüllung des Marxschen Gedankens aufzurufen.[14] Das Vage der situativen Metapher ermöglicht ein solches Verfahren – freilich bleiben schließlich nur noch Äquivokationen übrig. Zu guter Letzt könnte man noch jeden guten Bürger, der mit fröhlicher Stimme sein „Auf Wiedersehen" sagt, in einen mehr oder weniger bewußten Kontakt mit geschichtsphilosophischen Marginalien von Marx bringen. Fällt es gar nicht auf, daß diese trivialisiert werden, wenn die Interpretation von Absatz zu Absatz das Subjekt verkleinert, also aus der Marxschen „Menschheit" zunächst die Gesellschaft, dann eine Klasse und zuletzt einzelne Werktätige in der Form literarischer Figuren aus der DDR-Literatur werden?

Eine ähnlich fragwürdige Position findet sich bei Erich Kühne: „Die erheiternde Wirkung des Komischen besitzt – in den besten DDR-Komödien – einen Bewußtseinsgrad von einer fast (!) geschichtsphilosophischen Qualität. Es ist genährt von dem im Publikum verbreiteten Wissen einer bereits erfolgten geschichtlichen Überwindung eines jahrhundertealten gesellschaftlichen Antagonismus, dem keine weiteren gesellschaftlichen Antagonismen nachfolgen werden. Das Lachen der sozialistisch-realistischen Komödie ist ein zutiefst menschliches Lachen, da in ihm das geschichtliche Bewußtsein ständig lebendig ist, am Beginn einer geschichtlichen Zukunft der Menschheit ohne Klassengegensätze, Unterdrückung und Ausbeutung zu stehen."[15] Dieses abstrakte Geschwätz vom „zutiefst menschlichen Lachen" fällt durch bloße Umkehrung aus dem Bereich ernsthafter Argumentation heraus: Wenn das geschichtliche Bewußtsein von der wunderbaren Zukunft, die schon begonnen hat, ständig lebendig ist, könnten die Träger dieses Bewußtseins – auch ohne „die besten DDR-Komödien" – sowieso den ganzen Tag lachen. Kühne verkündet „Konfliktlosigkeit" auf höherer, wie er wohl sagen würde, „fast geschichtsphilosophischer" Ebene.

4. Die wechselseitige Spannung zwischen Satire und Polemik wird als ästhetisches Problem nicht genügend durchdacht. Wer Bedenken gegen die Transformation der künstlerischen Satire in unmittelbar appellative Formen äußert, wird politisch verdächtigt als einer, der bloß die positiven Inhalte eines solchen Aufrufs ablehne. Die Erfahrung lehrt aber, daß besonders die Satire auf indirekte Formulierungen angewiesen ist und sich durch plakative, die Verständnisfähigkeit des Publikums geringachtende Mittel ihrer kräftigsten Wirkungen beraubt.

5. Der Abwertung der Subjektivität entspricht die Einbettung der komischen Intention ins „Wollen der Gemeinschaft". Das läßt sich gut an den Ausführungen über den „Weltverbesserer" zeigen. Nach der Auffassung von Georgina Baum könne er nur komisch wirken, „wenn er mit seinen Reformen das Rad der Entwicklung zurückzudrehen versucht, wenn er die Welt in einem konservativen Sinn verändern will. Das Eintreten für den Fortschritt ist historisch berechtigt und *kann daher in einer realistischen künstlerischen Darstellung nicht verlacht werden*."[16]

Ist Nestroys „Freiheit in Krähwinkel" ein Gegenbeispiel? Man kann sich natürlich damit behelfen, den „Fortschritt", über den Nestroy sich lustig macht, als einen falschen zu bezeichnen, oder dessen Vorkämpfer als schwächlich, opportunistisch und feige aufzufassen — es wird nicht ausreichen, irgendwelche gesellschaftlichen Phänomene prinzipiell von einer komischen Darstellung auszunehmen. Den Absatz, in dem Georgina Baum, wie mir scheint, etwas unsicher, erklärt, daß wer sich über den Fortschritt lustig mache, „nur mit einer kurzlebigen Wirkung innerhalb des Kreises seiner Gleichgesinnten rechnen" könne, beginnt wiederum mit dem apodiktischen Satz „Man kann nicht über alles lachen".[17] Er müßte besser heißen: „Man soll nicht über alles lachen."

Deswegen sind andere Autoren mißtrauischer, sie glauben nicht, daß bestimmte Kunstmittel von Haus aus nur mit der guten Sache im Bunde sind. Werner Neubert deutet an, daß die Satire in einer überaus wirksamen Synthese des Emotionalen und Rationalen „auch regressiv-konservativen Absichten"[18] dienen könne. Hans-Jürgen Geerdts untermauert eine ähnliche Ansicht mit einem banalen Beispiel: „Es ist so, daß manche Leute meinen, es gäbe überhaupt nur eine realistische Satire, und all die Bemühungen der Apologeten der Reaktion würden sozusagen schon an den Bedingungen der Gestaltungsmethode scheitern. Das ist nicht richtig. Die formalen Mittel der Satire sind auch denen gegeben, die eindeutig reaktionäre Ziele verfolgen. So kannte ich einen Satiriker, der vor einigen Jahren abwechselnd für eine Zeitung im Westen und für eine Zeitung in unserer Republik schrieb, einmal unseren Aufbau satirisch zu diskreditieren, einmal ihn zu fördern suchte."[19]

Solche Warnungen machen es verständlich, daß die Arbeit „mit der heiteren Muse" wegen der hohen Massenwirksamkeit in der DDR nicht der Selbstregulierung, sondern vielmehr einer straffen organisatorischen und ideologischen Lenkung überantwortet wurde. Bei den unmittelbar operativen und zudem populären literarischen Formen, denen auch die in den Kabaretts angewandten zuzurechnen sind, ergaben sich viele praktische und theoretische Probleme. Es werden daher im folgenden außer Arbeiten mit wissenschaftlichem Anspruch auch Publikationen herangezogen, in denen Praktiker des Kabaretts und der Publizistik sich vor einem breiteren Leserkreis um eine Selbstverständigung über Schwierigkeiten ihres Arbeitsbereichs bemühten.

Am meisten fällt dabei auf, daß die scharfen Grenzlinien zwischen Humor und Satire, wie sie in der antagonistischen Klassengesellschaft bestünden, wieder aufgegeben werden, wenn die Funktion des Komischen in einer sozialistischen Gesellschaft beschrieben wird. Die beiden Hauptformen der Komik in sozialistischer Literatur sollen daher hier auch nicht getrennt abgehandelt werden. Georgina Baum empfiehlt den Gegenwartsautoren nebeneinander humoristische und satirische Gestaltungsmittel anzuwenden: kleinbürgerliche Gewohnheiten sollen satirisch entlarvt, komisch erscheinende, aber aus subjektiv ehrlichen Motiven kommende Handlungen humoristisch dargestellt werden. Aber auch die satirische Entlarvung darf nicht nur negatives Verlachen sein. Kurzum, die Furcht, das Positive könnte zu kurz kommen, beherrscht die in den Abstraktionen recht sophistisch wirkenden Ausführungen.

Inge Diersen hat literarische Produkte, die sich so vorsichtig an die Wirklichkeit herantasten, kritisch auf Integration und Beschaffenheit des Satirischen befragt: „Haben wir es nicht oftmals mit einer ‚Verkleinerung‘ der Satire zu tun? Das Niveau der satirisch abgefertigten Figuren wird nicht selten durch subjektiv-moralische Abwertung, durch charakterliche Inferiorität von vornherein gedrückt, so daß auch die satirische Abfertigung kleinlich bleibt. Aber die charakterliche Verkleinerung des satirisch abgefertigten Widerparts macht nicht nur das kritische Element kleinlich, sondern verhindert auch die volle Integration des Satirischen in Romanstrukturen, deren Grundlinie groß angelegt ist, das heißt auf die Widerspiegelung nicht der kleinen und kleinlichen, sondern der großen gesellschaftlichen Prozesse zielt."[20]

Diese Konsequenzen folgen aus den Vorbehalten, die aus politischen Gründen gemacht werden, um das Satirische einzubetten in ein freundliches Gesamtpanorama. Bei welchem der hier berücksichtigten Autoren man auch nachschlägt, man stößt immer darauf, daß die „innere" Satire auf zweierlei Art beschränkt werden muß, durch Verminderung ihrer Intensität und durch Beschränkung ihrer Gegenstände.

Es ist bezeichnend, daß der langjährige Chefredakteur des „Eulenspiegel", der heiteren Wochenzeitung der DDR, der mittlerweile verstorbene Peter Nelken, 1964 sein „ziemlich ernsthaftes Buch über Humor und Satire" (so der Untertitel) mit der Losung „Lachen will gelernt sein" herausgab. Er wäre freilich genauer gewesen, wenn er von den Schwierigkeiten des *Lachenmachens* ausgegangen wäre. Denn in Wahrheit liegt die politische Verantwortung für die „falschen oder richtigen Lacher" nicht beim — oft anonymen — Publikum, sondern bei den Satirikern, Kabarettisten und Conferenciers, die von Berufs wegen für das von ihnen Geschriebene oder Gesagte einstehen müssen. Ihr Betätigungsfeld kann auf verschiedene Art vermessen werden:

1. Der politische Spielraum liegt zwar im großen und ganzen fest, er unterliegt jedoch den Schwankungen des kulturpolitischen Klimas.
2. Der Erfolg, besonders bei öffentlichen Veranstaltungen, läßt sich nur schwer manipulieren, so daß die treuherzigen Vorschläge der „Abnahmekommissionen" von den Kabaretts gelegentlich mit dem einleuchtenden Argument „Unsere Menschen wollen das nicht" paralysiert werden. Selbst wer eine Vermittlerfunktion zwischen Partei und Bevölkerung wahrnehmen will, muß die Existenz einer Kluft zwischen „oben"

und „unten" anerkennen. Der öffentlichen Meinung teilweise Ausdruck zu geben und sie gleichzeitig zu kanalisieren – so könnten Forderung und Angebot lauten.
3. Objektive Regeln der komischen Gattungen, der treffende Einsatz der Gags, die Gesetze des satirischen Stils verlangen ihr Recht. Je talentierter die Autoren sind, desto mehr bemühen sie sich, nicht in die politische Holzhammermakulatur oder in die belanglose Nettigkeit auszuweichen.

Diese drei Funktionen sind nicht in Einklang zu bringen, so daß die Diskrepanz zwischen dem vorgegebenen Erziehungsziel und der zu befriedigenden Publikumserwartung gelegentlich, unter Druck von oben oder von unten, brisant werden kann.

Was den Gegenstand der Satire betrifft, so halten die Autoren noch immer fest an der Zweiteilung zwischen dem „tödlichen, unerbittlichen Lachen" über die negativen Erscheinungen der westlichen Welt und dem glimpflicheren Umgang mit den Bürgern eines kommunistischen Landes, die unter schlechten, aus dem Kapitalismus überlieferten Gewohnheiten und negativen Charaktereigenschaften leiden. Während die antiimperialistische Satire sich gegen angeblich unvermeidliche Systemeigenschaften wie Faschismus, Militarismus, Revanchismus usw. richtet, bedient sich die innere Satire der Personalisierung, um die Schuldvorwürfe auf einzelne Träger negativer Verhaltensweisen abzuwälzen, als da sind: Faulenzer, Schlamper, Lügner, Schönfärber, Karrieristen, Wichtigmacher, Snobs, Hauspaschas und Klatschtanten.[21]

Der „Eulenspiegel" unterscheidet beim Objekt der inneren Satire zwischen dem „alten Dreck der Vergangenheit" und „einigem neuen Staub, der sich aus Trägheit und Gedankenfaulheit bei manchen sonst recht fortschrittlichen Menschen angesammelt hat". Die Unterscheidung zwischen dem „kapitalistischen Dreck" und dem „neuen Staub", dessen Entstehungsursachen im dunklen bleiben, ist bezeichnend. Nelkens Sünderkatalog nennt: „Schwätzer, Phrasendrescher, Zitatenreiter, ‚die auf Sitzungen Versessenen', Manager, engherzige Dogmatiker, überhebliche Buchstabengelehrte, Transparentfetischisten, Prozentzahlenakrobaten, Kampagnenentfalter.[22] Die auffällige Hinzufügung konkretisierender Adjektive in zwei Fällen läßt den mißtrauischen Leser vermuten, der Verfasser sei der Meinung gewesen, es gebe auch vernünftige Dogmatiker und Buchstabengelehrte, die weder engherzig noch überheblich sind.

Der „Eulenspiegel" läßt seit Jahren in Anlehnung an das Moskauer Bruderblatt „Krokodil" unfähige oder durch mangelnden Erfolg auffallende Einzelpersonen die Schwächen des Systems entgelten, in dem weniger von diesen einzelnen abhängt, als diese Art der Kritik voraussetzt. In der „Passivisten"-Spalte des Blattes findet sich diese „konkrete Satire" mit Name, Adresse und Hausnummer. Sicher werden manche Auswüchse von Bürokratismus und Schlendrian auf diese Weise erkannt, und im Einzelfall mag Abhilfe geschaffen werden; auf die gesellschaftliche Ordnung im ganzen bezogen hat diese Anprangerung von Sündenböcken einen Zug von Oberflächlichkeit oder Heuchelei. Der Zusammenhang zwischen Satire und Denunziation, der mit der idealistischen Konstruktion des „Gesetzes von Kritik und Selbstkritik" begründet wird, erscheint auch in dem utopischen Ausblick, mit dem sich die Satiriker manchmal über ihre beschränkten Möglichkeiten in der Gegenwart hinwegtrösten. Nelken erwähnt das „heitere Zukunftsbild" des „Krokodil"-Chefredakteurs Semjo-

now: „Vielleicht ist auch die Zeit nicht mehr fern, in der die Menschen beim Ausfüllen eines Fragebogens nicht mehr die alte Frage beantworten müssen: ‚Sind Sie vorbe-
straft?', sondern die neue ‚Waren Sie schon einmal Gegenstand einer Satire, in welcher
Rolle und wann?' "[23]

Angriffsobjekt der NEUEN SATIRE (Neubert verwendet die Versalien, um Ver-
wechslungen mit dem, was früher unter Satire verstanden wurde, auszuschließen) ist
hauptsächlich das Individuum; kaum sind es Gruppen, überhaupt nicht ist es die Gesellschaft im ganzen. Suchte man nach Traditionen, ließe sich wohl am ehesten eine
Wiederbelebung der alten „Außenseiter”-Komik belegen; freilich ergibt sie sich nunmehr nicht spontan, sondern wird organisiert. Die erste Aufgabe der NEUEN SATIRE
ist das Erfüllen einer Bestätigungsfunktion. Neubert drückt dies Postulat so aus: „die
Satire geht hier von den schon formulierten, gesellschaftlich anerkannten und bestä-
tigten Imperativa der sozialistischen Gesellschaft aus (Imperativa hier im Sinne objektiver Erfordernisse) und befragt den Satire-Aufnehmenden provokativ nach dessen
eigener *subjektiver Entsprechung*."[24]

Einfacher gesagt, soll das Motto gelten: Unser Instrument ist gut, aber es können
noch nicht alle fehlerfrei darauf spielen. Unter dem neuen Schild der moralisch-politischen Erziehung kehrt die idealistische These wieder, alles könne gut werden, wenn
die einzelnen in sich gehen und Besserung geloben. Es fällt auf, daß Borew (im Anschluß an den Dramatiker Krapiwa) weitergeht und dieser Isolierung von schuldigen
Individuen entgegen zu argumentieren sucht. Zwar wagen beide sich nicht so weit vor,
die Gesellschaftsordnung im ganzen einzubeziehen, aber sie sprechen doch von „Her-
den der Unordnung", vom Milieu: „Der Herd der Unordnung schließt nicht nur einen
Träger des Bösen, sondern auch eine ihn begünstigende Umgebung ein." (Krapiwa)[25]

Es mag Verwunderung erregen, zu hören, daß trotz solcher Kautelen die innere
Satire lange Zeit von Teilen der Parteibürokratie und des Industriemanagements mit
grundsätzlichem Mißtrauen und Unbehagen beargwöhnt wurde. Ein Grund ist, daß
die Autoren, denen die Theoretiker in die Form ästhetischer Gesetzmäßigkeiten ge-
kleidete Verhaltensregeln aufdrängen wollen, sich nicht nur als Erfüllungsgehilfen
restriktiver Postulate verstehen. Davon wird noch die Rede sein. Aber es gab und gibt,
freilich stärker in den fünfziger Jahren als heute, einen fortschrittlichen Übereifer,
der nicht einsehen will, daß privilegierte Staatsbürger für öffentliche Äußerungen be-
zahlt werden, die dem Durchschnittsbürger „negative Einschätzungen" in den Kader-
akten einbringen könnten.

Solche Gedanken, denen zufolge ein kleines Ventil mit einem riesigen Luftloch
verwechselt wird, durch das allerlei gefährliche Strömungen hereinwehen könnten,
finden in den offiziellen Normen, deren Zerrbild sie sind, einen Nährboden. Deswegen machte Peter Nelken es sich zu leicht, als er einfach von „falschen Meinungen"
sprach, ohne ihnen näher auf den Grund zu gehen. Als Beispiel zitierte er einen Brief
des Leipziger Malers Heinrich Witz, der zum Beispiel der satirischen Ironie die Exi-
stenzberechtigung abgesprochen und dabei ähnliche Bedenken vorgebracht hatte, wie
sie durch Brechts Insistieren auf der Verfremdung in der DDR häufig provoziert worden waren: „Welche Wahrheiten glaubt ihr denn sagen zu müssen mit den Mitteln
spottender Verstellung? Die Arbeiterklasse, und die ist doch bei uns die herrschende
Klasse, steht nun mit der Wahrheit auf Duzfuß! Was wollt ihr vor ihr durch spottende

Verstellung verbergen?"[26] Das Gegenteil von dem zu meinen, was man sagt, erschien in diesem naiv formulierten Einwand als gefährliche Trübung der ideologischen Klarheit.

Von größerem Gewicht ist die Forderung, das Objekt des satirischen Angriffs dürfe vom Publikum nicht als „für die DDR typisch" aufgefaßt werden. Nelken äußerte sich vorwiegend deklarativ; sinngemäß etwa so: Der Bürokratismus sei nicht typisch für den sozialistischen Staatsapparat, aber es gebe Bürokraten, die man anprangern müsse. Das Typische an der satirischen Darstellung eines Bürokraten sei der Bürokratismus. Die Satire verhelfe dem Typischen zum Siege, indem sie das Untypische dem zornigen Lachen preisgebe. So einfach zieht sich Georgina Baum nicht auf der Affäre. Sie nimmt den verallgemeinernden Charakter der Satire ernst und schreibt: „Die überhöhte Darstellung einzelner Erscheinungen innerhalb der Gesellschaft richtet sich am Ende gegen die Gesellschaft selbst, in der solche Erscheinungen möglich sind. Die stark pointierte Komik des einzelnen kann das Ganze komisch erscheinen lassen [...]. Das Verlachen einzelner Erscheinungen der bürgerlichen Welt kann leicht den Eindruck eines allgemeinen Verneinens, einer allgemeinen Ablehnung der kapitalistischen Ordnung erwecken."[27]

Leicht ließe sich dieser Satz auf die Verhältnisse in der DDR anwenden: Das Verlachen einzelner Erscheinungen der sozialistischen Welt kann leicht den Eindruck eines allgemeinen Verneinens, einer allgemeinen Ablehnung der sozialistischen Ordnung erwecken. Die Gesetze der Kunstgattung Satire lassen sich eben nicht durch Parteibeschluß außer Kraft setzen. Mahnungen und Drohungen an die Adresse der Autoren sind daher der einzige Weg, den Effekt der Einzelpointe zu lokalisieren und einzugrenzen: „Das Lachen über einzelne widerspruchsvolle Übergangserscheinungen im Sozialismus darf aber nicht so verallgemeinert werden, daß es über diese Erscheinung hinaus wirksam wird. Handelt es sich um Wachstumsschwierigkeiten, um Schwächen, die im Lauf der Entwicklung korrigiert und überwunden werden, so sind satirische Gestaltungsmittel berechtigt, nicht aber die alles vernichtende und verneinende Satire."[28] Damit wurden die Praktiker erneut gemahnt, darauf aufzupassen, daß „das Satirische in seiner Überspitzung nicht über den verlachten Gegenstand hinaus wirksam" wird, „da diese Erscheinungen für die Gesellschaft als solche nicht charakteristisch sind".[29]

Werner Neubert räumt durchaus ein, daß die satirischen Schriftsteller in der DDR sich oft in dem allgemeinen Seufzer vereinen, es sei schwer, eine Satire zu schreiben. Aber er behauptet, die Umkehrung des alten römischen Ausrufs sei die zwingende Folge der neuen ökonomischen Basis. Daher nennt er sein Buch „Die Wandlung des Juvenal". Leichthin schreibt er, daß die drei wichtigsten Themen der bisherigen satirischen Weltliteratur für die DDR unbrauchbar seien, nämlich die des Staates, der antagonistischen Widersprüche innerhalb der Gesellschaft und besonders des speziellen Widerspruchs zwischen Individuum und Gesellschaft (als eines nicht überwindbaren). Obwohl die politischen und ökonomischen Grundlagen der DDR objektiv kein Zielpunkt der Satire mehr sein dürften, brauche der Satiriker sein Opus nicht zur literarischen Hirtenidylle umzuschmelzen. Aber gerade darum geht es. Wenn die rücksichtslos scharfe Satire allein im Einsatz gegen den „imperialistischen Wolf" gebraucht werden darf, führt solche vorsichtige Selbstbeschränkung nicht doch zu einer wenig nützlichen Abkehr von vielen Wirkungsmöglichkeiten im Dienst einer vernünftiger werdenden sozialistischen Gesellschaftsordnung? Etwa in dem Sinne, in dem Paul Wiens am Ende eines Poems eine Konferenz über das Wesen der Satire parodierte:

> So heißt es denn im Schlußbeschluß
> der Konferenz: Satire muß
> nach Löwenart und allgemein
> dem Wolf eins in die Fresse sein,
> wer aber keine Tatzen hat,
> der sauge sich an Süßem satt:
> Die Rüssel in die Pampelmuse!
> Entfaltet breit die Heitre Muse![30]

Neubert erwartet vom Satiriker durchaus das operative Eingreifen, die Hilfe bei der Lösung der im Sozialismus auftretenden (nicht antagonistischen) Widersprüche — aber wiederum nur im Sinne der Bestätigung der ohnehin gegebenen Lösungsmöglichkeiten, wie sie in bestehenden Beschlüssen und Direktiven vorgezeichnet sind. Verfüge die Gesellschaft noch nicht über die reale Möglichkeit, das gegebene Problem zu lösen, solle der Satiriker das Thema meiden. Andernfalls werde die Bevölkerung desorientiert und die Satire zur falschen Wahrheit. Neubert liefert dafür ein Beispiel, das zeigt, wie engherzig er das mögliche Arbeitsfeld der Satiriker abstecken will: „So ist beispielsweise die Nichtausnutzung schon vorhandener moderner Technik in einer gegebenen LPG ein krasser Widerspruch zum objektiven gesellschaftlichen Erfordernis, der mit Recht Satire provoziert. Dagegen ist der aus der komplizierten Entwicklung unserer nationalen Wirtschaft resultierende, nur Schritt für Schritt lösbare Widerspruch zwischen den Erfordernissen der technischen Revolution und der augenblicklichen Realisierung auf bestimmten Gebieten objektiv *kein* Gegenstand der Satire."[31]

So entstehen natürlich Tabuzonen von gewaltigem Umfang. Wenn die Leute nicht einmal lachen können dürfen über den Ärger, der für sie ein gegenwärtiger ist, ganz gleich wann sich Lösungsmöglichkeiten abzeichnen, würde der am Alltag anknüpfende Witz über Versorgungsschwierigkeiten[32], das tägliche Brot der Kabarettisten und Satiriker seit langen Jahren, immer dann wegfallen müssen, wenn die Schuld nicht an einzelnen Funktionären des Handels oder einzelnen Betriebsleitern der Industrie fixiert werden kann. Wäre dann eine Szene wie die in einem Möbelhaus spielende aus dem letzten „Distel"-Programm „Am Busen der Kultur" überhaupt tragbar, in der die Filialleiterin das „Ausstellungsgut" im Schaufenster mit den Worten kommentiert: „Dies ist eine kostenlose Ausstellung; unsere Bürger haben ein Recht darauf, zu wissen, was sie nicht kaufen können?"[33]

Neubert redet mit seinen Beispielen an der Realität der literarischen Praxis in der DDR vorbei — so kleinmütig und zaghaft, wie er offenbar erwartet, waren die Satiriker und Kabarettisten dort nie. Bei ihm kommt auch das alte Einschüchterungsargument zum Zuge, der politische Gegner werde allzu freimütige Kritik ausnutzen: „[...] hier hält auch der Klassenfeind seine vergifteten Pfeile zum heimtückischen Abschuß bereit, und der Satiriker bedarf genauester ,Ortskenntnis' [...]."[34] Der Satiriker müsse immer daran denken, daß das Antlitz des Feindes sich zum Hohne verziehen könnte. Wolf Biermann hat in seiner „Ballade für einen wirklich tief besorgten Freund" die vorsichtigen Genossen, die solche Argumente zu gern benutzen, in der für ihn charakteristischen Schärfe angegriffen:

Revolutionäre Zittrer
Die mich quälen, mürben, öden
Wenn sie mir mit leichenbittrer
Müder Klassenkämpferpose
Unsern Feind im Westen zeigen
Mit gestrichen voller Hose
Aber hier im Osten schweigen[35]

Es paßt in das Abschwächungskonzept Neuberts, daß er Ansätze, die Georg Lukács 1932 in die Diskussion einbrachte, heftig kritisiert anstatt sie weiterzuentwickeln. Lukács hatte nämlich der „großen Satire" auch ein Heimatrecht in der sozialistischen Gesellschaft verschaffen wollen. Er war davon ausgegangen, daß der Kampf um die Veränderung der Gesellschaft auch ideologisch nicht durchgefochten werden könne „ohne scharfe Selbstkritik der zum Sieg berufenen Klasse". „Denn es gibt nur allzuhäufig Situationen, wo die hassenswertesten Erscheinungen auf der Feindesseite unzertrennlich mit zu bekämpfenden Schwächen, Mängeln oder Gebrechen der eigenen Klasse zusammenhängen."[36] Als Beispiel nennt Lukács den Bürokratismus im neuen Sowjetstaat und den scharfen Spott, mit dem Lenin solchen Erscheinungen begegnete. Ausdrücklich nimmt Lukács Juvenals Wort, es sei schwer, keine Satire zu schreiben, auch für die widersprüchlichen Verhältnisse in einer den Sozialismus aufbauenden Gesellschaft in Anspruch. „Es ist klar", schreibt Lukács, „daß diese Art Satire sich abstrakt-prinzipiell nicht von der früher analysierten literarischen Kampfform unterscheidet und die Form der ,Versöhnung durch Humor' ebensowenig kennt wie diese".[37]

Neubert vertritt das Gegenteil der Position von Lukács, weil er überhaupt nicht akzeptieren will, daß es in einer sozialistischen Gesellschaft *zentrale* Mißstände und Gebrechen gibt. Mit der Begründung für den prinzipiellen Gegensatz zwischen alter und neuer satirischer Kampfform macht er es sich wieder recht leicht. Ein rhetorisches Apercu Lenins muß dazu herhalten, das so interpretiert wird, als habe Lenin gemeint, Fehler auf der eigenen Seite seien immer kleine Abweichungen, Fehler der Gegner hingegen gar nicht mehr berechenbar. Die Stelle lautet: „Wenn die Bolschewiki Dummheiten machen, so heißt das, daß der Bolschewik sagt: 2 x 2 = 5; wenn aber seine Gegner, d. h. die Kapitalisten und die Helden der II. Internationale, Dummheiten machen, so heißt das, daß sie sagen: 2 x 2 = Stearinkerze."[38]

Es wiederholt sich der untaugliche Versuch, den wir schon bei der Marx-Interpretation angemerkt haben: Eine ironische Bemerkung wird in diesem Fall zur allgemeinen Wahrheit aufgeplustert, ohne daß Lenin dafür eine Handhabe geboten hätte. Daß man über Lenins Bemerkung – der Intention des Redners gemäß – lachen kann, heißt ja nicht, sie sei plausibel in jeden Zusammenhang einzufügen. Im Gegenteil wird dadurch die Pointe zerstört – weil sich nun Einwände melden, wie: Ein Rechenfehler von der Art des ersten Beispiels wird, erhöhte Zahlenwerte vorausgesetzt, zu verheerenden Folgen führen; und daß die Bourgeoisie „verrückt" geworden sei, kann als Unterschätzung der Gefährlichkeit des Klassenfeinds gewertet werden. Der Witz ist dahin; sein Mißbrauch durch unhistorische, aus der damaligen Situation herausgetrennte Verwendung bringt nur zusätzliche Schwierigkeiten, aber keine Lösungen.

Was Lukács schon vor vierzig Jahren als Gefahr sah, nämlich die Relativierung der Satire zugunsten versöhnlicher Mischformen, findet sich durchweg in den einschlägigen Abhandlungen aus der DDR. Was Georgina Baum vorsichtig „satirische Gestaltungsmittel" nennt, hieß in den Diskussionen um 1950 noch die „positive Satire".[39] Die Preisgabe dieses Unbegriffs wurde durch die allmähliche Rehabilitierung des Humors erleichtert, der in den fünfziger Jahren noch mit der politischen Folgewirkung des „Versöhnlertums"[40] zusammengebracht worden war und in seinen eher unpolitischen Formen als zeitweiliges Zugeständnis an kleinbürgerliche Bedürfnisse galt. Der allgemeinmenschliche Humor im „Eulenspiegel" diente seinerzeit bloß als Verpackung für die „scharfe Waffe der Satire". Noch ängstlicher zeigte man sich, wenn der Humor die politische Wachsamkeit einzuschläfern drohte. Der deutschen Übersetzung des berühmten sowjetischen Gaunerromans der zwanziger Jahre, „Zwölf Stühle" von Ilf und Petrow, gab der Eulenspiegel-Verlag 1958 ein Nachwort bei, in dem es hieß, daß die vielen „Typen von Raffern und Feinden in unserer Republik reale Gefahren" sind, „die wir nie vergessen dürfen, auch nicht beim Lesen eines humoristischen Buches".[41]

Georgina Baum hatte, wie dargestellt wurde, viel Fleiß aufgewandt, um die alles ausgleichende und alles belächelnde Versöhnungsfunktion des bürgerlichen Humorbegriffs nachzuweisen. Die Autorin wandte Lenins revolutionäre Kampfansage auf das Lachen an und fragte: Wer lacht über wen? Die Hochschätzung des Humors brachte sie in einen ursächlichen Zusammenhang mit der Angst vor dem aggressiven Lachen des Volkes. (Übrigens wird gerade an solchen Stellen das Vokabular phrasenhaft: es ist die Rede von dem „gesunden Lachen des Volkes" oder von „blutvoller, aus dem Leben erwachsender Komik"[42] usw.) Georgina Baum ist durch diese Vorentscheidung gezwungen, auch einen qualitativ neuen Humorbegriff für die sozialistische Gesellschaft zu entwickeln. Sie gibt der Versuchung nicht nach, in Analogie zu dem von ihr diagnostizierten „bürgerlichen" Verhalten den Humor als staatserhaltendes Element zur Festigung der neuen Ordnung zu empfehlen. Aber ihr Ausweg ist ein recht schmaler verwachsener Pfad zwischen einerseits und andererseits. Verzeihen und falsches Mitgefühl soll nicht dem kritisierten Verhalten zuteil werden, auch wenn die Fehler so wenig gravierend sind, daß sie eine humoristische Behandlung noch erlauben. Die Ablehnung der falschen Einstellung müsse deutlich werden, aber das Wertvolle im Menschen dabei vom Lachen unberührt bleiben: „Das Verständnis im humoristischen Lachen gilt nicht den Fehlern, sondern dem sozialistischen Menschen, der die Fähigkeit besitzt, sich von diesen Fehlern frei zu machen."[43]

Peter Nelken hat dann einige Jahre nach Georgina Baum emphatisch gegen die Vernachlässigung des „positiven Humors" Stellung genommen, der harmlos komische Erscheinungen und menschliche Schwächen belache, die „offensichtlich nicht schädlich sind und die Normen unseres Lebens nicht verletzen".[44] Hier liegt die bemerkenswerteste Feststellung Nelkens: Die früheren Warnungen vor der ideologiefreien Ablenkung werden ersetzt durch das Bestreben, die gesellschaftliche Ordnung gerade durch den Einsatz ideologiefreier Mittel zu festigen: „Lassen wir uns doch nicht weismachen, der unpolitische, zeitlose, von gesellschaftlichen Problemen unbeschwerte

Humor habe keine politische, keine soziale Funktion. Ist es denn nicht von allergrößter sozialer Bedeutung, möglichst viele Menschen möglichst oft zum Lachen zu bringen – und das nicht nur außerdienstlich, nicht nur in der Freizeit? Ja, mehr noch, die Freude am Spaß senkt keinesfalls die Arbeitsproduktivität. Ganz im Gegenteil!"[45]

Ein Jahr später, 1964, erschien im Ostberliner Henschel-Verlag das trotz seines bewußt unakademischen Anstrichs gründlichste Buch zum Problem der Satire im Sozialismus. Es ist wohl kein Zufall, daß es der Feder eines Praktikers entstammte: Erich Brehm, der Gründer und langjährige Direktor der „Distel" – auch er ist mittlerweile verstorben – war der Verfasser. Obwohl sein Manuskript sicher unabhängig von dem des Humorfreunds Nelken entstanden ist, liest es sich weithin wie ein Gegenbuch zu dessen Bändchen. „Die erfrischende Trompete" hieß Brehms Plauderei über „Taten und Untaten der Satire". Der Titel ging auf eine Bemerkung des bedeutenden, in der Bundesrepublik unterschätzten kommunistischen Kabarettautors der zwanziger Jahre, Erich Weinert zurück, der gesagt hatte, die Satire solle „die erfrischende Trompete auf unseren ermüdenden Vormärschen sein".[46]

Erich Brehm suchte seinem Gegenstand näher zu kommen als Nelken vermochte, ohne daß er deswegen der Partei zu nahe treten wollte. Schon sein überdrehter Versuch von 1958, die „positive Satire" zu definieren, hatte bewiesen, daß ihm zu dogmatischer Sturheit einiges fehlte: „Keinem Satiriker ist es nun bisher gelungen, positive Satire zu produzieren. Wenn es aber keine positive Satire gibt, kann es auch keine negative geben. Andererseits ist Satire immer dagegen, und das ist die Misere unserer Satiriker, denn sie selber sind ja dafür. Vielleicht sollte man so sagen: Die Satiriker sind positiv dagegen, daß die Schilderung des Negativen keine positiven Folgen haben können soll."[47] Brehm nannte *fünf Hauptfehler* bei der Beurteilung von Satiren, wobei er weniger das Publikum als die Kritiker (und unter diesen wieder die Mitglieder der Abnahmekommissionen) im Auge hatte.

1. Man verlangt Unmögliches, „zum Beispiel Satiren, die enthusiastisch unsere Errungenschaften schildern. Niemand kann nämlich spotten und dabei gleichzeitig ‚Hoch' rufen, wenigstens nicht ehrlichen Herzens. Ebenso unbillig ist es, den Vorwurf zu erheben, die ‚Proportionen' stimmten nicht. Im täglichen Leben kommen auf einen schlechten Menschen vielleicht zehn gute. Die Satire kann aber unmöglich jedem schlechten Menschen zehn gute gegenüberstellen."[48] Der ehemalige Mathematiklehrer Brehm hielt nichts von solchen biederen Rechenkunststücken, denn zuweilen könnten auf einen guten Menschen zehn schlechte kommen, „oder es ist, Gott behüte, überhaupt kein guter da". Zum Vergleich sei die dogmatische Ansicht Peter Nelkens angeführt, der die Karikatur eines einzelnen Schädlings den „Millionenmassen der ehrlich arbeitenden Menschen unserer sozialistischen Gesellschaft" gegenüberstellte. Nelken wandte sich freilich auch dagegen, der bissigen Karikatur eines Bürokraten einen „freundlich lächelnden, blitzsauberen und massenverbundenen Staatsfunktionär" an die Seite zu geben. Denn dann, so lautete seine Begründung, „haben wir auf einmal [. . .] eine Gleichung, die die Zahl der Bürokraten mit fünfzig Prozent des Staatsapparats ausweist. Und das soll typisch sein?"[49]

2. Erich Brehm wehrte sich gegen alle Versuche, „den Tummelplatz der Satire zu ver-

kleinern": „Wenn zum Beispiel ausschließlich der unmittelbare Nutzen zum Kriterium für die Qualität gemacht wird, fallen alle Satiren, die einen ‚nur' mittelbaren Nutzen haben, unter den Tisch. Eine Einengung bedeutet auch die Forderung, eine Satire dürfe nichts Unausgesprochenes enthalten, vielmehr müsse alles ausdrücklich gesagt und möglichst haarklein erklärt werden. Wenn man das Publikum auf diese Weise zur Passivität verdammt, wird es sich nicht unterhalten, sondern langweilen."[50] Auch Neubert tritt dafür ein, daß der Leser, Hörer oder Zuschauer die Schlußfolgerung, die Erkenntnis gesellschaftlicher Lösungsmöglichkeiten selber finden möge. Aber sein Zugeständnis an die Kunstform innewohnende Regeln und an ein Minimum an Publikumswirksamkeit wird von ihm allein politisch begründet: Weil die Satire im Einklang sei mit den Beschlüssen, perspektivischen Aufgabenstellungen, gesellschaftlich-moralischen Normen usw., habe sie es *nicht nötig,* einen besonderen direkten Appell plakativ zu formulieren. Er macht also wieder zur Voraussetzung, daß die Satiriker bloß illustrieren und nicht abweichen von den gesetzten jeweiligen politischen Notwendigkeiten.

3. Die besondere Wachsamkeit der ideologischen Ordnungshüter bei der Beurteilung von Kabarettprogrammen und verwandten Formen galt lange Jahre der Zusammenstellung. Geprüft wurde, ob ein akzeptables Gleichgewicht zwischen der „innerbetrüblichen Satire" (Brehm) und den sogenannten Anti-West-Nummern gewahrt wurde. Da hier bereits die Vorentscheidung darüber fiel, ob das Publikum ein interessantes oder ein langweiliges Programm erwartete, führten die Kabarettisten einen zähen Kleinkrieg mit dem Ziel, von dem anti-imperialistischen Pflichtsoll entlastet zu werden. Nicht etwa, weil sie irgendwelche Sympathien für den Klassengegner hegten, sondern weil mit der Staatwerdung der Deutschen Demokratischen Republik es immer sinnloser wurde, ins „feindliche Ausland" hineinzuschimpfen, obwohl das Publikum aus eigenen Staatsbürgern bestand, das nicht an Propaganda, die sie auch sonst in Hülle und Fülle umgab, interessiert war, sondern an der ein bißchen frechen Beschäftigung mit der eigenen Lage in der sozialistischen Gesellschaft. Darüber wußten die oben auf der Bühne und die unten im Saal eben auch am besten Bescheid.

Erich Brehm nannte auch in diesem Punkt die Schwierigkeiten bei ihrem wahren Namen: Sie rühren her aus der Isolierung der Satiriker von den westdeutschen Verhältnissen und aus der Unbrauchbarkeit des vorgeformten Materials: „Es fehlt uns der unmittelbare Kontakt mit dem Feind, und nur sehr gut gezielte und erstklassig gebaute Geschosse erreichen ihn. An Material steht uns nur das zur Verfügung, was wir aus Presse, Funk und Fernsehen kennen. Das kennt aber auch unser Publikum, und wenn wir es ihm, nur mit anderen Worten und in anderer Aufmachung, noch einmal servieren, werden wir keine Lorbeerbäume ausreißen."[51] Die Kontrollinstanzen haben solche Skrupel nicht. Während sie bei inneren Themen recht streng sein können, sind sie bei äußeren großzügig: „In letzter Konsequenz führt ein solches Beurteilungsschema jedoch dazu, jedes lauwarme Eisen als ‚zu heiß' anzusehen und jede argumentlose Schimpferei gegen den Westen als ‚treffende Satire' zu bezeichnen, und dabei kann dann von einem Nutzen der Satire keine Rede mehr sein."[52]

4. Brehms Tadel an der Überbewertung der Form wird von gewitzten Regisseuren

vielleicht als Fingerzeig dafür verstanden, wie sie „gewagte" Pointen auf und über die Rampe bringen können: „Geblendet von der Darstellungskunst der Schauspieler und der raffinierten Inszenierung wird ein nicht mit allen Wassern gewaschener Kritiker geneigt sein, über den fragwürdigen Inhalt der Darbietung hinwegzusehen und dem Satiriker ein Lob zu spenden, wo er Tadel verdient hätte."[53] Einem Satiriker muß man ja auch dann Ironie zutrauen, wenn er sich nicht satirisch, sondern über Satire äußert. Aus der Kabarettpraxis der DDR ließen sich jedenfalls viele Fälle anführen, in denen gewagte Pointen entweder durch schnelles Darüberhinwegspielen aufgefangen werden oder Nebenpointen in einer Szene zündender sind als die linientreuere Schlußpointe.

5. „Wenn derjenige, der zum Objekt einer Satire geworden ist, über ihre Qualität zu richten hat, fällt er in der Regel ein Fehlurteil."[54] Auch wenn sie derart als psychologische Wahrheit erscheint, hat diese Erkenntnis politische Bedeutung: Wer Institutionen und Gewohnheiten der bürokratischen Apparate angreift, kann von diesen weder Beifall noch gerechte Würdigung erwarten. Von hier aus wäre es nur noch ein kleiner Schritt, die Kompetenz der Kontrollinstanzen überhaupt zu bestreiten. Man spürt, daß Brehm den Gralshütern der „Reinheit der sozialistischen Sache" etliche ärgerliche Erfahrungen verdankte, denn er suchte den Leser eindringlich und mit großem pädagogischen Aufwand von solchen Selbstverständlichkeiten zu überzeugen wie dem Recht auf Übertreibungen und Unwahrscheinlichkeiten. Der Autor kannte den geringen Wert offizieller Bekenntnisse, die kein Schutz dagegen sind, daß die besten Pointen im Papierkorb landen müssen, und er deutet sogar die Möglichkeit an, durch den (staatlichen) Geldgeber korrumpiert zu werden: „Im sozialistischen Lager wird der Nutzen der Satire offenbar sehr hoch veranschlagt, zumindest theoretisch. Das Prinzip der Kritik und Selbstkritik, ein wesentlicher Bestandteil der marxistisch-leninistischen Weltanschauung, verschafft unserer Kunst eine solide Unterlage und garantiert den an ihr beruflich beteiligten Künstlern einen hohen Lebensstandard."[55]
Man würde Erich Brehms Position und die ihr gleichende seiner meisten Kollegen in der DDR verkennen, wenn man sie für Vorkämpfer individualistischer Geistesfreiheit hielte. Brehm war von der gesellschaftlichen Bedeutung der Satire so sehr überzeugt, daß er Grenzmarkierungen grundsätzlich anerkannte. Wo die Grenzpfähle eingerammt werden sollten, bliebe freilich auch dann noch ungeklärt, wenn man – wie Brehm – Tucholskys Forderung „Was darf die Satire? Alles!" ablehnt. Auch da, wo Brehm die offiziellen kulturpolitischen Meinungen akzeptierte, schlug er sich mit ihnen herum, anstatt sie wiederzukäuen. So wollte er an der Unterscheidung zwischen vernichtender und helfender Satire festhalten und doch seinen Leitsatz, Satire solle töten, aber nicht verletzen, nicht preisgeben. So erkannte er an, daß in der Satire „das Schlechte" immer scheitern müsse; er hielt aber nicht für notwendig, dieses Scheitern im Ablauf und Schluß der Handlung sichtbar zu machen, wesentlich sei allein, daß die negative Figur im Kopf des Lesers oder Zuschauer scheitere. Dazu muß man wissen, daß, um falschen Identifizierungen vorzubeugen, negative Figuren immer wieder Monologtexte erhielten, in denen sie schließlich selbst beteuerten, wie schrecklich böse, gefährlich oder asozial sie doch seien.
Brehm, der neben Hans Rascher wohl auch der beste Texter der „Distel" war, woll-

te mit seinen Überlegungen vor allem dem Satiriker helfen, einen größeren Spielraum zu gewinnen und auszufüllen. Je begabter einer ist, desto weniger kann er der „Verführung zur Pointe" widerstehen. Dafür erzählte Brehm in seinem Buch aus der Arbeit der „Distel" ein harmloses, aber charakteristisches Beispiel. In der Nummer wird ein bekanntes Märchenmotiv aktualisiert: „Schneewittchen lag im offenen Sarg und war mit keinem Mittel zum Leben zu erwecken. Wir hatten vier Schauspieler, und der lange Robert Trösch war Zwerg Nummer 4–7, und alle sieben Zwerge weinten bitterlich. Da fiel endlich einem Kollegen Zwerg ein probates Mittelchen ein. Er rief: ‚Schneewittchen! In der HO gibt es wunderbar schicke und moderne Schuhe', und sofort sprang Schneewittchen mit dem Ruf ‚Ich eile!' auf und davon. Damit war unsere Absicht erreicht: das Zurückbleiben in der Mode [. . .] zu verspotten. [. . .] Nun war aber Rascher, der Autor, zusätzlich auf die unglückselige Idee gekommen, jetzt müsse noch ein Zwerg in die allgemeine Publikums- und Zwergenfreude hineinrufen: ‚Das liebe Kind, es glaubt noch an Märchen!' Der verführerischen Stärke dieser Pointe konnten wir nicht widerstehen, und so schloß dieser Blackout jeden Abend mit einer Aussage, die gar nicht in unserer Absicht lag."[56]

Man erfuhr auch das Werkstattgeheimnis, wie die Satiriker manche zensurgefährdeten Pointen „aus Notwehr" durch einen Trick zu retten suchen. Sie basteln eine „übertrieben gewagte" Nummer und lenken damit die Aufmerksamkeit der Kontrolleure von den anderen Nummern des Programms ab. Der vorher einkalkulierte Verzicht auf die eine Nummer rettet die anderen. Der türkische kommunistische Dichter Nazim Hikmet (1902 – 1963) hat diesen Trick beschrieben, indem er einen Maler erfand, der auf seine Bilder zusätzlich ein weißes Hündchen zu malen pflegte: „Dann kommt die Jury. Ohne weißes Hündchen würde es nun sofort losgehen: ‚Aber, aber, Kollege Künstler! Solche Menschen gibt es nicht! Wo bleibt die Perspektive, die Lebensfreude, überhaupt das Schöne? [. . .]! So aber stolpern alle gleich über das weiße Hündchen. Was soll denn nur dieses weiße Hündchen auf dem Schornstein da bedeuten? [. . .] Der reinste Formalismus!' Eine Diskussion über das weiße Hündchen beginnt. Ich verteidige es mit allem Nachdruck. ‚Lieber sterben, als auf dieses weiße Hündchen verzichten!' – rufe ich. Nach einer Stunde erbitterten Ringens sage ich: ‚Ich gebe zu, das weiße Hündchen ist – na, also, ich werde es etwas kleiner malen!' Nach zwei Stunden: ‚Mir scheint jetzt auch, daß weiße Hündchen ist ein Fehler. Ich werde ein ganz kleines Hündchen in Grau daraus machen!' Nach drei Stunden schließlich: ‚Gut, ihr habt mich überzeugt, ich lasse das Hündchen weg!' Daraufhin wird mein Bild ohne weitere Diskussion angenommen. [. . .] Erstens freuen sich alle Jury-Mitglieder über meine Belehrbarkeit. Zweitens sagen sie sich: Wir haben dem armen Kerl so zugesetzt, daß er bei weiteren Einwänden wahrscheinlich ganz verzweifeln würde, und wir dürfen ihm ja schließlich nicht allen Mut nehmen. Drittens sind die Jury-Mitglieder auch nur Menschen und von der langen Diskussion müde und erschöpft."[57]

„Hurra – Humor ist eingeplant" – so hieß triumphierend das erste Programm der „Distel", mit dem das Ostberliner Kabarett vor nunmehr zwanzig Jahren, am 2. Oktober 1953 begonnen hatte. Nach der politischen Krise konnten sich im kulturellen Bereich die Argumente derjenigen durchsetzen, die das Unterhaltungsbedürfnis der Bevölkerung ernstnahmen und kleine Ventile für alltägliche Unzufriedenheiten schaffen wollten. Seither hat sich trotz vieler gleichgebliebener Themen die Freifläche für die Satire langsam, auch mit Rückschlägen, erweitert.[58] Aber sowohl für die großstädtischen Berufsensembles wie für die auf Betriebe oder Hochschulen beschränkten Laiengruppen[59] hat sich bis heute ein Hauptproblem erhalten: Textautoren und Kulturfunktionäre, Satiriker und Mitglieder von Abnahmekommissionen haben, auch wenn sie allesamt als Kommunisten in einem Boot sitzen, unterschiedliche Interessen, wenn es nicht um das Bekenntnis zum großen Ganzen, sondern um Einzelheiten geht. Und im Kabarett steckt der Teufel im Detail – in der Pointe. Jeder Texter, der sein Metier liebt, wird seinem Publikum Mehrdeutigkeiten und Andeutungen zumuten und ihm zutrauen, daß es rasch kapiert. Kontrolleure und ideologische Wächter hingegen haben das Interesse, zu verhindern, daß die Kabarettisten über die offiziell gezogenen Stränge schlagen, die teils aus dicken Absperrseilen, teils aber auch aus kaum sichtbaren dünnen Fäden bestehen.

Wollte man die unterschiedlichen Funktionen in psychologischen Kategorien beschreiben, ließe sich sagen, daß sich mit dem Kabarett in der DDR mutige und ängstliche Leute zu schaffen machen. Die Mutigen freilich besitzen realpolitisches Fingerspitzengefühl, und die Ängstlichen, die auf Übereinstimmung mit ihren Richtlinien pochen, können sich nicht ganz dem Argument verschließen, daß die Erwartungen der zahlenden Zuschauer in die Rechnung gehören. So herrscht zwischen ihnen kein grimmiges Freund-Feind-Verhältnis. In der Praxis kommt es schließlich weniger darauf an, ob etwas humoristisch oder satirisch ist, sondern darauf, ob etwas „geht oder nicht geht".

Der Streit um die Größe des Spielraums geht weiter. Die Kabarettisten haben dabei wegen ihres engen Kontakts zum Publikum die Vorreiter sein können, weil sie spürten, was ankam. Ihnen ist es zu danken, daß die komischen Kleinformen nicht zwischen belangloser Nettigkeit und wichtigtuerischer Zeigefingeragitation versandeten. Erich Brehm hat darauf in der für ihn typischen leisen Ironie aufmerksam gemacht, als er gesprächsweise die Arbeit für die Kabarettbühne mit ähnlicher Beschäftigung für die Presse verglich: „Unsere Freunde von der Presse haben es letztens Endes doch etwas leichter als wir. Wenn ihren Lesern ein Beitrag nicht gefällt, blättern sie einfach um. Unsere Zuschauer können leider nicht umblättern."[60]

„Kein Platz für milde Satire" hatte 1958 ein Programm der „Distel" geheißen. Aber es ist auf geduldigem Papier viel Platz für milde Texte, die humoristisch zu nennen man zögert, weil nicht einmal der Mindestanspruch an kritischer Intention eingelöst wird. Man braucht da nur die bunten Seiten der lokalen Tageszeitungen der DDR an den Wochenenden lesen. Ihr Programm trivialisiert die Leitsätze der Ideologen noch einmal durch Übersetzung in einen populären Jargon: „Bleib fit – lach mit! Lachen kann eine wichtige Produktivkraft sein! [. . .] Hauptsache: Gewußt, wie über wen! Über einschlägige einheimische Zeitgenossen: Ha, ha (mit freundschaftlichen Untertönen) – und macht es künftig zünftiger! Über die Unverbesserlichen in gesellschaftlich fernen Landstrichen: Ha, ha (mit überlegenen Untertönen) – künftig haben wir noch Zünftigeres vor!"[61]

So sind die Schriftsteller und Kabarettisten bei ihren Erkundungen in der Hauptsache auf sich allein angewiesen. Die Wissenschaftler, die von außen Grenzen und Möglichkeiten des heiteren Metiers bestimmen wollen, geben ihnen wenig Hilfestellung, weil sie statt zu ermuntern aufs Bremsen aus sind. Sie befolgen zu wenig den Ratschlag der „Distel"-Leute, die leichte Muse nicht zur ideologischen Schwerindustrie zu zählen.

Zu den Beiträgen

Die Studien über Christa Wolf, Reiner Kunze und Wolf Biermann sowie der Aufsatz „Das ganz neue Lachen" sind unveröffentlicht. An einigen Stellen hat der Verfasser Rezensionen eingearbeitet, so in den Beitrag über Reiner Kunze eine Kritik des Bandes „Sensible Wege", der unter dem Titel „Weltoffene Einsamkeit" in „Kritisches Studium", Bochum, Nr. 1/1970, erschienen ist. Die Arbeiten über „Humor und Satire" und über Volker Braun gehen auf Vorträge zurück, die der Autor im Mai 1971 in der Evangelischen Akademie Hofgeismar und in der Pädagogischen Hochschule Ruhr in Essen bzw. im November 1972 in der Grenzakademie Sankelmark und im Februar 1973 im Gesamteuropäischen Studienwerk Vlotho gehalten hat.

Kürzere Fassungen der Aufsätze über Braun, Brecht und Weiss sind in der Zeitschrift „Text und Kritik" erschienen: „Zum Selbstverständnis der DDR-Lyriker. Das Beispiel Volker Braun" im Sonderband „Politische Lyrik" (1973); „Zur Rezeption des Stückeschreibers Brecht in der DDR" im Sonderband Bertolt Brecht I (1972); „Eine Entdeckung der Gesellschaft. Über politische Klartexte des Peter Weiss und ihre Aufnahme in der DDR" in Heft 37 (Januar 1973). Zur Veröffentlichung in dem vorliegenden Band wurden diese Beiträge überarbeitet und ergänzt.

Anmerkungen

Vorwort

1 Christa Wolf, „Lesen und Schreiben", Darmstadt und Neuwied 1972, S. 214.
2 Christa Wolf, „Nachdenken über Christa T.", Halle 1968, S. 44.
3 Christa Wolf, „Lesen und Schreiben", S. 213
4 Die Zitate entstammen der Ausgabe Arno Holz, Werke, herausgegeben von Wilhelm Emrich und Anita Holz, Band IV, Neuwied und Berlin (West), 1961–1964.
5 Kunst ist eine Produktivkraft – Ein Gespräch mit Erwin Strittmatter, in: Deutsche Volkszeitung, Düsseldorf, Nr. 15 vom 12. 4. 1973, S. 14.
6 Ebd.

Auf dem langen Weg zur Wahrheit. Fragen, Antworten und neue Fragen in den Erzählungen, Aufsätzen und Reden Christa Wolfs

Die Werke von Christa Wolf werden nach folgenden Buchausgaben zitiert:
„Moskauer Novelle", Halle 1961; im folgenden als MN bezeichnet.
„Der geteilte Himmel", Leipzig 1966 (3. Auflage); im folgenden als GH bezeichnet.
„Nachdenken über Christa T.", Halle 1968; im folgenden als CT bezeichnet.
„Lesen und Schreiben", Darmstadt und Neuwied 1972; im folgenden als LS bezeichnet.
Die Dokumentation von Martin Reso, „ ‚Der geteilte Himmel' und seiner Kritiker", Halle 1965, wird im folgenden gekürzt mit dem Namen des Herausgebers bezeichnet.

1 Max Walter Schulz, Das Neue und das Bleibende in unserer Literatur, in: VI. Deutscher Schriftstellerkongreß vom 28.–30. Mai 1969 in Berlin – Protokoll, Berlin und Weimar 1969, S. 56.
2 Schulz, S. 55.
3 „Sinn und Form", Berlin, 2/1972, S. 440.
4 Schulz, S. 56.
5 Christa Wolf, Kann man eigentlich über alles schreiben? In: Neue deutsche Literatur, Berlin, 6/1958, S. 3–16.
6 Georg Klaus und Manfred Buhr (Hg.), Philosophisches Wörterbuch, Leipzig 1965, S. 397.
7 Christa Wolf, Eine Lektion über Wahrheit und Objektivität, in: Neue deutsche Literatur, 7/1958, S. 120–123.
8 „Kann man eigentlich über alles schreiben?", a. a. O., S. 13.
9 Christa und Gerhard Wolf (Hg.), Wir, unsere Zeit – Prosa aus 10 Jahren, Berlin 1959, S. 10.
10 LS, S. 208.
11 Günter de Bruyn, Fragment eines Frauenporträts, in: Liebes- und andere Erklärungen. Schriftsteller über Schriftsteller (Hg.: Annie Voigtländer), Berlin und Weimar 1972, S. 413.
12 MN, erste Umschlagseite.
13 MN, S. 53.
14 CT, S. 92.
15 Kann man eigentlich über alles schreiben?, S. 13.
16 GH, S. 47.
17 GH, S. 219 f.
18 Bertolt Brecht, Stücke VIII, Berlin 1957, S. 116 f.
19 Hans Bunge, Im politischen Drehpunkt, in: Alternative, Berlin (West), Nr. 35 (April 1964), S. 15.

20 Philosophisches Wörterbuch, S. 586.
21 Reso, S. 13.
22–24 Zweite Bitterfelder Konferenz 1964 – Protokoll, Berlin 1964, S. 229 ff.
25 Christa Wolf, Komplikationen, aber keine Konflikte, in: Neue deutsche Literatur, 6/1954, S. 142.
26 Zweite Bitterfelder Konferenz, S. 232.
27 Reso, S. 93–96.
28 Hans Bunge, S. 15.
29 GH, S. 16.
30 GH, S. 23.
31 MN, S. 56.
32 GH, S. 18.
33 MN, S. 75.
34 GH, S. 113.
35 GH, S, 116.
36 LS, S. 76.
37 MN, S. 50 f.
38 Horst Haase, Nachdenken über ein Buch, in: Neue deutsche Literatur, 4/1969, S. 184.
39 Hans Jürgen Geerdts (Hg.), Literatur der DDR in Einzeldarstellungen, Stuttgart 1972, S. 402.
40 LS, S. 78.
41 Christa Wolf, Juninachmittag, in: Neue Texte 6, Berlin und Weimar 1967, S. 183.
42 Horst Redeker, Abbildung und Aktion – Versuch über die Dialektik des Realismus, Halle 1966, S. 104.
43 Geerdts, S. 407.
44 Bertolt Brecht, Schriften zur Literatur und Kunst II, Berlin und Weimar 1966, S. 339.
45 Rechenschaftsbericht des ZK der KPdSU (B) an den XIX. Parteitag, 5.–14. 10. 1952, Berlin 1952.
46 Engels an Margaret Harkness, in: Marx/Engels, Über Kunst und Literatur I, Frankfurt a. M. und Wien 1968, S. 157.
47 Brief vom 24. 1. 1915, in: Lenin, Über Kultur und Kunst, Berlin 1960, S. 536.
48 Brief vom 5. 6. 1914, ebd., S. 531.
49 Reso, S. 163.
50 Reso, S. 246.
51 Redeker, S. 11 ff.
52 Hans Jürgen Geerdts (Hg.), Deutsche Literaturgeschichte in einem Band, Berlin 1971 (Redaktionsschluß: 1964), S. 716.
53 Christa Wolf, Gute Bücher – und was weiter? In: Neues Deutschland, Berlin vom 19. 12. 1965.
54 Neues Deutschland vom 16. 6. 1971 und vom 18. 12. 1971.
55 LS, S. 121 ff.
56 In ähnlichem Sinn hat sich Christa Wolf aus Anlaß der Verleihung des Nobelpreises über Heinrich Böll geäußert. Vgl. Die Tat, Zürich, Nr. 289, vom 9. 12. 1972.
57 Wir, unsere Zeit, S. 11.
58 Zweite Bitterfelder Konferenz, S. 233 f.
59 Heinrich Mohr, Produktive Sehnsucht. Struktur, Thematik und politische Relevanz von Christa Wolfs ‚Nachdenken über Christa T.', in: Basis – Jahrbuch für deutsche Gegenwartsliteratur, Frankfurt a. M. 1971, S. 193.
60 LS, S. 216.
61 Neue Rundschau, Frankfurt a. M.,1/1970, S. 184.
62 CT, S. 168.
63 CT, S. 65 f.
64 CT, S. 56.
65 Hermann Kähler, Christa Wolfs Elegie, in: Sinn und Form, 1/1969, S. 258.
66 Mohr, S. 193.
67 CT, S. 57.
68 CT, S. 89, 90, 127, 235.
69 CT, S. 9.
70 CT, S. 172.
71 CT, S. 171 f.
72 CT, S. 222.
73 CT, S. 57.

74 Haase, S. 185.
75 CT, S. 31.
76 Kähler, S. 256 f.
77 CT, S. 218.
78 CT, S. 219.
79 Kähler, S. 257.
80 CT, S. 74.
81 CT, S. 87.
82 CT, S. 180.
83 LS, S. 189.
84 LS, S. 209.
85 LS, S. 139.
86 Christa Wolf, Einiges über meine Arbeit als Schriftsteller, in: Junge Schriftsteller der DDR in Selbstdarstellungen, Leipzig 1965, S. 14.
87 Gerda Schultz, Ein überraschender Erstling, in: Neue deutsche Literatur, 7/1961, S. 129.
88 GH, S. 47.
89 Reso, S. 116 f.
90 Auf den Grund der Erfahrungen kommen. Eduard Zak sprach mit Christa Wolf, in: Sonntag, Berlin, 7/1968.
91 Christa Wolf, Menschliche Konflikte in unserer Zeit, in: Kritik in der Zeit, Halle 1970, S. 358. (Die Rezension ist zuerst in „Neue deutsche Literatur", 7/1955, erschienen.)
92 Christa Wolf, Land, in dem wir leben. Die deutsche Frage in dem Roman ,Die Entscheidung' von Anna Seghers, in: Neue deutsche Literatur, 5/1961, S. 50.
93 Christa Wolf, Probleme des zeitgenössischen Gesellschaftsromans. Bemerkungen zu dem Roman ,Im Morgennebel' von Ehm Welk, in: Neue deutsche Literatur, 1/1954, S. 150.
94 Dieter Schlenstedt, Motive und Symbole in Christa Wolfs Erzählung ,Der geteilte Himmel', in: Weimarer Beiträge, 1/1964, S. 77–104; auch bei Reso, S. 181–226.
95 GH, S. 75.
96 GH, S. 94 f.
97 Reso, S. 197.
98 Reso, S. 182.
99 Gerhard Reitschert, Die neuen Mythen, in: Alternative, Berlin (West), 35 (April 1964), S. 11 ff.
100 GH, S. 168 f.
101 Klaus Hammer, Probleme der Klassik-Rezeption, in: Goethe-Almanach auf das Jahr 1970, Berlin und Weimar 1969, S. 286 f.
102 Reso, S. 179.
103 CT, S. 180 f.
104 Haase, S. 183.
105 Literatur der DDR in Einzeldarstellungen, S. 413.
106 LS, S. 158.
107 Christa Wolf, Vorwort zu „Larifari" von Juri Kasakow, Frankfurt a. M. 1971, S. 9.
108 LS, S. 213.
109 LS, S. 205.
110 GH, S. 54.
111 Reso, S. 143.
112 Reso, S. 156.
113 Reso, S. 126.
114 Reso, S. 178.
115 Redeker, S. 15.
116 CT, S. 44.
117 MN, S. 56 und S. 75.
118 GH, S. 132.
119 Reso, S. 220.
120 GH, S. 54.
121 GH, S. 69.
122 MN, S. 71.
123 GH, S. 104.
124 MN. S. 53.
125 CT, S. 46.

126   GH, S. 220.
127   Juninachmittag, S. 174 f.
128   CT, S. 168.
129   GH, S. 132.
130   GH, S. 224.
131   CT, S. 180.
132   GH, S. 224.
133   GH, S. 235.
134   Hans Peter Anderle, Rendezvous mit sich selbst − Autorenporträt: Christa Wolf, in: Publik, Frankfurt a. M., 13. 6. 1969.
135   Gestaltung der Perspektive im Menschenbild. Zu Christa Wolf: ‚Der geteilte Himmel', in: Arno Hochmuth (Hg.), Literatur im Blickpunkt. Zum Menschenbild in der Literatur der beiden deutschen Staaten. 2. veränderte und erweiterte Aufl., Berlin 1967, S. 195.
136   GH, S. 38.
137   GH, S. 234.
138   Günter de Bruyn, Maskeraden, Halle 1966, S. 9.
139   Reso, S. 59.
140   Reso, S. 39.
141   Günter de Bruyn, Maskeraden, S. 8.
142   Gestaltung der Perspektive . . ., S. 196.
143   Karl-Heinz Jakobs, Beschreibung eines Sommers, Berlin 1963, S. 15.
144   Christa Wolf, Ein Erzähler gehört dazu, in: Neue deutsche Literatur, 10/1961, S. 130.
145   GH, S. 69.
146   Reso, S. 215.
147   Hans Georg Hölsken, Zwei Romane: Christa Wolf ‚Der geteilte Himmel' und Hermann Kant ‚Die Aula'. Voraussetzungen und Deutung, in: Der Deutschunterricht, Stuttgart, 5/1969, S. 80.
148   GH, S. 51.
149   Reso, S. 44.
150   Christa Wolf, Einiges über meine Arbeit als Schriftsteller, S. 12.
151   Christa Wolf, Vorwort zu Proben junger Erzähler, Leipzig 1959, S. 3.
152   MN, S. 52.
153   Reso, S. 33.
154   Auf den Grund der Erfahrungen kommen, in: Sonntag, 7/1968.
155   Reso, S. 278.
156   Christa Wolf, Autobiographie und Roman, in: Neue deutsche Literatur, 10/1957, S. 143.
157   Christa Wolf, Probleme des zeitgenössischen Gesellschaftsromans, S. 145.
158/159 Anna Seghers, Glauben an Irdisches. Essays aus vier Jahrzehnten, herausgegeben von Christa Wolf, Leipzig 1969, S. 87. Vgl. Ein Briefwechsel zwischen Anna Seghers und Georg Lukács, in: Lukács, Probleme des Realismus, Berlin 1955, S. 240 ff.
160   Seghers, S. 97.
161   Seghers, S. 352 f.
162   LS, S. 93.
163   Seghers, S. 115.
164   LS, S. 105.
165   LS, S. 59.
166   Christa Wolf, Vorwort zu Kasakow, S. 7.
167   CT, S. 222.
168   LS, S. 74.
169   Kähler, S. 252.
170   Annemarie Auer, Was wir an ihr haben. Betrachtungen zur Seghers-Rezeption, in: Neue deutsche Literatur, 11/1965, S. 27. Vgl. Inge Diersen, Seghers-Studien, Berlin 1965.
171   LS, S. 118.
172   LS, S. 112.
173   LS, S. 195.
174   Max Frisch, Der Autor und das Theater, in: Öffentlichkeit als Partner, Frankfurt a. M. 1967, S. 68 ff.
175   LS, S. 192.
176   Günther Cwojdrak, Nachdenken über Prosa, in: Sinn und Form, 6/1972, S. 1293 ff.
177   LS, S. 192.

178   LS, S. 191.
179   LS, S. 196.
180   CT, S. 16.
181   LS, S. 68.
182   LS, S. 197.
183   LS, S. 198 f.
184   LS, S. 70.
185   Christa Wolf, Einiges über meine Arbeit . . ., S. 16.
186   Christa Wolf, Rede auf dem internationalen Schriftstellerkolloquium im Dezember 1964, in: Neue deutsche Literatur, 3/1965, S. 97.
187   CT, S. 67.
188   Christa Wolf, Rede auf dem internat. Kolloquium, S. 103.
189   Zweite Bitterfelder Konferenz, S. 233.
190   Zitiert nach: Kritik in der Zeit, S. 920.
191   Kritik in der Zeit, S. 68.
192   CT, S. 72.
193   LS, S. 118.
194   Christa Wolf, Kann man eigentlich über alles schreiben?, S. 14.
195   Christa Wolf, Rede auf dem internat. Kolloquium, S. 100 f.
196   Ebd., S. 102.
197   LS, S. 134.
198   LS, S. 128.
199   Christa Wolf, Gute Bücher – und was weiter? In: Neues Deutschland, 19. 12. 1965.
200   CT, S. 66.
201   LS, S. 220.
202   LS, S. 215.
203   CT, S. 126.
204   Literatur der DDR in Einzeldarstellungen, S. 408 f.
205   Reso, S. 256.
206   Auf den Grund der Erfahrungen kommen, in: Sonntag, 7/1968.
207   Christa Wolf, Rede auf dem internat. Kolloquium, S. 103.
208   LS, S. 208.
209   LS, S. 213.
210   Reso, S. 154 f.
211   Stefan Heym, Schatten und Licht. Geschichten aus einem geteilten Lande, Leipzig 1960, S. 66.
212   Christa Wolf, Komplikationen, aber keine Konflikte, S. 142.
213   Seghers, S. 286 f.
214   Seghers, S. 243.
215   LS, S. 209.
216   LS, S. 111.
217   LS, S. 54.
218   GH, S. 235.
219   LS, S. 21.
220   CT, S. 211.
221   Christa Wolf, Abgebrochene Romane, in: Situation 66 – 20 Jahre Mitteldeutscher Verlag, Halle 1966, S. 156 ff.
222   GH, S. 17.
223   GH, S. 42.
224   LS, S. 62.
225   LS, S. 58.
226   Christa Wolf, Juninachmittag, S. 166.
227   Christa Wolf, Rede auf dem internat. Kolloquium, S. 101.
228   Stephan Hermlin, Rede auf dem internationalen Schriftstellerkolloquium im Dezember 1964, in: Neue deutsche Literatur, 3/1965, S. 108.
229   Christa Wolf, Einiges über meine Arbeit als Schriftsteller, S. 14.
230   Günter Kunert, Unterschiede, in: Der ungebetene Gast, Berlin und Weimar 1965, S. 29. Vgl. CT, S. 71. Fritz J. Raddatz sieht Anspielungen auf „Kleists berühmten Brief vom 5. 2. 1801 an seine Schwester", auf Thomas Mann („Tonio Kröger"), auf Kafka und auf verschiedene „Seestücke" von Fontanes „Stechlin" bis zu Gedichten von Huchel und

Mickel. (Vgl. Raddatz, Traditionen und Tendenzen. Materialien zur Literatur der DDR, Frankfurt a. M. 1972, S. 388 ff.) Es dürfte sich hier zumeist um untergründige Traditionsströme handeln, nicht aber um bewußte Evokation.

231 Volker Braun, Wir und nicht sie, Frankfurt a. M. 1970; vor allem die Gedichte „Regierungserlaß", „Wir und ihr", „Prometheus". Vgl. S. 123 ff. in diesem Buch.

232 Haase, S. 176.

233 Kähler, S. 255.

234 Zitiert nach einer Mitteilung des Makarenko-Referats der Marburger Forschungsstelle für Vergleichende Erziehungswissenschaft („Von Beruf Mensch – zum 85. Geburtstag des Pädagogen A. S. Makarenko"), in: Deutsche Volkszeitung, Düsseldorf, Nr. 13/1973.

235 MN, S. 53.

236 Wolfgang Werth, Nachricht aus einem stillen Deutschland, in: Der Monat, 253 (Oktober 1969), S. 90.

237 Konrad Franke, Ihrer Generation voraus, in: Frankfurter Hefte, 7/1970, S. 524.

238 LS, S. 18.

239 Christa Wolf, Gute Bücher – und was weiter?, in: Neues Deutschland vom 19. 12. 1965.

240/241 Christa Wolf, Rede auf dem internationalen Schriftstellerkolloquium, S. 98.

242 Reso, S. 127.

243 GH, S. 204.

244 GH, S. 212.

245 Christa Wolf, Ein Erzähler gehört dazu, S. 131.

246 Erik Neutsch, Ein paar Steinwürfe in einen ‚schwarzen abgrundtiefen See', in: Kritik in der Zeit, S. 559 (zuerst erschienen in: Sonntag, 32/1963).

247 Redeker, S. 123.

248 Christa Wolf, Gegenwart und Zukunft, in: Neue deutsche Literatur, 1/1971, S. 70.

249 Zweite Bitterfelder Konferenz, S. 231 f.

250 Annemarie Auer, Geglückte Versuche, in: Neue deutsche Literatur, 2/1973, S. 118 ff.

251 Hans Stubbe, Begegnung mit Christa Wolf, in: Lesen und Schreiben, Berlin und Weimar 1971, S. 234 (Stubbes Nachbemerkung ist in der westdeutschen Ausgabe nicht enthalten).

Eine offensive Verteidigung der Poesie – Reiner Kunze

1 Aber die Nachtigall jubelt, Halle 1962, S. 37.

2 Die Zukunft sitzt am Tische, Halle 1955, S. 29.

3 Neue Rundschau, Frankfurt a. M., 2/1969, S. 240.

4 Über die Lyrik als dichterisches Heldendasein des Lyrikers und des Volkes, in: Fragen des lyrischen Schaffens, Halle 1960 (= Beiträge zur Gegenwartsliteratur, Heft 18).

5 Johannes R. Becher, Gesammelte Werke, Band 13, Berlin und Weimar 1972, S. 400 f.

6 Widmungen, Bad Godesberg 1963, S. 58.

7 Zimmerlautstärke, Frankfurt a. M. 1972, S. 65.

8 Becher, S. 65 f.

9 Über die Lyrik als dichterisches Heldendasein . . ., S. 15 f.

10 Zimmerlautstärke, S. 66.

11 Widmungen, S. 8.

12/13 Maß-Stab und Meinung. Fünf Anmerkungen, in: Neue deutsche Literatur, Berlin, 7/1965, S. 112 ff.

14 Jan Skácel, Fährgeld für Charon, Hamburg 1967.

15 Widmungen, S. 50.

16 Über die Lyrik als dichterisches Heldendasein . . ., S. 20.

17 Über die Lyrik als dichterisches Heldendasein . . ., S. 21.

18 Aber die Nachtigall jubelt, S. 79.

19 Maß-Stab und Meinung, S. 114.

20 Sensible Wege, Reinbek 1969, S. 64.

21 Zimmerlautstärke, S. 7.

22 Zimmerlautstärke, S. 40.

23 Zimmerlautstärke, S. 38.

24 Sensible Wege, S. 10 ff.

25 Sensible Wege, S. 55.
26 Unveröffentlichtes Manuskript.
27 Sechs Variationen über das Thema ‚Die Post' und drei Gedichte, Reinbek 1968 (Sonderdruck), S. 11.
28 Der Dichter und die Löwenzahnwiese, Berlin (West) 1971, o. S.
29 Widmungen, S. 9.
30 Zimmerlautstärke, S. 23.
31 Neue Rundschau, 2/1969, S. 239.
32 Sensible Wege, S. 37.
33 Sensible Wege, S. 32.
34 Almanach 4 für Literatur und Theologie (Redaktion: Jürgen P. Wallmann), Wuppertal-Barmen 1970, S. 49.
35 Sensible Wege, S. 38.
36 Sensible Wege, S. 36.
37 Sensible Wege, S. 45.
38 Sensible Wege, S. 20.
39 Aber die Nachtigall jubelt, S. 76.
40 Widmungen, S. 28.
41 Sensible Wege, S. 9.
42 Vgl. die Rezensionen von Hans-Dietrich Sander, in: Deutschland-Archiv, Köln, 7/1969, 9/1971 und 11/1972. Sander kann für sich Unabhängigkeit des Urteils beanspruchen, da er auch bei Autoren, die in der DDR Repressionen ausgesetzt sind, auf deutliche ästhetische Kritik nicht verzichtet. Die Beschränkung des „Epigonalverdachts" auf politische Lyrik ist aber wenig überzeugend; unverbrauchtes Vokabular wird nirgends mehr vorrätig gehalten. Auch die Zurückführung literarischer Kleinformen auf die Psychologie der Einsamkeit („Im Verlies der Abbreviatur") ist wenig plausibel. Deuten lange Monologe etwa auf ein Höchstmaß an Geselligkeit?
43 Ich bin im einzelnen darauf nicht eingegangen und verweise auf die sehr informative Dokumentation, die Jürgen P. Wallmann in „Der Fall Reiner Kunze. Ein Beispiel Literaturpolitik der DDR" (Neue deutsche Hefte, Berlin (West) 136 = 4/1972, S. 93–115) gegeben hat.
44 Sensible Wege, S. 19.
45 Zimmerlautstärke, S. 67.
46 Sensible Wege, S. 57.
47 Interview mit Reiner Kunze, in: Die Tat, Zürich, Nr. 241, vom 14. 10. 1972.
48 Das aktuelle Interview, in: Das Reclam-Buch. Mitteilungen des Verlags Philipp Reclam jun., DDR, Leipzig. Frühjahr 1973, Heft 41, o. S.
49 Brief vom 16. 2. 1973.
50 Das aktuelle Interview.
51 Sensible Wege, S. 67.
52 Becher, S. 258.
53 Zimmerlautstärke, S. 37.
54 Das aktuelle Interview.
55 Widmungen, S. 50.

Vom Wollen und Wünschen, vom Schreien und Tun. Die vorläufigen Provokationen des Lyrikers Volker Braun

1 Provokation für mich, Halle 1967 (3. Auflage), S. 9. (Der Band erschien zuerst 1965; ein großer Teil wurde in die westdeutsche Auswahl übernommen: „Vorläufiges", Frankfurt a. M. 1966.)
2 Wir und nicht sie, Frankfurt a. M. 1970, S. 78.
3 Hermann Kant, Die Aula, München 1966, S. 406.
4 Wir und nicht sie, S. 7.
5 Gedichte. Auswahl und Nachwort von Christel und Walfried Hartinger, Leipzig 1972, S. 66.
6 Gedichte, S. 111 f.
7 Wir und nicht sie, S. 38.
8 Wir und nicht sie, S. 39.

9 Wir und nicht sie, S. 8.
10 Provokation für mich, S. 10.
11 Wir und nicht sie, S. 44.
12 Horst Haase und Kollektiv: Lyrik in dieser Zeit, in: Neue deutsche Literatur, 11/1968; hier zitiert nach: Kritik in der Zeit, Halle 1970, S. 837. Christel und Walfried Hartinger rechtfertigen und kritisieren den Ton der frühen Gedichte in einem Atemzug: „Die revolutionäre Ungeduld brauchte einen Gedichttyp, der weniger die Bewegung der Realität selbst reproduzierte als vielmehr die Bewegtheit des Subjekts verabsolutierte." (Gedichte, S. 119.– Das Nachwort dieses Bändchens ist kaum verändert auch übernommen worden für den Band „Literatur der DDR in Einzeldarstellungen", herausgegeben von Hans Jürgen Geerdts, Stuttgart 1972, S. 504–522.)
13 Gedichte, S. 112.
14 Provokation für mich, S. 20.
15 Provokation für mich, S. 70. – Der Untertitel „als im dritten Viertel des 20. Jahrhunderts die Gedichte entbehrlich wurden" korrespondiert mit dem Untertitel, den Brecht seinem „Lied der Lyriker" gegeben hat: „Als schon im ersten Drittel des 20. Jahrhunderts für Gedichte nichts mehr gezahlt wurde." Vgl. Brecht, Gedichte III, Berlin 1961, S. 99.
16 Ebd.
17 Provokation für mich, S. 71 f.
18 Wir und nicht sie, S. 50.
19 Wir und nicht sie, S. 72.
20 Gedichte, S. 47.
21 Kursbuch, Frankfurt a. M., Nr. 4 (Februar 1966), S. 66.
22 Gedichte, S. 112.
23 Provokation für mich, S. 48.
24 Gedichte, S. 66.
25 Das ungezwungene Leben Kasts, Frankfurt a. M. 1972. – Braun bleibt auch hier alten Forderungen an sich selbst und an die Gesellschaft treu, so wenn er seinen Helden Kast sagen läßt: „Ich hatte mein Verhalten niemals nach dem Maß gezirkelt, das die Meinung anderer mir zubilligte oder zutraute, und werde es auch nie tun. Diese Fessel mußte jeder für sich immer wieder zerschlagen, in ihr käme unsere Revolution auf den Hund." (S. 86) Nur zeigt vor allem der Bericht „Die Bretter" aus dem Jahr 1968 (S. 109–150), wie schwer es in der Praxis sein kann, dieser Fessel ledig zu werden.
26 Horst Haase und Kollektiv, S. 840.
27 Gedichte, S. 35 f.
28 Ebd.
29 Provokation für mich, S. 51.
30 Wir und nicht sie, S. 19.
31 Gedichte, S. 40.
32 Wir und nicht sie, S. 16, 17, 21, 52, 66, 73, 75.
33 Wir und nicht sie, S. 7.
34 Wir und nicht sie, S. 19.
35 Wir und nicht sie, S. 73.
36 Zitiert nach: Lexikon deutschsprachiger Schriftsteller, Band 1, Leipzig 1967, S. 163.
37 Wir und nicht sie, S. 75.
38 Wir und nicht sie, S. 67.
39 Silvia Schlenstedt, Das Wir und das Ich des Volker Braun, in: Weimarer Beiträge, Berlin und Weimar, 10/1972, S. 52–69. Im gleichen Heft findet sich auch ein längeres Interview, das Silvia Schlenstedt mit Volker Braun geführt hat (S. 41–51).
40 Wir und nicht sie, S. 56.
41 Gedichte, S. 94.
42 Silvia Schlenstedt, S. 57 f.
43 Vgl. Gregor Laschen, Lyrik in der DDR. Anmerkungen zur Sprachverfassung des modernen Gedichts, Frankfurt a. M. 1971, S. 99 ff.
44 Neue deutsche Literatur, 1/1971, S. 31.
45 Wir und nicht sie, S. 18.
46 Künftige Bezirke des Sozialismus, in: Kürbiskern, München, 3/1968, S. 410.
47 Hans Koch, Unsere soziale Wirklichkeit im Spiegel der Literatur, in: Neues Deutschland, vom 26. 7. 1966.
48 In „Die Bretter" läßt Braun einen lebhaften Greis mit schönem Gesicht aus der Leitung des

Kulturbunds auftreten, der sich erregt: „Dieses Theater, das ist nichts. Keine Kunst! Keine Sprache. Schlimm, schlimm. [. . .] Kein Gefühl haben sie. Alles dieser Brecht." (Das ungezwungene Leben Kasts, S. 116.)

49 Klaus Höpcke, Ab-fall und Aufstieg. Gespräch mit Volker Braun, in: Neues Deutschland vom 17. 9. 1966.

50 Wir und nicht sie, S. 25.

51 Wir und nicht sie, S. 7.

52 Provokation für mich, S. 19.

53 Provokation für mich, S. 69.

54 Günther Deicke, Auftritt einer neuen Generation, in: Neue deutsche Literatur, 2/1972, S. 18; jetzt auch in: Annie Voigtländer (Hg.), Liebes- und andere Erklärungen. Schriftsteller über Schriftsteller, Berlin und Weimar 1972, S. 37.

55 Zitiert nach: Neue deutsche Literatur, 3/1972, S. 172.

56 Deicke, S. 21 bzw. 41.

57 In dem „Interview mit Volker Braun" kommt der Autor ebenfalls darauf zu sprechen, „daß wir nicht länger bei der bürgerlichen Ästhetik einer Abbildfunktion von Kunst bleiben können. Das ist zwar *eine* Funktion, aber durchaus nicht die, mit der man das Wesen der Kunst erklären kann. Der Hauptnenner ist sicherlich der, dieses Bild der Wirklichkeit mit zu machen; das ist, glaube ich, seit Brecht überhaupt der größere ästhetische Satz". (Weimarer Beiträge, 10/1972, S. 44.)

58 Nachbemerkung in: Gedichte, Leipzig 1972, hintere Umschlagseite.

59 Hermann Paul und Alfred Schirmer, Deutsches Wörterbuch, 7. Auflage, Halle 1960, S. 222.

Der Zorn des Zufrühgekommenen. Wolf Biermanns Reflexionen über Wort und Tat

1 Jewgeni Schwarz, Märchenkomödien, Leipzig 1972, S. 120.

2 Wolf Biermann, Der Dra-Dra, Berlin (West) 1970, S. 55.

3 Ebd.

4 Biermann hat in einem Interview sein Stück von dem des Jewgeni Schwarz abzugrenzen versucht. Dieses sei ein Märchenstück mit politischen Spitzen, das seine ein politisches Stück mit Märchenspitzen. Er habe sich nicht mehr wie Schwarz der Sklavensprache bedient. „Jede Art Sklavensprache, in der hintenrum wider den Stachel gelökt wird, ist mir zuwider, weil sie im Publikum die nämliche Haltung erzeugt: nicht die revolutionäre, sondern eben *Aufmüpfigkeit.*" (Frankfurter Rundschau vom 9. 9. 1970.) Biermann hat aber die vorgegebene Form viel weniger zersprengt, als er anzunehmen scheint. Die Anspielungen sind gewiß deutlicher, aber im Ganzen wird auch bei ihm eine Märchenfabel gegeben, die gleichnishaft-metaphorisch argumentiert, also sich der tradierten „Sklavensprache" bedient. An dieser Ungenauigkeit, die mit kritischer Aggressivität durchaus vereinbar sein kann – der Sklave hat sich emanzipiert – scheiterte der Versuch, die Drachentöterschau variabel, flexibel, mobil zu halten, d. h. gegen den jeweiligen Drachen im Wechselrahmen zu inszenieren, im Westen also gegen den „kapitalistischen".

5 Dra-Dra, S. 104 f.

6 Wolf Biermann, Deutschland. Ein Wintermärchen, Berlin (West) 1972, S. 15.

7 Soweit der Boykott Biermanns mit dessen Verstößen gegen Taktgefühl, Anstand, Bescheidenheit und gutes Benehmen begründet wurde, enthüllte sich der im Arbeiter- und Bauernstaat fortbestehende kleinbürgerliche Moralkodex. Für die Tugenden des Veilchens im Moose aus dem Kinderstammbuch alter Zeiten fehlen Biermann alle Voraussetzungen. Einem „wirklich tief besorgten Freund" versichert Biermann, daß sich im Durchschnitt alles wieder ausgleicht, also auch seine Unverschämtheiten hingenommen werden könnten:
>Der eine schweigt, und der andere schreit
>Wenn solche wie du entschieden zu kurz gehn
>Dann gehn eben andre ein bißchen zu weit!
>(Für meine Genossen, Berlin [West] 1972, S. 59)

8 Biermann, Wintermärchen, S. 15.

9 Heinrich Heine, Werke und Briefe I, Berlin 1961, S. 450 f.

10 Wolf Biermann, Die Drahtharfe, Berlin 1965.

11 Vgl. vor allem: Drahtharfe, S. 67; Mit Marx- und Engelszungen, S. 15 und S. 17; Für meine Genossen, S. 63 f. und S. 79.

12 Drahtharfe, S. 62.
13 Wintermärchen, S. 15.
14 Drahtharfe, S. 36.
15 Für meine Genossen, S. 50.
16 Drahtharfe, S. 9.
17 Für meine Genossen, S. 22.
18 Für meine Genossen, S. 16.
19 Bertolt Brecht, Gedichte IX, Berlin und Weimar 1969, S. 120.
20 Für meine Genossen, S. 61.
21 Marx/Engels, Über Kunst und Literatur I, Frankfurt a. M. und Wien 1968, S. 221.
22 Drahtharfe, S. 60.
23 Für meine Genossen, S. 17.
24 Die drei Punkte erinnern an den optimistischen Fortgang der bei Brecht (aus dem Schlußge-
   dicht der „Mutter") entlehnten Zeile. Sie lautet vollständig: „Wer seine Lage erkannt hat, wie
   soll der aufzuhalten sein?" (Bertolt Brecht, Stücke V, Berlin 1957, S. 117.)
25 Für meine Genossen, S. 17.
26 Ebd.
27 Für meine Genossen, S. 91.
28 Biermann, Mit Marx- und Engelszungen, Berlin (West) 1968, S. 61.
29 Für meine Genossen, S. 89.
30 Reiner Kunze, Zimmerlautstärke, Frankfurt a. M. 1972, S. 67.
31 Für meine Genossen, S. 62.
32 Wintermärchen, S. 12.
33 Für meine Genossen, S. 20.
34 Für meine Genossen, S. 49.
35 Für meine Genossen, S. 86 f.
36 Für meine Genossen, S. 2.
37 Für meine Genossen, S. 33 f.
38 Drahtharfe, S. 65 f.
39 Für meine Genossen, S. 91 f.
40 Die schematische generationsspezifische Zuordnung von Ungeduld (jung) und Geduld (alt)
   am Schluß des Gedichts „An die alten Genossen" aus dem Jahre 1962 wird, wie es scheint,
   nicht mehr aufrechterhalten; ihr fehlte Dialektik.
41 Drahtharfe, S. 49.

Mit Geduld und Kompaßnadel – Wolfgang Harich als Essayist

1 Zur Kritik der revolutionären Ungeduld. Eine Abrechnung mit dem alten und neuen Anarchismus, Basel 1971. Eine Kurzfassung erschien vorher in: Kursbuch 19, Frankfurt a. M. 1969.
  Hier wird nur nach der Buchausgabe zitiert.
2 Viktor de Kowa, Als ich noch Prinz war von Arkadien, Nürnberg 1955, S. 294.
3 Auf die Umstände und Hintergründe des Prozesses gegen „die staatsfeindliche Gruppe Harich"
  im Jahre 1957 soll in dem Zusammenhang unseres Aufsatzes nicht eingegangen werden, der
  das Selbstverständnis des Essayisten Harich untersucht. Von ihm autorisierte Publikationen
  zu seinen politischen Aktivitäten um 1956 liegen nach unserer Kenntnis nicht vor.
4 Zur Kritik der revolutionären Ungeduld, S. 13.
5 Zur Kritik der revolutionären Ungeduld, S. 18.
6 Zur Kritik der revolutionären Ungeduld, S. 6.
7 Marx/Engels, Manifest der Kommunistischen Partei, Berlin 1952 (7. Auflage), S. 35.
8 Zur Kritik der revolutionären Ungeduld, S. 19.
9/10 Der entlaufene Dingo, das vergessene Floß. Aus Anlaß der ‚Macbeth'-Bearbeitung von Heiner Müller, in: Sinn und Form, Berlin, 1/1973, S. 203.
11 Adresse an Georg Lukács, in: Georg Lukács zum 13. April 1970, ad lectores 10, Neuwied und
  Berlin (West) 1970, S. 89.
12 Alte Wahrheiten, neuer Bluff. Wolfgang Harich über Jacques Monod, in: Der Spiegel, Hamburg,
  46/1971, S. 188.
13 Der entlaufene Dingo . . ., S. 189.

14 Georg Lukács zum 70. Geburtstag, Berlin 1955, S. 79.
15 Georg Lukács zum 70 Geburtstag, S. 80.
16 Zur Kritik der revolutionären Ungeduld, S. 27.
17 Zur Kritik der revolutionären Ungeduld, S. 8.
18 Der entlaufene Dingo . . ., S. 218. Vgl. die „disharmonische" Betrachtungsweise der Antagonismen im Sozialismus durch Jürgen Kuczynski, vor allem in: Gesellschaftliche Widersprüche, Deutsche Zeitschrift für Philosophie, Berlin, 10/1972.
19 Ernst Bloch, Kleine Grille, in: Spuren, Frankfurt a. M. 1959, S. 30 ff.
20 Zur Kritik der revolutionären Ungeduld, S. 82.
21 Ernst Bloch, Marx, aufrechter Gang, konkrete Utopie, in: Politische Messungen, Pestzeit, Vormärz (= Gesamtausgabe Band 11), Frankfurt a. M. 1970, S. 457.
22 Jean Pauls Kritik des philosophischen Egoismus, Leipzig 1967. Vgl. Satire und Politik beim jungen Jean Paul, in: Sinn und Form, 6/1967, S. 1482 ff.
23 Heinrich Heine und das Schulgeheimnis der deutschen Philosophie, in: Sinn und Form, 1/1956, S. 59.
24 Heinrich Heine und das Schulgeheimnis . . ., S. 52. Vgl. Leo Kreutzer, Heine und der Kommunismus, Göttingen 1970.
25 Zur Kritik der revolutionären Ungeduld, S. 90.
26 Zur Kritik der revolutionären Ungeduld, S. 96.
27 Wir brauchen die materialistische Dialektik. Gespräch mit Prof. Dr. Georg Klaus, in: Forum, Berlin, 11/1972, S. 10.
28 Georg Lukács zum 70. Geburtstag, S. 81.
29-31 Der entlaufene Dingo . . ., S. 213.
32 Zur Kritik der revolutionären Ungeduld, S. 14.
33 Zur Kritik der revolutionären Ungeduld, S. 96.
34 Der entlaufene Dingo . . ., S. 189.
35 Der entlaufene Dingo . . ., S. 203.
36 Der entlaufene Dingo . . ., S. 189.
37 Der entlaufene Dingo . . ., S. 192.
38/39 Der entlaufene Dingo . . ., S. 193.
40 Vgl. Deutsche Zeitschrift für Philosophie, 1 – 3/1954.
41 Deutsche Zeitschrift für Philosophie, 5/1956.
42 Zitiert nach: Die Welt, Hamburg, 13. 9. 1966.

„Nicht traurig, aber ungünstig". Brecht und sein Theater im schwierigen Milieu der DDR

1 Die Aufnahme der Brechtschen Lyrik in der DDR bleibt im folgenden unberücksichtigt; auch die Übernahme und Weiterführung des Brechtschen Erbes im dramatischen und lyrischen Werk der jüngeren Autoren der DDR mußte ausgespart werden.
2 Karl Kleinschmidt, Wir sind der Mensch von Sezuan. Bert Brecht – Erinnerung und Vermächtnis, in: Neue Zeit, Berlin, 19. 8. 1956.
3 Erwin Strittmatter, Die Glückwunschkarte, in: Schulzenhofer Kramkalender, Berlin 1969, S. 199.
4 Bernhard Reich, Im Wettlauf mit der Zeit. Erinnerungen aus fünf Jahrzehnten deutscher Theatergeschichte, Berlin 1970, S. 392.
5 Wekwerth schreibt dazu: „Wieso soll dieser Mann von einer Gesellschaft, die Fehler neuer Art macht, seine Hand abziehen im Moment, wo Verfremdung, also Veränderung der Welt gebraucht wird? Wir hören, der Mensch Brecht mochte zwar den Marxismus, aber bestimmte Marxisten mochte er nicht. Auch hier verhielt sich Brecht einwandfrei als Marxist: er blieb dort, wo es in seiner Macht stand, eben diese Marxisten zu verändern." (Brief an einen westdeutschen Journalisten, in: Kürbiskern, München, 2/1968, S. 189.) Sieht man von der leichten Überschätzung der Rolle der Persönlichkeit im gesellschaftlichen Prozeß ab – wieviel stand wirklich in Brechts *Macht?* –, wird hier ein wichtiger Antrieb für Brechts „Durchhalten" genannt.
6 Herbert Ihering, Beispiel Berlin, in: Theaterstadt Berlin. Ein Almanach, Berlin 1948, S. 29 ff.
7 Theater in der Zeitenwende. Zur Geschichte des Dramas und des Schauspieltheaters in der Deut-

schen Demokratischen Republik 1945–1968, Berlin 1972, I, S. 188. Vgl. das Kapitel „Der Planwagen der Courage auf der Berliner Bühne", S. 179 ff.

8 Fritz Erpenbeck, Lebendiges Theater, Berlin 1949, S. 314 ff.

9 Fritz Erpenbeck, Einige Bemerkungen zu Brechts ‚Mutter Courage', in: Die Weltbühne, Berlin, 3/1949, S. 103.

10 Wolfgang Harich, Der gemeine Mann hat kein' Gewinn, in: Tägliche Rundschau, Berlin, 14. 1. 1949.

11 Wolfgang Harich, ‚Trotz fortschrittlichen Wollens', in: Die Weltbühne, Berlin, 6/1949, S. 215.

12-14 S. Alterman, Wo beginnt die Dekadenz? Bemerkungen zur Polemik um Brechts ‚Mutter Courage', in: Tägliche Rundschau, Berlin, 12. 3. 1949. Vgl. Paul Rilla, Episch oder dramatisch? Über das Theater Bertolt Brechts, in: Berliner Zeitung, 16. 2. 1949.

15 Brecht, Schriften zum Theater VI, Berlin und Weimar 1964, S. 153–160.

16 Christa Wolf, Brecht und andere, in: Lesen und Schreiben, Darmstadt und Neuwied 1972, S. 54 ff.

17 Schriften zum Theater VI, S. 161 f.

18 Brecht, Schriften zur Literatur und Kunst II, Berlin und Weimar 1966, S. 71.

19 Schriften zur Literatur und Kunst II, S. 360.

20 Schriften zur Literatur und Kunst II, S. 335.

21 Hans Mayer, Brecht in der Geschichte, Frankfurt a. M. 1971, S. 239. Vgl. Werner Hecht, Entwicklung der Zuschaukunst, in: Sieben Studien über Brecht, Frankfurt a. M. 1972, S. 154 bis 164.

22 Bertolt Brecht, Arbeitsjournal, Frankfurt a. M. 1973, II, S. 1008.

23 Vgl. Anmerkung 85.

24 Johanna Rudolph, Wertvolle Bereicherung des Berliner Theaterlebens, in: Neues Deutschland, 14. 1. 1951.

25 Schriften zum Theater VI, S. 315 f.

26 Karl Kneschke, Drei Entgegnungen, in: Neues Deutschland, 18. 4. 1951.

27 H. L. (= Heinz Lüdecke), Das Verhör des Lukullus – ein mißlungenes Experiment in der Deutschen Staatsoper, in: Neues Deutschland, 22. 3. 1951.

28 Hans Lauter, Der Kampf gegen den Formalismus in Kunst und Literatur, in: Neues Deutschland, 23. 3. 1951.

29 Brecht äußerte am 15. 1. 1951, Kritik müsse man nie fürchten. „man wird ihr begegnen oder sie verwerten, das ist alles". (Arbeitsjournal, S. 943)

30 Schriften zum Theater VI, S. 327 ff.

31 André Müller und Gerd Semmer, Geschichten vom Herrn B. – 111 Brecht-Anekdoten, Berlin 1968, S. 63.

32 Arbeitsjournal, S. 964.

33 Arbeitsjournal, S. 910.

34/35 In: Der Kampf gegen den Formalismus in Kunst und Literatur, Berlin 1951, S. 131. – Der Streit um Brecht läßt sich natürlich nicht als Konflikt zwischen Klugen und Dummen beschreiben; man denke nur an die Brecht-Lukács-Debatte. Vgl. Anmerkung 111.

36 Hans Bunge, Fragen Sie mehr über Brecht. Hanns Eisler im Gespräch, München 1970, S. 109.

37 Jürgen Rühle, Brecht und die Dialektik des epischen Theaters, in: Das gefesselte Theater, Köln und Berlin 1957, S. 204. Rühles kenntnis- und materialreicher Essay, der noch nicht auf das jetzt verfügbare reiche Quellenangebot zurückgreifen konnte, leidet – von heute aus gesehen – an einem Übergewicht moralischer und psychologischer Fragestellungen.

38 Müller und Semmer, S. 68.

39 Arbeitsjournal, S. 907.

40 Armin-Gerd Kuckhoff, Nach dem Gesetz, wonach du angetreten . . ., in: Theater hier und heute. Beiträge zur Theaterwissenschaft, Berlin 1968, S. 25.

41 Bernhard Reich, Erinnerungen an Brecht, in: Studien – Beilage zu: Theater der Zeit, Berlin, 14/1966, S. 18.

42 Vgl. André Müller, Kreuzzug gegen Brecht. Die Kampagne in der Bundesrepublik 1961/62, Berlin 1962.

43 Arbeitsjournal, S. 889.

44 Arbeitsjournal, Anmerkungen von Werner Hecht, S. 178.

45 Hans Mayer teilt dazu mit: „Das ziemlich wohlerhaltene Theater am Schiffbauerdamm wurde von der Volksbühne bespielt. Wer Brecht zu jener Zeit sprach, spürte etwas wie Ingrimm über eine Usurpation. Das war *sein* Theater. Alles andere bedeutete Anmassung." (Brecht in der Geschichte, S. 228.)

46 Arbeitsjournal, S. 810.
47 Aus den Erfahrungen des Sowjettheaters. Neudruck einer Aufsatzreihe von Julius Hay und Maxim Vallentin, Weimar 1945, S. 3.
48 Maxim Vallentin, Vom Stegreif zum Stück. Ein Ensemble-Buch auf der Grundlage des Stanislawski-Systems, Berlin 1949, S. 16.
49 Armin-Gerd Kuckhoff, S. 14 und 16.
50 Schriften zum Theater I, S. 252.
51 Bertolt Brecht, Gedichte V, Berlin und Weimar 1964, S. 141. – Vgl. Fritz Mierau, Tatsache und Tendenz. Der ‚operierende' Schriftsteller Sergej Tretjakow – Nachwort zu: Sergej M. Tretjakow, Lyrik-Dramatik-Prosa, Leipzig 1972, S. 421–526.
52 Bernhard Reich, Erinnerungen an das frühe sowjetische Theater, in: Meyerhold, Tairow, Wachtangow, Theateroktober, Leipzig 1967, S. 23. Vgl. Rühle, Der Theateroktober, in: Das gefesselte Theater, S. 79 ff.
53 Theater der Zeit, 5/1953, S. 4.
54 Eine erste Einführung mit antistalinistischer Tendenz, knapp, aber gut informierend, gab Jürgen Rühle: Stanislawski und sein System, in: Das gefesselte Theater, S. 48–78.
55 Theater der Zeit, 5/1953, S. 7 f.
56 Theater der Zeit, 6/1953, S. 10 ff.
57 Theater der Zeit, 6/1953, S. 13.
58 Schriften zum Theater VII, S. 232.
59 Schriften zum Theater VII, S. 229.
60 Schriften zum Theater VII, S. 217.
61 Theater der Zeit, 6/1953, S. 14.
62 Käthe Rülicke, Die Arbeitsweisen Stanislawskis und Brechts, in: Theater der Zeit, 11 und 12/1962, S. 54 ff. bzw. S. 53 ff. – Eine Zusammenfassung gibt Käthe Rülicke in: Die Dramaturgie Brechts, Berlin 1968, S. 179–188. Vgl. auch Dieter Hoffmeier, Das literarische Spätwerk Stanislawskis, in: Theater hier und heute, S. 52–108.
63 Arbeitsjournal, S. 1005 und S. 784.
64 Arbeitsjournal, S. 909.
65-67 Da sind überall Schwierigkeiten. Brecht diskutiert mit Greifswalder Studenten. Ein Gespräch im Berliner Ensemble am 28. März 1954, in: Weimarer Beiträge, Berlin und Weimar, 2/1973, S. 15 f.
68 Hans Mayer, S. 187.
69 Schriften zum Theater VII, S. 219. Hervorhebung vom Verfasser.
70 Theater der Zeit, 6/1953, S. 13 ff.
71-72 Da sind überall Schwierigkeiten, S. 20 f.
73 Hans Mayer, S. 241 f.
74 Arbeitsjournal, S. 955.
75 Schriften zur Literatur und Kunst II, S. 353. – Vgl. zum Lebensgefühl der neuen Klasse und seine Darstellbarkeit Brechts Notate zu Strittmatters „Katzgraben", in: Schriften zum Theater VII, S. 75–199.
76 Heinz Brüggemann, Literarische Technik und soziale Revolution. Versuche über das Verhältnis von Kunstproduktion, Marxismus und literarischer Tradition in den theoretischen Schriften Bertolt Brechts, Hamburg 1973, S. 127–138, besonders S. 137.
77 Schriften zur Literatur und Kunst II, S. 351 ff.
78 Ernst Schumacher, Die dramatischen Versuche Bertolt Brechts 1918–1933, Berlin 1955. – Obzwar der Autor den unzulänglichen Maßstab der Übereinstimmung mit den Positionen der KPD in der Weimarer Republik wählte, um das von Brecht erreichte oder nicht erreichte marxistische Niveau zu bestimmen, leistete er eine wichtige Pionierarbeit. Im Unterschied zu späteren Autoren, die nur seine Ergebnisse thesenartig übernahmen, breitete er reichhaltiges Material aus und ermöglichte so dem Leser, mit seinem eigenen Urteil dazwischenzukommen. Zur Kritik vgl. Hildegard Brenners und Reiner Steinwegs·Auseinandersetzung mit Brechts Lehrstücken und mit deren Rezeption durch die Germanistik in beiden deutschen Staaten, in: Alternative, Berlin (West) 1971, Nr. 78–79, besonders S. 152 ff.
79 Werner Mittenzwei, Größe und Grenze des Lehrstücks. Bertolt Brechts Übergang auf die Seite der Arbeiterklasse, in: Neue deutsche Literatur, Berlin, 10/1960, S. 99. Vgl. vom gleichen Verfasser: Bertolt Brecht. Von der ‚Maßnahme' zu ‚Leben des Galilei', Berlin 1962.
80 Hans Kaufmann, Bertolt Brecht. Geschichtsdrama und Parabelstück, Berlin 1962. – Zur marxistischen Kritik an Kaufmann vgl. vor allem Ernst Schumacher, Drama und Geschichte. Bertolt Brechts ‚Leben des Galilei' und andere Stücke, 2. Aufl., Berlin 1968, S. 433–435.

81 Schriften zum Theater VI, S. 193.
82 Schriften zum Theater VI, S. 307 f. Vgl.: „unsere publikumsschulmeister fühlen sich unterschätzt, wenn man ihnen erlaubt, sich zu amüsieren." (Arbeitsjournal, S. 974)
83 Erwin Strittmatter, Bal i mal stirb, in: Schulzenhofer Kramkalender, S. 119.
84 Thesen zur Faustus-Diskussion, in: Schriften zur Literatur und Kunst II, S. 342 ff. Vgl. Ernst
Schumacher, Drama und Geschichte. Bertolt Brechts ‚Leben des Galilei' und andere Stücke,
S. 230–232. Hier finden sich Zitate aus einem bisher unveröffentlichten Gespräch Brechts
mit Freunden und Schülern über Eislers Text.
85 Schriften zum Theater VI, S. 330. Vgl. Arbeitsjournal, S. 804 und S. 864 f.
86 Theater in der Zeitenwende I, S. 290 f.
87 Helmut Holtzhauer, Von Sieben, die auszogen, die Klassik zu erlegen, in: Sinn und Form,
Berlin, 1/1973, S. 187.
88 Werner Mittenzwei, Brecht und die Probleme der deutschen Klassik, in: Sinn und Form,
1/1973, S. 135 ff. Eine vermittelnde Position nimmt M. auch in seinem Vortrag „Über den
Sinn der Tradition im weltrevolutionären Prozeß. Brechts Verhältnis zur Tradition" (Weimarer Beiträge, 12/1972, S. 10 ff.) ein. Der Respekt vor dem Erbe müsse auch die „positive
Provokation" ermöglichen, andererseits dürfe man nicht die Schwächen statt der Stärken der
großen Werke der Vergangenheit zeigen.
89-91 Fritz Erpenbeck, Der kaukasische Kreidekreis, in: Theater der Zeit, 12/1954, S. 32 ff.;
hier zitiert nach: Erpenbeck, Aus dem Theaterleben, Berlin 1959, S. 181–191.
92 Hans-Joachim Bunge, Der Streit um das Tal, in: Theater der Zeit, 11/1956, Beilage, S. 1;
auch in: Materialien zu Brechts ‚Der kaukasische Kreidekreis', Frankfurt a. M. 1966, S. 144
bis 153. Die von dem Ostberliner Brecht-Kenner Werner Hecht im Frankfurter Suhrkamp-
Verlag und im Ostberliner Henschel-Verlag edierten Materialien zu Brecht-Stücken setzen sich
nur selten mit der ablehnenden Reaktion in der DDR-Presse auseinander; sie dokumentieren
nicht die „Gegenstimmen" aus dem marxistischen Lager. Bunges Anmerkungen kommentieren jedoch einige dieser Ansichten.
93 Der Demokrat, Rostock, 10. 1. 1956.
94 IV. Deutscher Schriftstellerkongreß Januar 1956, Protokoll I. Teil, Berlin 1956, S. 156.
95 Theater in der Zeitenwende II, S. 182. Vgl. den Abschnitt „Erfolge des Brecht-Theaters",
S. 160 ff.
96 Ingrid Seyfarth, Beobachtungen an Brecht-Inszenierungen, in: Theater der Zeit, 14/1966,
S. 31.
97 Johanna Rudolph (vgl. Anm. 24).
98 Gerhard Zwerenz, Versuch über Bertolt Brecht, in: Der Greifenalmanach auf das Jahr 1956,
Rudolstadt, S. 226. Das vollständige Manuskript erschien im gleichen Jahr unter dem Titel
„Aristotelische und Brechtsche Dramatik" im Greifenverlag zu Rudolstadt. Die Polemik von
Peter Hacks dagegen: Aristoteles, Brecht oder Zwerenz, in: Theater der Zeit, 3/1957, S. 2–7.
99 Werner Mittenzwei, Brecht und kein Ende oder das Ende der Brecht-Bewegung? In: Brecht-
Dialog 1968, Berlin 1968, S. 35.
100 Werner Mittenzwei, Erprobung einer neuen Methode. Zur ästhetischen Position Bertolt Brechts,
in: Positionen. Beiträge zur marxistischen Literaturtheorie in der DDR, Leipzig 1969, S. 88 f.
101 Schriften zum Theater III, S. 36 f.
102 Arbeitsjournal, S. 914.
103 Walther Pollatschek, Die Bühne als Anleitung zum Handeln, in: Tägliche Rundschau, 14. 1. 1951.
104 Arbeitsjournal, S. 912.
105 Da sind überall Schwierigkeiten, S. 14.
106 Manfred Wekwerth, Brecht heute, in: Notate. Über die Arbeit des Berliner Ensemble 1956
bis 1966, Frankfurt a. M. 1967. S. 12 f.
107 Käthe Rülicke, Dramaturgie des Veränderns, in: Neue deutsche Literatur, 3/1965, S. 60. –
Werner Hecht teilt eine Äußerung Brechts aus einer Diskussion im Kreise Leipziger Studenten
aus dem Jahr 1955 über die Zukunftsaussichten des epischen Theaters mit. „Auf keinen Fall
ist das epische Theater eine Übergangserscheinung, denn vollkommene Beziehungen zwischen
den Menschen können nie eintreten, weder im Kommunismus noch in den darauffolgenden
Phasen" (zitiert in dem Sammelband „Erinnerungen an Brecht", Leipzig 1964, S. 325). Hans
Mayer berichtet, daß Brecht, gefragt, ob er sich von seiner Spielweise für die Zukunft noch etwas verspreche, gereizt geantwortet habe: „Für ein paar hundert Jahre auf alle Fälle!" (Mayer,
S. 230) Da es keine widerspruchsfreie Gesellschaft geben wird, kann auch ein Theater der Widersprüche nicht überflüssig werden.

108 Jurij Ljubimow, Brecht-Dialog 1968, S. 155. Vgl. Bernhard Reich, Versuche und Ergebnisse. Über die Bemühungen um Brecht im Sowjettheater, in: Theater der Zeit, 16 und 17/1965, jeweils S. 28–30.

109 Arbeitsjournal, S. 895.

110 Ernst Schumacher, Brecht-Theater und Gesellschaft im 20. Jahrhundert. 21 Aufsätze, Berlin 1973. Darin vor allem: Brecht als Objekt und Subjekt der Kritik (Vorabdruck in: Weimarer Beiträge, 2/1973, S. 46 ff.; hier besonders wichtig der Schlußabschnitt S. 65 bis 71).

111 Die von Mittenzwei schon 1967 – im Anschluß an eine Dissertation von Günter Fröschner über Lukács als Geschichtsphilosophen aus dem Jahre 1965 – versuchte Versachlichung der Lukács-Rezeption in der DDR kommt nur zögernd voran. Eine bekenntnishafte pauschale Alternative Brecht *oder* Lukacs wäre so sinnlos wie die von Lukács zur Entscheidung gestellte Wahl zwischen Thomas Mann und Franz Kafka es einmal war. Aus dem negativen Urteil Lukács' über Brecht ist ja nicht abzuleiten, daß der große Budapester Marxist prinzipiell in ästhetischen Grundfragen unrecht hatte. Die Reserviertheit Brecht gegenüber in den ersten Jahren der DDR hat ihren Grund nicht in dem einen Satz von Lukács: „So geht Brechts Kritik am sozialen Gehalt vorbei und macht aus der erwünschten gesellschaftlichen Erneuerung der Literatur ein – freilich interessantes und geistreiches – Formexperiment." (Skizze einer Geschichte der neueren deutschen Literatur, Berlin 1953, S. 142.) Mittenzwei wirft am Ende seiner Arbeit „Die Brecht-Lukács-Debatte" (Sinn und Form, 1/1967, S. 268 f.) Lukács vor, er habe die Grenze zwischen sozialistischem und kritischem Realismus verwischt, und setzt Brechts „praktikable" Arbeitsthesen dagegen. Aber Brecht wünscht so wenig wie Lukács starre Abgrenzungen zwischen beiden. Sechs von den zehn Thesen beziehen sich auf realistische Kunst überhaupt. Darüber hinaus sei an Brechts Bemerkung erinnert: „Besonders rückständig ist es, den sozialistischen Realismus in Gegensatz zum kritischen Realismus zu bringen und ihn damit zu einem *unkritischen Realismus* zu stempeln." (Schriften zur Literatur II, S. 358 ff.)

112 Rolf Rohmer, Die Sprache im sozialistischen Drama der Gegenwart, in: Theater hier und heute, S. 190 ff.

113 Hans Mayer, S. 201.

114 Vgl. S. 12 f. dieses Buches.

115 Liane Pfelling, Brecht im Spiegel sowjetischer Publikationen, in: Weimarer Beiträge, Brecht-Sonderheft 1968, S. 167 f.

116 Brecht im Buch, in: Brecht-Dialog 1968, S. 289.

117 Der Bienenstock. Blätter des Aufbau-Verlags Berlin und Weimar, Nr. 99 (Frühjahr 1973).

118 Ernst Schumacher, Drama und Geschichte. Bertolt Brechts ,Leben des Galilei' und andere Stücke, S. 458.

119 Da sind überall Schwierigkeiten, S. 22 (= Nachbemerkung von Friedrich Dieckmann).

Der Sympathisant im Getriebe. Literaten der DDR und Peter Weiss – eine wechselseitige Herausforderung

Die Zitate von Peter Weiss entstammen in der Hauptsache folgenden Bänden des Suhrkamp-Verlags, Frankfurt a. M.:

I. Materialien zu Peter Weiss' ,Marat/Sade' (1967).
II. Rapporte (1968).
III. Über Peter Weiss, herausg. von Volker Canaris (1970).
IV. Rapporte 2 (1971).

In den Zitatnachweisen erscheinen diese Bände als I bis IV. ˙

1 Abschied von den Eltern. Fluchtpunkt, Darmstadt 1964, S. 135.

2 Ebd., S. 178.

3 III, S. 9.

4 Die Bundesrepublik ist ein Morast. Interview mit Peter Weiss, in: Der Spiegel, Hamburg, 12/1968, S. 184.

5 Neues Deutschland, Berlin, 21. 5. 1965.

6 III, S. 148.
7 Der ,Fall' Peter Weiss, in: Kürbiskern, München, 1/1965, S. 95 ff.
8 Heinz Plavius, Zwischen Protest und Anpassung, Halle 1970, S. 51.
9 Heinz Plavius, Peter Weiss, Marat und die soziale Revolution – ein Grenzfall des Nonkonformismus, in: Neue deutsche Literatur, Berlin, 9/1965, S. 159 ff.
10-13 IV, S. 15–17.
14 Abschied von den Eltern. Fluchtpunkt, S. 218.
15 Thomas von Vegesack, Dokumentation zur ,Ermittlung', in: Kürbiskern, 2/1966, S. 79.
16-17 IV, S. 22.
18 I, S. 100.
19 IV, S. 27.
20 III, S. 41.
21 III, S. 142.
22 IV, S. 78 f.
23 III, S. 14.
24 IV, S. 86 f.
25 Peter Weiss, Notizen zum kulturellen Leben in der Demokratischen Republik Viet Nam, Frankfurt a. M. 1968, S. 76.
26 III, S. 112 ff.
27 I, S. 93.
28 Der ,Fall' Peter Weiss, S. 101.
29 I, S. 114.
30 IV, S. 177.
31 IV, S. 28.
32 Vegesack, S. 79.
33 Theater der Zeit, Berlin, 10/1965, S. 20.
34 Harald Hauser, Bekenntnis ohne Vorbehalte, in: Neues Deutschland, 19. 10. 1965.
35 Inge von Wangenheim, Die Gunst der Stunde, in: Neues Deutschland, 15. 10. 1965.
36 Neues Deutschland, 4. 12. 1965.
37 Manfred Haiduk, P. Weiss' Drama ,Die Verfolgung und Ermordung Jean Paul Marats . . .', in: Weimarer Beiträge, Berlin und Weimar, 1/1966 und 2/1966. Siehe vor allem S. 204 f.
38 Werner Mittenzwei, Zwischen Resignation und Auflehnung. Vom Menschenbild der neuesten westdeutschen Dramatik, in: Sinn und Form, Berlin, 6/1964, S. 898 f. und 906 f.
39 I, S. 101.
40 Klaus Höpcke, Marat hat die Wanne verlassen, in: Neues Deutschland, 14. 11. 1965.
41 I, S. 112 f.
42 Gespräch mit Peter Weiss, in: Sinn und Form, 5/1965, S. 683.
43 Die Zeit, Hamburg, 17. 12. 1965.
44 Neues Deutschland, 23. 12. 1965.
45-46 IV, S. 33 f.
47-48 Gespräch mit Peter Weiss, S. 686 f.
49 IV, S. 78.
50 Hans-Joachim Bernhard, Aus einem Arbeitsbericht zur Marat-Inszenierung, in: Dialog. Blätter des Volkstheaters Rostock, 72. Spielzeit 1966/67, Sonderheft 1, S. 64.
51 IV, S. 150.
52 IV, S. 142.
53 IV, S. 144.
54 III, S. 120.
55 III, S. 121.
56 Peter Weiss und Erich Fried, Die Entwicklung hat auch ihr Gutes, in: Konkret, Hamburg, 10/1968, S. 12 ff.
57 III, S. 138.
58 Plavius, Zwischen Protest und Anpassung, S. 9.
59 Theater in der Zeitenwende. Zur Geschichte des Dramas und des Schauspieltheaters in der DDR 1945–1968, Berlin 1972, II, S. 444 f.
60 Dichten und Trachten 25, Frankfurt a. M. 1965, S. 59 f.
61 Die Bundesrepublik ist ein Morast, S. 184.
62 Warum verkroch sich Hölderlin im Turm? Spiegel-Interview mit dem Dramatiker Peter Weiss, in: Der Spiegel, 38/1971, S. 166.
63 I, S. 94.

64 III, S. 14.
65 Kursbuch, Frankfurt a. M., 6/1966, S. 165 ff.
66 II, S. 179.
67 Warum verkroch sich Hölderlin im Turm?, S. 166.
68 „Zweifelsohne hatte Peter Weiss [. . .] noch nicht die Position eines sozialistisch-realistischen
   Künstlers erreicht, der sein Schaffen in den Kampf der Arbeiterklasse und ihres Vortrupps in-
   tegriert, aber er hatte sich bereits vom Standpunkt des bloß sympathisierenden bürgerlichen
   Künstlers entfernt und war mehr als ein potentieller Verbündeter in diesen Kämpfen geworden." So wurde Weiss' Haltung nach der „Ermittlung" und nach dem Bekenntnis zum Rostok-
   ker „Marat" zu bestimmen versucht (Theater in der Zeitenwende, S. 300). „Die Ermittlung"
   wurde im Oktober 1965 gleichzeitig in 18 Städten der DDR aufgeführt. An einer Lesung, die
   die Akademie der Künste im Haus der Volkskammer veranstaltete, beteiligten sich neben
   Schauspielern auch Schriftsteller, bildende Künstler sowie Kulturpolitiker wie Alexander
   Abusch und Hans Rodenberg.
69 Vgl. Günther Cwojdrak, Der halbierte Hölderlin, in: Die Weltbühne, Berlin, 16. 11. 1971,
   S. 1463 ff.
70 Warum verkroch sich Hölderlin im Turm?, S. 166.
71-72 Rostocker Volkstheater und Peter Weiss (Gespräch mit Hanns Anselm Perten), in: Deutsche
   Volkszeitung, Düsseldorf, 17/1973 vom 26. 4. 1973.

Das ganz neue Lachen. Die Funktion von Humor und Satire in der marxistischen Theorie
des Komischen und in der Praxis des politischen Kabaretts der DDR

1 Wolfgang Kayser, Das sprachliche Kunstwerk, 3. Aufl., Bern 1954, S. 381 f.
2 Georgina Baum, Humor und Satire in der bürgerlichen Ästhetik. Zur Kritik ihres apologetischen
   Charakters, Berlin 1958.
3 Werner Neubert, Die Wandlung des Juvenal. Satire zwischen gestern und morgen, Berlin 1966.
   (Es handelt sich um die Druckfassung einer Dissertation, die Neubert 1965 unter dem Titel
   „Gesellschaftliche Aufgaben, ästhetische Möglichkeiten der sozialistischen Satire" dem Institut für Gesellschaftswissenschaften beim Zentralkomitee der SED – Lehrstuhl für Theorie und
   Geschichte der Literatur und Kunst – vorgelegt hat.)
4 Baum, S. 48.
5 Baum, S. 75.
6 Baum, S. 7–35. Vgl. dazu auch: Wolfgang Heise, Hegel und das Komische, in: Sinn und Form,
   Berlin, 6/1964.
7 Baum, S. 130 f. Dagegen stützt sich Klaus Hermsdorf auf Jüngers „einleuchtende" Darstellung
   des komischen Konflikts und zitiert auch ausführlich dessen Urteil über den Humor, wegen seines „Seltenheitswertes in der deutschen Ästhetik". (Hermsdorf, Thomas Manns Schelme. Figuren und Strukturen des Komischen, Berlin 1968.)
8 Baum, S. 136.
9 Offenbar sieht man hier den materialistischen Grundsatz von der Existenz der vom menschlichen
   Bewußtsein unabhängig existierenden objektiven Welt berührt. Die „Sinngebung" durch den
   Menschen steht aber nicht im Widerspruch zu dieser These. Der „Widerspiegelungsfetischismus"
   läßt in dieser Frage bisher kaum Vermittlungen zu. Hermsdorf weist z. B. (S. 364 f.) die von
   Thomas Mann ausgehende Feststellung von Preisendanz zurück, „daß der epische Humor nicht
   [. . .] in einem Fundierungsverhältnis zu der Beschaffenheit des Dargestellten steht, d. h. daß
   er nicht eine Replik auf einen objektiven komischen Kontrast, nicht eine reaktive Gegenlei-
   stung ist, die darauf angewiesen wäre, daß die Bedingungen des Komischen im erzählten Sachverhalt vorhanden sind". (Wolfgang Preisendanz, Humor als dichterische Einbildungskraft,
   München 1963, S. 12 f.)
10 Neubert, S. 29.
11 1960 erschien in der DDR in der deutschen Übersetzung von Heinz Plavius das Werk „Über
   das Komische" von Jurij Borew, dessen russische Originalausgabe aus dem Jahr 1957 stammt.
   Es fehlt hier der Raum, das für die Literaturwissenschaft der DDR wichtige Anregungen geben-
   de Buch im Detail zu besprechen. In bezug auf das „Objektiv-Komische" vertritt Borew eine
   flexiblere Auffasssung: Weil die Realität vielseitig sei, solle man ihr auch von verschiedenen
   Seiten nahetreten. Der „Standpunkt" wird von Borew aufgewertet, ohne daß er „Objektives"

aufgibt: „Demnach ist eine gesellschaftliche Erscheinung, die vom philosophisch-soziologischen Standpunkt aus als absterbend, vom politischen Standpunkt aus als reaktionär und vom moralischen Standpunkt aus als falsch und böse betrachtet wird, vom ästhetischen Standpunkt gesehen komisch – besser, sie ist einer der Typen des Komischen." (Borew, Über das Komische, Berlin 1960, S. 83.)

12 Herder, Das Lustspiel. Unterredungen, in: Adrastea, 4. Stück, Suphan-Ausgabe, Berlin 1885, Band 23, S. 396.

13 Marx-Engels, Werke, Band 1, Berlin 1958, S. 381 f. Gerhard Branstner hat im Anschluß an Marx die Heiterkeit als die Menschheitshaltung historisch fortgeschrittener Zeiten interpretieren wollen, als nicht mehr naive, „erwachsene" Heiterkeit. In solchem Geiste sollten die Nachgeborenen alte Tragödien modern inszenieren. Weil in Shakespeares Hamlet schon Büchners Leonce stecke, müsse man den Hamlet historisch-ironisch zeigen, nämlich auf dem Wege zur komischen Figur. Das war ein bemerkenswerter Versuch, unter Bezugnahme auf Ausführungen von Marx über die Aufeinanderfolge von Tragischem und Komischem in der Geschichte die museale Klassikerpflege zu problematisieren. Siehe Gerhard Branstner, Historische Ironie und Tragödie, in: Neue deutsche Literatur, 3/1966, S. 119–126.

14 Neubert, S. 229–242. (Im wesentlichen identisch mit: Neubert, Komisches und Satirisches in Hermann Kants ,Aula', in: Weimarer Beiträge, 1/1966, S. 15–26.) Neubert hat außerdem in dem Aufsatz „Satire im sozialistischen Roman" (Sinn und Form, 1/1965, S. 66 ff.) einzelne komische Details oder Momente als „satirisch" bewertet bzw., wenn solche Details gehäuft auftraten, von einer „durchgehend satirischen Gestaltungslinie" gesprochen, die sich aber höchstens auf eine Figur, nicht auf die gesamte Fabel bezog. Als Beispiel nennt er vor allem Frieda Simson in Strittmatters Roman „Ole Bienkopp". Satirische Mittel sind also in Gegenwartsromanen nur berechtigt, wenn sie in einem Ensemble „aufbauender" Wertsetzungen eingebettet sind. Die Grenzen zwischen satirischen und humoristischen Details sind dabei fließend.

15 Erich Kühne, Satire und groteske Dramatik, in: Weimarer Beiträge, 4/1966, S. 545.

16 Baum, S. 109. Hervorhebung vom Verfasser.

17 Baum, S. 167.

18 Neubert, S. 13.

19 Hans-Jürgen Geerdts, Über das Wesen der Satire, in: Börsenblatt für den deutschen Buchhandel, Leipzig, 12/1954, S. 252. Man vergleiche damit Borews lapidaren (selbstbewußten oder naiven?) Satz: „Das Lachen ist seiner Natur nach demokratisch." (S. 10)

20 Inge Diersen, Realismus heute, in: Sonntag, Berlin, 44/1966.

21 Die Liste ist aus dem Nachwort des Bändchens „Vom Stacheltier gepiekt . . . " (von Harnisch, Honigmann und Seemann) zusammengestellt worden (Berlin 1960, S. 76–85).

22 Peter Nelken, Lachen will gelernt sein, Berlin 1963, S. 73.

23 Nelken, S. 95.

24 Neubert, S. 180.

25 Zitiert nach: Borew, S. 223.

26 Nelken, S. 101.

27 Baum, S. 172.

28 Baum, S. 173. – Vgl. dazu auch: Walter Püschel, Über Satire und Humor. Zu einigen Arbeitsproblemen im Eulenspiegel-Verlag, in: Börsenblatt für den deutschen Buchhandel, 5/1966, S. 79 f.

29 Baum, S. 176.

30 Paul Wiens, Abgeleitetes und wunschgemäß Reingereimtes über den internen Zusammenhang von Satire und heiterer Muse, in: Neue deutsche Literatur, 9/1961, S. 3 f.

31 Neubert, S. 198.

32 Ein wenig Streit hat es auch in der DDR darüber gegeben, ob die „kleine Mängelrüge" die einzige Form der „inneren Satire" bleiben müsse. In einer Glosse fragte Fritz Hofmann: „Was ist ein Karl Kraus, was ist ein Tucholsky gegen jene, die den heißen Puls der Epoche an der schludrigen Arbeit der Waschanstalten und dem mittelalterlichen Zustand einiger Lichtspieltheater abmessen?" Er schloß mit dem Ausruf: „Es lebe die große deutsche Bockwurst- und Klosettpapiersatire!" (In Sachen Satire, in: Neue deutsche Literatur, 1/1957.) Der Feuilletonist Lothar Kusche verteidigte in einer Polemik gegen „Herrn Fritz" die attackierte Form im Namen des Publikums, wohl wissend, daß er damit das Problem verharmlosend entschärfte: „Solche Satire, die meinetwegen die ,kleine' genannt werden kann, kommt der Masse, deren Ärgernisse sie ausdrücken will, wohl wichtiger vor als einem studierten Literaten. Es wäre kleinbürgerlich, nur ,kleine' Satire zu machen, genauso wie es zwecklos wäre, nur ,große' Satire zu machen, weil das Publikum über diese allein hinweglesen oder dabei einschlafen würde." (Kleine und große

Satire, in: Immer wieder dieses Theater, Berlin 1962, S. 139.) Das gilt sicher unter der Voraussetzung, daß „große Satire" nur westlich der Staatsgrenzen einen Gegner hat.

33 Zitiert nach: Heinz Kersten, Am Busen der Kultur, in: Deutsches Allgemeines Sonntagsblatt, Hamburg, 48/1972.

34 Neubert, S. 201.

35 Wolf Biermann, Für meine Genossen, Berlin (West) 1972, S. 60.

36-37 Georg Lukács, Zur Frage der Satire, in: Internationale Literatur, Berlin, 4–5/1932, S. 132. Die sozialistische Satire sollte also nach Lukács, wenn sie mit Recht Satire sollte genannt werden können, sich im Prinzip nicht von der literarischen Kampfform vorheriger Gesellschaften unterscheiden. Die Zurückweisung dieser Vorstellung in Theorie und Praxis beweist, daß die alte Tradition der Satirefeindlichkeit auf Seiten der Ordnung und ihrer Ideologen ungebrochen fortlebt. Wolfgang Harich schrieb, das ausgehende 18. Jahrhundert im Blick, eine bis heute für alle Ordnungen gültig gebliebene Schlußfolgerung nieder: „Indes, das Dilemma der Satire ist, daß die Epochen, die ihr in Gestalt von Mißständen den meisten Stoff bieten, auch an dem Mißstand zu kranken pflegen, ihr wenig Freiheit zur Entfaltung zu gewähren, weshalb die Anzahl der großen Satiriker, die die Weltliteratur kennt, denn auch sehr gering ist." (Satire und Politik beim jungen Jean Paul, in: Sinn und Form, 6/1967, S. 1486.)

38 Lenin, Werke, Band 33, S. 415; hier zitiert nach Neubert, S. 175.

39 „Die der Satire Abholden, die ihr Widerwilligen, werden sagen, wir haben aber eine grundsätzlich neue, eine bessere Gesellschaftsordnung, als alle vorangegangenen es waren, das macht die Satire überflüssig, läßt zumindest nur eine neue, eben die positive Satire zu. [. . .] Solch erstaunliches Unterfangen bemäntelt nicht selten die Unterstellung, wir lebten bereits in den Gefilden der Seligen. Mit anderen Worten bedeutet dieses Unterfangen die Leugnung der Notwendigkeit einer Kritik mit künstlerischen Mitteln." (E. R. Greulich, Gedanken über die Satire, in: Sonntag, 48/1955, S. 12.)

40 „[. . .] das Lachen darf kein falsches Mitgefühl wecken, darf nicht losgelöst von der gesellschaftlichen Realität versöhnlerisch werden." (Heinz Knobloch, Vom Wesen des Feuilletons, Halle 1962, S. 87 f.)

41 Ilf und Petrow, Zwölf Stühle, Berlin 1958, S. 369.

42 Baum, S. 53.

43 Baum, S. 176.

44 Nelken, S. 21.

45 Nelken, S. 15.

46 Erich Weinert, Ein Dichter unserer Zeit, Berlin 1960, S. 82.

47 Die Distel blüht zum Spaß, herausgegeben von Erich Brehm, Berlin o. J. (1958), S. 144. Das Bändchen enthält Texte der „Distel" aus den Jahren 1953 bis 1958. Herausgegeben von Hans Krause, folgten noch „Das war distel(l)s Geschoß" (1961) und „Greif zur Frohkost, Kumpel!" (1962); in der Reihe „Kabarett aktuell" des Henschel-Verlags werden den Laienkabaretts Texte zum Nachspielen und Nacherfinden angeboten.

48 Erich Brehm, Die erfrischende Trompete, Berlin 1964, S. 101 f. Brehm beruft sich hier auf die Ansicht des in Deutschland unbekannt gebliebenen sowjetischen Dramatikers Kondrat Krapiwa, die Borew zitierte: „Dann kämen auf je einen Träger des Schlechten, sagen wir, neun Vertreter der Tugend, d. h. neun Sowjetbürger – prinzipiell, ehrlich, klug und wachsam. Unter diesen Bedingungen würde jeder Versuch eines Trägers des Bösen, seine unheilvolle Geschäftigkeit zu entwickeln, unverzüglich entlarvt und unterbunden. Der Schürzung des Knotens würde sofort seine Entwirrung folgen und eine Komödie wäre überhaupt nicht zu denken" (Borew, S. 223). In den ersten Jahren nach Stalins Tod wurde in der Sowjetunion die sogenannte „Theorie der Konfliktlosigkeit" attackiert, unter anderem auch mit dem Ziel, den Spielraum der Satire zu vergrößern. Borew legt dazu eine Prozentrechnung vor, aus der hervorgeht, wie kümmerlich eine Satire aussieht, die aus einem Riesentopf voll Honigsoße mit einer winzigen Prise scharfen Gewürzes besteht: „Die Theoretiker, die die feste Dosierung des Positiven und Negativen in der Satire predigen, stellen sich die Wirklichkeit wie eine homogene Wasserlösung von 99,9 % Zucker und 0,1 % Salz vor. Woher immer man eine Probe nimmt – überall das rosige, süßliche Wässerchen. Und nur der empfindlichste Feinschmecker und Satiriker kann den Beigeschmack der 0,1 % Salz erfassen." (Borew, S. 222)

49 Nelken, S. 85.

50 Brehm, S. 102 f.

51 Brehm, S. 20.

52-54 Brehm, S. 103.

55 Brehm, S. 97.

56 Brehm, S. 184.
57 Nazim Hikmet, Hat es Iwan Iwanowitsch überhaupt gegeben?, Bühnenmanuskript, Berlin o. J.; zitiert nach Brehm, S. 100 f.
58 Das Auf und Ab, das Hin und Her von Einschüchterung und Ermunterung entspricht der wechselvollen Geschichte der DDR. Eine Chronik der „Fälle", der behördlichen Eingriffe, konnte und sollte hier nicht gegeben werden. Vgl.: Klaus Kunkel, Weder Schalmei noch Lästermaul, in: Der Monat, 127, Berlin (West), 1958, S. 22 ff., und Heinz Greul, Bretter, die die Zeit bedeuten. Die Kulturgeschichte des Kabaretts, Köln und Berlin (West) 1967, S. 405 ff.
59 Die Betriebskabaretts werden von der Gewerkschaft (FDGB) angeleitet. Vgl.: Manfred Berger, Kabarett nach vorn. Zu einigen Problemen der Kabarettbewegung, Berlin 1966. Berger stützt sich auf Neubert, den er freilich so eng wie nur möglich interpretiert. Er warnt vor bedenklichen „Subjektivismen" bei den Laienkabaretts, wie: „Wir spielen das, was uns im Leben ‚angestinkt', worüber wir uns geärgert haben" (S. 46) oder „Hauptsache, unsere Sachen kommen an" (S. 48). Ganz anders als Brehm, den er gar nicht erwähnt, schwingt er den Knüppel der Einschüchterung: „In letzter Zeit gab es nicht wenig Szenen, in denen gegen uns gelacht wurde, in denen gegen den Sozialismus, gegen unseren Staat überhaupt argumentiert wurde. Manche Kabarettisten halten sich für mutig, wenn sie wild, unsachlich, uniformiert" (Druckfehler? – soll vermutlich: „uninformiert" heißen) „und vor allem anonym gegen irgendwelche ‚Obrigkeit' bei uns ‚schießen'" (S. 54). Wie sollte man in der DDR wohl „anonym" Kabarett machen können? Berger meint, die attackierten Repräsentanten der „übergeordneten Leitungen" blieben ungenannt. Sollen sie etwa namentlich angegriffen werden, bis hinauf zur „Königsebene", wie ein unglücklicher Begriff in der literarischen Diskussion einmal gelautet hat? Das wäre doch wohl in der Sicht Bergers noch schlimmer und für die „wilden Drauflosschießer" auch wesentlich riskanter. Volker Braun gibt eine anschauliche Schilderung der Schwierigkeiten eines Betriebskabaretts in „Das ungezwungene Leben Kasts", Frankfurt a. M. 1972, S. 130 f.
60 Mitgeteilt von Lothar Kusche, Kabarettistisches, in: Die Weltbühne, 43/1971.
61 Lachen auf unsere Weise, in: Freies Wort, Suhl, Wochenendbeilage, 15/1971.

Register